BOURBON
ALC. 47°

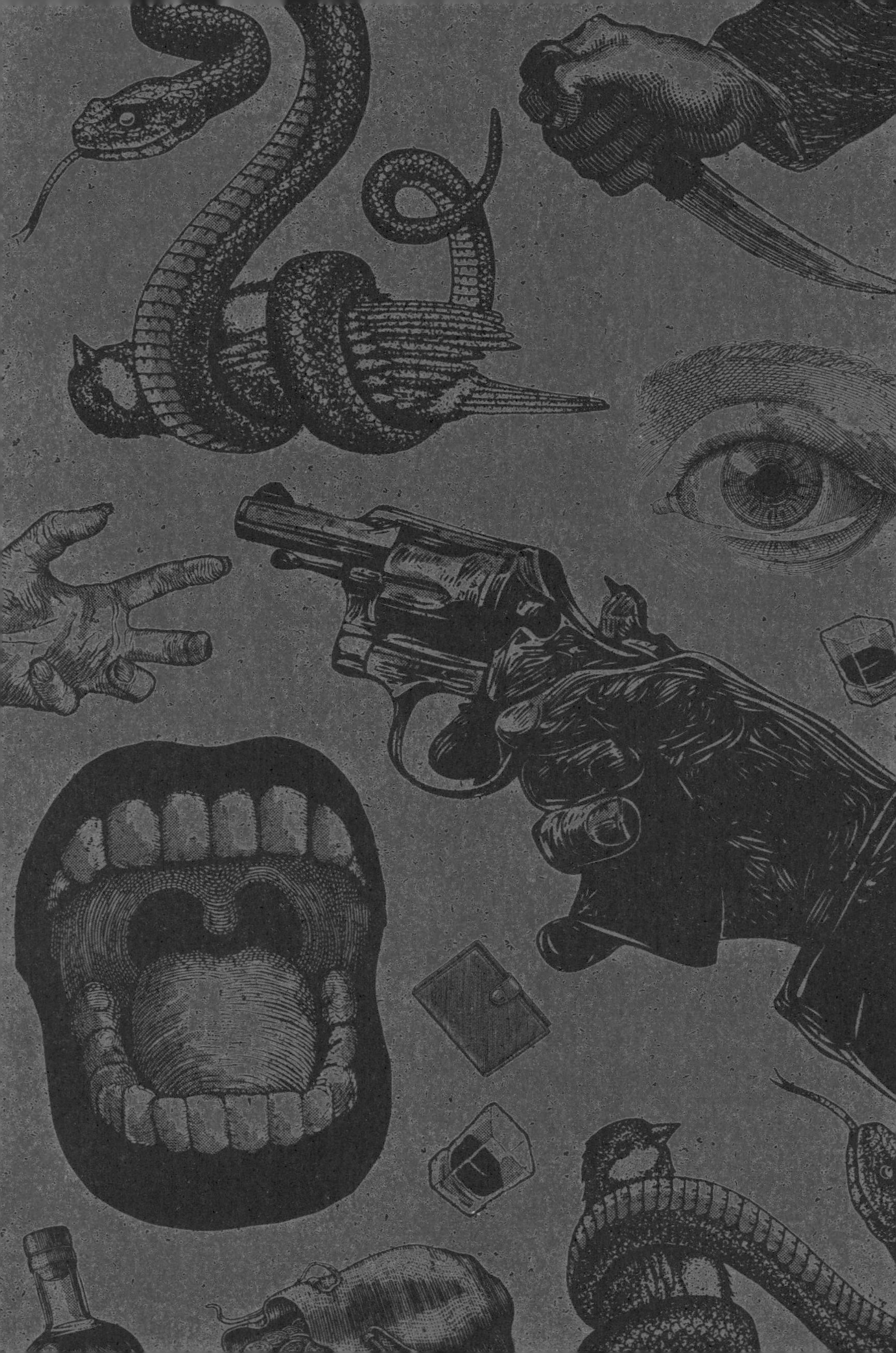

O GRANDE LIVRO DOS VILÕES E VIGARISTAS

O GRANDE LIVRO DOS VILÕES E VIGARISTAS

64 DAS MELHORES HISTÓRIAS DOS PIORES PERSONAGENS DA LITERATURA

ORGANIZAÇÃO: OTTO PENZLER

TRADUÇÃO: ELTON MESQUITA · MARCELO SCHILD

VOLUME 2

EDITORA
NOVA
FRONTEIRA

Título original: *The Big Book of Rogues and Villains*

Editora Nova Fronteira Participações S.A.
Rua Candelária, 60 – 7º andar – Centro – 20091-020
Rio de Janeiro – RJ – Brasil
Tel.: (21) 3882-8200 – Fax: (21) 3882-8212/8313

CIP-Brasil. Catalogação na publicação
Sindicato Nacional dos Editores de Livros, RJ

G779
v.2 O grande livro dos vilões e vigaristas: 64 das melhores histórias dos piores personagens da literatura, volume 2/organização Otto Penzler ; tradução Marcelo Schild , Elton Mesquita. - 1. ed. - Rio de Janeiro : Nova Fronteira, 2, 2018.

ISBN 9788520943045
1. Super-vilões - História. 2. Ficção americana - Super-vilões - História. I. Penzler, Otto. II. Schild, Marcelo. III. Mesquita, Elton.

18-50052 CDD: 813
CDU:82-3(73)

SUMÁRIO

PERÍODO ENTREGUERRAS

PÓS-SEGUNDA GUERRA MUNDIAL

OS MODERNOS

PERÍODO ENTREGUERRAS

VILÃO: ?

RETRATO DE UM ASSASSINO
Q. PATRICK

Ok, tente acompanhar: o pseudônimo "Q. Patrick" é um dos três nomes falsos (os outros são Patrick Quentin e Jonathan Stagge) usados em uma colaboração complicada que começou com Richard Wilson Webb (1902-1970) e Martha (Patsy) Mott Kelly (1906-2005) produzindo *Cottage Sinister* (1931) e *Murder at the Women's City Club* (1932). Webb então escreveu *Murder at Cambridge* (1933) sozinho, colaborando depois com Mary Louise (White) Aswell (1902-1984) em *S. S. Murder* (1933) e *The Grindle Nightmare* (1935). Ele encontrou um novo colaborador, Hugh Callingham Wheeler (1912-1987), para escrever *Death Goes to School* (1936) e mais seis títulos de Q. Patrick, o último dos quais foi *Danger Next Door* (1951); todas eram histórias de detetive no tradicional estilo britânico. Wheeler e Webb se mudaram para os Estados Unidos em 1934 e por fim se tornaram cidadãos americanos.

Estes dois criaram o pseudônimo Patrick Quentin para a história *A Puzzle for Fools* (1936), que apresentou Peter Duluth, um produtor de teatro que se mete em aventuras detetivescas por acidente. A bem-sucedida série de nove romances de Duluth inspirou dois filmes, *Homicide for Three* (1948), estrelado por Warren Douglas e Audrey Long como Peter e sua esposa, Iris, e *Black Widow* (1954), com Van Heflin (Peter), Gene Tierney (Iris), Ginger Rogers, George Raft e Peggy Ann Garner. Webb desistiu da colaboração no começo dos anos 1950 e Wheeler continuou usando o nome de Quentin, mas abandonou a série sobre Duluth para produzir romances individuais até 1965.

Wheeler e Webb também colaboraram em nove romances sobre Jonathan Stagge, começando com *Murder Gone to Earth* (1936, publicado nos Estados Unidos no ano seguinte como *The Dogs Do Bark*). A série era protagonizada pelo dr. Hugh Westlake, cirurgião-geral em uma pequena cidade do leste, e por sua filha adolescente e precoce, Dawn.

Wheeler teve uma carreira bem-sucedida como dramaturgo, ganhando o Tony Award e o Drama Desk Award por "Melhor Libreto de Musical" em 1973, 1974 e 1979 por *A Little Night Music, Candide* e *Sweeney Todd.*

"Retrato de um assassino", escrito por Wheeler e Webb sob o pseudônimo de Q. Patrick, foi publicado pela primeira vez na edição de abril de 1942 da *Harper's Magazine* e foi incluído em coletânea pela primeira vez em *The Ordeal of Mrs. Snow* sob o pseudônimo de Patrick Quentin (London, Gollancz, 1961).

RETRATO DE UM ASSASSINO

Q. PATRICK

Esta é a história de um assassinato. Um assassinato cometido de forma tão sutil, tão discreta, que eu, cúmplice acidental antes e depois do ocorrido, nem sequer notei que um crime tinha acontecido, na época.

Somente aos poucos, ao longo dos anos, aquela série de incidentes que pareciam tão inócuos ajustou-se em um padrão mental que esclareceu para mim tudo o que havia acontecido durante minha estadia em Olincourt com Martin Slater.

Martin e eu estudávamos em uma escola inglesa juntos durante a segunda metade da Primeira Guerra Mundial. Aos 14 anos, Martin era um rapaz bem comum, com cabelo desgrenhado, olhos castanhos sagazes e o cheiro típico de borracha e giz que os estudantes têm. Pouco havia que o distinguisse do resto de nós, exceto seu pai, Sir Olin Slater.

Sir Olin, no entanto, era mais do que o suficiente para que Martin fosse dolorosamente incomum. Enquanto pais respeitáveis envergonhavam os filhos aparecendo na escola apenas em ocasiões especiais como o Dia dos Esportes ou o dia da Entrega de Prêmios, Sir Olin cercava o filho como uma assombração. Quase toda semana esse baronete evangélico podia ser visto — um hipopótamo rosado e rechonchudo, caminhando pelo terreno da escola, com o braço enrodilhado indecentemente ao redor de Martin. Na mão livre ele levava uma sacola de chocolates que oferecia a todos os meninos que encontrava com admoestações devotas para que levassem vidas mais nobres e mais doces.

Martin se retorcia com esses abraços públicos. E tudo piorava ainda mais pelo fato de seu pai sofrer de uma terrível doença da garganta, que transformava cada sílaba pronunciada em um arremedo patético do idioma inglês. Essa doença (que provavelmente era câncer) não parecia ser uma realidade para Sir Olin. Ele achava que os outros nem sequer notavam sua pronúncia deformada. Ao menos uma vez por semestre, para nossa grande alegria (e para grande desconforto de Martin), ele era convidado para fazer um discurso religioso informal diante de toda a escola — ou "ladainha", como chamávamos. Quando me sentava perto de Martin no Auditório, reprimindo uma vontade absurda de rir, eu via os nós dos dedos dele ficarem lívidos enquanto seu pai, do palanque, nos instava, os "meus meninos", a nos mantermos fortes e puros, e a confiarmos na Misericórdia de Deus, ou, na sua pronúncia, a "Miverigórvia vi Vêuz".

A solicitude devota de Sir Olin para com seu amado "menino" também se expressava por escrito. Toda manhã, mais regular que o nascer do sol britânico, aparecia na bandeja do café de Martin o envelope azul com o brasão da família Slater. Martin era um garoto calado. Ele nunca disse uma palavra que indicasse que as extravagâncias de Sir Olin fossem um tormento para ele, mesmo quando ouvíamos o deboche e os risinhos dos outros garotos à mesa: "Outcha catcha pu meu mininu." Mas notei que ele não abria os envelopes a não ser que seus dedos sensíveis detectassem dinheiro dentro deles.

A maioria dos outros garotos desprezava Martin por causa das gafes que seu pai cometia. E minha amizade próxima com ele talvez tivesse sido maculada por condescendência se não fossem as cestas de "merenda" que a sra. Slater enviava de Olinscourt. E que merenda providencial, vindo na época em que os submarinos alemães estavam apertando todos os cintos ingleses. Sendo um garoto magrelo e perpetuamente faminto, eu nunca me mostrava mais solícito para com Martin Slater do que quando meu colega e eu nos esgueirávamos sozinhos para dar conta das carnes suculentas, mousses de frango, os pêssegos gostosos e tortas de chocolate cobertas com glacê de dar água na boca.

Martin compartilhava do meu entusiasmo por esses festins secretos, mas ele tinha uma outra obsessão da qual eu não compartilhava. Ele era um inventor. Inventava dispositivos mecânicos complexos, geralmente improvisados a partir de peças de despertadores (ele sempre tinha uns cinco ou seis em diferentes estágios de desmantelamento). Na época, ele se especializara em alarmes contra ladrões. Ainda me lembro daqueles sete ou oito pivetes que ele costumava atrair para nosso quarto à noite com tortas de ameixa e salgadinhos de salsicha fáceis de roubar; e quase consigo ouvir meu próprio coração batendo enquanto esperávamos na escuridão para vermos a última invenção de Martin para deter invasores.

Esses episódios emocionantes terminaram abruptamente, no entanto, quando um professor insensível nos flagrou, confiscou todos os relógios de Martin e lhe deu cem linhas para copiar no caderno como punição pela bagunça.

Sem esses passatempos proibidos, as longas noites de apagão do período de guerra pareciam ainda mais longas e mais frias. Foi Martin quem desenvolveu um sistema para dissiparmos a friagem sinistra que se instalava todas as noites sobre o colégio como um miasma, aquecendo nossas camas frias e nossos corpos subnutridos. Ele inventou a luta livre — ou melhor, adaptou e simplificou os princípios dessa arte para nossas condições. Suas regras eram simples, beirando a não existência. Você devia aproveitar todas as vantagens que aparecessem. Devia causar o máximo de dor possível; e devia ser totalmente inescrupuloso com o único objetivo de fazer o oponente admitir derrota com a frase: "Eu desisto, cara. Você venceu."

Não achávamos que nos faria mal exercitar o sadismo inerente das crianças uns nos outros. Aquilo nos aquecia e nos tornava mais durões. E talvez de alguma forma sutil, estabelecia entre nós alguma intimidade e respeito mútuo.

Embora Martin tivesse sobre mim a vantagem do peso e da idade, eu por sorte era mais resistente e talvez mais astuto. À medida que aprendia a técnica de Martin, comecei a desenvolver defesas e contra-ataques eficientes. Tão eficientes, de fato, que comecei a vencer quase todas as noites, terminando por cima dele com uma regularidade monótona.

E aquele foi o primeiro e maior erro que cometi em meu relacionamento com Martin Slater. Eu deveria saber que não é sábio vencer demais em um jogo. Especialmente quando jogamos com um assassino em potencial que, eu suspeito, já nutria por qualquer derrota, moral ou física, um ódio que era quase patológico, e que se tornava cada vez mais violento.

Eu tive prova dessa violência certa noite quando, menos escrupuloso que Hamlet ao lidar com Cláudio, ele me atacou quando eu estava ajoelhado, tremendo de frio ao lado da ama, cumprindo o ritual de "dizer minhas preces". O ataque foi certamente traiçoeiro. Ocorreu antes da hora especificada, enquanto a governanta ainda estava à solta pelos corredores. E também, embora armas e outros itens não fossem permitidos, ele iniciou seu ataque arremessando uma toalha molhada na minha cabeça, torcendo-a ao redor do meu pescoço e me puxando para trás. A toalha estava bem molhada, e respirar dentro dela estava fora de questão.

Com o puxão inicial, que quase me estrangulou, minhas pernas se estenderam para a frente, sob a cama, onde só podiam chutar fracamente contra as molas do colchão, de forma que eu não tinha apoio para sacudir Martin, que sentara com todo o seu peso no meu rosto, prendendo meus braços com os joelhos. Eu era um prisioneiro indefeso com uma toalha molhada no rosto e uns cinquenta quilos entre mim e o ar de que eu tanto precisava.

Freneticamente eu grunhi minha rendição completa. Bati com as mãos no chão mostrando que me rendia. Mas Martin continuou sentado, implacável. Por um instante eu conheci o pânico do sufocamento iminente. Arranhei, bati, mordi; mas era como estar enterrado trinta metros sob o solo. Então tudo começou a escurecer, incluindo (como eu depois soube) meu próprio rosto.

Fui salvo misericordiosamente pela aproximação da governanta, que perambulava por ali e entrou de supetão no quarto, soprando a vela sem se dar conta de que um dos alunos quase tinha se tornado a primeira vítima de homicídio de Martin.

Martin pediu desculpas na manhã seguinte, mas havia uma estranha expressão em seu rosto quando ele acrescentou:

— Você estava ficando muito metido, cara, ganhando de mim toda noite.

Um pedido de desculpas mais tangível foi oferecido na forma de um convite para visitar Olinscourt no feriado. Eu considerei as desvantagens de passar quatro semanas sob a tutela carola de Sir Olin comparadas com a chance de ter acesso àquelas cestas de comida celestiais na fonte. Inevitavelmente, meu estômago de colegial decidiu por mim, e eu fui.

Para nossa satisfação, quando chegamos em Olinscourt soubemos que Sir Olin estava viajando em uma turnê motivacional pelos reformatórios e prisões do oeste da Inglaterra. Era quase como se ele não existisse para nós, se não fosse pelo envelope azul diário na bandeja do café de Martin.

Lady Slater era uma anfitriã admiravelmente discreta — um vulto humilde que perambulava de forma indistinta pela propriedade em sapatos sem salto, usando vestes cor de rapé, que em minha mente eu associo à palavra "gabardina". Ela só se fazia notar quando propiciava refeições substanciais para nós, os "meninos em fase de crescimento" (atenuando um pouco o sabor da comida com sua emanação de carolice), e permanecia a maior parte do tempo em algum retiro só seu, em meditação.

Martin e eu, sozinhos, passamos longos dias em atividade febril em sua oficina prodigiosamente equipada, liberando todos os impulsos criativos que tinham sido reprimidos na escola e que, como ele insinuou em tom de desculpas, seriam novamente reprimidos quando Sir Olin retornasse. Nascido e criado em Londres, não havia nada de que eu gostasse mais do que vagar sozinho pelo terreno amplo e pelas terras de cultivo de Olinscourt, seguido lentamente por um terrier escocês sisudo chamado Roddy.

A antiga casa de arquitetura tortuosa também era empolgante, especialmente porque no segundo dia da minha visita eu descobri uma câmara misteriosa, uma enorme sala trancada no primeiro andar, que descobri ser o escritório de Sir Olin. Martin se mostrou tão curioso quanto eu pelo fato de a sala, que normalmente era bastante utilizada, estar fechada. A única resposta que obtivemos dos criados foi que a sala sofrera algumas alterações de natureza desconhecida, e que as ordens eram para mantê-la fechada até o retorno de Sir Olin.

O mistério romântico, que apenas Sir Olin poderia solucionar, quase nos fazia ansiar pelo retorno do baronete. Ele chegou inesperadamente algumas noites depois e apareceu em nosso quarto, derramando-se em demonstrações de afeto enjoadas, enquanto ceávamos — a refeição favorita de Martin, que ele adorava prolongar o máximo possível. Mas, naquela noite, não iríamos terminar nossa deliciosa maionese de salmão. Ansioso para retomar a luta-livre espiritual com seu amado menininho, Sir Olin mandou que retirassem nossos pratos imediatamente e nos mandou prestar atenção, pois iríamos participar do "Cantinho Quietinho" — uma das provações mais mortificantes de nossa estadia em Olinscourt.

Começou com Sir Olin lendo um livro de sua autoria, publicado por conta própria, intitulado: *Cinco minutos de conversa com um jovem rapaz.* Quando essa "conversa" — na verdade monólogo — terminou, Sir Olin se recostou na cadeira com as mãos cruzadas sobre a ampla barriga, e nos convidou, com um sorriso intimista, a contar nossos problemas para ele, nossos pecados e tentações recentes. Nós nos contorcemos, sem graça e sem jeito, tentando pensar em algum pecado ou tentação adequados; e então o baronete aliviou nossa situação com uma longa oração improvisada, finalmente interrompida, graças aos céus, pelo ressoar do gongo anunciando o jantar no andar de baixo. Então, depois de pousar as mãos em bênção sobre nossas cabeças, Sir Olin nos beijou — eu na testa e Martin bem na boca — e nos mandou para a cama.

Ali, pela primeira vez desde minha chegada a Olinscourt, Martin se lançou sobre mim com uma selvageria súbita que em muito ultrapassava suas demonstrações de raiva na escola. Sentindo seus dedos apertando minha garganta, fiquei indefeso imediatamente e logo me rendi.

— Jure que você não vai contar pro pessoal na escola sobre ele beijando a gente — exigiu ele, ríspido.

— Eu juro, cara — murmurei.

— Nem sobre as ladainhas que ele vai ler toda noite.

E só depois que jurei solenemente ele me soltou.

Na manhã seguinte ficou imediatamente óbvio que, com o retorno de Sir Olin, os bons dias tinham acabado. E, após sua chegada, Lady Slater partiu em alguma jornada de propósito missionário, um fato que sugeria que ela apreciava a companhia do marido tanto quanto nós. No lugar de sua graça humilde, mas fervorosa, Sir Olin nos obrigava, e a todos os seus criados, a participar de dez minutos de oração — tudo pertinho do sabor e do cheiro tentador dos gloriosos ovos mexidos e do pescado frito que rebrilhavam e chiavam tentadoramente na mesa do café.

Mas pelo menos o baronete solucionou o mistério do escritório fechado, e de forma bem dramática. Imediatamente após o café da manhã, no seu primeiro dia de volta à casa, ele nos convocou para o grande aposento forrado de livros e anunciou com uma risadinha: "É uma *xupresinha* pra você, Martin, meu garoto. Prestem atenção na prateleira do centro."

Nós observamos com a respiração presa quando Sir Olin tocou em um interruptor oculto e a prateleira girou suave e silenciosamente, revelando atrás de si o metal baço de uma porta pesada. E no centro dessa pesada porta havia uma combinação giratória de bronze brilhante.

— Ah, pai, é um cofre secreto! — O rosto de Martin se iluminou de entusiasmo.

Sir Olin deu outra risadinha e tirou do bolso um pesado relógio de ouro. Ele abriu o relógio como se para consultar algum número da combinação, e começou a girar o mostrador giratório para um lado e para o outro. Aos poucos, como se deslizasse sobre engrenagens oleadas, a pesada porta se abriu, revelando não apenas um cofre, mas uma ampla câmara quadrada, com uma mesa pequena e várias gavetas de tamanhos diferentes, que evocavam os modernos cofres dos bancos. Ele nos convidou a entrar e o fizemos, tremendo de emoção. Sir Olin nos mostrou algumas de suas maravilhas, explicando que tinha retirado seus bens de maior liquidez do banco em Londres para guardar ali, de forma a resguardar o futuro financeiro de seu querido menino da ameaça destrutiva dos dirigíveis alemães. Ele girou um botão e puxou uma gaveta brilhando com moedas douradas. Ele nos mostrou outras gavetas contendo tudo que era negociável no tesouro terreno dos Slaters, ostentando títulos como HIPOTECAS, SEGUROS, AÇÕES, PARTICIPAÇÕES, TÍTULOS DO TESOURO etc.

Diante desta elaborada manifestação de solicitude paterna, Martin fez a pergunta que eu já esperava ouvir:

— E tem um alarme contra roubo, pai?

— Não. Não. — Os dedos gorduchos de Sir Olin acariciaram o cabelo do filho com indulgência. — Por que não tenta fazer um no seu tempo livre, filhote?

Eu logo descobri, no entanto, que tempo livre era um bem raro com Sir Olin por perto. O baronete, um cavalheiro inglês apaixonado pelo campo, estava determinado a incutir no único filho e herdeiro o mesmo entusiasmo. Todas as manhãs após o café, Martin, que ansiava por estar em sua oficina, era obrigado a passear pelo terreno da família com o pai, passando por celeiros e estábulos, pastos e terrenos cultivados, ouvindo um monólogo interminável sobre como Sir Olin, o 11º baronete, com a ajuda de Deus, estava dispondo tudo perfeitamente para o 12º baronete, o futuro Sir Martin Slater. Geralmente eu ia atrás deles, acompanhado do único admirador de Sir Olin, o austero Roddy, que encarava como em um transe os flancos lustrosos das vacas cujo leite e creme enriqueceriam os cestos de merenda do próximo semestre; os porcos cuja silhueta já sugeria o formato de futuros salgadinhos de salsicha; as galinhas cuja fartura eu transformava imaginativamente em coxas, asas e fatias de peito suculento e firme.

Todos os dias Sir Olin voltava conosco de nossas excursões pelo campo a exatamente cinco para a uma, o que mal nos dava tempo de lavar as mãos para o almoço. E depois do almoço, até a hora do chá, o baronete, ansioso para compartilhar dos momentos de diversão do filho tanto quanto dos momentos sérios, nos levava para cavalgar ou arremessava bolas trôpegas para nós na rede de críquete, numa tentativa inútil de melhorar nosso estilo de rebater em um jogo que ambos detestávamos.

Ao chá das quatro e meia se seguia nosso único período de descanso real. Pois às cinco, pontual como o relógio de Sir Olin, seu corretor imobiliário chegava de Bridgewater, e os dois ficavam trancados na biblioteca até as sete, quando então soava o gongo para o jantar e Sir Olin guardava documentos e pastas na caixa-forte e seu corretor ia embora.

Nem preciso dizer que Martin e eu abençoávamos diariamente o nome do corretor imobiliário, embora ele tivesse o infeliz nome de Ramsbotham. E também não preciso dizer que a chegada dele era nossa deixa para sumirmos dali — eu para minhas caminhadas sem rumo, Martin para sua oficina, até a hora da ceia.

A própria ceia, que era o momento mais glorioso do dia, perdeu seu encanto. Pois Sir Olin, ao contrário da esposa, era indiferente à comida. Ansioso pelo "Cantinho Quietinho", ele nos dava apenas escassos 12 minutos para nos alimentarmos. Sua aparição, vestido em um paletó cor de vinho, sinalizava a remoção imediata de nossos pratos, e vi muitas porções suculentas sendo tomadas de mim. Martin gostava de boa comida tanto quanto eu, mas sendo um epicurista mais refinado, era incapaz de comer às pressas. E frequentemente tinha que suportar o "Cantinho Quietinho" e o beijo de boa noite do pai de estômago vazio.

Alguns dias depois Sir Olin apresentou uma nova tortura a Martin. O baronete decidiu que o filho já estava crescido o suficiente para aprender alguma coisa sobre os negócios da propriedade que um dia herdaria. Três vezes por semana, Martin era solicitado das cinco às sete na biblioteca com o pai e Ramsbotham. Isso lhe dava apenas duas horas às terças, quintas e sábados para trabalhar na amada oficina. E pelo menos três vezes por semana, o tempo que ele tinha para cear ficava ainda mais curto.

Acho que foi por essa época que comecei a notar uma mudança em Martin. Ele se tornou ainda mais silencioso e seu rosto empalideceu; marcas escuras apareceram sob seus olhos. Suspeito que essas marcas se deviam em parte ao fato de que ele, para compensar o tempo longe da oficina, ia para lá trabalhar durante a noite. Digo que suspeito porque ele nunca me falou nada a respeito; mas em duas ocasiões em que acordei depois da meia-noite, sua cama estava vazia, e pela janela aberta eu pude ver uma luz bruxuleante na oficina.

Meu palpite é que o último estágio começou para valer na noite de sábado, no final de minha terceira semana em Olinscourt. O gongo tinha soado e, ao passar pela biblioteca, ouvi o retinir de uma campânula. Fiquei surpreso, pois o telefone tocava muito raramente ali, geralmente apenas em ocasiões muito importantes. Martin, que se juntara a mim na escada, exprimiu aquilo pelo que eu ansiava.

— Olha só, será que não é alguém chamando o meu pai pra sair, ou alguma coisa boa assim?

E mais tarde, enquanto eu tomava banho apressado, ouvi o som de um motor de carro dando partida, e da janela Martin anunciou, empolgado:

— É o carro do velho Ramsbum, e acho que estou vendo meu pai com ele. Ele ainda não subiu para se trocar. Espere aí que vou à biblioteca dar uma olhada.

Ele voltou alguns minutos depois com a boa notícia de que seu pai, não estando por lá, deveria ter saído mesmo com o sr. Ramsbotham, o que significava que ele poderia se demorar a seu bel-prazer na ceia. E foi uma ceia deliciosa — truta fresca e depois framboesas e creme —, trazida até nós por ninguém menos que Pringle, o chefe dos mordomos.

— Perdão, mestre Martin — disse ele, com um pigarro —, mas o senhor sabe se Sir Olin vai descer para jantar?

— Acho que ele foi até Bridgewater com o sr. Ramsbotham. — A boca de Martin estava cheia de ervilhas. — Ele foi requisitado para dar uma palestra em um reformatório para rapazes lá no sábado. E alguém o chamou no telefone.

— Entendo, senhor, mas ele não mencionou isso comigo. — Pringle retirou-se com uma expressão de desaprovação engomadinha e nos deixou com a compreensão prazerosa de que não haveria "Cantinho Quietinho" nem beijo de boa noite.

E não houve orações na manhã seguinte, pois Sir Olin ainda não tinha retornado. Era de se imaginar que ele estava exausto de edificar os rapazes do reformatório e passara a noite em Brightwater com o sr. Ramsbotham. E como era domingo, não houve perguntas quanto à sua ausência.

Martin, com expressão animada, correu para a oficina imediatamente após o café, e eu decidi dar um passeio. Foi então que ocorreu um desses incidentes que pareceram triviais na época, mas que depois, com a perspectiva do tempo passado, surgem em toda sua importância.

Eu assobiei para Roddy, geralmente ansioso para me acompanhar em minhas caminhadas, mas suas patinhas sôfregas não responderam ao meu chamado. Eu assobiei novamente e então comecei a procurar por ele, chamando:

— Ei, Roddy! Mas que praga!

O som de lamúrias vindo do escritório solucionou o enigma. Pelo jeito Roddy encontrara uma praga mesmo — algum rato —, pois estava arranhando a prateleira de livros central e emitindo um estranho som choroso.

Eu o induzi a me seguir, mas pouco depois, quando me voltei para olhar, ele tinha sumido. E aquilo por si só era algo inédito.

Outro incidente que pareceu não ter importância na época ocorreu ainda pela manhã, quando cheguei em casa do passeio. O dia estava quente, e eu tinha tirado o blazer da escola antes de sair, pendurando-o em um gancho no corredor perto da porta da frente. Quando retornei, o blazer estava lá, mas pendurado de cabeça para baixo. Quando eu o puxei, várias cartas caíram dos bolsos. Eram de Sir Olin para o filho, e eu compreendi imediatamente que Martin fora almoçar sem esperar por mim, levando o meu blazer por engano. Eu peguei as cartas — todas, conforme achei —, enfiei-as de volta nos bolsos e esqueci daquilo. Acho que nem chegamos a destrocar os casacos.

Na manhã seguinte, Martin fez algo raro. Ele se levantou antes de mim e se encontrava em seu lugar à mesa do café quando desci. À sua frente estava uma carta fechada, e imediatamente reconheci a escrita no envelope como sendo de seu pai.

Quando Pringle trouxe o café, ele disse, com sua costumeira tossezinha de quem pede desculpas:

Quando recolhi as cartas do corredor, mestre Martin, tomei a liberdade de averiguar e vi que havia uma para o senhor, de Sir Olin. Gostaria de saber se ele menciona sua data de retorno nela.

— Só um segundo, Pringle — disse Martin, e encheu o prato de *kedgeree*.* — Vou ler e te digo.

* Prato britânico com origem no kitchari indiano. (N. do T.)

Assim que Pringle se retirou, empertigado, Martin abriu o envelope e puxou duas páginas cheias com aquele garrancho retorcido e familiar. Ele passou a vista na primeira página rapidamente, murmurando:

— É só a ladainha de sempre.

— Ele diz quando vai voltar? — perguntei.

— Espere, tem algo aqui no fim.

E quando os passos de Pringle soaram ali perto, ele me entregou a primeira página da carta e o envelope, dizendo com urgência:

— Tome, jogue isso no fogo. Eu prefiro morrer a deixar Pringle ver essa bobajada toda.

Imediatamente joguei a primeira página cheia de bobajada junto com o envelope no fogo, e ouvi a voz de Martin, treinada para soar inocente aos ouvidos de Pringle:

— Aqui, Pat, leia isso. Você entende a letra do meu pai melhor do que eu.

Ele me passou a segunda página e eu li:

E assim, querido filho, estarei junto de você novamente em três ou quatro dias. Enquanto isso, rezo para que a Orientação de Deus... etc... etc...

A carta não tinha nenhuma indicação do seu paradeiro.

Nós informamos a Pringles do teor da carta e ele pareceu satisfeito, embora um tanto ressentido por não ter sido informado pessoalmente sobre a ausência do patrão. Ainda mais ressentido e bem menos satisfeito ficou o sr. Ramsbotham quando chegou na hora costumeira aquela tarde. Não, ele não tinha levado Sir Olin até Bridgewater nem a lugar algum. A palestra no reformatório fora combinada definitivamente para o próximo sábado. Ele teve que aceitar a prova da carta que Martin apresentou, mas comentou que achava tudo aquilo muito frustrante... e bem estranho. E tornou-se ainda mais frustrante e estranho quando se descobriu que ninguém conduzira Sir Olin até a estação.

Eu não sei exatamente quando alguém começou a ficar alarmado com a ausência continuada de Sir Olin, mas em algum momento o sr. Ramsbotham deve ter telefonado para Lady Slater pedindo que ela retornasse. Mas já antes de sua volta eu esquecera momentaneamente do baronete desaparecido e me dediquei apenas a aproveitar bem a vida sem ele.

Para um adulto pode parecer estranho que, diante das circunstâncias narradas, eu não tenha me preocupado quanto à segurança de Sir Olin. Só posso dizer que a mente infantil não é lógica; que os eventos que precederam o desaparecimento do baronete não tinham nenhum contorno sinistro para mim na época; e que é só agora, ao lembrar do passado, contextualizando cada incidente, que consigo notar a terrível inevitabilidade do padrão que estava se formando.

A próxima notícia que recebi trazia novas emoções. A necessidade de pagar os criados e as contas mensais tornaram imprescindível que o cofre, que continha entre outras riquezas todo o dinheiro vivo dos Slater, fosse aberto. Uma vez que apenas Sir Olin conhecia a combinação, finalmente foram feitos arranjos para que os mesmos profissionais de Londres que tinham construído o cofre viessem arrombar a tranca.

Nos avisaram que ficássemos longe na hora em que o cofre fosse dinamitado, mas nada teria conseguido me manter afastado do local. Eu consegui convencer um Martin curiosamente hesitante a me acompanhar, e quando os especialistas chegaram para preparar a dinamite nós já estávamos escondidos atrás de um sofá no escritório empoeirado.

Mesmo agora consigo reviver aqueles momentos tensos em que esperamos atrás do sofá. Ainda posso sentir o cheiro mofado de brocado velho. Posso ouvir a respiração de Martin ficando cada vez mais forte e rápida enquanto esperávamos; vejo seu rosto pálido e imóvel; e ouço as palavras sussurradas dos trabalhadores começando o trabalho perigoso.

E então, antes do que eu esperava, veio a explosão. Foi horrível, sacudiu o escritório e pareceu abalar até os alicerces de Olinscourt. Martin e eu batemos as cabeças ao nos levantarmos de supetão, mas eu nem me dei conta da dor. Estava vendo os fios de fumaça negra que se serpenteavam da porta do cofre. Em meio à fumaça, nós ouvimos:

— Isso deve bastar. Aqui, me ajude aqui.

Martin e eu observamos quando os homens começaram a empurrar a pesada porta do cofre. Pringle postava-se perto deles, ansioso. Eu podia vê-lo em meio à fumaça que se dissipava. Notei outra vez a respiração pesada de Martin, seus olhos castanhos inescrutáveis encarando fixamente a porta do cofre que se abria aos poucos.

Então ouvi uma exclamação abafada de um dos homens, seguida do latido de Roddy, que dera um jeito de entrar na câmara. Acima dos latidos, veio a voz de Pringle:

— Santo Deus do céu, é Sir Olin!

E então eu vi: o corpo de um homem atarracado debruçado sobre a pequena mesa dentro do cofre. Vi o brilho baço de um revólver em sua mão, a mancha púrpura de sangue na têmpora esquerda. Vi os homens se movendo hesitantes em sua direção para erguê-lo — e então outra vez a voz de Pringle, avisando:

— Deixem que a polícia faça isso. Ele está morto. Deu um tiro na cabeça.

Por um momento fiquei encarando o corpo caído com o fascínio de uma criança que vê a morte pela primeira vez. Um vago odor invadiu minhas narinas. Era provavelmente o odor de pólvora, mas, para minha mente infantil, aquele passou a ser o cheiro da morte. Eu conheci o terror súbito e total. Empurrei Martin, correndo escadas acima para o lavabo no quarto andar. Sentia-me muito enjoado.

Não sei quanto tempo fiquei lá trancado no lavabo. Não me lembro de quais eram meus pensamentos, exceto que eu sentia um desejo incontrolável de ir para casa — caminhar, se fosse necessário, até a Londres devastada por dirigíveis —, de fugir para longe do horror daquilo que eu vira no cofre.

Devo ter ficado lá por horas.

Alguém chamou meu nome. E eu saí do lavabo acanhado e vi Pringle no andar de baixo. Ele disse:

— Mestre Pat, o senhor está sendo chamado ao quarto de Lady Slater. O senhor e mestre Martin.

Encontrei Martin hesitante, perto da porta do quarto da mãe. Ele parecia também ter ficado enjoado. Lady Slater sentava-se à janela do seu *boudoir.* Sua roupa de gabardina cor de rapé fora trocada por roupas de um negro funéreo, mas não havia sinal de luto ou lágrimas em seu rosto. Mesmo naquele momento cruel, parecia algo fora do seu alcance tornar-se humana. Em meio a uma névoa de fraseados carolas, ela nos disse o que eu já sabia: que Sir Olin tirara a própria vida.

— A terrível doença em sua garganta... nós não sabemos o quanto ele estava sofrendo... ele explicou tudo em uma carta para mim... nós não devemos julgá-lo... — e então ela estendeu um envelope grosso para Martin. — Ele também deixou uma carta para você, filho.

Martin pegou o envelope e eu não pude deixar de notar que seus dedos o apalparam instintivamente para detectar a presença de cédulas de dinheiro, como ele sempre fizera na escola.

— E ele também deixou um pacote para você. — Lady Slater deu a Martin um pacote quadrado cuidadosamente embrulhado. E então continuou: — É a mesma letra do envelope. São para você, Martin, abra e faça com isso o que quiser.

Depois, Lady Slater desceu as escadas conosco até a grande sala de estar. Um policial do vilarejo postava-se à porta. Um cavalheiro de porte militar conversava com Pringle, o mordomo, e com o sr. Ramsbotham. Uma figura indistinta e encurvada postava-se ao lado deles — o médico local.

Atrás de um bigode eriçado, o cavalheiro de porte militar nos interrogava, Martin e eu, sobre o dia do desaparecimento de Sir Olin. Martin, surpreendentemente seguro de si, contou nossa história simples. Nós achamos ter ouvido o telefone tocar na biblioteca. Martin acreditava ter visto de relance Sir Olin partindo com o sr. Ramsbotham de carro. Ele presumiu que seu pai tinha partido para dar sua palestra no reformatório. Na segunda pela manhã havia uma carta de Sir Olin na bandeja de Martin dizendo que ele não retornaria ainda por alguns dias.

O problema daquela carta, que nos deixara a todos com uma falsa sensação de tranquilidade, foi considerado em seguida. O bigodudo observou que devia ter sido uma carta de Sir Olin para o filho, em alguma data anterior, e que, por acidente, fora confundida com a correspondência do dia deixada no capacho em frente à porta. Foi ali que eu me lembrei como, em minha pressa para almoçar no dia do desaparecimento de Sir Olin, eu pegara o blazer dependurado no corredor. Lembrei como os envelopes fechados tinham caído do bolso do blazer. Com a certeza do pecado que apenas as crianças sentem, eu achei que toda a tragédia tinha acontecido por minha culpa. E, com mais confusão que coragem, eu comecei a gaguejar meu segredo culposo.

Martin, que me observava o tempo todo, pôde corroborar minha história e admitiu, corando embaraçado, que nem sempre abria as cartas do pai assim que chegavam. As sobrancelhas marciais se ergueram um pouco, e o assunto da carta ficou por aí. "O amiguinho de Martin" derrubara alguns envelopes fechados de Sir Olin para Martin do blazer deste; ele não pegara todos do chão, esquecendo-se de um deles. Na manhã seguinte, o mordomo o encontrara no capacho e imaginou tratar-se da correspondência matinal regular... um acidente lamentável.

O senhor de porte militar virou-se para Lady Slater:

— Há mais uma coisa, Lady Slater. Sir Olin foi até o cofre na noite de sábado e não foi mais visto. Devemos presumir que ele não saiu mais de lá. De fato, ele não teria podido abrir a pesada porta pelo lado de dentro nem se quisesse.

Martin agora observava o sujeito de bigodes eriçados com um brilho nos olhos.

— E, no entanto, Lady Slater, o dr. Webb aqui me disse que o seu marido na verdade morreu há menos de 24 horas. Hoje é quinta-feira. O que quer dizer que Sir Olin deu um tiro na cabeça durante o dia de ontem. Em outras palavras, ele deve ter passado os três dias antes disso vivo no cofre.

Ele limpou o pigarro.

— Essa carta que ele deixou para a senhora não deixa dúvidas de que ele tirou a própria vida, mas gostaria de saber se a senhora não poderia, ahm, oferecer alguma explicação sobre por que ele teria se demorado tanto... por que ele teria passado esse período sem dúvida desconfortável dentro do cofre. Por que ele teria esperado até o oxigênio estar quase no fim, por que ele...

— Ele tinha que escrever algumas cartas. Últimas instruções e pedidos a fazer. — Os olhos de Lady Slater piscaram. Ela parecia determinada a reduzir os aspectos desagradáveis da morte do marido aos termos mais ínfimos possíveis.

— Ele queria que seus últimos arranjos fossem bem-feitos. — Sua voz tornou-se um sussurro. — Essas coisas levam tempo.

— Tempo. Sim. — O cavalheiro de porte militar encolheu os ombros quase imperceptivelmente. — Mas não quase três dias, Lady Slater.

— Eu acho que... — respondeu Lady Slater, e com aquelas palavras pareceu transportar toda a história para um plano mais elevado — ... eu acho que Sir Olin passou a maior parte desses três dias... rezando.

E de fato não houve resposta possível para aquilo.

Fomos dispensados quase imediatamente. Martin foi ao quarto da mãe e pegou com cuidado a carta e o pacote que Sir Olin deixara para ele. Depois foi na minha frente em direção à porta.

Agora que a comoção tinha passado, eu senti a necessidade de companhia, mas Martin parecia querer se afastar de todos. Mantendo uma distância discreta, eu o segui para fora, em meio à luz do sol da tarde. Ele foi direto para a oficina e trancou a porta, me deixando com a cara pressionada melancolicamente contra a janela.

Eu acho que ele não percebeu minha presença, mas eu não tinha intenção de espioná-lo. A solidão da morte ainda estava muito próxima de mim, e qualquer contato com Martin, ainda que remoto, era um conforto. Eu o vi deixando a carta sobre sua bancada de trabalho. E então, casualmente, ele começou a desembrulhar o pacote.

Eu fiquei surpreso ao ver que se tratava de um mero relógio despertador, comum e parecido com as dezenas que já tinham passado pela bancada da oficina, exceto que esse parecia ter algum dispositivo com fios acoplado. Eu tenho uma memória vaga de ter achado estranho que a última coisa que seu pai tinha lhe deixado fosse algo tão comum e sem graça quanto um relógio despertador.

Martin nem olhou direito para o relógio e o colocou na prateleira com os outros. Então acendeu um dos bicos de Bunsen que havia por ali e pegou a carta que seu pai escrevera para ele, a última de tantas que ele recebera e nem se dera ao trabalho de ler. E sem nem olhar para o envelope ele o encostou à chama e o manteve ali até o fogo quase queimar seus dedos.

Então, com muito cuidado, Sir Martin Slater, 12º baronete, coletou as cinzas e as jogou no cesto de lixo.

Eu fiquei em Olinscourt para o funeral. Tenho apenas lembranças vagas e infantis da cerimônia. Já da comida servida no velório, eu me lembro com mais firmeza. Tenho vergonha de confessar que comi até quase passar mal. Não tenho dúvidas de que Martin fez o mesmo.

No dia seguinte, foi decidido que eu deveria deixar a família Slater sozinha com seu luto. Minha partida relutante foi adoçada por uma torta de nozes que sobrara do velório, que eu empacotei com carinho no fundo de meu baú.

Eu nunca mais vi Martin Slater. Por algum motivo foi decidido que ele deveria abandonar a escola onde tínhamos tremido de frio e lutado juntos e seguir direto para Harrow. Por algum tempo senti falta dos cestos de merenda de Olinscourt, mas logo a guerra acabou e minha família se mudou para os Estados Unidos. E eu esqueci tudo a respeito de meu velho camarada.

Há não muito tempo, me senti nostálgico e comecei a pensar em minha infância e em Martin Slater outra vez. Lentamente, recuperando um fragmento de memória aqui, outro acolá, consegui restaurar a imagem completa, havia muito apagada, de minha visita a Olinscourt.

Os fatos, é claro, tinham permanecido em minha mente por todo esse tempo. Tudo o que lhes faltava era uma interpretação. Agora, graças ao olhar adulto e distanciado, posso ver como um só evento inteiriço algo que para minha visão infantil não passava de uma sequência de eventos desconexos.

Talvez eu esteja cometendo uma injustiça atroz com um amigo de infância; talvez esteja forçando cinicamente um padrão no que pode não passar de uma série complexa de eventos infelizes e coincidências fantásticas. Mas me sinto inclinado a pensar de outra forma. Pois agora posso conceber o caráter de Martin Slater com muito mais clareza do que quando éramos crianças. Vejo um menino pairando no limite instável da puberdade, que se revoltava furiosamente contra qualquer intromissão física ou espiritual em sua privacidade; um menino intensamente orgulhoso e metódico, maduro o bastante para saber que precisava lutar para manter sua independência pessoal, mas não o bastante para saber que na luta livre da vida certos golpes são proibidos — como o estrangulamento, por exemplo.

Vejo um menino sufocado pela afeição sincera, mas nauseante, de um pai que o bombardeava com insistentes carolices que o tornavam motivo de riso entre os colegas; de um pai que, com seus "Cantinhos Quietinhos", seus sermões, beijos de boa-noite na boca, transformava a vida caseira de Martin em um cerco incessante à cidadela sagrada de sua vida interior. Tenho certeza de que o ódio de Martin por seu pai era algo profundamente arraigado nele, que cresceu à medida que ele se aproximava da adolescência. Provavelmente esse ódio foi sufocado enquanto aquela guerra não declarada de afeições era travada longe do mundo lá fora. Isso mudou quando fui para Olinscourt. Pois eu representava o mundo lá fora, e diante de mim Sir Olin despiu o filho de todas as reservas de decência. Creio que aqueles beijos na boca eram para Martin como o beijo de Judas. Sir Olin o tinha traído para sempre.

E Martin Slater era jovem demais, desconhecendo outro castigo para a traição que não a morte.

Creio que os detalhes desse crime falam por si só com bastante clareza. Durante uma de suas ausências noturnas, Martin podia ter se esgueirado até o quarto do pai, que dormia, e estudado a combinação do cofre guardada em seu relógio. Podia facilmente ter entrado no cofre na noite anterior ao crime e instalado ali algum produto engenhoso de sua oficina, algum dispositivo criado a partir de um relógio despertador e programado para a hora em que Sir Olin costumava entrar no cofre. O dispositivo teria fechado automaticamente a pesada porta de aço, ou teria distraído Sir Olin tempo suficiente para que o próprio Martin a fechasse, trancando o baronete lá dentro. Os poderes inventivos de Martin eram mais que suficientes para criar aquele último e eficiente "alarme contra ladrões", assim como sua conversa com o pai a respeito de instalar um alarme, que eu próprio testemunhei, forneceria uma explicação inocente para o dispositivo, se este fosse encontrado mais tarde no cofre de Sir Olin.

Dali em diante, me usando cuidadosamente como um cúmplice desavisado, o resto deve ter sido bem simples — um vislumbre inventado de Sir Olin partindo de carro com o sr. Ramsbotham, o truque inteligente da carta antiga, provavelmente aberta com vapor para que ele averiguasse o que dizia de antemão, colocada entre a correspondência da manhã para tranquilizar Pringle quanto à ausência do mestre e para garantir que Sir Olin não seria procurado até ser tarde demais.

Havia gênio artístico genuíno no modo como Martin me usou para cobrir seus rastros. Pois fui eu quem inocentemente queimei a primeira página e o envelope da carta fatal cuja data e carimbo teriam denunciado sua origem mais antiga. E também fui eu, ao agarrar desajeitadamente o blazer, quem foi responsabilizado pelo fato de a carta ter sido misturada "sem querer" à correspondência matinal.

Sim, Martin Slater, aos 14 anos, mostrou um talento inato e afiado para o assassinato. E, como assassino, seu sucesso foi completo, pois ninguém nunca suspeitou dele.

Mas havia uma pessoa, no entanto, que devia ter noção do terrível ato de Martin Slater. E é aí que, para mim, reside o horror real da história. Eu tento não pensar em Sir Olin entrando no cofre para guardar seus papéis como de costume; Sir Olin ouvindo um retinir como o da campainha de um despertador; Sir Olin virando-se para ver a grande porta do cofre se fechando, trancando-o no cofre à prova de som; e em algum lugar, provavelmente em cima da porta, um curioso dispositivo improvisado composto de um relógio e fios.

Eu tento não pensar nos dias de pesadelo que devem ter se seguido: dias passados fitando o dispositivo improvisado a partir de um relógio despertador, que ele deve ter reconhecido como uma invenção letal do próprio filho. Dias esperando em vão que Martin se arrependesse e o libertasse da câmara onde o oxigênio ficava mais e mais escasso, sufocando-o; dias passados contemplando o terrível ápice de sua relação "perfeita" com seu amado menino.

Me pergunto se, naquelas horas de horror, a fé evangélica de Sir Olin na bondade intrínseca da natureza humana não vacilou. Às vezes duvido disso. O caráter heroico de sua morte me forneceu essa pista. Pois Sir Olin, apesar da maneira assustadora como mal conduzira sua vida, teve uma morte que só pode ser descrita como um sucesso triunfante. Eu posso vê-lo, enfraquecido de fome e sede, já quase sem poder respirar: ele embrulha com todo o cuidado o alarme que, se deixado à mostra, poderia indicar a culpa de Martin. Escreve uma mensagem devota de "suicídio" para a esposa, e a outra mensagem com seu perdão, que nunca seria lida, para seu filho. Vejo quando ele retira um revólver de uma das gavetas com maçaneta de bronze da parede do cofre — e tira a própria vida de forma galante para impedir que o imenso crime do filho fosse descoberto.

De fato, sobre Sir Olin, posso dizer que nada em sua vida lhe caiu tão bem quanto a sua morte.

KARMESIN E O PEIXE GRANDE
GERALD KERSH

Embora o incansável Gerald Kersh (1911-1968) tenha escrito mais de mil artigos para revistas e mais de mil contos, ficou conhecido na literatura policial pelos contos curtos sobre Karmesin, um vigarista que narra suas próprias aventuras descrito como "ou o maior criminoso ou o maior mentiroso de todos os tempos". Um exemplo típico é "Karmesin e as joias da Coroa", em que o ladrão *talvez* tenha roubado as joias da Torre de Londres. Mesmo com toda sua sofisticação e sua elegância aparente, detectamos nele um quê de obsequiosidade; ele poderia ter sido interpretado por Sydney Greenstreet.

É impossível categorizar Kersh, pois seus contos e romances, um tanto estranhos e poderosos, vão da literatura policial à fantasia e à ficção realista, e muitas de suas obras abrangem mais de um gênero. Pode-se dizer que os primeiros anos de vida de Kersh foram meio bizarro — sua família o deu como morto aos quatro, mas ele se ergueu do caixão no funeral —, e essa característica continuou no começo de sua vida adulta, quando ele trabalhou como padeiro, leão de chácara, vendedor e praticante profissional de luta livre. Embora fosse um escritor de sucesso, ele se mudou para os Estados Unidos depois da Segunda Guerra para fugir do que considerava a cobrança de impostos draconiana do seu país, naturalizando-se um cidadão americano.

Seu romance mais famoso, *Sombras do mal* (1938), se passa no submundo da luta livre profissional de Londres e serviu de base para o filme homônimo, um clássico *noir* de 1950 dirigido por Jules Dassin e estrelado por Richard Windmark, refilmado em 1992 com Robert De Niro e Jessica Lange. A maior parte dos críticos consideram *Fowler's End*, seu romance de 1957, sua obra-prima e um dos maiores romances do século XX, embora o livro permaneça relativamente obscuro.

“Karmesin e o Peixe Grande” foi publicado originalmente na edição de inverno de 1938/39 da revista *Courier*, fazendo parte de uma coletânea pela primeira vez em *Karmesin: O Maior Criminoso do Mundo — Ou o Maior Mentiroso* (Norfolk, Virgínia, Crippen & Landru, 2003).

KARMESIN E O PEIXE GRANDE

GERALD KERSH

Um fotógrafo de rua tirou uma foto nossa e entregou um bilhete a Karmesin. Karmesin disse apenas "Pfff!" e o passou para mim. Era um pedaço de papel verde, com o seguinte texto impresso:

INSTANTÂNEOS DO SNAPPO
O nosso fotógrafo
tirou 3 fotos SUAS.
Envie este bilhete junto com
um vale postal no valor de
1 xelim para SNAPP, JOHN ROAD, E.I.
e receba três fotos.

Nome: ....
Endereço: ....

— Olha só essa oportunidade — disse Karmesin. — Arranje nove ou dez câmeras falsas. Dê para nove ou dez pessoas com esses bilhetinhos. Estabeleça um endereço para correspondência. Um número razoável de bilhetes chegará com um xelim anexo. E vai demorar bastante até que alguém reclame. Se alguém reclamar, explique: "É a pressão dos negócios: milhões de clientes." Em três ou quatro semanas você terá feito algum dinheiro. E então pode começar um negócio de compras por correspondência. Quando estiver pelos seus quarenta anos, já dá para se aposentar. *Voilá.* Graças a mim você estará arranjado até o fim da sua vida. Fiz mais por você do que muitos pais fazem pelos filhos. Dê-me um cigarro. Ora, do que está rindo?

— Por que você mesmo não experimenta esse plano?

Karmesin ignorou a questão e continuou, falando baixo:

— Pensando melhor, use câmeras e filme de verdade. Assim você não vai precisar de cúmplices. Não revele o filme: basta guardá-lo, então, se a polícia bater, você dirá, indignado: "Olhe, aqui estão as fotos. Será que eu poso ter algum tempo pra trabalhar e revelar as fotos?" Assim você pode estender o golpe por uns dois ou três meses. Não confie em ninguém. Trabalhe sozinho. E, falando em fotografia: mantenha-se longe do alcance das câmeras. Elas são perigosas.

— Por quê?

— Uma vez eu chantageei um homem usando uma câmera.

Fiquei calado. Os olhos enormes de Karmesin, que pareciam ameixas, se voltaram para mim. Seus lábios se curvaram sob o bigode. Ele disse:

— Você desaprova. Ótimo! Rá! — E deu uma gargalhada que parecia uma caldeira explodindo.

Eu disse:

— Odeio chantagistas.

— O homem que chantageei era uma pessoa bem ruim — disse Karmesin.

— Ruim como?

— Ele era um chantagista — disse Karmesin.

— Ah — foi tudo o que eu pude dizer.

— Foi um bom exemplo do modo como peixes pequenos podem morder peixes grandes. O homem que ele queria chantagear era eu mesmo.

— Esclareça isso um pouco mais — pedi.

— Com certeza. É muito simples. Íamos chantagear o capitão Crapaud, da polícia francesa. Ele, por sua vez, estava chantageando certo ministro. O homem com quem eu estava trabalhando era certo vilão chamado Cherubini, também da polícia francesa. E ele, não satisfeito em chantagear o capitão Crapaud, também quis me chantagear.

— Usando o quê?

— Ele ia me chantagear porque eu estava chantageando o capitão Crapaud; e chantagem é crime, mesmo na França. Tudo que ele precisava era obter provas de que eu estava chantageando Crapaud.

— Isso tudo é muito complicado.

— Nem um pouco. É tão simples que uma criança entenderia — disse Karmesin. E, pegando um cigarro meu, ele começou a explicar:

O capitão Crapaud (assim me disse Karmesin) era um homem por quem era impossível sentir alguma simpatia. Ele era, com o perdão da expressão, um porco imundo. Não é comum encontrar homens assim em altas posições, com funções executivas na força policial de qualquer grande país, como no caso a França. Mas, como sabemos, essas coisas acontecem. Ele conseguiu colocar no bolso um político da maior importância na época. E ele estava sugando tudo o que podia desse homem, e era bastante. Esse Crapaud estava fazendo o papel do diabo. Assim como aquele outro policial cujo nome, se não me engano, era Mariani, ele usava sua posição para obter lucro pessoal. Ele organizava furtos, arranjava o retorno dos espólios, recebia comissões de um lado e do outro; e era o responsável por muitos assassinatos. Ele era um homem perigoso de se lidar — o equivalente francês do Jonathan Wild britânico.

Eis o básico sobre a situação: o capitão Crapaud tinha certo poder, em detrimento da manutenção da lei e da ordem. E seu poder vinha de uma carta incriminadora que ele possuía.

Isso ficou claro? Ótimo.

Agora, Crapaud tem um subalterno, o típico capanga, um sujeitinho mau oriundo da Córsega chamado Cherubini. Esse Cherubini era realmente um espécime ruim. Nele se combinavam quase todos os vícios e, como é comum nesses casos, ele estava sempre sem dinheiro, embora seus rendimentos fossem maiores que a média. Você conhece o tipo: os que dependem dele passam fome para que ele possa encher algumas mulheres da vida de champanhe caro. Que nojo dessa gentalha, rapaz! (Karmesin imitou o ato de cuspir algumas vezes). Dá vontade de cuspir só de pensar. Cherubini era pequenino e parecia um rato. Tinha dentes proeminentes, e seus olhos... é melhor nem comentar. Ele parava moças infelizes na rua e dizia "Seja boazinha, senão..." Mas sua fraqueza era o tipo de mulher mais elegante, e essa fraqueza custa dinheiro. Desconfie sempre, meu amigo, do subalterno com gostos luxuosos, pois mais dia menos dia ele vai trair você.

Conheci Cherubini em Cannes. Ele andava por lá se fazendo de milionário húngaro. Lapela enfeitada com gardênias e uma bengala com castão de ouro, diamante na gravata, anel de esmeralda do tamanho de uma noz no dedo... e perfume de âmbar verdadeiro no bigode. Ele fumava charutos Corona do tamanho do seu braço... roupas e botas inglesas, camisas de seda, unhas envernizadas... nada era caro demais para esse porco do Cherubini.

Não preciso dizer que eu era um homem de elegância superlativa. Acho que mencionei que meu bigode não tinha rivais na Europa. Sim, de fato não estou exagerando quando digo que, ao me vestir, eu costumava tirar o bigode do caminho pendurando-os atrás das orelhas. Quase 55 centímetros de ponta a ponta! Mas enfim: não demorei muito a extrair todos os segredos da alma desse verme, o Cherubini. Ele era o segundo em comando do inominável Crapaud. Sim. Isso por si só já era ruim o suficiente. Mas ele era um traidor, e traiu até o próprio mestre.

Vou encurtar a história. Crapaud tinha o ministro no bolso... vamos chamá-lo de... monsieur Lamoureux. Preste atenção. Crapaud também tinha Cherubini no bolso. Entendeu? Ótimo. O ministro Lamoureux queria se livrar das garras de Crapaud, e estava disposto a pagar bastante dinheiro pela carta que Crapaud possuía.

Era possível obter essa carta? Não. Mas havia uma alternativa: incriminar Crapaud de tal forma que ele ficaria feliz em se livrar da carta que incriminava o ministro.

Mas como alguém poderia incriminar Crapaud?

Cherubini tinha um plano.

Havia uma coisa na França que jamais poderia ser perdoada ou esquecida: traição. Era possível que um homem influente se safasse, ainda que com dificuldade, de qualquer outra acusação; mas não da acusação de traição. Na época, toda a nação se preocupava com espionagem (isso ocorreu um pouco antes do infame Caso Dreyfus). Se fosse possível provar que Crapaud estava recebendo dinheiro de agentes alemães em troca de informação, então ele estaria perdido.

— Mas ele está mesmo? — perguntei.

— Sim — disse Cherubini. — Crapaud é a fonte do vazamento por onde várias informações confidenciais que dizem respeito à política interna chegam à Alemanha. Ele recebe em seu apartamento Von Eberhardt, da Embaixada Alemã. E recebe também, em troca de algumas informações, certa soma em dinheiro. Se pudéssemos provar isso...

Eu perguntei:

— Você tem como entrar no apartamento de Crapaud?

— Sim.

— Então é tudo muito simples — disse eu. — Descubra o momento exato quando o dinheiro troca de mãos e tire uma foto. Uma boa fotografia de Crapaud recebendo dinheiro de Von Eberhardt, será o suficiente para enforcá-lo umas dez vezes.

— Sim — disse Cherubini.

— Mas há um problema — disse eu. — Uma câmera é um trambolho desajeitado. (Lembre-se, isso foi antes das câmeras portáteis e dos instantâneos).

— Não por isso — disse Cherubini. — A polícia de Paris está começando a usar a câmera portátil inventada pelo professor Hohler. Essa câmera pode ser ocultada sob um casaco comum, e sua lente é boa o bastante para tirar uma foto com boa definição à luz do lampião de gás.

— Você tem acesso a uma dessas? — perguntei.

— Sim.

— Então o que você está esperando?

— Eu tenho medo — disse Cherubini.

Fiz uma pausa e perguntei:

— De quanto dinheiro estamos falando?

— Quanto dinheiro? Uns duzentos a trezentos mil francos — respondeu o rato.

— Então não tema. *Eu* mesmo vou tirar a foto se você me introduzir no apartamento de Crapaud na hora certa.

Bom. E assim combinamos de ir até Paris juntos e fazer os preparativos.

— Eu tenho acesso livre ao apartamento — disse Cherubini — e conheço o local como a palma da minha mão. É bem simples. — E acrescentou: — Mas você tem que tirar a foto, lembre-se.

Muito bem. Vou pular os detalhes tediosos sobre o apartamento e tudo mais. Era um imóvel enorme na avenida Vitor Hugo. Cada quarto era do tamanho de três quartos desses apartamentos modernos. O salão era vasto como um campo de futebol, luxuosamente acarpetado. Só os móveis ali deviam valer entre quatro e cinco mil francos. Tudo muito chique. Crapaud, esse cachorro, não estava nada mau de vida. Perto da janela havia um recesso com uma pequena janela para circulação de ar nos fundos.

Era daquele recesso que eu deveria agir. Cherubini tinha as chaves e todo o resto de que precisávamos. Ele também me emprestou uma câmera — um dispositivo muito bom, não muito diferente das Leicas ou Contax de hoje em dia. Acho que na verdade a câmera do professor Hohler foi a precursora das câmeras portáteis de hoje em dia. Fui levado discretamente até o recesso e lá esperei por quatro horas, sem ousar me mover. Não era muito confortável, meu amigo. Mas finalmente Crapaud chegou com seu amigo Von Eberhardt. Eles se sentaram. Eu estava perfeitamente alinhado com eles. Eles conversaram, e eu fotografei. Eles beberam, e eu fotografei. Eles se deram tapinhas no ombro. Mais um clique. Crapaud pegou uma enorme caixa de charutos dourada e ofereceu um a Von Eberhardt. Clique! E então, finalmente, o alemão tirou do bolso um grande pacote de cédulas, segurando-o entre o polegar e o indicador. Crapaud sorriu, e pegou uma folha de papel. E quando o papel e as cédulas trocaram de mãos — Clique! Perfeito.

Mais uma hora se passou até que Von Eberhardt fosse embora. E quando Crapaud foi levar o visitante até a porta, eu me levantei e saí pela pequena janela, e fugi dali. Olhando para mim hoje, nem dá para acreditar como eu era ágil naquela época. Eu achei que tinha visto outro vulto se esgueirando nas sombras, mas a noite estava muito escura. Cheguei à rua e caminhei tranquilamente até minha casa, onde revelei as fotos.

Elas ficaram lindas. A luz forte dos lampiões refletida em vários espelhos, estava perfeita. As fotos estavam nítidas como uma cena vista à forte luz do dia.

No dia seguinte, Cherubini veio me ver, e alguma coisa no comportamento daquele miserável me perturbou um pouco. Ele me olhou de alto a baixo com um sorriso insolente e disse:

— O apartamento do capitão Crapaud foi arrombado ontem à noite.

— É mesmo?

— Relógios, anéis, bibelôs, dinheiro, no total um prejuízo de cinquenta mil francos.

— É?

— O senhor esteve no apartamento, monsieur — disse Cherubini.

— Ah...?

— Sim. Sabe, monsieur, *eu* estava atrás do *senhor*, também com uma câmera.

— É mesmo?

— É mesmo. E temo que é o meu dever prender o senhor por esse crime.

— Ah.

— A menos, é claro, que o senhor esteja preparado para...

— Pagar a você, imagino.

— Cinquenta mil francos — disse Cherubini.

— E se eu não pagar...?

— Escute aqui, amigo — disse Cherubini, sentando-se. — Nós somos homens do mundo. Eu vou colocar as cartas na mesa. O filme na sua câmera era falso, não funciona. O senhor não tem fotos. Mas eu tenho algumas fotos excelentes do senhor no apartamento do capitão Crapaud.

— Qualquer advogado minimamente decente conseguiria desacreditar esse caso sem muito trabalho — disse eu.

— Ah, não. Não quando o capitão Crapaud e eu tivermos agido — disse Cherubini. — Ah, meu amigo, meu amigo, o senhor não faz ideia do tipo de provas que nossos policiais descobririam ao vasculhar sua casa.

— Então parece que eu fui pego, não é mesmo?

— Como um peixe na rede.

— Mas Von Eberhardt...

Cherubini riu.

— O senhor acha mesmo que nós deixaríamos o senhor entrar no apartamento com uma câmera? Digo, uma câmera funcionando? Com o filme, direitinho? Seja razoável, monsieur, seja razoável! No caso de Von Eberhardt, o senhor só tem sua palavra. Quem acreditaria no senhor? Não, não. É melhor pagar, meu amigo. É melhor pagar.

— E se eu tivesse me precavido e trocado o filme? — perguntei.

— Não adiantaria nada — disse Cherubini. — O diafragma da câmera também não estava funcionando.

Eu me levantei e o agarrei pela garganta, o estapeei e arremessei com força no chão.

— Escute aqui — falei. — Eu não confiaria em você nem por todo o dinheiro do mundo. Desde o início percebi qual era o seu jogo. Mandei consertar o diafragma e a lente, e troquei o filme. A câmera estava funcionando perfeitamente.

E então, mostrei as fotos para ele.

Ele ficou em silêncio. Então eu disse:

— E agora, o trunfo. Você se lembra de como Crapaud ofereceu um charuto a Von Eberhardt?

— E daí?

— Olhe aqui — disse eu, e joguei uma foto para ele. Uma foto excelente. Dava para ver Eberhardt, Crapaud e o luxo inconfundível do salão. — Pegue essa lupa e olhe para a caixa de charutos.

Cherubini pegou a grande lupa que eu lhe entreguei e olhou. Então ele deu um grito e olhou para mim.

Nitidamente exposto na tampa polida da caixa aparecia o próprio Cherubini, espreitando atrás das cortinas e perfeitamente reconhecível.

— Quem venceu? — perguntei.

— Você venceu — respondeu Cherubini.

— E quem é que vai pra Ilha do Diabo* agora? — perguntei.

Cherubini apenas perguntou:

— Quanto quer pela foto?

E eu respondi:

— Diga a Crapaud o seguinte: se ele não me entregar a carta do ministro Lamoureux, então chegará o dia em que seus superiores lhe entregarão um revólver com uma bala dentro.

— Você está louco — disse Cherubini.

Mas três dias depois Crapaud cedeu e eu recebi a carta, que devolvi ao ministro.

Perguntei a Karmesin:

— Como? Você devolveu sem cobrar nada?

— Obviamente. Só pedi que ele pagasse minhas despesas.

— Quanto?

— Uma ninharia. Cinquenta mil francos — disse Karmesin. — Mas eu, um chantagista? Bah.

— E Crapaud?

— Ele saiu do país subitamente, e acredito que teve um fim bem ruim no Congo Belga, na época das Atrocidades do Congo. Acho que um canibal o comeu. Ou um leão. Quem é que sabe? Talvez um elefante o tenha pisoteado. Eu espero que tenha mesmo. Ele era um vilão, e também um tolo. Quis abraçar o mundo com as pernas. Eu não fui a primeira pessoa que ele tentou chantagear dessa forma. Mas ele tentou ser malandro demais, e

* Colônia penal francesa que operou nos séculos XIX e XX na Guiana Francesa. (N. do T.)

esse tipo sempre se atrapalha. Que sirva de lição pra você: nunca tente ser malandro demais. E tome cuidado com câmeras. Mais ainda: lembre-se da tolice que Crapaud cometeu, e se você um dia se apossar de um documento incriminador, você saberá o que fazer.

— O quê?

— Fotografe-o imediatamente — disse Karmesin.

O EPISÓDIO, MUITO AO ESTILO DE RAFFLES, DE CASTOR E POLLUX, DIAMANTES DE LUXO*

HARRY STEPHEN KEELER

Aviso: em mais de meio século de leitura de romance policial, não posso indicar nenhum escritor que tenha me confundido mais frequente e totalmente do que Harry Stephen Keeler (1890-1967), cujas farsas-intrigas malucas e complexas são quase um gênero em si. O autor prolífico escreveu dezenas de contos e mais de cinquenta romances, muitos dos quais tinham mais de cem mil palavras. Era comum para ele entrelaçar contos previamente publicados com a trama.

Ele criava suas "tramas" vasculhando um grande arquivo que enchia com recortes de jornais cujas manchetes depertavam seu interesse. Então ele ia pegando um punhado aleatoriamente, entrelaçando-os em uma história, usando recursos excêntricos como testamentos estranhos, doutrinas religiosas desconhecidas até então, leis insanas (e inexistentes) e, com mais frequência, coincidências que desafiam a credibilidade. Devido à falta de racionalidade e de coerência, os livros de Keeler tiveram um grande número de seguidores devotos nas décadas de 1920 e 1930, mas, à medida que as histórias ficavam cada vez mais bizarras, sua base de leitores passou a ruir e desapareceu quase totalmente, por isso muitos de seus últimos livros só foram publicados na Espanha e em Portugal. Hazel Goodwin, esposa de Keeler por mais de quarenta anos, colaborou com ele em dezenas de livros, frequentemente compartilhando o crédito pela autoria.

---

* O título refere-se ao personagem Arthur J. Raffles, criado na década de 1890 pelo escritor E. W. Hornung. Raffles é um "ladrão cavalheiro", que vive em grande estilo em um bairro nobre de Londres e se sustenta por meio de roubos engenhosos. (N. do T.)

Thieves Nights, a única antologia de contos de Keeler, apresenta Bayard DeLancey, Rei dos Ladrões, "a quem ladrões inferiores se sentiam honrados de ter conhecido".

O conto "O episódio, muito ao estilo de Raffles, de Castor e Pollux, diamantes de luxo" foi publicado originalmente no livro *Thieves Nights*, de Keeler (Nova York, Dutton, 1929).

O EPISÓDIO, MUITO AO ESTILO DE RAFFLES, DE CASTOR E POLLUX, DIAMANTES DE LUXO

HARRY STEPHEN KEELER

Conheci DeLancey em Londres. As circunstâncias em torno da ocasião pouco importam, exceto o fato de que eu tinha praticamente as melhores referências que um bandido poderia ter. Quando ele foi para Paris, voltei para Nova York com o acordo entre nós de que eu serviria como o agente de qualquer negócio grande em Nova York, e ele tinha meu endereço e um sistema de código por meio do qual poderíamos nos comunicar.

A história de que ele estava envolvido no roubo da Simon & Cia., o qual abordara comigo certa vez em Piccadilly, e que, além disso, fora bem-sucedido, foi claramente provada pelo relato interessante que recortei de um jornal de Nova York no segundo dia de julho. A notícia dizia:

Protegido do Lorde Albert Avistane preso em Paris

> (Via telegrama) Paris: primeiro de julho. Bayard DeLancey, um protegido do Lorde Albert Avistane, da Inglaterra, educado em Oxford pelo nobre, foi preso hoje por ter ligação com o roubo de ontem à noite da Simon & Cia., 14 rue Royale, no qual dois dos diamantes mais famosos do mundo foram roubados.
>
> Os diamantes, conhecidos no ramo como Castor e Pollux, são de lapidação similar e pesam oito quilates cada um. O valor total dos dois, avaliado bem acima de 12 mil libras por especialistas ingleses, deve-se ao fato de que um diamante é verde, e o outro, vermelho. Apesar de certas circunstâncias apontarem para a cumplicidade de DeLancey no crime, as joias não foram encontradas nem em sua posse nem em sua residência, e como não há provas

suficientes em outras direções, as autoridades esperam ser obrigadas a liberá-lo em poucos dias.

Algumas pessoas que, ao que se sabe, estiveram com ele na manhã após o roubo estão sendo vigiadas, e espera-se que através delas as pedras sejam finalmente recuperadas.

Que esperto, o velho DeLancey! Parecia mesmo que o plano bem elaborado que descrevera para mim em Piccadilly tivera uma conclusão bem-sucedida.

Quanto a mim, é claro que eu prometera ajudar DeLancey apenas a fazer com que as duas pedras chegassem às mãos do velho Ranseer em sua fazenda perto de Morristown, Nova Jersey. Logo depois disso, a divisão dos lucros seria feita de acordo com os respectivos riscos que cada um de nós correra no golpe. Este era o método que tínhamos planejado quando DeLancey soube que eu conhecia pessoalmente o velho Ranseer, o rico recluso que comprava joias raras roubadas praticamente por seus valores nominais.

No entanto, se o recorte de jornal, por si só, não fosse prova suficiente de que DeLancey enganara a polícia francesa, a carta dele, a qual recebi uma semana e meia depois, esclareceu tudo.

Depois de traduzida, a mensagem, que, é claro, estava cifrada, dizia o seguinte:

Gay Paree, 14 de julho.
L. J.
Rua ————
Nova York

Querida velha Ratazana de Baltimore:

Foi publicado nos jornais de Nova York? Deve ter sido. Foi como tirar o doce de uma criança, como diz o provérbio. Os malditos indigentes me mantiveram preso por três dias, no entanto. Mas careciam de provas — e, além disso, chegaram tarde demais.

Ratazana, haverá mais um homem no grupo que propusemos. Não importa onde o escolhi. Acredito piamente que ele é o único homem na Europa que será capaz de fazer as joias atravessarem o oceano. Seu nome é Von Berghem. Ele visitou-me na minha residência na manhã seguinte ao golpe. Entreguei as pedras a ele, cada uma embrulhada em uma pequena embalagem de algodão amarrada com uma fita de seda.

Agora, Ratazana, ele está a caminho de Nova York, cruzando a Inglaterra em passos tranquilos, como é adequado para um cavalheiro viajando em prol da saúde. De acordo com nossos planos, ele deve embarcar em uma banheira velha chamada Princess Dorothy, *que zarpa de Liverpool no dia 6 de julho e chega a Nova York nove dias depois. Ele visitará sua residência imediatamente após desembarcar.*

Como já combinamos em Londres, você terá dois pombos-correio (os pássaros, é claro) de seu amigo Ranseer em uma cesta escura coberta. Amarre uma pedra a cada pombo de modo que, caso qualquer coisa dê errado, você possa soltá-los imediatamente pela janela. Com a habilidade conhecida de voar até oitocentos quilômetros, a 48 quilômetros por hora, eles devem conseguir chegar aos arredores de Morristown em menos de duas horas, mesmo levando em conta a escuridão. Pelo menos, é o que meu mapa dos Estados Unidos indica.

Assim que isso for esquecido, este que lhe escreve, DeLancey, navegará até sua famosa e velha N'York, e depois disso — avante, rapaz — seguirá para as tão famosas luzes brancas da América, para ter um pouco de tranquilidade por algum tempo.

Uma última palavra quanto a Von Berghem. Ele usa óculos, tem cabelo grisalho e uma verruga na bochecha esquerda. Estará acompanhado pelo filho de quinze anos, o malandro mais esperto que já viu um homem da Scotland Yard a cinquenta metros de distância.

Atenciosa e jubilosamente,

DeL.

Então, refleti curiosamente. Von Berghem parecia ser o único homem na Europa capaz de fazer os dois brilhantes cruzarem o oceano?

Com certeza, pensei com preocupação, se ele precisava tirá-los da Europa debaixo do nariz da polícia e entrar com eles nos Estados Unidos debaixo do nariz das autoridades alfandegárias, de fato precisaria ser esperto, sobretudo levando em conta todo o alvoroço que já fora provocado.

Tudo estava pronto, no entanto. Os pombos gorjeavam na cesta coberta. Sobre a lareira, havia duas bolsinhas de couro para as pernas dos pássaros, prontas para receber a pilhagem. Olhei para meu relógio e descobri que passava das nove horas.

Era estranho que Von Berghem ainda não tivesse chegado. Eu telefonara para o escritório da companhia de navegação às seis horas e descobrira que o *Princess Dorothy* atracara uma hora antes.

Então, comecei a me perguntar por que ele levara o filho. Sem dúvida, deveria ter se dado conta de que, em negócios como o nosso, cada homem a mais, o qual constituía um possível elo fraco, significava uma chance muito maior de fracasso.

O relógio bateu dez horas.

Onde DeLancey encontrara aquele sujeito... aquele tal de Von Berghem?, comecei a me perguntar. Será que tinha certeza quanto a ele? Será que ele compreendia o jogo como nós?

Tudo que DeLancey fazia era sempre mais ou menos desconcertante. Ele parecia conhecer os nomes de todos os bandidos entre o Equador e os polos, além de compreender justamente qual parte de uma empreitada deveria ser designada para cada um. Sem dúvida, deveria saber o que estava fazendo dessa vez.

Portanto, eu disse a mim mesmo que Von Berghem era o único homem que DeLancey acreditava ser capaz de...

O relógio bateu dez e meia.

Ouvi a porta de um táxi bater na rua.

Um segundo depois, a campainha do meu apartamento de Nova York tocou estridentemente.

Fui às pressas até a porta da frente e a abri sileciosamente. No corredor, havia um homem alto de óculos. Ele tinha cabelo grisalho... e uma verruga na bochecha esquerda. Ao lado dele, havia um garoto de mais ou menos 16 anos.

— Sou a Ratazana — sussurrei.

— Von Berghem — respondeu ele, e entrou com o garoto antes de eu fechar a porta.

Desci o corredor estreito e abri a porta da biblioteca.

— Aqui — falei, acendendo a luz. — Como se saíram?

Von Berghem parecia doente. O rosto pálido e o passo hesitante, enquanto se apoiava pesadamente no ombro do filho, ou sigificavam doença, ou...

Fracasso! Ah... deve ter sido isso, falei para mim mesmo. Meu coração pareceu parar. Von Berghem provavelmente tinha fracassado na missão.

Ele afundou pesadamente em uma cadeira que o garoto arrastou até o pai. O garoto sentou-se em um pequeno tamborete, perto dele, e permaneceu calado.

Neste meio-tempo, estudei Von Berghem e, pela primeira vez, reparei na expressão horrível em seu rosto. Seus olhos tinham o mesmo ar perturbador que eu vira certa vez no rosto de um maníaco no hospício estatal em Wyoming, de onde eu vim.

— Tivemos muitos problemas — declarou ele laconicamente, depois de um intervalo.

— Conte-me — pedi, ao mesmo tempo compreensivo e desconfiado.

Ele direcionou seu olhar, que estava pairando a esmo pela sala, de volta para mim. Então, começou a falar.

— Visitei DeLancey na manhã seguinte ao roubo. Ele confiou prontamente as duas pedras aos meus cuidados. O garoto estava comigo; é um ladrão emergente. Pegamos imediatamente um táxi para a estação. Três horas depois, DeLancey foi preso. O garoto e eu embarcamos naquela manhã em um trem para Calais. Chegamos lá à uma da tarde e passamos o resto do dia em uma hospedaria. Dela, chegamos em segurança no barco naquela noite e atracamos em Dover à meia-noite. Até aquele ponto, tudo transcorreu sem qualquer problema. Passamos a noite em um hotel em Dover. Não faz sentido lhe contar sobre nosso progresso lento pela Inglaterra. Eram apenas 480 quilômetros, mas levamos quatro dias para percorrê-los. Obviamente, éramos apenas um cavalheiro e seu filho viajando a lazer. Mas as coisas começaram a ficar agitadas para nós. Esperávamos, naquela altura, que não estivessem nos procurando, mas, aparentemente, estávamos enganados. Assim que saltamos do trem na estação de Liverpool, na noite de 5 de julho, o garoto, sendo um pequeno lince, viu um homem de terno marrom observando despreocupadamente todos os passageiros. Ele me cutucou rapidamente. O que se sucedeu foi um puro lance de sorte. Um emigrante maluco, mais adiante na plataforma, sacou uma pistola e começou a disparar contra o teto. Foi a maior confusão. Enquanto todos corriam, o garoto reparou em uma pequena porta que dava para uma rua lateral. "Rápido, papai", disse ele, "vamos escapar por aqui." Lá fora, meu filho chamou um táxi às pressas, então seguimos para uma hospedaria imunda em uma rua secundária, onde passamos a noite nos perguntando se o homem de terno marrom estava procurando por nós ou por outra pessoa. No entanto, agora estávamos com um pé atrás. Não estávamos tão tranquilos. Na manhã seguinte, chegamos ao píer e embarcamos no *Princess Dorothy*, o qual, posso acrescentar, é um dos poucos barcos que zarpam de Liverpool e não param em Queenstown ou em qualquer outro lugar além de Nova York. Sim, amigo Ratazana, cada detalhe foi orquestrado cuidadosamente com muita antecedência pelo próprio DeLancey. Assim que embarcamos, deitei-me na cabine e deixei o garoto ficar no convés. Minha saúde não é boa, meu amigo, e viajar nessas condições e com as limitações que enfrentamos é duro para mim. O que segue é o relato do garoto. Como ele diz: assim que o navio desatracou e começou seguir para mar aberto, um carro chegou em alta velocidade no cais. Dele, saltaram quatro homens... E um deles era nosso amigo do terno marrom. O garoto pegou o binóculo e observou os lábios deles. "Maldição... Tarde demais... Rádio", isso é o que parece que nosso quase conhecido de terno marrom disse. Bem, apesar de que, assim como em todos os barcos, estávamos equipados com telégrafo sem fio, nada aconteceu conosco a bordo. Mas, em nenhum momento, esqueci o cabo submarino do Atlântico. Deduzi que estavam tentando nos acalentar com uma falsa sensação de segurança. De todo modo, durante toda a viagem fiz as refeições na cabine, e o garoto rondava o convés tentando obter alguma informação. Mas, como eu já disse, tudo estava tão silencioso quanto uma sepultura. Foram nove dias muito longos para nós, amigo Ratazana, mas no fim da tarde do dia 15 descobrimos que estávamos a uma hora do Battery... E foi quando nos demos conta de que as coisas estavam muito incertas para nós. Ao descermos juntos a prancha, sentimos de repente uma mão no ombro. Diante de nós, havia três homens, sendo que os dois eram detetives com distintivo policial... O terceiro era um inspetor da alfândega. "Você é Von Berghem", disse um deles. "Quero que os dois entrem nesta casinha no fim do píer por duas horas. Quando terminarmos, não serão mais incomodados com a inspeção alfandegária, pois o próprio inspetor nos ajudará." Ele riu desagradavelmente. "Sim... Temos um mandado", acrescentou o outro, respondendo à pergunta que não fiz. Bem, amigo, eu, Von Berghem, conheço minhas limitações. Não me dei ao trabalho de negar nada. Sorrindo, admiti que era Von Berghem e que este era meu filho. Depois, perguntei a eles o que pretendiam fazer. "Apenas revistar você, seu filho e suas duas malas", admitiu um deles. Naquela pequena casa de inspeção, trancaram a porta. Eles abaixaram as cortinas e acenderam a luz. Ordenaram que nós dois tirássemos a roupa. Depois que fizemos isso, mandaram-nos ficar, completamente nus, contra a parede. Começaram examinando nossa boca, observando com muito cuidado sob a língua. Em seguida, pentearam nosso cabelo com um pente fino. Depois de 15 minutos, satisfeitos que as joias não estavam escondidas nos nossos corpos, apagaram a luz e trouxeram um carrinho com uma espécie de haste vertical de metal que continha um tubo gigantesco e poderoso de raios X, o qual podia ser movido para cima e para baixo, e para a esquerda e a direita. O garoto aqui é um pequeno aficionado por rádio e pode descrevê-lo e explicá-lo muito melhor do que eu. De todo modo, colocando-nos de pé, nus, diante do tubo, deslizaram-no lentamente para cima e para baixo, a partir, mais ou menos, da altura do esôfago para baixo, literalmente espiando, através dos nossos corpos, com um tal de fluoroscópio, como ouvi chamarem, o qual passavam de mão em mão. É claro que sei o suficiente de raios X e física elementar para compreender que esperavam encontrar uma sombra preta opaca que sempre é produzida pelo carbono cristalino que chamamos de diamante; esperavam encontrar a sombra em nosso estômago ou sistema digestivo e, caso encontrassem, poderiam tê-la acompanhado em seu movimento para baixo e confirmado a questão com os próprios olhos. Mas, para resumir uma história longa, amigo Ratazana, nosso sistema digestivo não apresentou nenhuma opacidade, exceto a dos nossos ossos, que eram sombras fixas, as quais eles conferiram movendo o tubo do fluoroscópio. Pois, veja bem, não cometemos o erro de tentar engolir nenhum diamante grande como o Castor ou o Pollux, por nenhuma outra razão exceto a de que seu amigo DeLancey lera tudo sobre o novo instrumento da alfândega na *London Illustrated News* e mencionara para nós, rindo, que caso tentasse algum dia transportar joias roubadas através do Atlântico, engoli-las seria a última coisa que faria. Portanto, como disse, depois de satisfeitos de que não restava dúvida de que as joias não estavam no nosso cabelo ou em nossas bocas, nem sobre nossos corpos ou dentro deles, acenderam a luz outra vez e começaram a revistar nossa bagagem. "Isso é um ultraje", resmunguei. Eles retiraram as roupas das malas e as colocaram em uma pilha, junto com as que tínhamos sido obrigados a tirar. Depois, começaram por nossas roupas de baixo, examinando cada costura, cada botão, cada centímetro quadrado.

Em seguida, nossas jarreteiras, meias e suspensórios foram submetidos ao mesmo exame rigoroso. Assim que terminavam com uma peça de roupa, jogavam-na para nós e permitiam que a vestíssemos. Dessa forma, vestimo--nos, uma peça de cada vez, protestando bastante contra aquele acinte. Eles examinaram nossas gravatas da mesma maneira, rasgando a maioria; em seguida, foi a vez de camisas, colarinhos e coletes. Quando chegaram aos paletós, não satisfeitos com um exame minucioso, pegaram martelos e martelaram cada centímetro deles. Nossos sapatos... Veja você mesmo, amigo Ratazana... Estão sem saltos; eles os arrancaram, uma camada de cada vez. Nossos chapéus de feltro foram submetidos ao mesmo tratamento: eles removeram os forros, recolocando-os depois, mas assim frouxos. Examinaram cada fivela, costura, rebite e correia. Martelaram todos os possíveis esconderijos... Todo lugar que apresentasse, por exemplo, uma espessura maior do que o diâmetro do Castor ou do Pollux... Com força suficiente para destruir bolas de aço, quanto mais diamantes frágeis. E em cada lugar fino, deram algumas marteladas violentas por precaução. Amigo Ratazana, ficamos lá dentro três horas e meia, e se tivéssemos baús, ainda poderíamos estar lá. Não deixaram de revistar nada. Tudo, no entanto, precisa chegar ao fim. Com desgosto, eles finalmente largaram os martelos. "Aquela pista de Liverpool é falsa", disse um dos três para os outros dois. "Estão livres, Von Berghem e seu filho", acrescentou seu parceiro. "Está evidente que vocês não estão com o produto do roubo da Simon & Cia. em Paris. Você e seu filho podem ir." Isso foi há cerca de duas horas. Não jantamos, pois pegamos um táxi e, com a exceção de duas panes no caminho, viemos diretamente para cá, para lhe contar a situação na qual nos encontrávamos.

Eu estava desanimado e decepcionado com a história que acabara de ouvir. E disse isso com franqueza para Von Berghem:

— É uma pena — comentei com amargura. — DeLancey arrisca sua liberdade em um trabalho perigoso e inteligente... Depois, envia um trapalhão para cá com o produto. É claro, homem, que já estão com eles nesta altura. Não importa onde os tenha escondido na cabine... No madeiramento, no tapete, no colchão... Já os encontraram. Bem, precisaremos considerar que o roubo foi um fracasso. Isso é tudo.

Ele esperou que eu terminasse antes de dizer qualquer coisa. Depois, guardando os óculos no bolso do paletó, respondeu-me rispidamente:

— Fracasso? Quem disse qualquer coisa sobre fracasso? Está sendo muito injusto comigo, amigo Ratazana. Seus pombos estão prontos? Muito bem. Von Berghem nunca falha. Veja!

Ele pressionou as mãos contra os olhos. Por um momento, achei que iria chorar, pois fez movimentos estranhos com as pontas dos dedos. Depois, baixou as mãos.

Levantei-me, contendo com dificuldade um grito. Onde antes estavam seus olhos, havia agora duas órbitas negras e cegas. Na palma de cada mão, havia um frágil olho oco de porcelana pintada — e no interior de cada órbita, um minúsculo pacote de algodão, amarrado com uma fita de seda.

VILÃO: GENERAL ZAROFF

O JOGO MAIS PERIGOSO
RICHARD CONNELL

Apesar de ter sido um escritor de contos prolífico, bem-sucedido e que também desfrutou algum sucesso em Hollywood, Richard Edward Connell (1893-1949) é conhecido hoje principalmente por "O jogo mais perigoso" que, entre todos os contos já escritos, é um dos mais incluídos em antologias e a base para várias versões cinematográficas, incluindo o filme de 1932 da RKO, intitulado *Zaroff, o caçador de vidas* (chamado na Inglaterra de *The Hounds of Zaroff*), com Joel McCrea, Fay Wray e Leslie Banks; *Fera humana* (RKO, 1945, com John Loder, Edgar Barrier e Audrey Long); e *Dois destinos se encontram* (United Artists, 1956, com Richard Widmark, Jane Greer e Trevor Howard). Diversas vezes, o conto serviu como base para adaptações um pouco mais livres em outras mídias (especialmente no rádio e na televisão), sendo algumas vezes creditado; outras, não.

Aos 18 anos, Connell tornou-se editor local do *The New York Times*. Depois, foi para Harvard, onde foi editor do *The Harvard Lampoon* e do *The Harvard Crimson*. Após se formar, retornou ao jornalismo, mas logo recebeu uma oferta de um emprego bem remunerado como redator publicitário. Depois de servir na Primeira Guerra Mundial, vendeu vários contos e se tornou freelancer em tempo integral, tornando-se um dos escritores para revistas mais populares dos Estados Unidos. Connell também escreveu quatro romances. Muitos de seus contos serviram de base para filmes, sendo o mais famoso *Irmão orquídea* (1940, estrelado por Edward G. Robinson, Ann Sothern e Humphrey Bogart, baseado em seu conto "Brother Orchid", de 1938). Connell escreveu histórias originais para vários filmes, incluindo *Detetive às ocultas* (1936, com Jack Haley) e *Adorável vagabundo* (1941, dirigido por Frank Capra, estrelado por Gary Cooper e Barbara Stanwick), pelo qual foi indicado ao Oscar de melhor roteiro original. Foi indicado para outro Oscar, na mesma categoria, por *Duas garotas e um marujo* (1944, com June Allyson, Gloria DeHaven e Van Johnson). Também escreveu o roteiro de *Lilly, a Teimosa* (1943, estrelado por Judy Garland e Van Heflin), baseado no romance de Booth Tarkington.

O conto “O jogo mais perigoso” foi publicado originalmente na edição de 19 de janeiro de 1924 da revista *Collier's*, ganhando o prêmio O. Henry Memorial Prize; foi publicado pela primeira vez em uma antologia em *Variety*, de Connell (Nova York, Minton Balch, 1925).

O JOGO MAIS PERIGOSO

RICHARD CONNELL

— Para lá, à direita... em algum lugar... há uma grande ilha — disse Whitney. — É um grande mistério...

— Qual é o nome da ilha? — perguntou Rainsford.

— Os mapas antigos a chamavam de Ilha da Armadilha para Navios — respondeu Whitney. — Que nome sugestivo, não é? Os marinheiros têm um medo curioso do lugar. Não sei por quê. Alguma superstição...

— Não a vejo — comentou Rainsford, tentando enxergar através da úmida noite tropical que pressionava a escuridão espessa e quente sobre o iate.

— Você tem bons olhos — disse o outro, rindo —, e já o vi detectar alces se movendo no mato marrom do outono a quatrocentos metros, mas nem mesmo você é capaz de ver algo que está a cerca de seis quilômetros, principalmente com essa noite caribenha sem lua.

— Nem seis metros — admitiu Rainsford. — Nossa! Parece um veludo preto úmido.

— Estará bastante claro no Rio — prometeu Whitney. — Devemos chegar em poucos dias. Espero que os rifles para caçar onças tenham chegado da Purdey's. Devemos fazer uma boa caça subindo o Amazonas. Caçar é um ótimo esporte.

— O melhor do mundo.

— Para o caçador, não para a onça.

— Não fale besteira, Whitney. Você é um caçador de animais grandes, não um filósofo. Quem se importa com o que uma onça sente?

— Talvez a onça se importe.

— Aff! Elas não têm consciência.

— Ainda assim, creio que tenham consciência de uma coisa... Medo. Medo da dor e medo da morte.

— Besteira — disse Rainsford, rindo. — Este clima quente está amolecendo você, Whitney. Seja realista. O mundo é feito de duas classes... Os caçadores e as presas. Felizmente, você e eu somos caçadores. Acha que já passamos pela ilha?

— Não tenho como saber no escuro. Espero que sim.

— Por quê?

— O lugar tem uma reputação... Uma reputação ruim.

— Canibais?

— Dificilmente. Nem canibais viveriam em um lugar tão esquecido por Deus. Mas a ilha entrou para o folclore dos marinheiros, de alguma maneira. Não reparou que a tripulação parece um pouco nervosa hoje?

— Estavam mesmo um pouco estranhos, reparei agora que mencionou. Até o capitão Nielsen.

— Sim, até mesmo aquele sueco cabeça-dura, que se aproximaria do próprio diabo e pediria a ele para acender seu cigarro. Aqueles olhos azuis frios tinham um olhar que nunca tinha visto neles. Tudo que consegui tirar dele foi: "Este lugar tem uma má reputação entre os homens que navegam pelo mar, senhor." Depois, ele disse gravemente: "Não sente nada?" Agora, você não deve rir, mas de fato senti uma espécie de arrepio, e não havia nenhuma brisa. O que senti foi... Um arrepio mental, uma espécie de pavor.

— Pura imaginação — disse Rainsford. — Um marinheiro supersticioso pode contaminar toda a tripulação de um navio com seu medo.

— Talvez. Às vezes, acho que marinheiros possuem um sexto sentido que lhes diz quando estão em perigo... De todo modo, estou feliz que estejamos deixando esta zona. Bem, vou deitar agora, amigo.

— Não estou com sono. Vou fumar outro cachimbo no convés da popa.

Enquanto Rainsford estava sentado, não havia nenhum som na noite além da vibração do motor do iate e o borbulhar gerado pela hélice.

Recostando-se em uma espreguiçadeira de madeira, ele dava baforadas no seu cachimbo favorito. A sonolência sensual da noite recaíra sobre ele. "Está tão escuro", pensou, "que poderia dormir sem fechar os olhos; a noite seria minhas pálpebras..."

Ele se assustou com um som repentino vindo da direita, e seus ouvidos, especialistas nisso, não podiam estar enganados. Ouviu o som outra vez, e mais outra. Em algum lugar distante, no meio da escuridão, alguém disparara uma arma três vezes.

Rainsford levantou-se com um sobressalto e foi rapidamente até a amurada, confuso. Aguçou os olhos na direção de onde os disparos tinham vindo, mas era como tentar enxergar através de um cobertor. Ele subiu na amurada e equilibrou-se ali, para ficar mais elevado; o cachimbo, batendo em uma corda, foi derrubado da sua boca. Ele esticou o corpo para pegá-lo; um grito curto e rouco escapou de seus lábios quando percebeu que se esticara demais e perdera o equilíbrio. O grito foi interrompido quando as águas do mar do Caribe, quentes como sangue, fecharam-se sobre sua cabeça.

Ele se debateu de volta para a superfície e gritou, mas o rastro do iate veloz bateu em seu rosto e a água salgada em sua boca aberta o engasgou e sufocou. Desesperadamente, começou a nadar atrás das luzes do iate, que se afastava, mas parou antes que tivesse nadado vinte metros. Ele fora tomado por certa tranquilidade, pois não era a primeira vez que se encontrava em uma situação perigosa. Havia a possiblidade de que alguém no iate ouvisse seus gritos, mas essa chance era pequena e diminuía cada vez mais à medida que o iate avançava rapidamente. Ele tirou a roupa com esforço e gritou com toda a força. As luzes do iate se tornaram vaga-lumes fracos, sumindo aos poucos; depois, foram apagadas pela noite.

Rainsford se lembrou dos tiros. Tinham vindo da direita, então ele nadou obstinadamente naquela direção, mas de forma lenta, para preservar suas forças. Por um tempo que parecia interminável, ele enfrentou o mar. Começou a contar as braçadas; provavelmente, conseguiria dar mais cem, e depois...

Ele ouviu um som. Veio da escuridão um grito alto, o choro de um animal com extrema angústia e terror. Ele não sabia de que animal era o som. Com vitalidade renovada, nadou na direção do grito. Ouviu-o outra vez; então, o som foi interrompido por outro barulho, nítido e curto.

— Tiro de pistola — murmurou Rainsford, sem parar de nadar.

Dez minutos de extremo esforço trouxeram aos ouvidos de Rainsford o som mais bem-vindo que já tinha ouvido, o de ondas quebrando em uma costa rochosa. Ele já estava quase nas pedras, mas ainda não as tinha visto; em uma noite menos calma, teria sido esmagado contra elas. Com a força que lhe restava, arrastou-se para fora dos remoinhos do mar. Rochedos escarpados pareciam despontar na escuridão; ele içou o corpo para cima, usando uma mão de cada vez. Arfando, com as mãos em carne viva, chegou a um lugar plano no topo. Uma floresta densa chegava até a beira do penhasco, e sem se importar com nada além do cansaço, Rainsford jogou-se no chão e caiu no sono mais profundo da sua vida.

Quando abriu os olhos, ele soube pela posição do sol que era fim da tarde. O sono fora revigorante; uma fome aguda o incomodava.

"Onde há tiros de pistola, há homens. Onde há homens, há comida", pensou ele, mas não viu qualquer indício de uma trilha que atravessasse o emaranhado fechado de plantas e árvores. Era mais fácil seguir pela costa. Não muito longe de onde chegara, ao topo do penhasco, ele parou.

Alguma coisa ferida, um animal grande, pelo que parecia, debatera--se na vegetação rasteira. Um pequeno objeto brilhou no chão e chamou a atenção de Rainsford, então ele o pegou. Era um cartucho vazio.

"Vinte e dois", observou ele. "Que estranho. Deve ter sido um animal bastante grande também. O caçador teve a coragem de derrubá-lo com uma arma leve. Está claro que o animal lutou contra ele. Suponho que os três tiros que ouvi tenham sido disparados quando o caçador atirou contra sua presa a feriu. O último tiro foi quando seguiu o rastro dela até aqui e a matou."

Rainsford examinou com atenção o solo e encontrou o que esperava: uma pegada de botas de caça. Apontava para a direção que ele estivera seguindo ao longo do penhasco. Ansiosamente, ele partiu apressado, pois a noite começava a cair sobre a ilha.

A escuridão já ocultava o mar e a floresta, antes que Rainsford visse as luzes. Ele se deparou com elas quando fez uma curva na costa, e seu primeiro pensamento foi que descobrira uma aldeia, pois havia muitas luzes. Mas, enquanto avançava, percebeu que todas as luzes pertenciam a uma única construção: um castelo em um alto despenhadeiro.

"Miragem", pensou Rainsford. Mas os degraus de pedra eram muito reais. Ele levantou a aldrava, que rangeu rigidamente, como se nunca tivesse sido utilizada.

A porta, ao se abrir, deu vazão a um rio de luz ofuscante. Um homem alto, de constituição sólida e com uma barba negra até a cintura, encarava Rainsford com um revólver na mão.

— Não fique assustado — disse Rainsford, com um sorriso que, ele esperava, estivesse soando enternecedor. — Não sou ladrão. Caí de um iate. Meu nome é Sanger Rainsford, da cidade de Nova York.

O homem não deu qualquer sinal de que compreendera as palavras, nem mesmo de que as ouvira. O revólver ameaçador permanecia apontado tão rigidamente quanto se o gigante fosse uma estátua.

Outro homem, magro e ereto em roupas de dormir, descia os degraus largos de mármore. Ele aproximou-se e estendeu a mão.

Com uma voz educada, marcada por um leve sotaque que a impregnava de ainda mais precisão e deliberação, ele disse:

— É um grande prazer e uma honra dar as boas-vindas ao senhor Sanger Rainsford, o célebre caçador, à minha casa.

Automaticamente, Rainsford apertou a mão do homem.

— Li seu livro sobre a caça de leopardos-das-neves no Tibet — explicou o homem. — Sou o general Zaroff.

A primeira impressão de Rainsford foi a de que o homem era de uma beleza singular; a segunda, foi de que havia algo bizarro naquele rosto. O general era um homem alto que já passara da meia-idade, pois seu cabelo era branco; mas suas sobrancelhas e bigode eram pretos. Os olhos dele também eram pretos e muito brilhantes. Tinha o rosto de um homem habituado a dar ordens. Voltando-se para o homem uniformizado, ele fez um gesto. O homem guardou a pistola, bateu continência e se retirou.

— Ivan é um sujeito incrivelmente forte — comentou o general —, mas tem o azar de ser surdo e mudo. Um sujeito simples, mas um pouco selvagem.

— Ele é russo?

— Cossaco — disse o general, e sorriu, mostrando os lábios vermelhos e os dentes pontudos. — Eu também. Venha, não deveríamos estar conversando aqui. Você precisa de roupas, comida, descanso. E receberá tudo isso. Este é um lugar muito relaxante.

Ivan reaparecera e o general falou com ele movendo os lábios, mas sem emitir qualquer som.

— Siga Ivan, por favor, sr. Rainsford. Eu estava prestes a jantar, mas aguardarei. Acho que minhas roupas servirão em você.

Rainsford seguiu o homem até um enorme quarto com um teto com vigas expostas, no qual havia uma cama com dossel grande o bastante para seis homens. Ivan ofereceu um fraque, e Rainsford, ao vesti-lo, percebeu que era de um alfaiate londrino.

— Talvez tenha ficado surpreso — disse o general enquanto se sentavam para jantar em uma sala que lembrava um salão baronial do período feudal — que eu tenha reconhecido seu nome; mas li todos os livros sobre caça publicados em inglês, francês e russo. Só tenho uma paixão na vida, que é a caça.

— Você tem algumas cabeças maravilhosas aqui — disse Rainsford, olhando para as paredes. — Aquele búfalo-africano é o maior que já vi.

— Ah, aquele sujeito? Ele me atacou, me jogou contra uma árvore e fraturou meu crânio. Mas matei o animal.

— Sempre achei — disse Rainsford — que o búfalo-africano fosse a mais perigosa de todas as caças grandes.

Por um momento, o general não respondeu. Depois, disse lentamente:

— Não, o búfalo-africano não é o mais perigoso. — Ele bebericou seu vinho. — Aqui na minha reserva, nesta ilha, caço animais mais perigosos.

— Existem animais de grande porte nesta ilha?

O general assentiu.

— Os maiores.

— É mesmo?

— Ah, não são originalmente daqui. Preciso estocar a ilha.

— O que você importou, general? Tigres?

O general sorriu.

— Não, caçar tigres deixou de me interessar quando esgotei as possibilidades deles. Não resta nenhuma emoção nos tigres, nenhum perigo verdadeiramente real. Vivo pelo perigo, senhor Rainsford.

O general retirou do bolso uma cigarreira de ouro e ofereceu ao convidado um longo cigarro preto de ponta prateada; era perfumado e cheirava a incenso.

— Faremos grandes caçadas, você e eu — disse o general.

— Mas que animais... — começou Rainsford.

— Vou lhe dizer. Você ficará entretido, sei disso. Acho que posso dizer, com toda a modéstia, que fiz algo raro. Inventei uma nova sensação. Posso lhe servir outra taça de vinho do porto?

— Obrigado, general.

O general encheu as duas taças e disse:

— Deus faz de alguns homens poetas. De alguns, ele faz reis; de outros, mendigos. De mim, ele fez um caçador. Mas depois de anos de prazer, descobri que a caça não me fascinava mais. Talvez consiga adivinhar por quê?

— Não... Por quê?

— Simplesmente por isso: caçar deixou de ser o que você chama de uma "atividade esportiva". Eu sempre matava a caça... Sempre... E não há tédio maior do que a perfeição.

O general acendeu outro cigarro.

— O animal não possui nada além de patas e instinto. Mas o instinto não se compara à razão. Quando me dei conta disso, foi um momento trágico para mim — disse o general, enquanto Rainsford se debruçava sobre a mesa, absorto no que seu anfitrião dizia. — O que eu devia fazer me ocorreu como uma inspiração.

— E o que era?

— Eu precisava inventar um novo animal para caçar.

— Um novo animal? Está brincando.

— Nunca brinco sobre caçar. Eu precisava de um animal novo. Encontrei um. Portanto, comprei esta ilha, construí esta casa, e caço aqui. A ilha é perfeita para meu propósito... Há florestas com labirintos de trilhas, montanhas, pântanos...

— Mas, e o animal, general Zaroff?

— Ah! Ele me proporciona a caça mais excitante do mundo. Caço todos os dias, e agora nunca fico entediado, pois tenho uma caça com a qual posso competir intelectualmente.

O espanto de Rainsford aparecia em seu rosto.

— Eu desejava o animal ideal para caçar, então disse: "Quais são os atributos de uma caça ideal?" E a resposta, é claro, foi: "Ela deve ter coragem, astúcia e, acima de tudo, deve ser capaz de raciocinar."

— Mas nenhum animal pode raciocinar — objetou Rainsford.

— Caro amigo — disse o general —, existe um que pode.

— Mas não pode estar se referindo a...

— E por que não?

— Não consigo acreditar que esteja falando sério, general Zaroff. Isto é uma piada de mau gosto.

— Por que eu não estaria falando sério? Estou falando sobre caçar.

— Caçar? Meu Deus, general Zaroff, está falando sobre assassinato.

O general olhou intrigado para Rainsford.

— Com certeza, suas experiências na guerra...

— Não me tornaram um assassino de sangue-frio — concluiu Rainsford, severamente.

Uma gargalhada sacudiu o general.

— Aposto que esquecerá estas ideias quando for caçar comigo. Você tem uma nova emoção autêntica lhe esperando, sr. Rainsford.

— Obrigado, mas sou um caçador, não um assassino.

— Que chatice! — disse o general, sem se abalar. — Mais uma vez, essa palavra desagradável; eu só caço a escória da terra... Marinheiros de cargueiros... Indianos, negros, chineses, brancos, mestiços.

— Onde os consegue?

A pálpebra esquerda do general se fechou em uma piscadela.

— Esta ilha é chamada Armadilha de Navios. Acompanhe-me até a janela.

Rainsford foi até a janela e olhou na direção do mar.

— Veja! Ali! — exclamou o general, enquanto pressionava um botão.

Ao longe, Rainsford viu um clarão de luzes. Em seguida, o general continuou:

— Elas indicam um canal, mas na verdade ele não existe. Rochas com pontas afiadas escondem-se ali como um monstro marinho. Podem esmagar um navio como uma noz. Ah, sim, é eletricidade. Tentamos ser civilizados.

— Civilizados? E você mata homens?

— Mas trato meus visitantes com toda a consideração — disse o general, em um tom mais agradável. — Eles recebem bastante comida boa e fazem exercícios. Ficam em condições físicas esplêndidas. Você verá amanhã.

— O que quer dizer?

— Visitaremos minha escola de treinamento. — O general sorriu. — Fica no porão. Tenho cerca de uma dúzia agora. São da barca espanhola *Sanlucar*, que teve o azar de se chocar contra aquelas pedras. Um grupo inferior, lamento dizer, e mais habituado com o convés do que com a selva.

Ele ergueu a mão, então Ivan trouxe um café turco forte.

— É um jogo, veja bem — prosseguiu o general, eufemisticamente. — Sugiro a um deles que saiamos para caçar. Dou a ele três horas de vantagem. Devo segui-lo, armado somente com uma pistola do menor calibre e com o menor alcance. Se minha caça escapar de mim por três dias inteiros, ela vence o jogo. Se eu a encontrar — disse o general, sorrindo —, ela perde.

— Suponhamos que se recuse a ser caçada...

— Ofereço-lhe a opção. Se não quiser caçar, entrego-a a Ivan. Ele já serviu como açoitador oficial do Grande Tsar Branco, e tem suas próprias noções de esporte. Invariavelmente, escolhem a caça.

— E se ganharem?

O sorriso no rosto do general abriu-se ainda mais.

— Até hoje, não perdi. — Em seguida, acrescentou apressadamente: — Não quero que me considere um fanfarrão, sr. Rainsford. Aliás, um deles quase me venceu. Por fim, precisei usar os cachorros.

— Os cachorros?

— Por aqui, por favor. Vou lhe mostrar.

O general o conduziu até outra janela. As luzes proporcionavam uma iluminação trêmula que formava padrões grotescos no pátio abaixo, e Rainsford pôde ver cerca de uma dúzia de enormes formas negras se movendo. Ao se voltarem para ele, ele viu o brilho verde de seus olhos.

— Eles são soltos às sete da noite, todos os dias. Se alguma pessoa tentasse entrar na minha casa... Ou sair dela... algo lamentável ocorreria com ela. E agora quero lhe mostrar minha nova coleção de cabeças. Acompanhe-me até a biblioteca.

— Espero — disse Rainsford — que me dê licença hoje à noite. Não estou me sentindo nada bem.

— Ah, é mesmo? Você precisa de uma boa noite de sono tranquilo. Amanhã, estará se sentido um novo homem. Então, caçaremos, não é? Tenho uma aposta bastante promissora...

Rainsford estava deixando a sala às pressas.

— Lamento que não possa me acompanhar hoje à noite! — gritou o general. — Espero uma disputa muito justa. Um negro forte e grande, que me parece engenhoso...

A cama era boa e Rainsford estava cansado, mas, ainda assim, não conseguiu dormir, e só cochilara um pouco quando, ao amanhecer, ouviu ao longe, na floresta, o disparo distante de uma pistola.

O general Zaroff só apareceu na hora do almoço. Foi atencioso com a saúde de Rainsford.

— Quanto a mim — disse ele —, não me sinto muito bem. A caçada não foi boa ontem à noite. Ele seguiu uma trilha reta que não ofereceu nenhuma dificuldade.

— General — disse Rainsford com firmeza —, quero deixar esta ilha imediatamente.

Ele viu recair em si os olhos negros sem vida do general, que o estudava. Os olhos iluminaram-se de repente.

— Hoje à noite, vamos caçar... Você e eu.

Rainsford balançou a cabeça.

— Não, general. Não vou caçar.

O general deu de ombros.

— Como queira. A escolha é sua, mas eu lhe sugeriria achar minha noção de esporte mais divertida do que a de Ivan.

— Não quer dizer... — gritou Rainsford.

— Caro amigo — disse o general —, não lhe disse que sempre falo sério quando se trata de caçar? Isso é realmente uma inspiração. Um brinde a um adversário digno do meu aço, finalmente.

O general ergueu o copo, mas Rainsford ficou sentado, encarando-o.

— Você considerará um jogo digno de disputar — disse o general, com entusiasmo. — Seu cérebro contra o meu. Suas habilidades de sobrevivência na selva contra as minhas. Sua força e resistência contra as minhas. Xadrez ao ar livre! E a aposta não é sem valor, não é?

— E se eu ganhar... — começou Rainsford, com a voz rouca.

Mas o general leu seus pensamentos:

— Se eu não encontrar você até meia-noite do terceiro dia, reconhecerei de bom grado minha derrota. Meu veleiro deixará você no continente, perto de uma cidade. Ah, pode confiar em mim. Darei minha palavra de cavalheiro e esportista. Em troca, obviamente, você deve concordar em não dizer nada sobre sua visita a esta ilha.

— Não concordarei com nada disso.

— Bem, nesse caso... Mas por que discutir isso agora? Daqui a três dias poderemos discutir isso tomando uma garrafa de Veuve Cliquot, a menos que...

O general bebericou seu vinho. Então, um ar profissional o animou:

— Ivan dará a você roupas de caça, suprimentos e uma faca. Sugiro que use mocassins; deixam uma trilha mais fraca. Sugiro também que evite o grande pantâno na extremidade sudeste da ilha. Chamamos o lugar de Pântano da Morte. Há areia movediça ali. Um sujeito tolo tentou ir para lá. A parte deplorável foi que Lazarus o seguiu. Você não pode imaginar meus sentimentos, sr. Rainsford. Eu amava Lazarus, era o melhor cão de caça da minha matilha. Bem, devo lhe pedir licença agora. Sempre faço uma sesta depois do almoço. Receio que você mal terá tempo para um cochilo. Vai querer começar, sem dúvida. Não partirei até o anoitecer.

Caçar à noite é muito mais excitante do que de dia, não acha? *Au revoir*, sr. Rainsford, *au revoir*.

Enquanto o general, com uma postura elegante, deixava a sala, Ivan entrou por outra porta. Sob um braço, carregava roupas de caça, um farnel de comida, uma bainha de couro contendo uma faca comprida de caça; sua mão direita pousada em um revólver engatilhado enfiado na cinta carmesim em torno de sua cintura...

Rainsford avançara com muito esforço pela floresta por duas horas, mas acabou parando, dizendo baixinho para si mesmo, entre os dentes trincados:

— Preciso manter a calma.

Ele não estava pensando com total clareza quando os portões do castelo se fecharam atrás dele. Sua primeira ideia fora se distanciar do general Zaroff e, para isso, seguira em frente, incentivado pelas esporas afiadas de algo que beirava o pânico. Agora, tendo se contido, parara para avaliar a si mesmo e a situação.

Fugir em linha reta era fútil, pois inevitavelmente o conduziria ao mar. Estando em um quadro emoldurado por água, suas operações claramente deveriam ocorrer dentro daquela moldura.

"Darei a ele uma trilha para seguir", pensou Rainsford, enquanto saía da trilha para o mato fechado. Recordando da tradição da caça à raposa e dos desvios da raposa, executou uma série de círculos intricados, passando diversas vezes pela trilha que deixara. À noite, já estava com as pernas cansadas, as mãos e o rosto cortados pelos galhos. Ele estava em um cume coberto de vegetação fechada. Como a necessidade de descanso era imperativa, ele pensou: "Fiz o papel da raposa, agora preciso fazer o papel do gato da fábula."

Perto de onde estava, havia uma árvore grande com um tronco espesso e longos galhos. Então, tomando cuidado para não deixar marcas, ele subiu na forquilha e estirou-se em um dos galhos largos. O descanso renovou sua confiança e trouxe uma quase sensação de segurança.

Uma noite apreensiva se arrastou lentamente, como uma cobra ferida. Perto do amanhecer, quando um verniz cinzento tingia o céu, o grito de um pássaro assustado chamou a atenção de Rainsford. Algo se aproximava pelo mato, com lentidão e cuidado, seguindo o mesmo caminho sinuoso pelo qual Rainsford viera. Ele estirou o corpo contra o galho e, entre uma tela de folhas quase tão espessa quanto um tapete, observou.

Era o general Zaroff. Ele avançava concentrado com os olhos fixos no solo. Ele parou, quase sob a árvore, ajoelhou-se e estudou o solo. A vontade de Rainsford teria sido saltar sobre ele como uma pantera, mas viu que a mão direita do general segurava uma pequena pistola automática.

O caçador abanou a cabeça várias vezes, como que intrigado. Depois, aprumando-se, retirou um de seus cigarros pretos da cigarreira; o cheiro pungente da fumaça subiu até as narinas de Rainsford.

Rainsford prendeu a respiração. Os olhos do general tinham deixado o solo e viajavam centímetro a centímetro árvore acima. Rainsford congelou, com todos os músculos retesados, pronto para saltar. Mas os olhos aguçados do caçador pararam antes de chegar ao galho no qual Rainsford estava deitado. Um sorriso se abriu em seu rosto moreno. Muito deliberadamente, ele assoprou um círculo de fumaça no ar; depois, deu as costas para a árvore e se afastou despreocupado, na direção da trilha pela qual viera. O roçar da vegetação rasteira contra suas botas de caça ficou cada vez mais fraco.

O ar preso escapou quente dos pulmões de Rainsford. Seu primeiro pensamento o deixou enjoado e entorpecido. O general conseguia seguir um rastro pela floresta à noite; conseguira seguir um rastro extremamente difícil; deveria ter poderes sobre-humanos; fora só por puro acaso que não vira sua caça.

O segundo pensamento de Rainsford foi mais terrível, e o fez estremecer. Por que o general sorrira? Por que dera meia-volta?

Rainsford não queria acreditar no que sua razão lhe dizia que era a verdade: o general estava brincando com ele, poupando-o para mais um dia de esporte. O cossaco era o gato; ele era o rato. Foi quando Rainsford compreendeu o significado de terror.

"Não perderei a coragem", pensou. "Não farei isso."

Deslizando da árvore, Rainsford embrenhou-se na floresta. A trezentos metros do esconderijo, parou onde uma enorme árvore morta apoiava-se precariamente em uma menor, viva. Largando o farnel de comida, desembainhou a faca e começou a trabalhar.

Quando o trabalho estava concluído, agachou-se atrás de um tronco caído a trinta metros dali. Não foi preciso esperar muito. O gato estava voltando para brincar com o rato.

Seguindo a trilha com a confiança de um cão de caça, apareceu o general Zaroff. Nada escapava àqueles olhos negros perscrutadores, nenhuma folha de grama esmagada, nenhum galho dobrado, nenhuma marca, por mais fraca que fosse, no líquen. O cossaco estava tão determinado em rastrear a caça que passou sobre a coisa que Rainsford construíra antes que a visse. O pé dele tocou no galho protuberante que era o disparador. Assim que o tocou, o general sentiu o perigo e saltou para trás com a agilidade de um macaco. Mas não foi rápido o bastante; a árvore morta, ajustada delicadamente para ficar pousada sobre a outra, viva, desabou e atingiu de raspão o ombro do general; se não fosse por sua agilidade, ele teria sido esmagado. O caçador cambaleou, mas não caiu; tampouco deixou cair o revólver. Ficou ali parado, esfregando o ombro machucado, e Rainsford, com o medo apertando outra vez seu coração, ouviu a gargalhada zombeteira do general ecoar pela floresta.

— Rainsford — gritou o general —, se estiver ao alcance da minha voz, permita-me parabenizá-lo! Poucos homens sabem fazer uma armadilha malaia para homens. Para minha sorte, também cacei em Malaca. Você está provando ser interessante, sr. Rainsford. Agora, vou fazer um curativo no ferimento; não é nada grave. Mas voltarei. Voltarei.

Quando o general, cuidando do ombro ferido, foi embora, Rainsford reiniciou a fuga. Era uma fuga agora, e ela o conduziu por algumas horas. Veio o crepúsculo, depois a escuridão, e ainda assim ele seguiu em frente. O solo ficou mais macio sob os mocassins; a vegetação ficou viçosa, mais densa; insetos mordiam-no ferozmente. Ele deu um passo à frente e seu pé afundou no lodo. Ele tentou retirá-lo, girando-o, mas a lama sugava seu pé agressivamente, como uma sanguessuga gigante. Com um esforço violento, ele soltou o pé. Sabia onde estava agora. No Pântano da Morte e sua areia movediça.

A maciez da terra dera a ele uma ideia. Recuando quatro metros da areia movediça, ele começou, como um gigantesco castor pré-histórico, a cavar.

Rainsford havia se enterrado, na França, quando um atraso de um segundo significaria a morte. Comparado a esta escavação, aquela fora um passatempo tranquilo. O buraco ficava mais fundo; quando estava acima de seus ombros, ele escalou para fora e, de algumas mudas de árvores, cortou estacas para fazer pontas afiadas. Ele cravou as estacas no fundo do buraco, com as pontas voltadas para cima. Com dedos ágeis, trançou um tapete improvisado de folhas e galhos, com o qual cobriu o buraco. Depois, molhado de suor e dolorido de cansaço, agachou-se atrás do toco de uma árvore que fora atingida por um raio.

O som de passos lentos sobre a terra macia mostrou a ele que seu perseguidor estava próximo. A brisa noturna trouxe até ele o perfume do cigarro do general. Parecia que o general se aproximava com uma velocidade incomum; que não estava sentindo o terreno enquanto avançava, um pé de cada vez. De onde estava agachado, Rainsford não conseguia ver o general, tampouco o buraco. Ele viveu um ano em um minuto. Então, ouviu o estalar agudo de galhos se quebrando, quando a cobertura do buraco cedeu; ouviu o grito agudo de dor quando as estacas pontiagudas encontraram seu alvo. Depois, encolheu-se, amedrontado. A um metro do buraco, havia um homem de pé com uma lanterna na mão.

— Você se saiu bem, Rainsford! — gritou o general. — Sua armadilha birmanesa para tigres matou um dos meus melhores cães. Mais um ponto para você. Então, verei o que pode fazer contra toda a minha matilha. Vou para casa descansar agora. Obrigado por uma noite muito divertida.

Ao amanhecer, Rainsford, deitado perto do pântano, foi despertado por um som distante, fraco e oscilante, mas que logo reconheceu como sendo os latidos de uma matilha de cães de caça.

Rainsford sabia que tinha duas opções: poderia ficar onde estava, o que seria suicídio; ou poderia fugir, o que seria adiar o inevitável. Por um momento, ficou parado, pensando. Teve uma ideia que lhe apresentava uma oportunidade arriscada. Então, apertando o cinto, afastou-se do pântano.

Os latidos dos cães de caça aproximavam-se cada vez mais. Rainsford subiu em uma árvore. Na margem de uma corrente de água, a menos de quatrocentos metros, podia ver o mato se movendo. Forçando a vista, ele viu a figura magra do general Zaroff. Logo à frente dele, Rainsford identificou outra figura, de ombros largos, que disparava entre os juncos da floresta. Era o gigantesco Ivan, e parecia que estava sendo puxado. Rainsford deu-se conta de que deveria estar segurando a matilha por uma coleira.

Estariam sobre ele a qualquer momento. A mente de Rainsford trabalhou freneticamente, e ele pensou em um truque dos nativos que aprendera em Uganda. Deslizando àrvore abaixo, pegou uma muda jovem e flexível, depois amarrou sua faca de caça a ela, com a lâmina apontada para a trilha. Com um pouco de vinha selvagem, amarrou a muda para trás... E correu para salvar sua vida. Quando os cães sentiram o cheiro fresco de seu rastro, começaram a latir, então Rainsford soube como um animal encurralado se sente.

Ele precisou parar para recuperar o fôlego. O latido dos cães cessou abruptamente, e o coração de Rainsford também. Eles deveriam ter alcançado a faca.

Escalando freneticamente uma árvore, ele olhou para trás. Seus perseguidores tinham parado. Mas a esperança no cérebro de Rainsford morreu, pois ele viu que o general Zaroff continuava de pé. Ivan, no entanto, não estava. A faca, impulsionada pelo recuo da árvore quando fora solta, não falhara totalmente.

Rainsford mal tocara de novo no solo quando, mais uma vez, a matilha recomeçou a latir.

"Coragem, coragem, coragem", ele pensava enquanto corria. Uma brecha azul surgiu entre as árvores bem adiante. Os cães se aproximavam. Rainsford correu na direção da brecha. Ele alcançou o mar e, no outro lado de uma enseada, viu a pedra cinza do castelo. Sete metros abaixo dele, o mar roncava e sibilava. Rainsford hesitou. Ele ouviu os cães. Então, saltou para longe na água.

Quando o general e a matilha chegaram à brecha na floresta, o cossaco parou. Por alguns instantes, ele ficou olhando a extensão de água verde-azulada. Depois, sentou-se, tomou um gole de conhaque de uma garrafa prateada, acendeu um cigarro perfumado e murmurou um trecho da ópera de Giacomo Puccini, *Madame Butterfly*.

Naquela noite, o general Zaroff fez um jantar extremamente saboroso em seu grande salão apainelado. Como acompanhamento, tomou uma garrafa de Pol Roger e meia garrafa de Chambertin. Dois pequenos incômodos impediram-no de desfrutá-lo plenamente. O primeiro era que seria difícil substituir Ivan; o segundo era que sua caça escapara. "Obviamente", assim pensou o general, enquanto saboreava seu licor digestivo, "o americano não jogara o jogo".

Para se tranquilizar, ele leu na biblioteca as obras de Marco Aurélio. Às dez da noite, foi para o quarto. "Estou com um cansaço confortável", pensou, enquanto girava a chave na porta. Havia um pouco de luar. Portanto, antes de acender a luz, foi até a janela e olhou para o pátio. Podia ver os cachorros, então gritou:

— Melhor sorte na próxima vez!

Depois, acendeu a luz.

Um homem que estivera se escondendo atrás das cortinas da cama estava de pé atrás dele.

— Rainsford! — gritou o general. — Por Deus, como chegou aqui?

— Nadei. Achei que seria mais rápido do que atravessar a floresta a pé.

O outro arfou e sorriu.

— Meus parabéns. Você venceu o jogo.

Rainsford não sorriu.

— Ainda sou um animal encurralado — disse ele, com uma voz baixa e rouca. — Prepare-se, general Zaroff.

O general fez uma de suas reverências mais polidas.

— Compreendo — disse ele. — Esplêndido. Um de nós servirá de repasto para os cães. O outro dormirá nesta cama maravilhosa. Em guarda, Rainsford...

"Nunca tinha dormido em uma cama tão perfeita", concluiu Rainsford.

JANE DOS QUATRO QUADRADOS
EDGAR WALLACE

Na "Nota do editor" da primeira edição de *Os quatro quadrados* (1929), o único livro dedicado aos feitos da jovem trapaceira, a "heroína" é descrita como uma "ladra extremamente elegante, uma criminosa incrivelmente esperta que exercita toda a sua astúcia feminina em seu trabalho nefando e faz com que os detetives e policiais simples, que se empenham em encontrá-la, pareçam tolos".

Jane é bonita, jovem, magra e casta. Além disso, deixa seu cartão de visita nas cenas de seus roubos: uma etiqueta impressa com quatro quadrados e a letra "J" no meio. Ela se assegura de fazer isso para que nenhum dos criados seja acusado do roubo. Ela tem um círculo de parceiros leais, aos quais recorria quando necessário.

Durante o auge da popularidade na década de 1920 como o maior autor de thrillers que já existiu, Richard Horatio Edgar Wallace (1875-1932) tem a reputação de ter sido o autor de um em cada quatro livros vendidos na Inglaterra. Depois de abandonar a escola ainda jovem, ele entrou para o Exército e foi enviado para a África do Sul, onde escreveu poemas de guerra. Mais tarde, trabalhou como jornalista, durante a Segunda Guerra dos Bôeres. Voltando para a Inglaterra com o desejo de escrever ficção, publicou por conta própria *Os quatro homens justos* (1905), um desastre financeiro, mas veio a escrever 173 livros e 17 peças.

A popularidade assombrosa de Wallace assegurou um mercado para qualquer coisa que escrevesse, e as principais revistas competiam por suas obras, pagando-lhe somas vultosas, mas as histórias de *Os quatro quadrados* parecem ter sido escritas diretamente para o livro, sem nenhuma publicação prévia em periódicos. Nenhuma das histórias tem título.

O conto "Jane dos quatro quadrados" foi publicado originalmente no livro *Os quatro quadrados* (Londres, Readers Library, 1929).

JANE DOS QUATRO QUADRADOS

EDGAR WALLACE

O sr. Joe Lewinstein arrastou os pés até uma das janelas amplas que iluminava sua magnífica sala de estar e olhou com tristeza para o jardim.

Os canteiros de gerânios e lobélias estavam parcialmente obscurecidos por uma forte névoa de chuva, e os jardins bem cuidados que eram o orgulho de seus muitos jardineiros estavam encharcados, com alguns pontos inundados.

— É claro que choveria hoje — disse ele com amargura.

Sua esposa grande e consolativa olhou por cima dos óculos.

— Mas, Joe — disse ela —, que bem faz resmungar? Eles não vieram para uma *al fresco fête*; vieram pela dança e para serem fotografados, e por tudo o mais que conseguirem obter de nós.

— Ah, cale-se, Miriam — disse o sr. Lewinstein, com irritação. — De que importa por que vieram? O que importa é o que quero deles. Você não acha que cheguei à minha posição atual sem aprender nada, ou acha? — O sr. Lewinstein gostava de mencionar sua ascensão quase meteórica no mundo das altas finanças, ainda que não no mundo correspondente da sociedade. E, fazendo-lhe justiça, deve ser acrescentado que as companhias que ele promovera, e tinham sido muitas, foram administradas da maneira mais correta. Além do mais, ele tampouco, usando suas próprias palavras, arriscara o dinheiro das "viúvas e órfãos". Pelo menos, não desnecessariamente.

— O que conta é conhecer as pessoas certas — prosseguiu ele — e proporcionar a elas o tipo certo de lucro. É mais fácil conquistar seu segundo milhão do que o primeiro. E vou conquistá-lo, Marian — acrescentou, com uma determinação inflexível. — Vou conquistá-lo, e não serei detido por causa de alguns milhares em despesas!

Um temor de que o entretenimento daquela noite lhes custasse milhares de dólares flutuou pela cabeça da sra. Lewinstein, mas ela não disse nada.

— Aposto que nunca viram um baile como o que daremos nesta noite — continuou o marido com satisfação, enquanto dava as costas para a janela e se aproximava lentamente da esposa. — A companhia será digna dele, Miriam, acredite em mim. Virão todos da cidade que são alguém. Haverá mais joias aqui hoje do que nem mesmo eu jamais seria capaz de comprar.

A esposa deixou o jornal de lado com um gesto impaciente.

— É sobre isso que estou pensando — disse ela. — Espero que saiba o que está fazendo. É uma grande responsabilidade.

— O que quer dizer com "responsabilidade"? — perguntou Joe Lewinstein.

— Todo este dinheiro fácil dando sopa. Você não lê os jornais? Nenhum de seus amigos lhe contou?

O sr. Lewinstein deu uma gargalhada rouca.

— Ah, eu sei o que está incomodando você. Está pensando na Jane dos quatro quadrados.

— Jane dos quatro quadrados! — disse a sra. Lewinstein com acidez. — Eu daria uma lição nesta Jane dos quatro quadrados, se ela estivesse nesta casa!

— Ela não é uma ladra comum — disse o sr. Lewinstein, balançando a cabeça, mas era difícil dizer se em repreensão ou admiração. — Meu amigo, Lorde Belchester... Meu amigo, Lorde Belchester, disse-me que é um mistério completo como a esposa perdeu suas esmeraldas. Belchester estava muito preocupado com aquilo. Ele usou quase metade do dinheiro que ganhara com a Consolidated Grains para comprar as esmeraldas, e elas foram perdidas cerca de um mês depois. Ele acha que o ladrão era um de seus convidados.

— Por que a chamam de Jane dos quatro quadrados? — perguntou a sra. Lewinstein, curiosa.

— Ela sempre deixa uma marca, uma espécie de etiqueta impressa com quatro quadrados e a letra J no meio. Foi a polícia quem passou a chamá-la de Jane e, de algum modo, o nome pegou.

A esposa pegou o jornal, mas o deixou de lado outra vez, olhando pensativamente para a lareira.

— E você está trazendo todas essas pessoas para passarem a noite aqui, e está falando que estarão carregadas de joias! Você tem coragem, Joe.

O sr. Lewinstein riu.

— Também tenho uma detetive — disse ele. — Pedi a Ross, que é dono da maior agência de detetives particulares de Londres, para me enviar sua melhor agente.

— Minha nossa — disse a sra. Lewinstein, consternada. — Você receberá uma mulher aqui?

— Sim, receberei. É uma dama, aparentemente uma das melhores garotas de Ross. Ele me disse que, em casos como esse, chama muito menos a atenção ter uma detetive entre os convidados do que um homem. Eu disse a ela para estar aqui às sete da noite.

Sem dúvida, a festa na residência dos Lewinstein era o evento mais impressionante que o condado já vira. Os convidados chegariam em um trem especial de Londres e seriam recebidos na estação por uma pequena frota de automóveis, os quais ele pressionara a servi-lo de todas as fontes disponíveis. Seu próprio carro aguardava na porta, pronto para levá-lo até a estação para receber seu convidado "especial", quando um criado lhe trouxe um cartão.

— Srta. Caroline Smith — ele leu.

No canto do cartão, havia o nome da Agência de Detetives Ross.

— Diga à jovem que a receberei na biblioteca.

Lewinstein a encontrou esperando por ele. Uma garota bonita e apresentável, de olhos notavelmente astutos e espertos que brilhavam atrás de óculos sem aro e um véu, cumprimentou-o com um sorriso evasivo, que apareceu e sumiu como o sol em um dia de inverno.

— Quer dizer que é uma detetive, não é? — disse Lewinstein com um bom humor ponderado. — A senhorita parece jovem.

— Ah, sim — disse a garota —, mesmo em casa, onde a juventude não é uma desvantagem, sou considerada um pouco abaixo do limite.

— Ah, você é americana? — perguntou Lewinstein, interessado.

A garota assentiu.

— Este é meu primeiro trabalho na Inglaterra e, naturalmente, estou bastante nervosa.

A jovem tinha uma voz agradável, levemente arrastada, a qual indicou ao sr. Lewinstein, que passara alguns anos no outro lado do oceano, que ela vinha de um dos estados do Sul.

— Bem, suponho que conheça bem suas obrigações nesse jogo de eliminar a tal Jane de quatro quadrados.

Ela assentiu.

— Pode ser uma proposta bastante difícil. Você me dará permissão para ir para onde eu quiser e fazer praticamente o que eu quiser, não dará? Isso é essencial.

— Certamente — disse o sr. Lewinstein. — Você jantará conosco, como nossa convidada?

— Não, isso não funciona — respondeu ela. — No tempo em que eu deveria estar investigando e reparando nos detalhes, minha atenção fica totalmente absorvida pelo homem que me acompanha no jantar e quer saber meu ponto de vista quanto à lei seca. Portanto, se for do seu agrado, eu gostaria de conhecer toda a casa. Posso ser sua jovem prima, Miranda, das montanhas altas de Nova Jersey. E quanto aos seus criados?

— Posso confiar minha vida a eles — disse o sr. Lewinstein.

Ela olhou para ele com um leve lampejo nos olhos.

— Pode me dizer qualquer coisa sobre essa Raffles? — perguntou ela.

— Nada — disse o anfitrião —, exceto que é uma dessas socialites que frequenta o tipo... Bem, o tipo de festa que darei hoje à noite. Haverá muitas damas presentes... Algumas das melhores do país... É isso que torna tudo tão difícil. Ela pode igualmente ser, ou não, uma delas.

— Você confiaria sua vida a todos eles? — perguntou ela, maliciosamente, depois prosseguiu: — Acho que conheço sua mulher dos quatro quadrados. Veja bem — ela ergueu a mão —, não direi que a descobrirei aqui.

— Peço a Deus que não — disse Joe com sinceridade.

— Ou que, caso a encontre, a denunciarei. Talvez possa me dizer algo mais sobre ela.

O sr. Lewinstein balançou a cabeça.

— A única coisa que sei é que, depois de cometer um roubo, ela costuma deixar um cartão de visita.

— Isso eu sei — disse a garota, assentindo. — Ela faz isso para que as suspeitas não recaiam sobre os criados.

Ela pensou por um momento, batendo com um lápis nos dentes, depois disse:

— O que quer que eu faça, sr. Lewinstein, o senhor não deve considerar estranho. Estou decidida a capturar Jane dos quatro quadrados e iniciar minha carreira na Inglaterra com um grande floreado de trompetes de prata.

Ela sorriu com tanto charme que a sra. Lewinstein, na porta, ergueu as sobrancelhas.

— Está na hora de você ir, Joseph — disse ela com severidade. — O que devo fazer com esta jovem?

— Mande alguém lhe mostrar o quarto dela — disse o sr. Lewinstein, temporariamente perturbado, e saiu com pressa para o carro que o aguardava.

A sra. Lewinstein tocou a campainha. Não tinha nenhum interesse por detetives, especialmente detetives bonitas de vinte e três anos.

A Mansão Adchester era uma residência grande, mas estava ocupada em sua capacidade máxima para acomodar os hóspedes que chegaram naquela noite.

Tudo que a sra. Lewinstein dissera, que aquelas mulheres bonitas e homens interessantes tinham sido atraídos para Buckinghamshire com uma esperança vivaz de futuros favores, poderia ser verdade. Joe Lewinstein não era poderoso apenas na cidade, controlando quatro grandes corporações, pois seus interesses se estendiam do Colorado a Vladivostock.

Foi um grupo particularmente brilhante que se sentou para jantar naquela noite, e se o sr. Lewinstein se inflou um pouco de orgulho, tal orgulho certamente era justificável. À direita dele, estava sentada Lady Ovingham, uma mulher magra, de uma beleza que consistia principalmente em seus enormes olhos atraentes e uma palidez quase alarmante. Sua aparência traía profundamente sua personalidade, pois era uma mulher de negócios com uma habilidade incomum. Além disso, fora sócia do sr. Lewinstein em algumas de suas especulações mais seguras. Um braço coberto do pulso ao cotovelo com pulseiras de diamantes testemunhava o sucesso de tais empreendimentos financeiros, pois Lady Ovingham tinha o hábito de investir seu dinheiro em diamantes, porque sabia que o valor das joias não cairia repentinamente.

A conversa foi animada e, em muitos casos, hilariante, pois o sr. Lewinstein misturara os convidados com o mesmo cuidado que o mordomo misturara os coquetéis, e as duas coisas contribuiram significativamente para o sucesso da noite.

Foi perto do fim do jantar que ocorreu o primeiro incidente desagradável. O mordomo debruçou-se ostensivamente sobre Lewinstein para servir uma taça de vinho, e sussurrou:

— A jovem que chegou nesta tarde, senhor, ficou doente.

— Doente! — disse o sr. Lewinstein, desanimado. — O que aconteceu?

— Ela reclamou de uma forte dor de cabeça, foi acometida por tremedeiras e precisou ser levada para o quarto — disse o mordomo em voz baixa.

— Mande chamar o médico na aldeia.

— Fiz isso, senhor — disse o homem —, mas o médico foi chamado para uma consulta importante em Londres.

O sr. Lewinstein franziu a testa. Então, ocorreu-lhe um pequeno vislumbre de alívio. A detetive pedira-lhe que não ficasse preocupado com nada que pudesse acontecer. Possivelmente, era uma artimanha proposital por parte dela. No entanto, reclamou para si mesmo que ela deveria ter lhe contado.

— Muito bem, espere até o jantar terminar — disse ele.

Quando aquela função terminou e os convidados tinham atingido o momento para café e cigarros, antes de entrarem no grande salão de baile ou se recolherem para jogar cartas, o sr. Lewinstein subiu ao terceiro andar e foi até o quarto minúsculo que fora designado por sua esposa como adequado para uma detetive.

Ele bateu na porta.

— Entre — disse uma voz fraca.

A garota estava deitada na cama, coberta por um edredom, e tremia.

— Não toque em mim — disse ela. — Nem sei o que há de errado comigo.

— Meu Deus! — disse o sr. Lewinstein, desanimado. — Você não está realmente doente, está?

— Receio que sim. Sinto muito, de verdade. Não sei o que aconteceu comigo, e tenho a sensação de que minha doença não é totalmente acidental. Estava me sentindo bem até tomar uma xícara de chá que foi trazida ao meu quarto, quando, de repente, fui acometida por esses calafrios. O senhor pode chamar um médico?

— Farei o melhor que puder — disse o sr. Lewinstein, pois seu coração era gentil.

Ele desceu um pouco ansioso. Se, como a garota parecia insinuar, ela fora drogada, aquilo pressupunha a presença de Jane dos quatro quadrados na casa, ou de um de seus comparsas. Ele saiu para o corredor e encontrou o mordomo, que o esperava.

— Com licença, senhor — disse o mordomo —, mas algo muito afortunado aconteceu. Um cavalheiro que ficou sem gasolina veio até a casa para pegar um pouco emprestado...

— E? — disse o sr. Lewinstein.

— Bem, senhor, ele é médico — disse o mordomo. — Pedi a ele para ver o senhor.

— Ótimo — disse o sr. Lewinstein com entusiasmo —, muito boa ideia. Traga-o para a biblioteca.

O motorista encalhado, um jovem alto, entrou se desculpando profusamente.

— Gostaria de dizer que é muito gentil de sua parte me dar o combustível — disse ele. — A verdade é que eu, com toda a minha tolice, coloquei duas latas vazias no porta-malas.

— É um prazer ajudá-lo, doutor — disse o sr. Lewinstein de modo cordial. — E, talvez, agora possa me ajudar.

— Não tem ninguém doente aqui, ou tem? — Perguntou o médico. — Prometi ao meu sócio que não examinaria nenhum paciente por três meses. Compreenda — explicou ele —, andei sobrecarregado demais recentemente, e estou um pouco desgastado.

— Seria uma grande gentileza se examinasse esta jovem — disse o sr. Lewinstein com sinceridade. — Não sei o que pensar quanto ao estado dela, doutor.

— Meu nome é Setheridge — disse o médico. — Tudo bem, examinarei sua paciente. Suponho que tenha sido ingrato de minha parte ter feito cara feia. Onde ela está? Diga-se de passagem, é uma das suas convidadas? Parece que entrei de penetra em uma festa.

— Não exatamente. — O sr. Lewinstein hesitou. — Ela é... Humm... Uma visitante.

Ele conduziu o médico até o quarto, e então o jovem entrou e olhou para a garota que tremia com o sorriso confiante e tranquilo de um médico experiente.

— Olá — disse ele. — O que há de errado com você?

Ele tomou o pulso dela e consultou o relógio, então o sr. Lewinstein, de pé na porta aberta, viu-o franzir a testa. Ele se curvou e examinou os olhos da paciente, depois puxou a manga do vestido dela e assobiou.

— É grave? — perguntou ela com ansiedade.

— Não muito, se você for tratada; mas pode perder um pouco de cabelo — disse ele sorrindo, enquanto olhava para a cabeleira castanha sobre o travesseiro.

— O que tenho? — perguntou ela.

— Escarlatina, minha jovem amiga.

— Escarlatina! — arfou o sr. Lewinstein. — Não está falando sério.

O médico saiu do quarto e se juntou a ele no corredor, fechando a porta atrás de si.

— É escarlatina, com certeza. Tem alguma ideia de onde ela pode ter sido infectada?

— Escarlatina — gemeu o sr. Lewinstein. — E a casa está cheia de aristocratas.

— Bem, o melhor que o senhor pode fazer é manter os aristocratas ignorantes do fato. Tire a garota da casa.

— Mas como? Como? — lamentou o sr. Lewinstein.

O doutor coçou a cabeça.

— Obviamente, não quero fazer isso — disse ele sem pressa. — Mas não posso, de forma alguma, deixar uma garota com um problema desses. Posso usar seu telefone?

— Certamente, use o que quiser; mas, pelo amor de Deus, tire a garota daqui!

O sr. Lewinstein levou-o até a biblioteca, onde o jovem discou um número e deu algumas instruções. Aparentemente, a conversa telefônica foi satisfatória, pois ele voltou com um sorriso para o corredor, onde o sr. Lewinstein batucava nervosamente com os dedos na superfície polida de uma mesa.

— Posso fazer com que uma ambulância venha para cá, mas não antes das três da manhã — disse ele. — De todo modo, isso será apropriado para nós, pois a essa altura seus convidados estarão na cama, dormindo, assim como a maioria dos criados, presumo. Então poderemos tirá-la daqui sem que ninguém saiba.

— Estou profundamente em dívida com o senhor, doutor — disse o sr. Lewinstein. — Seja qual for a quantia que vai me cobrar...

Abanando a mão, o médico dispensou o pagamento.

Então, o sr. Lewinstein pensou em algo.

— Doutor, a doença poderia ter sido transmitida para a garota por meio de uma droga, ou qualquer outra coisa?

— Por que pergunta? — disse o médico prontamente.

— Bem, porque ela estava muito bem até tomar uma xícara de chá. Devo lhe confidenciar — disse ele, baixando a voz — que ela é uma detetive, trazida para cuidar dos convidados. Recentemente, uma série de roubos foram cometidos por uma mulher que se autodenomina "Jane dos quatro quadrados" e, por segurança, chamei essa garota para proteger as propriedades dos meus amigos. Quando a vi, antes do jantar, ela estava tão bem quanto nós dois; depois, deram-lhe uma xícara de chá e, imediatamente, começou a ter calafrios.

O doutor assentiu pensativamente.

— É curioso que diga isso — disse ele —, pois apesar de ela apresentar os sintomas de escarlatina, também apresenta outros que não costumam ser vistos em casos desta doença. Está sugerindo que esta mulher, esta tal de quatro quadrados, está na casa?

— Ou ela, ou seu agente — disse o sr. Lewinstein. — Pelo que dizem, ela tem vários comparsas.

— E você acredita que ela deu uma droga para essa garota, para se livrar dela?

— É o que imagino.

— Por Deus! — disse o jovem. — Isso é um plano e tanto. Bem, de todo modo, haverá muitas pessoas circulando por aqui hoje à noite, e seus hóspedes estarão seguros por hoje.

A garota fora instalada na ala dos criados, mas, felizmente, em um quarto isolado de todos os outros. O sr. Lewinstein subiu para o terceiro andar várias vezes durante a noite, viu pela fresta da porta o médico sentado ao lado da cama, e ficou satisfeito. Os hóspedes se recolheram por volta de uma da manhã, o que deixou agitada a sra. Lewinstein, para quem a notícia da catástrofe fora transmitida e, tendo sido induzida com sucesso a ir para a cama, o sr. Lewinstein pôde respirar mais aliviado.

À uma e meia da manhã, ele fez a terceira visita à porta do quarto da doente, pois ele próprio não estava isento do temor de ser infectado, e viu pela porta aberta o médico sentado perto do pé da cama, lendo um livro.

Ele desceu com cuidado e em silêncio, tanto que quase surpreendeu uma figura magra que se esgueirava pelo corredor escuro para o qual davam as portas dos quartos dos principais convidados.

A figura escondeu-se em uma reentrância, e ele passou tão perto dela que ela poderia tê-lo tocado. A pessoa aguardou até que ele desaparecesse, depois atravessou o corredor até uma das portas e testou cautelosamente a fechadura. O ocupante cometera o erro de trancar a porta e retirar a chave. Em um segundo, ela inserira sua própria chave e, girando-a delicadamente, entrara no quarto na ponta dos pés.

Ela parou, escutando; havia uma respiração regular, então ela foi até a cômoda, na qual seus dedos habilidosos iniciaram uma busca rápida, mas silenciosa. Ela encontrou o que procurava, uma caixa de couro liso, e sacudiu-a levemente. Saiu do quarto e fechou a porta, sem que tivesse ficado nem sequer um minuto lá dentro.

Ela entreabira a porta seguinte, antes de ver que havia uma luz no quarto, e ficou imóvel na sombra da entrada. No lado oposto da cama, o pequeno abajur na mesa de cabeceira ainda estava aceso, e ela refletiu que ele a poderia ter ajudado muito, se ao menos tivesse certeza de que a pessoa deitada na cama entre os travesseiros com babados estivesse realmente dormindo. Ela aguardou, rígida, com todos os sentidos em alerta, por cinco minutos, até que o som da respiração regular vindo da cama lhe tranquilizou. Ali, a tarefa era simples. Nada menos do que uma dúzia de pequenas caixas de couro e de veludo estavam espalhadas sobre a coberta de seda. Ela abriu-as silenciosamente, uma de cada vez, e guardou os conteúdos brilhantes no bolso, deixando as caixas como estavam.

Enquanto guardava as joias, um pensamento lhe ocorreu, e ela examinou com mais atenção a figura adormecida. A meia-luz, parecia ser uma mulher bela e magra. Portanto, era Lady Ovingham, a mulher de negócios. Ela saiu do quarto tão silenciosamente quanto entrara, ainda mais rapidamente, e em seguida testou a porta seguinte no corredor.

Não estava trancada.

Era o quarto da própria sr. Lewinstein, mas ela não dormia tranquilamente. A porta fora deixada aberta para o marido, que prometera ver a esposa para organizar a manhã. Com toda a preocupação dele, a promessa fora totalmente esquecida. Havia um pequeno cofre na parede, e as chaves pendiam na fechadura; pois o sr. Lewinstein, sendo um homem prudente e cuidadoso, tinha o hábito de guardar suas abotoaduras de diamantes todas as noites.

Os dedos da garota penetraram no cofre e ela encontrou o que queria. A sra. Lewinstein parou de respirar pesadamente, grunhiu e virou-se.

Enquanto isso, a garota ficou congelada. Os roncos recomeçaram, então ela escapuliu para o corredor.

Ao fechar cada uma das portas, ela parava apenas tempo suficiente para colar uma pequena etiqueta na maçaneta, antes de ir para o quarto seguinte.

No térreo, de dentro da biblioteca, o sr. Lewinstein ouviu o ronco suave de um automóvel e se levantou com um suspiro de alívio. Somente o mordomo fora informado do segredo, e aquele criado sonolento, que cochilava em uma das cadeiras do saguão, ouviu o som com um alívio tão grande quanto o de seu patrão. Ele abriu a grande porta da frente.

No lado de fora, havia uma ambulância motorizada, da qual dois homens tinham saltado. Eles retiraram uma maca e uma pilha de cobertores, depois entraram no saguão.

— Vou lhes mostrar o caminho — disse o sr. Lewinstein. — Por favor, façam o mínimo possível de barulho.

Ele conduziu a procissão pela escada acarpetada e finalmente chegou ao quarto da garota.

— Ah, aqui estão vocês — disse o médico, bocejando. — Coloquem a maca ao lado da cama. É melhor se afastar um pouco, sr. Lewinstein — disse ele, e o cavalheiro obedeceu prontamente.

A porta foi aberta e a maca saiu, carregando a figura da garota envolta em cobertores, seu rosto quase escondido. Ela agradeceu ao sr. Lewinstein com um sorriso patético ao passar por ele.

Os atendentes conseguiram descer a escada sem dificuldade, e a maca foi empurrada com cuidado para o interior da ambulância.

— Está tudo bem — disse o médico. — Se eu fosse você, mandaria trancar o quarto e fumigá-lo amanhã.

— Estou em grande débito com o senhor, doutor. Se me der seu endereço, gostaria de lhe enviar um cheque.

— Ah, bobagem — disse o outro, com bom humor. — Estou simplesmente muito feliz por lhe servir. Vou para a aldeia pegar meu carro e voltar para a cidade.

— Para onde levará a jovem? — perguntou o sr. Lewinstein.

— Para o Hospital de Febre do Condado — respondeu o médico, despreocupadamente. — É para onde a estão levando, não é?

— Sim, senhor — disse um dos atendentes.

O sr. Lewinstein aguardou nos degraus até que as luzes vemelhas do carro tivessem sumido, depois entrou com a sensação de ter administrado bastante bem uma situação muito difícil.

— É tudo por hoje — disse ele ao mordomo. — Obrigado por esperar.

Ele viu-se caminhando, com um pequeno sorriso nos lábios, pelo corredor que conduzia ao seu quarto.

Enquanto passava pela porta da esposa, tropeçou em algo. Agachando-se, pegou uma caixa. Havia um interruptor próximo, e ele inundou o corredor de luz.

— Por Moisés! — arfou ele, pois o que segurava nas mãos era a caixa de joias da esposa.

Ele correu para a porta do quarto da esposa, e estava prestes a pegar a maçaneta quando a etiqueta nela captou seu olhar, e ele olhou com um maravilhamento desesperado para o símbolo de Jane dos quatro quadrados.

Uma ambulância parou em um cruzamento, onde um carro grande aguardava, e a paciente, que se livrara há muito tempo dos cobertores, saiu. Ela carregava uma mala pesada, pega por um dos atendentes, que a colocou no carro. O médico estava ao voltante.

— Receei que deixaria você esperando — disse ele. — Saí de lá bem a tempo.

Ele se virou para o atendente.

— Vejo você amanhã, Jack.

— Sim, doutor — respondeu o outro.

Ele tocou em seu chapéu, saudando Jane dos quatro quadrados, e caminhou de volta para a ambulância, esperando apenas para trocar as placas antes de partir na direção oposta, para Londres.

— Está pronta? — perguntou o médico.

— Totalmente pronta — disse a garota, sentando-se ao lado dele. — Você se atrasou, Jim. Quase tive um ataque de verdade quando ouvi que tinham chamado os charlatães locais.

— Não precisava ter se preocupado — disse o homem ao volante, enquanto arrancava com o carro. — Mandei um amigo enviar um telegrama para ele, chamando-o para Londres. Conseguiu pegar as coisas?

— Muitas — disse laconicamente Jane dos quatro quadrados. — Haverá alguns corações tristes na casa de Lewinstein amanhã.

Ele sorriu.

— Diga-se de passagem — disse ela —, a detetive que Ross enviou, até onde ela chegou?

— Até a estação — disse o médico —, o que me faz lembrar de que me esqueci de soltá-la da garagem onde a prendi.

— Deixe-a lá — disse Jane dos quatro quadrados. — Odeio a ideia de mulheres detetives, de todo modo... É tão pouco feminino.

VIGARISTA: EDWARD FARTHINDALE

UMA FORTUNA EM ESTANHO
EDGAR WALLACE

O enorme sucesso que Richard Horatio Edgar Wallace (1875-1932) desfrutou nas décadas de 1920 e 1930 estendeu-se além do Reino Unido para os Estados Unidos, mas *Elegant Edward* (1928) era recheado com um tipo de humor que evidentemente não atraía os americanos, pois a antologia de contos nunca foi publicada no outro lado do Atlântico.

Diferentemente dos muitos personagens criminosos criados por Wallace, Edward Farthindale, conhecido por todos como Edward Elegante, não era um brilhante gênio do crime que gargalhava arrogantemente da polícia que tentava capturá-lo. Ele é descrito da seguinte maneira pelo editor:

> Ele é um personagem divertido. Seus crimes não são concebidos com um espírito de seriedade esmagadora e mortal. Há um toque de leveza em todas as suas atuações. Suas habilidades tampouco são de tão alta ordem a ponto de ele enganar a polícia. Seus encontros com ela são quase da natureza de um jogo amigável no qual o melhor homem, quem quer que seja na ocasião, vence, sem rancores duradouros por parte do adversário.

Como o escritor mais popular do mundo nas décadas de 1920 e 1930, Wallace ganhou uma fortuna. Supostamente, mais de um quarto de milhão de dólares por ano durante a última década da sua vida, mas seu estilo de vida extravagante deixou seu patrimônio profundamente endividado quando morreu.

O conto "Uma fortuna em estanho" foi publicado originalmente no livro *Elegant Edward* (Londres, Readers Library, 1928).

UMA FORTUNA EM ESTANHO

EDGAR WALLACE

Edward Elegante negociava uma linha estável de produtos e, no sentido verdadeiro da palavra, não era um ladrão. Ele admitia: era um vigarista, um maceiro, um trapaceiro e um aproveitador. Suas mercadorias consistiam em ações de companhias decrépitas compradas por uma ninharia, em opções em propriedades remotas, reivindicações de ouro genuínas, direitos indubitávies de mineração e ofertas de exploração de petróleo. Por causa de sua elegância e refinamento, conseguia socializar nesse negócio de classe alta e ganhar a vida onde outro homem morreria de fome.

O sr. Farthindale saíra de uma enorme confusão com quase todo o capital que tinha uma semana antes. Ele localizara certos sócios desleais que tinham vendido uma propriedade sua e os obrigara a vomitar seus lucros ilícitos, então obtivera o resto do receptador que comprara a propriedade.

A polícia procurava um certo Scotty Ferguson, o sócio em questão, e como Edward não tinha o menor desejo de fornecer provas contra seu parceiro de longa data, mudara de residência e estava considerando o próximo movimento naquele jogo arriscado.

Tudo começara com um encontro casual com um vendedor itinerante de novidades, que estava na calçada de uma rua de Londres vendendo notas de cem mil marcos por dois *pence*.* Insensivelmente, a cabeça de Edward voltou-se para o negócio que compreendia melhor. Na cidade

* Moeda divisionária inglesa que valia, até 1971, a duodécima parte do xelim e hoje corresponde à centésima parte da libra. (N. do T.)

de Londres, havia um malicioso dono de uma *bucket shop** que ele conhecia. O cavalheiro operava a partir de um escritório muito pequeno em um prédio muito grande. Havia uma fotografia do prédio em seu papel de carta, e os clientes do campo tinham a impressão de que o Fundo de Ações Anglo-Imperial ocupava todos os andares e transbordava pelo telhado. Edward foi até ele e o encontrou jogando paciência, pois os negócios iam mal.

— Como vai, sr. Farthindale. Entre e sente-se.

— Como estão as coisas? — perguntou Edward, de modo convencional.

O Fundo de Ações Anglo-Imperial fez uma expressão de dor.

— Terríveis — disse ele. — Enviei três mil circulares semana passada, oferecendo os melhores terrenos petrolíferos do Texas por cem libras o acre. Obtive uma resposta... De uma senhora que queria saber se eu encontrara seu filho que mora na Cidade do Texas. Os otários estão morrendo, sr. Farthindale.

Edward coçou o queixo.

— Petróleo não me interessa — disse ele. — Trabalhei com petróleo na Escócia. E quanto a minas?

— De ouro ou prata? — perguntou o Anglo-Imperial, levantando-se com vivacidade. — Tenho uma minha de prata maravilhosa...

— Já trabalhei com minas de prata no País de Gales — disse o paciente Edward. — Prata nunca dá retornos tão bons quanto ouro.

— E que tal estanho? — perguntou ansiosamente o Fundo. — A Corporação de Mineração de Estanho Trevenay. A mina está em atividade desde o tempo dos pernícios, ou finócios... Mediterrâneos pré-históricos... *Você* conhece?

Edward Elegante tinha uma vaga ideia de que os fenícios eram muito antigos, e ficou levemente impressionado.

— Tenho 120 mil ações de um total de 150 mil. É uma mina de verdade, também... Há cerca de quarenta anos, mil pessoas trabalhavam

---

* As *bucket shops* eram lojas especializadas em negociações fictícias com ações e commodities; que floresceram nos Estados Unidos no final do século XIX e início do século XX. Eram pseudocorretoras cujas compras e vendas não eram realmente efetivadas na Bolsa de Valores. Consistiam apenas de apostas feitas pelo cliente na alta ou na queda de uma ação ou commodity. As perdas e ganhos eram bancadas diretamente pela *bucket shop*, que foram consideradas ilegais em 1920. (N. do T.)

nela! — continuou o Fundo. — As outras trinta mil pertencem a um velho escocês. Um professor ou algo do gênero... E ele não quer vendê-las. Inclusive, oferecei vinte libras por elas. Não que valham tanto, ou pelo menos não valiam na época — acrescentou o Fundo, dando-se conta de que Edward despontava como um possível comprador.

— Mas a terra e os equipamentos valem alguma coisa? — indagou Edward.

O Fundo fez que não com a cabeça.

— A companhia só detém os direitos de mineração, e o proprietário dos royalties tem prioridade na compra das instalações... Ainda que não valham nada. Mas a companhia parece boa, e os novos certificados de ações que mandei imprimir parecem ainda melhores. Você não poderia receber uma oferta melhor, sr. Farthindale.

Houve discussões e barganhas, recusas desdenhosas e comentários sarcásticos gerais antes que Edward Elegante conseguisse impor sua vontade, tornando-se proprietário de 120 mil ações de uma companhia de estanho que era autêntica em todos os aspectos, exceto pelo fato de não conter qualquer estanho.

— Se você vai para a Escócia, encontre o professor — disse o Fundo, enquanto se despediam. — Deverá conseguir o resto das ações por dez libras.

Edward Elegante foi atraído para a Escócia como uma agulha por um ímã. Um desejo de "se vingar", de recuperar seus prejuízos, na verdade de "mostrar para eles", levou-o a um país que detestava.

Ele viera para vender ao povo simples da Escócia, a dez xelins por cota, ações que comprara por pouco menos de um *farthing*.* E, como a ganância e a estupidez correm lado a lado no equipamento mental da humanidade, foi bem-sucedido.

Foi na quietude de uma hospedaria em Edimburgo que Edward finalmente localizou o professor Folloman.

O professor costumava estar muito bêbado e, invariavelmente, era muito erudito — um homem fracote, com longos cabelos brancos e sujos, além de uma expressão triste. Cinco minutos depois que os hóspedes se

---

* Antiga unidade monetária inglesa que equivalia a um quarto de *penny*, ou 1/960 de uma libra esterlina. (N. do T.)

encontraram na deprimente “sala de estar” da hospedaria, o professor, um homem sem reticências, narrava seus problemas.

— O mundo — disse o professor Folloman — negligencia seus gênios. Ele permite que homens com o meu talento morram de fome, enquanto dá fortunas ao charlatão, ao mentiroso e ao bandido. *O tempora, o mores!*

— *Oui, oui* — disse Edward Elegante, equivocadamente.

O professor chegou naturalmente ao seu assunto favorito, que era o vazio e a chicanice dos medicamentos patenteados. Ele tinha a ilusão de que sua vida fora arruinada, sua carreira aniquilada e o futuro escurecido pela popularidade de certos medicamentos patenteados que são palavras famosas para o bretão médio; de que seu infortúnio pudesse ser rastreado até o hábito adquirido desde cedo de tomar uísque puro como café da manhã — prática que, em uma ocasião, quase tivera um resultado trágico — jamais lhe ocorrera.

— Aqui estou, senhor, um dos melhores médicos da cidade de Edimburgo, um homem com diplomas que só posso descrever como únicos, e, ainda por cima, proprietário de ações de uma das minas de estanho mais ricas da Cornualha, obrigado a pedir emprestado a uma pessoa relativamente estranha o valor de uma bebida.

Edward Elegante, reconhecendo a descrição de si mesmo, fez uma tentativa heroica de focar a conversa na questão das minas de estanho, mas o professor era um homem habilidoso.

— O que me arruinou? — perguntou ele, fixando os olhos brilhantes em Edward de modo hipnótico. — Vou lhe dizer, meu amigo! As pílulas da Biggins me arruinaram, assim como as cápsulas da Walker e o tônico relâmpago para pulmão da Lambo. Por causa desta invasão perniciosa do mundo da cura, eu, John Walker Folloman, sou obrigado a viver da caridade dos conhecidos... Vamos tomar um drinque.

Edward Elegante não poderia recusar um convite tão direto. Eles seguiram para um bar próximo, onde o professor retomou o fio da meada da conversa.

— Você, como eu, é um cavalheiro. No momento em que o vi, meu amigo, pensei: “Aí está um profissional.” Ninguém, exceto um profissional, teria as calças vincadas e usaria um fraque. Ninguém, exceto um profissional, prestaria esta atenção escrupulosa à própria roupa e ao brilho de seu chapéu... Não exagere na mistura, garota! Uísque merece um destino melhor... O senhor é médico?

Edward tossiu. Nunca fora confundido com um médico. Não foi uma experiência desagradável.

— Não exatamente — disse ele.

— Ah! Advogado!

— Lido muito com a lei — disse Edward Elegante honestamente —, mas não sou exatamente um advogado.

— Algo que dá dinheiro, não tenho dúvida — disse o velho com tristeza. — Eu poderia ter sido um milionário se tivesse me rebaixado a produzir medicamentos fajutos e nocivos, ao invés de seguir minha profissão. Eu teria sido um milionário se alguém com meu conhecimento único de metalurgia tivesse controlado as minas de Trevenay...

— Minas de estanho? — perguntou Edward Elegante. — Não há dinheiro algum no estanho. Sempre digo aos meus amigos... Sou corretor de ações... "Se vocês tiverem ações em estanho, vendam-nas."

— Não venderei as minhas — disse o velho com tristeza. — Não, senhor! Guardarei minhas ações. Um querido amigo, o professor Macginnis, está na Cornualha e prometeu me entregar um relatório... Macginnis é a maior autoridade em estanho do mundo, senhor. Tenho a carta dele. — Ele procurou sem sucesso em seu bolso. — Não, deixei no outro paletó. Mas não importa. Ele está de férias no Sul, e prometeu examinar minuciosamente o solo.

— O relatório... O relatório dele não será publicado nos jornais, ou será? — perguntou Edward ansiosamente.

— Não — disse o professor, empurrando seu copo sobre o balcão. — Mais uma dose, Maggie, e deixe sua mão ser tão generosa quanto seu coração, garota!

Alguns dias depois, em uma manhã fria de dezembro, com nuvens cor de chumbo no céu e o ar espesso com uma forte chuva de granizo, Edward Elegante saiu da estação e olhou desconsolado para a parte da cidade visível através do véu da nevasca.

— Então, isto é Dundee! — disse Edward Elegante, citando inconscientemente um slogan conhecido. Ele escolhera Dundee para o cenário de suas operações, principalmente porque não era Glasgow. Pegando seu casaco de frisa e a mala, chamou o único táxi que viu e instruiu o motorista.

No pequeno hotel onde foi deixado, encontrou uma carta lhe aguardando. Estava endereçada para Angus Mackenzie (ele se registrara com esse nome) e seu conteúdo era satisfatório. O pequeno escritório mobiliado que ele reservara por carta o aguardava, a chave acompanhava a carta, junto com um recibo do aluguel que pagara adiantado.

Rastrear o progresso do sr. Farthindale nos meses seguintes à sua chegada ao Tay* seria mais ou menos infrutífero; narrar a história de sua limitada campanha de propaganda, sua divulgação esperta por meio de circulares e o volume agradável de negócios que fechou, além de vários outros incidentes, seria alongar a narrativa até uma extensão imperdoável.

Margaret Elton procurou-o no terceiro dia após sua chegada. Era alta, bonita e, além disso, acreditava em milagres. Mas apesar de ser, como admitido por aquele que mais a amava, habilidosa, não conseguiu dominar o destino cruel que, até então, negara-lhe dinheiro suficiente para sustentar uma mãe doente sem precisar recorrer à renda limitada de um jovem que, todos os dias, encontrava um novo motivo para se casarem imediatamente.

— Não adianta, John — disse ela com firmeza. — Não permitirei que se case com minha família. Quando eu conseguir tornar minha mãe independente, casarei com você.

— Margaret — disse ele —, isso significa esperar mais cinquenta anos... Mas aguardarei. Como é seu novo patrão?

— Inglês e inofensivo — disse ela, de maneira bem sucinta.

O que, de certo modo, era verdade, se bem que Edward Elegante tinha dúvidas quanto à própria inofensividade.

Edward poderia tê-la demitido no dia que ela apareceu, mas não conseguiu reunir coragem suficiente. Depois disso, estava perdido. Ela assumiu o controle do escritório, do negócio e de Edward Elegante. Foi ela quem teve a ideia de indicar os viajantes para transmitirem, para as partes mais remotas da Escócia, as ótimas notícias sobre a mina de estanho Trevenay; foi ela quem os demitiu quando as contas das despesas deles chegaram; foi ela quem visitou a gráfica e corrigiu as provas das circulares que descreviam a história da mina Trevenay; foi ela quem comprou a máquina de escrever e insistiu que Edward chegasse ao escritório às dez horas todas as manhãs. Ela gostava de Edward, e disse isso a ele. Geralmente, tal declaração, vinda de uma mulher tão charmosa, teria balançado a cabeça de Edward. Mas ela manifestou tantas restrições em sua admiração que ele ficou quase aterrorizado com o elogio.

---

* Rio mais longo da Escócia. (N. do T.)

— Não gosto desse bigode. Por que o encera, sr. Mackenzie? — perguntou ela. — Parece tão ridículo! Pergunto-me como deve parecer bem barbeado.

Mas o bigode de Edward era o orgulho de sua vida, e ele fez um grande esforço para mantê-lo intacto.

— Minha aparência pessoal... — começou ele, com uma arrogância trêmula.

— Remova-o. Gostaria de vê-lo sem ele — disse ela. — A menos que tenha uma boca feia. A maioria dos homens usa bigodes, pois suas bocas não são bonitas.

Na manhã seguinte, Edward chegou com a barba feita, e Margaret olhou para ele duvidosamente.

— Acho melhor deixá-la crescer de volta.

Foi o único comentário que fez.

O dinheiro entrava em quantias volumosas: a nova profissão do sr. Farthindale estava pagando vultosos dividendos.

Certo dia, um conhecido de outrora, Lew Bennyfold — um aventureiro em fuga — entrou no escritório. Felizmente, Margaret, a dominadora, estava almoçando fora.

— Achei que era você — disse Lew, sentando-se sem ser convidado. — Vi você entrando no prédio ontem; levei a manhã inteira para localizá-lo. Qual é a tramoia?

Edward olhou com desânimo para a aparição. Ele tinha uma amizade superficial com aquele trapaceiro... E não gostaria de aprofundá-la.

— Isso não é uma tramoia, sr. Bennyfold — disse ele gentilmente. — Trata-se de labuta e trabalho honestos... Estou administrando uma mina.

— Prossiga — disse o outro, incrédulo. — Não é aquela tal mina de estanho, é?

Edward assentiu.

— Isso explica tudo — disse o sr. Lew Bennyfold, de modo grave, e levantou-se. — Bem, não ficarei aqui... Não quero estar envolvido nisso.

— O que quer dizer? — perguntou Edward.

O sr. Bennyfold sorriu com comiseração.

— Pelo que ouvi a seu respeito, você é um otário elegante — disse ele. — Na verdade, tem a reputação de ser esperto, mas relaxado. Mas não consigo entender como qualquer trapaceiro conseguiria ficar sentado aqui em um escritório, trabalhando com uma "enxerida" e não se dar conta.

Edward também se perguntara a respeito.

— Tenho seguido o sargento Walker e sua garota — disse Lew. — Por acaso, estou hospedado em frente ao sargento... Ele é o "tira" mais esperto de Dundee. E reparei que sempre está com uma garota. Ele a encontra depois do anoitecer e dão longas caminhadas. Então, comecei a seguir a garota. E ela me trouxe até aqui.

— Aqui? — arfou Edward, empalidecendo. — Não quer me dizer que...

— É a srta. Margaret Elton — disse Bennyfold. — E se você disse a ela qualquer coisa sobre seu negócio, está praticamente na cadeia.

Edward Elegante secou sua testa quente.

Seu negócio era honesto — somente alguém de dentro, que conhecesse os segredos do escritório, poderia provar o contrário. Geralmente, Edward Elegante não permitia que pessoas de dentro soubessem muito, mas aquela garota autoritária assumira todo o funcionamento do escritório.

— Ele gosta dela... Não há dúvidas quanto a isso — disse Bennyfold. — Minha senhoria disse que vão se casar. Mas isso é ainda pior para você, pois ela fará tudo por ele, e jurará qualquer coisa. Senhor Farthindale, eu não gostaria de estar no seu lugar nem por um milhão!

Ele foi embora depois disso, e sua ansiedade para evitar complicações aumentou a perturbação de Edward.

Quando a garota voltou do almoço, Edward a viu com um interesse renovado e temeroso. Havia algo muito implacável em sua boca; "Seus olhos", pensou ele, "são impiedosos, seu perfil me faz estremecer".

— Nosso agente em Ayr não está fechando muitos negócios — disse ela bruscamente. — Acho que seria melhor demiti-lo e contratar outro homem.

Ele abriu a boca para falar, mas nenhuma palavra saiu. Agora, compreendia o autoritarismo dela. Ela tinha o amparo do poder e da autoridade da lei.

No final da tarde, ela interrompeu as meditações tristes de Edward.

— Você me daria licença por alguns minutos? Um amigo quer me ver.

— Certamente, srta. Elton — disse ele, quase com humildade.

Depois que ela deixou a sala, ele foi até a janela e olhou para fora.

Um jovem alto, de aparência austera, andava de um lado para o outro na calçada do outro lado da rua, olhando ocasionalmente para a janela do escritório. Com ele, havia um homem mais velho, um típico chefe de polícia à paisana.

Edward viu a garota se juntar aos homens, observou a conversa sincera entre eles e viu a garota olhar uma vez para a janela onde ele estava. Ela o viu, disse algo e os três levantaram o olhar na direção dele.

Edward recuou rapidamente, até sumir de vista.

Lew estava certo. Ele estava encurralado!

Mas Edward pensava rápido e era um homem a quem a inspiração vinha muito prontamente. Estava inspirado agora. O plano ocorreu-lhe em um lampejo: a maior trapaça que jamais passara por sua mente. Ele esperou até a garota voltar.

— Desculpe-me por ter demorado tanto. Aquele jovem cavalheiro com quem me viu... Reparei que estava olhando... É meu noivo, e o outro cavalheiro é um agente imobiliário. Willie está comprando uma casa, se bem que duvido que a use da maneira que pretende.

— De fato — disse Edward, com educação. — Vou ver meus advogados por alguns minutos para preparar meu testamento. Você seria minha testemunha?

Ela olhou para ele com surpresa.

— Está pensando em morrer? — perguntou ela, desconfiada.

Edward teve a sensação de que morrer sem a permissão de Margaret seria considerado por ela um ato nada amigável.

O pequeno advogado que preparara seu contrato de aluguel estava disponível.

— Quero que uma pequena escritura seja redigida, transferindo meu negócio para uma jovem senhorita — disse Edward. — Quero que seja preparada imediatamente, para que possa ser assinada.

O advogado ficou intrigado.

— Uma escritura? Não creio que seja necessário. Um recibo seria suficiente. Vou prepará-lo para você. Quanto está sendo pago?

— Meia coroa — disse Edward. Ele não achava que Margaret pagaria mais sem explicações. — Mas é preciso que tenha a assinatura dela.

— Entendo... Uma transferência nominal — disse o advogado, que redigiu o documento prontamente.

Edward levou o documento de volta para o escritório.

— Assine aqui — disse ele, enquanto escrevia seu nome sobre o carimbo. — E para tornar este documento legal, você precisa assinar seu nome sob o meu e me dar meia coroa.

— Por quê? Não tenho nenhuma meia coroa para jogar fora!

Finalmente, e sob a promessa de que o dinheiro seria devolvido, ela consentiu, assinou o documento, pagou e recebeu o dinheiro de volta.

Edward guardou o documento em um envelope, lacrou-o e o guardou em seu pequeno cofre.

— Agora, está tudo bem — disse ele, e sorriu de forma sublime.

Na manhã seguinte, chegaram cinquenta consultas sobre as ações de Trevenay. O correio da tarde trouxe mais quarenta. Ele foi ao banco e sacou seiscentas libras. Precisava estar pronto para se mudar a qualquer momento.

Edward vivera com frequência nas beiras de vulcões e prosperava na atmosfera carregada de enxofre, mas estava mais nervoso do que de costume naquele dia, assim como no seguinte; na noite do segundo dia, ocorreu a explosão.

Ele estava saindo do escritório quando viu o jovem austero se aproximar rapidamente dele. Edward Elegante ficou imóvel.

— Quero você, sr. Mackenzie — disse o policial.

— Não sei para que me quer — disse Edward em voz alta e, naquele instante, Margaret Elton apareceu na rua. — Você pode querer esta jovem, mas certamente não quer a mim.

O oficial encarou-o.

— Não entendo o que diz — disse ele.

— Não? Bem, vou lhe dizer uma coisa... O negócio pertence a ela. Se quiser entrar, mostrarei a você.

Edward conduziu o policial de volta ao seu santuário, destrancou o cofre, retirou o envelope e o abriu.

— Aqui — disse ele. — Leia.

O sargento Walker leu, com um espanto silencioso, o documento que transferia para Margaret Elton "o negócio conhecido como Sindicato de Ações Trevenay, junto com todas as ações mantidas pela companhia, com exceção dos fundos mantidos como crédito do sindicato, mobília, aluguéis e toda e qualquer propriedade".

— Quer dizer... que o negócio pertence à srta. Elton? — arfou Walker.

Edward assentiu gravemente.

— Dei-o para ela como... como presente de casamento — disse ele. — Aqui está a chave do cofre... Que Deus os abençoe, crianças.

Ele saiu do escritório antes que conseguissem impedi-lo.

— O que isso significa? — perguntou a garota, impressionada.

O sargento Walker balançou a cabeça.

— Não sei... Deve ser o tal milagre sobre o qual você sempre fala — disse ele. — Parei-o na rua para perguntá-lo se ele poderia lhe dar duas semanas de folga e vir ao casamento, e ele me veio com isso. Como sabia que iríamos nos casar?

A primeira pessoa que Edward viu na estação ferroviária de Edimburgo foi o professor, e ele estava sóbrio. Ambos se reconheceram, e o professor acenou para ele, em uma saudação animada.

— Indo para o Sul, não é? Eu também. Sim, senhor, graças às atividades dos charlatães, não vejo Londres há trinta anos.

O velho entrou no vagão e depositou sua mala na chapeleira, e enquanto o trem começava a deixar lentamente a estação, em sua viagem sem escalas para Newcastle, ele explicou o objetivo de sua viagem.

— Vou encontrar meu grande amigo, Macginnis, que me deixou rico. A mina Trevenay, senhor, é uma mina de ouro! Falo metaforicamente, é claro. Um novo depósito de estanho foi descoberto, as ações que antes não valiam o papel no qual eram impressas valem agora uma libra... Talvez duas libras. Você disse que possuía algumas? Meus parabéns...

Edward não ouviu mais nada. Ele desmaiara.

O CORONEL DÁ UMA FESTA

EVERETT RHODES CASTLE

Praticamente esquecido hoje, Everett Rhodes Castle (1894-1968) foi um escritor de contos extremamente popular por décadas. Aparecia regularmente nas páginas das revistas norte-americanas que melhor remuneravam os escritores, incluindo a *Redbook*, a *Collier's* e a *The Saturday Evening Post*, para a qual vendeu seu primeiro conto, em 1917.

Nascido em Cleveland, Ohio, sua ambição era ser cartunista, mas, ao invés disso, tornou-se jornalista, antes de virar redator publicitário enquanto criava contos delicadamente humorísticos que, como complemento, contavam sobretudo com negócios, romances e crimes.

Castle é mais conhecido por sua longa série sobre o coronel Humphrey Flack, um vigarista que trapaceia outros trapaceiros com o auxílio de seu comparsa, Uthas P. ("Patsy") Garvey. Eles desempenham um papel parecido com o das figuras de Robin Hood, entregando seus lucros ilegais aos merecedores, enquanto ficavam com uma porcentagem para "cobrir as despesas". Os contos publicados nas revistas inspiraram uma série televisiva humorística voltada para a família, produzida pela rede Dumont, chamada *Colonel Humphrey Flack*, transmitida de 7 de outubro de 1953 a 2 de julho de 1954; ela foi ressuscitada para uma série sindicalizada de 39 episódios que foi transmitida de 5 de outubro de 1958 a 5 de julho de 1959, com o título *Colonel Flack*.

O conto "O coronel dá uma festa" foi publicado pela primeira vez na edição de 8 de maio de 1943 da revista *The Saturday Evening Post*.

O CORONEL DÁ UMA FESTA

EVERETT RHODES CASTLE

O velho cavalheiro com o rosto carmesim e o bigode francês pegou o telefone e, em um barítono amigável, chamou o caixa. Seus olhos azul--claros, pendendo em salientes bolsões de carne, piscaram amavelmente. Sua mão livre, uma pata enorme salpicada de manchas marrons, acariciava um conhaque com soda. Um charuto de safra boa, também salpicado de manchas marrons, pairava afetadamente sobre seu enorme colarinho inglês lustroso.

— Aqui é o coronel Humphrey Flack, da suíte nove zero dois — disse ele, depois de um momento. — O sr. Garvey e eu faremos o check-out de manhã. É... Exatamente... Hein?... Não, não. Tudo foi extremamamente satisfatório. Realmente. Eu... Estamos apenas indo para o Sul. Para minha casa em Palm Beach. Pode providenciar para que meu recibo esteja pronto imediatamente após o café da manhã? É... Ótimo. Muito bom. Diga-se de passagem, haverá alguns... humm... acréscimos à conta hoje à noite. Eu... É... Darei uma pequena festa de despedida.

O homem mais jovem, com as mãos enfiadas nos bolsos da calça de seu terno, deu as costas para a janela. Seus olhos escuros ardiam com ressentimento.

— Deveria ser um prazer ouvir você dizer a verdade para variar — disse ele, enfurecido. — Mas não é! O coronel dá a festa! O que mais você tem feito duas vezes por semana nas últimas semanas?

— Pôquer! — respondeu o outro.

Mas o homem mais novo continuou:

— Já pensou de que aquela gangue de rufiões, que você tem recebido aqui, provavelmente chamaria isso? — retrucou ele, com uma gargalhada fina e amarga que azedou o crepúsculo.

O velho cavalheiro ao lado do telefone gesticulou humildemente com seu copo suado.

— Mas tem sido divertido — protestou ele brandamente. — E, aos 71 anos, um homem deve agarrar os poucos... humm... prazeres que se apresentem a ele.

Os dedos nervosos do sr. Uthas Garvey bateram as cinzas de seu cigarro.

— Esse é o seu problema — criticou ele. — Está vivendo no passado. Você é uma relíquia desgradável dos bons e velhos tempos nos quais trouxas compravam a ponte do Brooklyn, lingotes de ouro, caíam no golpe do telegrama, do dinheiro falso,* e eram enganados por todos os vigaristas bigodudos dos Felizes Anos Noventa.**

O coronel mergulhou seu aristocrático bico marrom-arroxeado no copo e deu um sorriso.

— Vivo da minha astúcia — admitiu ele, bondosamente. — É. Admito, com honestidade. Mas você também, caro amigo. O sujo falando do mal lavado, não é?

— Estou farto da minha astúcia — assegurou-lhe amargamente o sr. Garvey. — O que ela me proporcionou nos dois anos que estamos aprontando juntos? Neste instante, tenho três dólares e dez centavos em dinheiro, além de uma úlcera no estômago. E o que você economizou, meu elegante amigo? Dois dólares e um caso grave de delírio de grandeza. Que balanço patrimonial, não é?

— Poderia ser pior, caro rapaz.

— Como?

O sr. Garvey baixou a voz em uma imitação zombeteira do ronco de seu parceiro. E continuou:

— Prepare minha conta, amigo! Estou partindo para o Sul! — disse ele, com uma voz que tinha ficado mais aguda. — De onde vem o dinheiro para pagar a conta? As passagens de trem? Onde conseguirá a grana que perderá hoje à noite tentando fazer um flush de quatro cartas vencer uma trinca de rainhas?

---

* Golpe conhecido em inglês como *tear-up*, no qual o vigarista e a vítima são acusados de estarem vendendo notas falsas por um comparsa no golpe que se passa por um detetive da polícia. O falso policial apreende o dinheiro de ambos e o leva para a "delegacia" para que seja inspecionado. (N. do T.)

** Nos Estados Unidos, referem-se à década de 1890 como "The Gay Nineties". (N. do T.)

— Talvez eu receba as três rainhas hoje, caro amigo. É. Exatamente.

— Contra Billings? — disse o sr. Garvey, com uma gargalhada abrupta, derrisória. — Aquele bandido costumava ser crupiê na casa de jogos de Moxey Manning, em Denver. Purdy? Ele acaba de se livrar, por um triz, de uma acusação de vender lotes falsos de um cemitério para viúvas e órfãos. E Spertz! Um manipulador de ações corrupto que está sendo indiciado neste instante. E Dolan! Um mestre na arte de distribuir cartas do fundo do baralho. Um belo grupo de parceiros de jogo.

— Não se esqueça do capitão Ferdinand Smythe-Calder — implorou o coronel com humildade. — Obviamente, ele não é um capitão, e Calder não é seu nome verdadeiro. Mas tem um cérebro muito rápido. É. Sem dúvida.

— Em comparação com declínio senil! — murmurou furiosamente o sr. Garvey.

O coronel esfregou o lábio inferior de modo gentil.

— O interesse que as pessoas têm pelos idosos e mentalmente enfermos é estimulante — observou ele com placidez. — Na minha última festinha de pôquer, Eddie, o chefe dos mensageiros, trouxe alguns charutos. Ontem, ele dedicou tempo e... humm... esforço para insinuar que meus convidados... Particularmente o capitão... Estavam na pior, como dizem os ingleses. É. Exatamente. Deduzi que o capitão passara a perna, como dizem, em algum amigo dele. Um bom garoto. É. Eddie, quero dizer. Sabia que hoje foi o último dia dele no hotel? Partirá de manhã. Fuzileiros navais, acredito. Um serviço nobre. Não posso me esquecer de lhe deixar uma lembrança substancial.

— E pensar que engaiolam pobres idiotas que apenas imaginam ser Nero, Napoleão ou Lincoln — lamentou-se o sr. Garvey.

Agora, o coronel murmurava uma de suas canções favoritas. Uma pequena peça chamada "Uma violeta colhida do túmulo de minha mãe". Era mais do que a carne podia suportar.

— Pelo amor de Deus, pare com essa música melancólica! — gritou o sr. Garvey.

— Melancólica? — indagou ele, com olhos aquosos que tinham um leve ar de reprovação. — Nada disso, caro amigo. Uma letrinha muito interessante. É de um sujeito chamado J.P. Skelly. Era conhecido como o Encanador da Casa da Bíblia no seu tempo. Escreveu mais de quatrocentas canções. Todas em papel de embrulho marrom. É. Exatamente. Muito interessante, não é?

— Estou fascinado — rosnou o sr. Garvey. — Você abriu um mundo inteiramente novo para mim. — disse, depois se sentou abruptamente em um sofá bege no canto da sala. — Minha úlcera! — gemeu.

Com uma solicitude rápida, o coronel pegou e telefone e chamou o serviço de quarto. Pediu bicarbonato e, depois, quase como uma reflexão casual tardia, acrescentou dois litros de uísque, uma garrafa de conhaque, uma de bourbon, água carregada, ginger ale, cigarros e uma caixa de charutos.

— E... É... Uma grande bandeja com sanduíches de peru, presunto e queijo mais tarde, sim? Em torno das dez e meia.

O estômago do sr. Garvey contorcia-se em agonia, mas sua mente estava ocupada com uma desagradável conta mental.

— Mas que típico da nossa sociedade — observou ele animadamente. — Tudo meio a meio! Uma dose de bicarbonato para Garvey e quarenta dólares de vida luxuosa para o coronel Humphrey.

O velho cavalheiro ignorou o comentário irônico. Ele bebeu seu drinque e pegou de novo o telefone.

— Recepção — ordenou ele.

Quando a ligação foi completada, ele solicitou a instalação imediata de um rádio. Depois, desligou com um floreio.

— Comamos, bebamos e sejamos felizes, pois amanhã morreremos — citou com petulância o sr. Garvey. Depois, sua mente retornou para o floreio. Os olhos dele se estreitaram com desconfiança. — Ou eu poderia estar enganado?

— Quanto a uma relíquia desagradável dos velhos tempos, quando os otários caíam no golpe do telegrama e eram enganados por todos os vigaristas bigodudos dos Felizes Anos Noventa? Caro rapaz!

— Poupe-me dessa papada flácida tremendo em reprovação.

O homem mais jovem levantou-se e dirigiu-se para o arranjo de copos e garrafas na mesa lateral próxima do homem mais velho. Depois, suspirou, deu meia-volta e continuou a falar:

— Você não gosta de rádio — chamou a atenção do outro, em um tom acusatório, olhando para trás, sobre o ombro. — Disse isso cem vezes. Esse tagarela...

— Mas gosto da... É... Arte máscula da autodefesa, caro amigo — destacou o coronel com ironia. — E meus convidados também. — disse, enquanto a enorme corrente de ouro, presa ao seu relógio de bolso, contorceu-se com lógica... Ou alguma outra coisa. — O jovem Cooney enfrentará Stanley Peyskisk hoje à noite pelo título de meio-pesado. É. Exatamente. Eu... eu estava lendo sobre a luta hoje, durante o almoço. Humm. Na página de esportes. Depois, por acaso, reparei que a luta também seria transmitida por uma estação local às onze horas. Que época maravilhosa é essa em que vivemos, caro rapaz! Isso... Isso faz a gente pensar, não faz?

— Cooney acabará com ele — previu o sr. Garvey. — E não me diga que todo o dinheiro esperto* será apostado no polaco. Sei que será. Mas grana esperta já esteve enganada antes.

O coronel estava preparando outro drinque. Ele ergueu o copo e a garrafa, franzindo os olhos delicadamente para o líquido dourado que escorria para o copo.

— Não estava pensando nos dois lutadores — gorjeou ele, alegremente. — Minha... Minha mente estava voltando no tempo. Anos atrás, precisávamos... humm... depender do serviço de telégrafos para saber os resultados esportivos...

— Não estou interessado.

Mas o velho bode estava engrenado, balançando nas pontas dos pés, uma mão puxando nostalgicamente seu bigode curvo.

O sr. Garvey suspirou, encolheu os ombros com cansaço e desejou que o bicarbonato chegasse logo.

— Estava pensando no velho golpe do telegrama que você mencionou — continuou o coronel. — Lembra-se de como funcionava? Fazia-se contato com um... humm... cavalheiro endinheirado avarento e... ingênuo. Era explicado a esse alvo fácil que quem estava entrando em contato era um amigo íntimo ou parente de um operador de telégrafo. O operador concordava em reter a notícia dos resultados de certas corridas. É. Exatamente. Ao mesmo tempo, ele informava ao amigo os nomes dos cavalos vencedores. O amigo, portanto, seria capaz de fazer uma aposta no cavalo vencedor em alguma agência de apostas... É... Depois da corrida ter sido vencida. Era... Era absolutamente garantido. A pessoa que fazia o contato explicava que carecia dos fundos necessários para ganhar muito

* Termo usado para se referir a dinheiro apostado ou investido quando já se sabe de antemão o resultado mais provável, devido a informações privilegiadas, assegurando uma "aposta certa". (N. do T.)

dinheiro rapidamente. Era aí que estava a oportunidade para o alvo fácil. Obviamente, a coisa toda era um golpe. Depois de deixar o alvo ganhar algumas apostas pequenas, eles tiravam dele... É... Uma grande quantia e... humm... fugiam.

O sr. Garvey apoiou os pés no braço do sofá e acendeu um cigarro. Sua postura era de total desinteresse.

— Eu estava apenas pensando — continuou o coronel com um sorriso astuto e reflexivo, enquanto seu parceiro mais jovem baforava aneis de fumaça que giravam na direção do teto — É... Como a mágica da ciência e das invenções modernas tornaram tais estratagemas... humm... totalmente obsoletos. Concorda?

O sr. Garvey bocejou alto e ostensivamente.

Um garçom chegou, empurando à sua frente um carrinho coberto por uma toalha branca, ou seja, com várias garrafas. O sr. Garvey sentou-se com um suspiro de alívio. O coronel assinou a conta com o vigor e a confiança do Sistema de Reserva Federal. Ele acrescentou uma gorgeta na parte inferior do cartão. O sorriso no rosto do garçom provocou uma careta no sr. Garvey, enquanto ele misturava o bicarbonato na água.

Em seguida, o velho javali pegou de novo o telefone. Agora, queria falar com o chefe dos mensageiros.

— Eddie? É... Ah, entendo. Aqui é o coronel Flack. Poderia dizer a ele que eu gostaria de vê-lo por um minuto assim que ele voltar? Diga a ele que é... É... Muito importante.

Garvey olhou pensativamente para ele sobre o copo embaçado. O coronel sorriu.

Alguma coisa — ou o bicarbonato ou o sorriso — fez o homem mais jovem se sentir melhor.

— Quer dizer que eu estava errado, não é?

— Que horas são, caro amigo?

Garvey olhou para o pulso.

— Cinco para as oito.

— Seu relógio está três minutos atrasado. Conferi com a companhia telefônica logo antes de você voltar do jantar. Por favor, ajuste-o.

— Que diferença fazem três minutos quando...

O coronel guardou seu enorme relógio de caçador de ouro em seu colete de linho branco.

— O horário é uma das coisas mais importantes da vida, querido Garvey. Nos negócios. No... É... No drama. Até em pagar sua conta do hotel. É. Exatamente. De fato.

O sr. Uthas P. Garvey puxou a manga do paletó de cima do pulso pela quinta vez em vinte minutos. Eram exatamente dez horas e cinco minutos. Faltava quase uma hora! O sr. Garvey acendeu mais um cigarro e recostou-se para ruminar aquilo tudo. Por que o bode velho não podia falar de uma vez qual era o plano? Ele insistira que o homem mais jovem poderia desempenhar sua parte no acordo com mais naturalidade e, consequentemente, com uma chance maior de sucesso, se não soubesse o que estava acontecendo. Mas era o que sempre argumentava.

O sr. Garvey tragava ferozmente. Aos três minutos depois das onze horas, com a máxima exatidão, ele deveria ligar o rádio.

Depois de fingir mexer com os controles de sintonia, ele deveria sintonizar na estação local que transmitiria a luta. O que aquilo fazia dele? "Um fantoche manipulando um rádio barato de hotel", pensou amargamente o sr. Garvey. A fumaça do cigarro era insípida e nada estimulante em seus pulmões. Nada fazia sentido. O velho crocodilo dera a entender, com um de seus sorrisos astutos de gato que acaba de comer o canário, que a confusão do sr. Garvey era um bom agouro para o sucesso do plano. "Aquilo provava", pensou ele, "a solidez psicológica do pensamento básico."

Mas o quê? Mas onde? Mas como? O sr. Garvey esmagou o cigarro com uma meticulosidade selvagem. O velho carneiro insinuara que sua úlcera não era nada além de indigestão nervosa. Bem, pelo menos uma vez, o sr. Garvey esperava que o velho touro estivesse certo. Úlcera ou não, ele precisava de um drinque! Um drinque grande! Os homens em torno da mesa coberta por uma toalha verde no meio da sala não prestaram a menor atenção nele, quando se dirigiu para a mesa coberta de garrafas ao lado da porta.

— Flush vermelho — uma voz monótona anunciou enquanto ele pegava o uísque. — Sinto muito, coronel. Parece que não estão lhe dando sorte, não é?

O sr. Garvey reconheceu a voz e perguntou-se se Dolan distribuíra seu flush pelo fundo do baralho.

Mas, aparentemente, o coronel não suspeitava daquilo. Ele tomou um gole entusiasmado do copo ao seu lado.

— É a terceira vez que minha trinca foi derrotada — anunciou ele, com uma risada. — Talvez eu seja alérgico ao... É... Número, não é? É. De fato. Bem, veremos... Sua vez de dar as cartas, Billings.

A notícia fez o sr. Garvey adicionar mais uma dose de álcool ao drinque. Ele bebeu sofregamente e depois se aproximou para ficar atrás do coronel. Seus olhos escuros fizeram um inventário rápido das fichas. Ele deu outro gole. Estavam jogando pôquer aberto de cinco cartas, com um limite de cinco dólares. Enquanto o sr. Garvey estava ali de pé, um homem pequeno sem paletó, no outro lado da mesa, apostou uma ficha vermelha em um ás exposto. Ele tinha sobrancelhas como as de Harpo Marx e uma boca de barracuda. Um homem alto ao lado dele viu a ficha vermelha com dedos longos de aparência delicada e acrescentou uma amarela. "Sua carta exposta era um valete de ouros. E o capitão Ferdinand Smythe-Calder parecia um valete", pensou o sr. Garvey. "Um valete muito elegante."

Um homem musculoso, cuja calvície e óculos com armação de chifre deixavam-no com a aparência de um tio malvado de um duende, grunhiu e abandonou a rodada. O homem seguinte fez o mesmo, encolhendo os ombros e sorrindo.

O coronel soluçou delicadamente. As mangas de sua camisa estavam infladas por baixo do colete abarrotado. Seu bigode branco parecia se esticar e agarrar a fumaça que flutuava sobre a mesa. Seus olhos pareciam estar no auge da excitação.

— Purdy — disse ele para o tio malvado do gremlin —, você deveria ter mais fé no... É... Futuro. É. Exatamente... Spertz, vi você recusar um nove? Observem meu pequeno par de três de copas, cavalheiros. Agora, prestem atenção na minha confiança em uma providência benevolente. — pediu ele, soluçando outra vez, enquanto as cinzas de seu charuto rolavam delicadamente pela frente do seu colete. — Aqui está a aposta original de Billings. Aqui está o aumento de Calder. É. E aqui está minha resposta para os dois. — empurrou mais uma ficha amarela para o centro da mesa.

Billings viu o aumento da aposta e acrescentou uma ficha amarela por conta própria. Suas sobrancelhas contorceram-se gananciosamente. Calder, o homem alto de dedos longos e brancos, acendeu um cigarro e aumentou as apostas de ambos. O coronel emanava uma alegria deleitosa.

Com os lábios apertados, o sr. Garvey acompanhou a rodada. Com as sobrancelhas, venceu um par de ases logo nas duas primeiras cartas. Seus braços peludos, nus até os cotovelos, esticaram-se para recolher os frutos. O sr. Garvey deu as costas para o massacre com um gemido que não conseguiu sufocar. O velho alvo jogava cada vez menos rodadas.

A viagem dele de volta à grata escuridão do sofá bege no canto foi interrompida pelo toque agudo do telefone. O sr. Garvey foi até o aparelho. Uma voz masculina perguntou pelo coronel Flack.

— É para você — disse o sr. Garvey, gesticulando com o gancho.

— Flack falando... Hein? O quê?... Ah, Parker! Não, não refleti mais sobre... É... O assunto. Eu... Partirei para o Sul pela manhã... Hein?... Sim, eu sei. Mas considere o baixo valor do cupom de juros, caro amigo. Suponha que eu compre o equivalente a dez mil dólares... Sei que são títulos de grau elevado. É. Sem dúvida. Mas a cento e sete, o lucro é menos de três por cento... Hein?... Eu também. Alguma oferta recente, talvez.

Ele voltou com passos leves para a mesa no meio da sala. Os convidados do velho jumento aguardavam com impaciência seu retorno. "Chacais aguardando a presa", pensou o sr. Garvey. Ele puxou outra vez a manga que cobria seu pulso. Faltava quase meia hora.

— Um amigo corretor — explicou o coronel para a mesa. — Bem, bem. Talvez o sujeito tenha mudado minha sorte. É. Não é?... Mais uma pilha de fichas, caro Calder.

"Isso é o fim para mim", o sr. Garvey afirmou para si mesmo fervorosamente. Quando sair dessa enrascada, viajarei sozinho.

A úlcera dele começou a gritar. Um garçom trouxe duas grandes bandejas de sanduíches. O sr. Garvey fechou os olhos. Quando olhou de novo para o relógio, eram onze horas e um minuto.

Ele levantou-se e se espreguiçou com uma despreocupação elaborada. O coronel, envolvido de modo ativo em uma tentativa frustrada de conseguir um *inside straight*, pareceu totalmente alheio ao movimento. O sr. Garvey dirigiu-se sem rumo na direção do rádio.

— Agora, eles estão no centro do ringue, senhoras e senhores. Já se passaram um minuto e quinze segundos desta luta de quinze rounds pelo título de meio-pesado. E os rapazes...

O coronel levantou-se da cadeira com um sobressalto.

— Por Deus! — disse ele, de modo atabalhoado. — A luta entre Cooney e Peyskisk! Eu... eu tinha me esquecido completamente dela... Deixe ligado, caro Garvey! Deixe ligado!

— Cooney fará picadinho daquele sujeito — previu sr. Garvey pela segunda vez naquela noite.

Os olhos do coronel arregalaram-se com interesse.

— Você acha, caro rapaz? Realmente? É... É claro, não entendo muito de boxe. Quase... É... Quase nada. Mas, Eddie, o chefe dos mensageiros do hotel, estava falando sobre a luta comigo nesta manhã. Ele parece achar que só dará o Peyskisk. É. Sem dúvida. Aparentemente, ele apostara uma quantia considerável no sujeito. Apostar de acordo com o dinheiro esperto foi como... humm... ele colocou.

O sr. Garvey olhou para a montanha de fichas diante de Billings, voltou o olhar para a pilha do capitão e, em seguida, calculou os fundos substanciais dos convidados restantes.

— Receio que o pobre idiota não saiba nada mais sobre dinheiro esperto do que você, coronel — zombou ele.

Billings falou com o charuto na boca:

— O que quer dizer, seu sovina?

O sr. Garvey sentiu seu rosto enrubescer diante daquela referência insultante ao seu conservadorismo financeiro. Mas o coronel conteve a resposta irritada, que subiu até os lábios pressionados com força, de seu sócio mais novo.

— Calma, calma, cavalheiros — rogou ele apressadamente. — Nada de comparações, não é? Uma... Uma reuniãozinha amigável. Meu... Meu jovem amigo aqui não está bem. Ele... humm... sofre de úlcera... Eu... lamento se o fato de ele não gostar de cartas pareceu afetar sua... humm... sorte, Billings. É... Tenho certeza de que não houve qualquer intenção disso, não é, caro rapaz?

O sr. Garvey lançou para ele um olhar pétreo e obstinado.

— Que tal uma pequena aposta no resultado do evento? — propôs o coronel, obviamente cobrindo a situação constrangedora da melhor maneira que podia. — Garvey, aqui, gosta de Cooney. Mas não é um... É... Homem que faz apostas. O dinheiro esperto parece preferir Peyskisk. É. Exatamente. Quem vocês, cavalheiros, preferem? Billings? Purdy?

O locutor do rádio gritou:

— Cooney acerta duas direitas leves no rosto. Outra direita e uma esquerda. O Polonês Polido recebeu os dois últimos golpes enquanto se afastava. Agora, os dois homens estão de volta ao centro do ringue. Agora, é Peyskisk que está atacando. um cruzado de direita que atingiu Cooney no lado do rosto. Fizeram um clinch. Peyskisk... E soa o gongo do primeiro round, senhoras e senhores. Agora, com vocês, George Maxwell da loção de barbear Bellows. Pode falar, George.

— Parece uma luta equilibrada.

O comentário em voz arrastada foi feito pelo elegante capitão, enrolando na porta do quarto. O banheiro ficava além do quarto. O pretenso miltar perambulara despreocupadamente para fora da sala, assim que o desafio do coronel fora cortado pelo volume aumentado do rádio.

O coronel virou-se, soluçando outra vez.

— E você, Calder?

O capitão acendeu um cigarro lentamente.

— Sempre acompanho o dinheiro esperto do qual seu amigo, o senhor Garvey, parece não gostar — disse ele, com um sorriso que revelou dentes brancos alinhados sob um bigode pequeno e elegante. — Gosto de Peyskisk. Você apostaria cem ou duzentos no Cooney, só para acrescentar um pouco de interesse extracurricular na transmissão?

— Aposto quinhentos!

— Você é um... um... Não seja idiota! — rosnou sr. Garvey. — O rateio é de sete para cinco para Peyskisk. Eu... eu estava apenas lhe dando minha opinião pessoal.

— Tenho grande confiança no seu... É... Julgamento de punhos, caro rapaz — repreendeu-o o coronel, com uma animação desatenta. — É. *Irc!* De fato. — Seus olhos aquosos giraram desafiadoramente pela sala — Mais algum apoiador do... É... Do polonês?

— Aposto duzentos — disse ansiosamente o tio do gremlin. Ele falou depois de uma olhada rápida para o capitão.

— Cem — Dolan, o suposto mestre na arte em distribuir cartas do fundo do baralho, disse rapidamente. Ele lambeu seus lábios cinzentos.

— Calder costuma saber o que está fazendo — disse Spertz, segurando um sifão. Ele fez com que a observação soasse como uma pergunta. — Cem para mim — disse ele, de repente.

Garvey ouviu-os em meio a uma agonia de apreensão. Ele encarou ferozmente o velho idiota titubeante.

— Não seja otário! — gritou ele, com uma passionalidade sincera. — Você... você é um pão-duro sem igual! Eu... eu só disse que achava que Cooney...

— Você não deve... É... Depreciar seus... Humm... Talentos, caro Garvey — reprovou o velho. Ele puxou delicadamente seu bigode curvo. — Não. Não. Além disso, tenho um palpite de que Cooney pode mudar minha... Humm... Má sorte recente.

Enquanto o coronel fazia uma pausa para erguer seu copo, a voz em *staccato* do locutor seguia:

— O juiz está agora entre os dois homens. Aparentemente, o olho direiro de Cooney foi levemente ferido por Peyskisk naquela saraivada nos últimos segundos do primeiro round. Reparem como ele esfrega o olho com a mão direita. Agora, o desafiante tenta duas esquerdas no queixo e outro cruzado de direita na cabeça. Agora, estão trocando golpes com as duas mãos no tronco. O polonês tenta um gancho de esquerda, e os homens fazem um clinch quando soa o gongo... Agora, de volta a George Maxwell, com uma palavra dos fabricantes da loção de barba estimulante...

De repente, o sr. Garvey decidiu nunca usar uma garrafa da loção enquanto vivesse. Palavras espumaram em seus lábios e foram sufocadas em uma fúria impotente. Enquanto o resto do grupo mastigava sanduíches e bebericava licor, o locutor borrifava a sala com mais quatro rounds de trocas de golpes. Cooney estava levando golpes demais para impedir que a febre cintilasse nos olhos de Garvey.

— Ligue para o térreo e peça mais uma garrafa de soda, caro amigo — rogou-lhe o coronel, depois do quinto round.

Neste round, o olho direito de Cooney foi descrito muito realisticamente pelo locutor como uma ostra com pressão arterial alta.

— Quero um uísque duplo — informou-o de modo grosseiro o sr. Garvey. Depois, dirigiu-se afobado para o arranjo de garrafas e copos. Estava ocupado servindo a bebida, quando começou o sétimo round. No meio da operação, colocou a garrafa e o copo de volta na mesa e seguiu cambaleante para o quarto. Cooney estava na lona. Levantou-se quando a contagem chegou a cinco, no entanto, mas o sr. Garvey não parou. Garvey atravessou o quarto escuro e acendeu a luz do banheiro. Por vários minutos, deixou água fria escorrer sobre seus pulsos. Depois, borrifou na testa e nos olhos um pouco da água de colônia importada do coronel.

De volta ao quarto, sentou-se na beira da cama mais afastada da porta e acendeu um cigarro. Perguntou-se a quantos anos um reu primário era condenado sob a lei de Defraudar um Hoteleiro.

O tempo tem um hábito trivial de parar em momentos de grande estresse mental. O sr. Garvey não tinha ideia de quanto tempo ficara sentado na cama antes que a porta para a sala fosse aberta, de repente, para inundar seus olhos atormentados e cansados com um clarão dourado.

— Garvey! Caro rapaz! Onde você está? É. Saia daí. Saia já! Seu julgamento foi vindicado! É. Completamente! Cooney mantém o título!

Garvey finalmente conseguiu enxergá-lo. O coronel estava de pé na porta. A luz atrás dele captava as pontas triunfantes de seu bigode e dançava alegremente em sua enorme cabeça careca.

— O que... — ele conseguiu dizer, antes que o coronel recomeçasse a falar.

— No 11º round, caro rapaz. É. Um milagre! Exatamente. Sem dúvida. O... O polonês tinha... Massacrado ele. É. De fato. Mas nosso garoto não desistiu. Não! Não! O... O típico espírito americano. Ele continuou atacando. Então, um golpe de sorte! Uma... Uma coisa realmente fatal. Saia, caro amigo. Nossos... Nossos convidados querem lhe parabenizar por sua... Humm... Perspicácia.

O peso do mundo deslocou-se delicadamente do peito de Garvey. Ele levantou-se e puxou sua echarpe vermelha e verde de baixo da orelha, para onde ela deslizara durante sua estadia no banheiro.

— Eu disse a você que Cooney o faria em pedaços — disse ele pela terceira vez desde o jantar.

Mas ele ainda não concluíra a observação. Duas horas depois, quando a sala de estar da suíte 902 estava uma bagunça, silenciosa e cheia de garrafas vazias, restos de sanduíches, cinzas e fichas de pôquer espalhadas, ele empoleirou-se no braço de uma das poltronas da sala e a repetiu várias vezes.

O coronel estava sentado à grande mesa no centro da sala, ocupado com um lápis e papel, enquanto murmurava outra de suas canções favoritas. Era "The Letter Edged in Black".

Por um momento, o sr. Garvey divagou.

— Quanto? — perguntou ele ansiosamente.

O coronel recostou-se na cadeira e retirou os pesados óculos de leitura com armação de chifre que colocara quando começara a fazer a contabilidade.

— Depois da... É... Ajuda de custo adequada pelas minhas perdas no pôquer, nas últimas semanas, e separando todo o dinheiro atrasado e devido ao nosso albergue — informou ele com um sorriso largo —, calculo que estamos no azul em trezentos e quinze dólares e... Humm... Sessenta e cinco centavos. É. Trezentos e quinze dólares. Nada mal, não é? Diga-se de passagem, você reparou como os outros convidados pareciam... É... Olhar com um desagrado marcante para o galante capitão depois da luta?

A fisionomia do sr. Garvey começou a ficar bastante alegre, mas antes que pudesse desabrochar por completo, congelou-se levemente.

— Suponhamos que Cooney tivesse perdido? — perguntou ele com um arrepio.

O coronel levantara-se de onde fazia a contabilidade para preparar uma bebida antes de dormir. Sua cabeça enorme virou bondosamente ao ouvir a pergunta.

— Hein? Então eu não teria apostado nele, caro rapaz. Eu teria manobrado a situação para que meu dinheiro fosse apostado no Peyskisk. É. Exatamente. Talvez oferecendo rateios que teriam atraído meus... Humm... Convidados esportivos. Ou, se isso desse errado, eu tinha em mente sugerir que cada um de nós colocasse cem dólares em um bolo. O dinheiro iria para o homem que escolhesse o round no qual a luta seria vencida. Ou eu poderia ter recuperado nossas fortunas surradas apostando com eles que conseguiria dizer em qual round a luta terminaria. É. Imagino que isso teria me proporcionado alguns... Humm... Rateios lucrativos.

O sr. Garvey deslizou na poltrona.

— Estou olhando para um sétimo filho de um sétimo filho? — perguntou ele, incrédulo. — Estou olhando para Swami Flack em carne e osso? Aqueles soluços que estava dando eram realmente falsos? Está aí de pé me dizendo com total sobriedade que sabia que Cooney venceria a luta no décimo primeiro round com um golpe de sorte?

O velho cavalheiro mexeu pensativamente seu drinque. Parecia um esportista depois de um dia duro em Ascot.

— Coloquemos da seguinte maneira, caro rapaz — disse ele de forma delicada. — Eu não sabia que Cooney venceria a luta... Antecipadamente. É. Não. Não. Mas sabia que venceria a luta no décimo primeiro round... Antes de fazer qualquer aposta.

O sr. Garvey pensou em algo.

— Aquele telefonema! Parker!

O coronel deu um gole demorado e grato em sua saideira.

— Eddie, o chefe dos mensageiros — o coronel corrigiu delicadamente o homem mais jovem. — Ele me disse que tinha sido Cooney.

— Mas não pode ser — disse o sr. Garvey. — A luta só começou a ser transmitida às onze.

O coronel limpou as gotas douradas de seu bigode. Seus olhos aquosos brilhavam alegremente.

— No começo da noite — disse ele com uma voz bondosa e grave — você me chamou de trapaceiro. É. Não é? Exatamente. Eu... Eu protestei, dizendo que vivia da minha astúcia. As duas coisas não são necessariamente sinônimos. Esta noite... Minha festinha... É um exemplo disso. Organizei-a depois de reparar no jornal que a luta seria transmitida pela estação de rádio local a partir das onze horas. É. Exatamente. Ocorreu-me que era bastante tarde para uma... Humm... Luta tão importante.

— Uma diferença de fuso horário poderia explicar isso — destacou o sr. Garvey.

— Poderia, mas não explicava. Dei-me ao trabalho de telefonar para a estação de rádio e perguntar. Fui informado de que, por causa de compromissos comerciais prévios, a estação não poderia transmitir a luta às dez horas... Quando ela realmente ocorreu. Portanto, estavam transmitindo uma gravação da luta completa, exatamente como ocorreu, às onze horas. É. Exatamente. Uma retransmissão.

Um sorriso rápido abriu-se como uma onda quebrando no rosto bronzeado do sr. Garvey.

— Foi por isso que você foi tão específico quanto ao horário em que eu deveria ligar o rádio. Se tivéssemos ouvido os primeiros minutos da transmissão, nós... Seus convidados teriam se dado conta de que era uma transcrição e... e... — Ele fez uma pausa. — Suponho que também tenha desligado antes do anúncio de encerramento.

— Exatamente.

O sr. Garvey levantou-se. Sua úlcera desaparecera.

— Que esperto! — disse ele, com admiração. — E... E minha ansiedade natural fez com que tudo parecesse real, não fez? — acrescentou ele com uma modéstia pensativa.

— Fez um ótimo trabalho, caro rapaz — concordou o coronel, e os olhos repentinamente desconfiados do sr. Garvey encontraram apenas um entusiasmo sincero no rosto carmesim por trás das palavras. — Esplêndido. É. De fato. Mas talvez não tenha ocorrido em absoluto da maneira que descrevi.

O homem mais jovem sentou-se de repente.

— Eu... não entendo.

— Faça a si mesmo estas duas perguntas — sugeriu solicitamente o velho cavalheiro. — Não teria sido bastante... Humm... Perigoso para mim presumir que um grupo de jogadores... Para... É... Para referir-me de modo delicado a eles... Não saberia o horário exato de uma luta importante?

— Muitas pessoas não param para pensar sobre o que leem no jornal — destacou o sr. Garvey. — Não fiz isso. — Em seguida, acrescentou com pressa. — Qual é a segunda pergunta?

— Não lhe pareceu que os rapazes estavam um pouco... É... Ansiosos para apostar em Peyskisk?

— Isso foi Calder. Ele é um sujeito esperto. Você mesmo disse isso. Seguiram a deixa dele.

— Exatamente.

O sr. Garvey acendeu um cigarro. Depois, soprou a fumaça no sócio.

— E daí?

O coronel olhou com alegria para o copo da saideira que segurava com carinho. Depois, sentou-se e cruzou com delicadeza as pernas gordas.

— Hein? Ah. Portanto, fiz um seguro, caro rapaz. É. Só por garantia. Ou protegi meu flanco exposto, como dizem nos... É... Círculos militares.

— Ouço as notícias militares pelo rádio — destacou amargamente o sr. Garvey.

O coronel Humphrey Flack ignorou tanto a acidez quanto a observação.

— Coloque-se no lugar do capitão astuto e de pensamento rápido — estimulou ele, com delicadeza. — Um velho cavalheiro levemente... É... Inebriado e inocente, rico, com quem ele tem jogado cartas... E ganhado... Vai deixar a cidade. Em uma festa de despedida dada por este velho cavalheiro, um rádio é ligado por acaso em torno das onze horas, bem a tempo de pegar os primeiros minutos do primeiro round de uma luta pelo título. O astuto capitão, por acompanhar estas coisas, sabe que a luta começou na verdade às dez horas, de modo que deve ser uma retransmissão. Por sorte, este fato não é evidente, pois o rádio não foi ligado quando o anúncio do início da transmissão foi feito. É. De fato. Agora! Mesmo enquanto o astuto capitão está pensando em como usar essa situação para sua vantagem...

Humm... Financeira, o velho cavalheiro oferece a ele a ideia de bandeja... Com um soluço convincente.

— A aposta?

— Certo. Ou seja, o que acontece? O capitão perambula discretamente na direção do banheiro. Mas seu destino real é o telefone que está no quarto. O rádio abafará sua... Humm... Pergunta rápida e reservada. Um momento depois, ele aparece. Então oferece um aposta no homem que acabam de lhe dizer que venceu a luta. Exatamente. Peyskisk! Ele está fazendo uma aposta segura. Não pode perder. A luta terminou. É. Hum. Uma piscadela é tão boa quanto uma palavra para seus amigos. É. Sem dúvida. Eles se apressam a... É... Fazer suas apostas.

— O sujeito para quem ele telefonou lhe deu o nome do lutador errado — a cabeça do sr. Garvey assentiu pensativamente. Depois, franziu a testa. — Mas ainda não faz sentido — protestou ele. — Como você poderia ter tanta certeza de que Calder receberia a informação errada? Como poderia controlar o telefonema dele? Ele poderia ter telefonado para algum amigo, para o escritório de algum jornal ou para uma dúzia de casas de apostas diferentes.

O coronel terminou a saideira e levantou-se. Pegou seu relógio de bolso e olhou para ele.

— Quase duas horas, caro amigo. Precisamos estar de pé e a caminho do Sul ensolarado pela manhã... Não é? Ah, o telefonema, é claro. Foi muito simples. Elementar. Eu enfatizara o fato de que Eddie, o chefe dos mensageiros, fizera uma aposta substancial na luta, que era um entusiasta ferrenho de boxe. Está lembrado? Com certeza. Calder não tinha tempo a perder. O otário poderia se desanimar enquanto estivesse esperando por um número. É. E havia também o perigo de que, caso falasse demais, pudessem ouvi-lo. Contra tudo isso, havia o caminho simples, rápido e direto! Pegar o telefone. Chamar o chefe dos mensageiros. Perguntar sobre a luta. Tudo terminou em poucos segundos. Era apenas a isca para o astuto capitão. — O coronel baixou os olhos com modéstia. — E, é claro, com Eddie já com raiva do sujeito, de todo modo, e de partida para se juntar aos fuzileiros navais de manhã...

O sr. Garvey sorriu. Depois, pensou em outra coisa.

— O que lhe deu a ideia, em primeiro lugar?

O coronel olhou com desejo para a mesa coberta de garrafas, suspirou e virou com determinação na direção do quarto.

— Eu... Eu estava vivendo no passado, caro rapaz — ele riu da porta. — É. Exatamente. Lembra-se da nossa conversa sobre o velho golpe do telegrama no começo da noite? Como o... Humm... Vigarista capturava a vítima fingindo ter o resultado antecipado das corridas? É. Vejo que se lembra. Bem, apenas comecei a me perguntar como umas das maravilhas da... Humm... Ciência moderna... Como o rádio, por exemplo... Poderia ser adaptado para este vigarista bigodudo dos Felizes Anos Noventa... Ao contrário, por assim dizer.

VILÃO: DR. B. EDWARD LOXLEY

PASSOS DE MEDO
VINCENT STARRETT

Charles Vincent Emerson Starrett (1886-1974), um dos maiores bibliófilos da história do mundo editorial americano, produziu inúmeros ensaios, obras biográficas, estudos críticos e peças bibliográficas sobre uma vasta gama de escritores, ao mesmo tempo em que editava a coluna "Books Alive", do *Chicago Tribune*, por muitos anos. Sua autobiografia, *Born in a Bookshop* (1965), deveria ser leitura obrigatória para bibliófilos de todas as idades.

Ele tambéu escreveu vários contos de mistério e diversos romances policiais, incluindo *Murder on the "B" Deck* (1929), *Dead Man Inside* (1931) e *The End of Mr. Garment* (1932). Seu conto "Recipe for Murder", de 1934, foi expandido para o romance *The Great Hotel Murder* (1935), no qual foi baseado o filme homônimo, lançado no mesmo ano, estrelado por Edmund Lowe e Victor McLaglen.

Poucos questionariam que as realizações mais notáveis de Starrett foram seus escritos sobre Sherlock Holmes, mais notavelmente *The Private Life of Sherlock Holmes* (1933) e "The Unique 'Hamlet'", descrito durante décadas por Sherlockianos como o melhor pastiche jamais escrito.

Uma história encantadora envolve sua jovem filha, que ofereceu o melhor epitáfio para um Dofob — a palavra útil criada por Eugene Field para um "maldito velho louco por livros"* —, o que Starrett admitia ser. Quando um amigo visitou sua casa, a filha de Starrett abriu a porta e disse ao visitante que o pai estava "lá em cima, brincando com seus livros".

O conto "Passos de medo" foi publicado originalmente na edição de abril de 1920 de *Black Mask*, a primeira edição da revista. E foi publicado pela primeira vez em uma antologia em *The Quick and the Dead*, de Starrett (Sauk City, Wisconsin, Arkham House, 1965).

* "Damned old fool over books". (N. do T.)

PASSOS DE MEDO

VINCENT STARRETT

O dr. B. Edward Loxley (chamado jocosamente de "Bedward" pelos colunistas de fofocas), que assassinara a esposa e a quem a polícia procurava, vasculhando a cidade havia três semanas, estava sentado em silêncio à sua mesa no grande Merchandise Exchange, lendo a correspondência matinal. A porta de vidro fosco na antessala de seu escritório dizia simplesmente "William Drayham, Livros raros. Visitas com horário marcado". Depois de três semanas de segurança, estava começando a se sentir complacente. Durante esse período, não deixara seu esconderijo e não tinha nenhuma intenção de o fazer tão cedo, exceto morto.

Tudo fora planejado antecipadamente. O escritório fora alugado um mês antes do assassinato de Lora Loxley, e ele o ocupara sem alarde. Desde então, iniciara a construir a nova personalidade de William Drayham. Fora aceito pelos vizinhos no corredor do sexto andar. Tomava café da manhã, almoçava e jantava nos vários restaurantes do prédio, barbeava-se com um barbeiro favorito e era — ele tinha todos os motivos para acreditar — um cliente assíduo e bem aceito. Os vizinhos eram trabalhadores inofensivos e desprovidos de imaginação que não questionavam sua identidade, e a expressão "livros raros" na porta era suficientemente formidável para afugentar visitantes casuais.

Lora Loxley, assassinada por estrangulamento, fora enterrada havia muito tempo. Até os jornais começavam a minimizar a história sensacionalista. Era crescente o sentimento de que ele próprio, Loxley, também pudesse ter sido assassinado, e uma busca insconsistente por seu corpo seguia em curso, quando a polícia não tinha nada melhor com o que se ocupar. Como sua janela tinha uma vista do rio no qual, além do tráfego normal, barcos da polícia navegavam ocasionalmente, ele podia assistir à atividade deles com uma apreciação divertida de seus esforços. Agora, já passara dois domingos solitários observando com um par de binóculos o tráfego do final de semana, aguardando qualquer renovação ativa da atenção da polícia. Ele dava-se extremamente bem com os vigias daquela parte do prédio, que estavam habituados a vê-lo por lá em horários improváveis.

O Merchandise Exchange era uma cidade dentro de uma cidade. Tinha tudo de que ele precisava: restaurantes, lavanderias, barbearias, tabacarias, dentistas, bancas de jornal, agências bancárias, um ginásio e até uma agência dos Correios. Nos restaurantes e nas barbearias, ele era conhecido pelo nome. Comprava todos os jornais. Ocasionalmente, ditava uma carta para um estenógrafo público, encomendando ou rejeitando livros. Como William Drayham, tinha uma conta corrente com saldo suficiente para suas necessidades imediatas. O resto da sua fortuna, em dinheiro, estava em Paris, com Glória.

Seus principais fantasmas tinham sido os vigias e as faxineiras. No entanto, tinha pouco medo das faxineiras, um trio amigável que gostava de doces e que concordara prontamente em visitar seu escritório enquanto ele jantava mais tarde do que de costume. Seus arranjos domésticos eram simples. Dormia em um sofá no escritório interno, que também tinha um cofre no qual poderia se esconder em uma emergência. Até o momento, não houvera nenhuma.

O dr. Loxley deixou impacientemente a correspondência de lado. Talvez fosse cedo demais para esperar uma resposta ao pequeno anúncio que estava publicando em um suplemento literário dominical. Mas não cedo demais para o café que a srta. Marivole Boggs servia a qualquer hora. Fora muita sorte encontrar uma criatura tão admirável no mesmo corredor, ainda por cima no mesmo ramo. Livros raros e antiguidades combinavam muito bem. Ela fora responsável por vários de seus clientes infrequentes. Ele viu as horas em seu relógio caro e saiu sem nenhuma emoção do escritório de livros raros de William Drayham.

"M. Boggs, Antiguidades", como ela descrevia a si própria na vitrine de sua lojinha no fim do corredor, levantou os olhos quando ele entrou.

— Olá — disse ela. — Estava esperando que aparecesse.

— Eu não faltaria — disse ele, enquanto seus olhos castanhos examinavam a sala familiar, parando por um momento na antiga armadura que dominava um canto da loja e no baú espanhol, que era o orgulho e a alegria da srta. Boggs. — Bem, vejo que ninguém comprou ainda nenhum dos dois. — Eles brincavam sempre que, quando o negócio de livros raros estivesse indo melhor, ele próprio faria um cheque pelas peças.

Enquanto lhe servia o café, ela disse:

— As matérias nos jornais sobre aquele médico estão ficando cada dia mais curtas. Estou começando a acreditar que ele *foi* realmente assassinado.

Eles discutiam com frequência o desaparecimento do dr. Loxley, assim como toda a cidade também fazia. No começo, fora ideia da srta. Boggs que o "doutor da sociedade" assassinara a esposa por causa de alguma paciente glamorosa, que estaria agora morando com ele em algum lugar na Riviera.

O dr. Loxley discordara.

— Romântico demais, Boggs. Ainda acho que ele está no fundo do rio ou em algum lugar a caminho do Golfo do México. É o que parece, pelo lenço que encontraram na margem do rio.

— De todo modo, a polícia parece ter parado de procurar — disse a srta. Boggs.

— De todo modo, este é um ótimo café, srta. Boggs. Espero que me dê a receita. Ainda planeja partir neste mês?

— Imediatamente — disse ela. — Voarei amanhã para Nova York, se conseguir escapar. Quero estar em Londres para a exposição. Depois, vou para Paris, Roma, Suíça e outros lugares como esses. Estou extremamente aliviada com o fato de que você estará aqui para ficar de olho nas coisas, Bill. Café a qualquer hora, não é?

— De manhã, à tarde e à noite — concordou ele, levantando-se para partir. A mudança de planos dela o supreendera por um momento; mas ele era esperto o bastante para perceber uma vantagem para si próprio com isso. — Não precisa ter medo, estarei aqui aguardando por você quando retornar.

Caminhando de volta para a própria loja, murmurando uma cantiga animada, ele reparou em um homem que saía pela porta diretamente em frente à sua. Algo na sua postura lhe parecia familiar. Ele estava voltando para os elevadores e caminhava rápido. Em um instante, encontrariam-se.

E, de repente, o dr. Loxley deu-se conta de que o homem era de fato familiar. Era seu próprio cunhado, Laurence Bridewell.

Sua primeira reação foi dar meia-volta e fugir, e a segunda foi voltar para a "M. Boggs, Antiguidades". A decisão final, tomada em uma fração de segundo, foi levar o encontro a cabo. Seu disfarce enganara homens melhores do que Larry Bridewell, se bem que nenhum que o conhecesse melhor. Com sua barba curta alinhada e bigode raspados, e os olhos azuis transformados por lentes de contato marrons, era outro homem. Depois de um momento aterrorizante de indecisão, ele atrapalhou-se ao pegar um cigarro, dando-se conta de que após três semanas de segurança complacente, estava prestes a encarar um teste supremo.

Ele tentou acender o cigarro, mas não conseguiu... Logo depois, estavam cara a cara, olhando um para o outro como as pessoas fazem ao se cruzar, até que o teste terminou. Mas será que tinha mesmo? Bridewell continuou seguindo para os elevadores, caminhando rápido, e Loxley tropeçou até a própria porta.

Ele ousaria olhar para trás? Teria Bridewell se virado para olhar de volta para *ele*? Movendo-se casualmente, espiou corredor abaixo. Não havia dúvida: Larry também estava olhando para trás. Talvez tivesse apenas ficado um pouco perturbado com uma semelhança imaginária...

O dr. Loxley fingiu ter alguma dificuldade em abrir a própria porta e, logo antes de fechá-la, ocorreu-lhe conferir o nome na porta do escritório do qual seu cunhado saíra. Na verdade, sabia muito bem o que encontraria: "Jackson & Fortworth, Advogados". E, abaixo, a significativa palavra "Investigações".

Ele tentou se controlar e ficou irritado ao descobrir que estava tremendo. Como teste, arriscou tomar um drinque para ver o que a bebida faria com ele. Ajudou consideravelmente. Mas o incidente, como um todo, seguiu o assombrando e fez com que tivesse uma noite ruim. De manhã, no entanto, os temores tinham desaparecido. Estava novamente confiante, até que, algumas horas mais tarde, um segundo incidente abalou sua coragem. Voltando da tabacaria no saguão, ele precisara passar pelo De Luxe Dog Salon, em um dos corredores no nível da rua, e parara, como fazia com frequência, para olhar pelas vitrines para os cães elegantes sendo tosados, um espetáculo divertido. Mas, ao se virar, algo assustador aconteceu.

Uma mulher bem vestida aproximava-se do salão com um poodle francês agitado em uma coleira. Ela parecia familiar. Por Deus! Ela *era* familiar, assim como o cachorro. Era ninguém menos do que a srta. Montgomery Hyde, uma antiga paciente. O coração dele parecia que tinha parado. Será que ela o reconheceria?

Foi o cachorro quem o reconheceu. Com um ganido de felicidade, o poodle arrancou rapidamente a coleira da mão da mulher e atirou-se extasiado contra as pernas do médico.

Com algum esforço, Loxley recobrou o equilíbrio e, de alguma maneira, recuperou a pose. Era seu pior momento até então. Automaticamente, livrou-se do abraço do poodle e puxou suas orelhas pretas.

— Calma, calma, amigo — disse ele para o animal excitado com uma voz que esperava que não fosse sua própria. — Desculpe-me, madame. Parece que seu cachorro se enganou.

Para seu intenso alívio, a sra. Montgomery Hyde concordou.

— Por favor, perdoe a impulsividade de Totó — rogou ela, pegando a coleira. — Ele ama todo mundo.

O dr. Loxley deixou a cena quase às pressas. Ela não o reconhecera! Para ele, parecia um milagre. No entanto, novamente, ficou irritado ao perceber que estava tremendo. Mas, ainda assim, aquilo não poderia ser um bom presságio? Se a sra. Hyde e seu próprio cunhado não o tinham reconhecido, o que havia a temer? Imediatamente, começou a se sentir melhor. Mas, depois de voltar para o escritório, William Drayham mimou-se outra vez com uma bebida forte.

Em um momento de inteligência alerta, ele se deu conta de que fora complacente demais por três semanas. O encontro com a sra. Hyde ensinara-lhe algo que era importante lembrar. Ele quase dissera o nome dela. Em seu primeiro momento de pânico, poderia muito bem ter traído a si mesmo. Se era importante não ser reconhecido, era igualmente importante que *ele* não reconhecesse alguém por acidente.

Estava claro que aquela existência de "gato e rato" não poderia prosseguir indefinidamente. Ele deveria permanecer escondido somente até que fosse seguro sair e fugir do país. Então, William Drayham empacotaria suas coisas ostensivamente e se mudaria para Nova York. Depois, seria só aproveitar a vastidão do mundo.

Por vários dias, o doutor reprimido viveu com cautela, visitando ocasionalmente a "M. Boggs, Antiguidades" para tomar café e admirar a armadura e o baú espanhol, que continuavam o fascinando. Ele prometera a Boggs, que agora estava viajando, a não baixar o preço de nenhuma das duas peças.

Duas vezes, ao voltar da loja de antiguidades, ele vislumbrara o cunhado entrando no escritório de advocacia de Jackson & Fortworth.

Então, apressava-se em se trancar nos próprios aposentos, antes que Larry pudesse sair. Afinal de contas, que diabos o sujeito queria com uma firma de investigadores?

Certa manhã, a visita de Jackson, o advogado, à livraria pegou-o de surpresa, do contrário ele talvez trancaria a porta.

— Tenho pretendido visitá-lo há algum tempo, sr. Drayham — disse cordialmente o advogado. — Sou Jackson, do escritório em frente ao seu. Sempre me interessei por livros raros. Importa-se se eu der uma olhada?

Loxley levantou-se abruptamente da cadeira, derrubando no chão um livro que estava em sua mesa. Um pavor gélido penetrara em seu coração. Ele se perguntou se seria descoberto *agora*, finalmente.

Ele apertou com entusiasmo a mão do advogado.

— É um prazer conhecê-lo, sr. Jackson. Claro, pode olhar à vontade. Posso lhe mostrar alguma coisa?

Mas Jackson já estava à vontade. Quando terminou de ver os livros, caminhou até a janela.

— Você tem uma bela vista do rio — disse ele, apreciativo. — Todas as minhas janelas dão para um pátio. — O homem caminhou para a porta. — Eu só queria conhecer o senhor. Voltarei quando tiver mais tempo.

— Quando quiser — disse Loxley, com uma cortesia superficial.

O dr. Loxley sentou-se à sua mesa e esticou a mão para a gaveta inferior. Mais uma pequena dose de bebida não lhe faria mal. O que o sujeito realmente queria? O que esperara encontrar? Ou seria realmente mais um dos muitos idiotas que colecionavam livros?

Mas uma coisa estava clara: muito em breve, ele poderia precisar deixar o prédio e a cidade. Caso suspeitassem dele, o golpe viria prontamente. A qualquer momento, a porta poderia abrir outra vez, e Jackson não estaria sozinho. Por que não sair imediatamente daquela armadilha? O que o impedia? O estoque — trezentos volumes de lixo comprados em um armazém — poderia ser deixado para trás, se necessário.

O que o impedia era o telegrama que Glória lhe enviara de Paris: "Problemas aqui. Telefonarei sexta à noite."

Era quinta-feira. O que quer que acontecesse, ele precisava esperar o telefonema de Glória. A mão dele moveu-se na direção da gaveta inferior, depois se recolheu. Café, e não uísque, era o que ele precisava; e, depois do almoço, ele passou quase toda a tarde com a estranha coleção de antiguidades da srta. Boggs. Dali, tinha uma boa visão da porta de Jackson, e tampouco chamava a atenção. Se Larry Bridewell esteve entre os visitantes do advogado, Loxley não o viu.

Explorando a loja de antiguidades, ele parou, como sempre, para admirar as duas peças que eram as estrelas da coleção, a armadura quase assustadora e o gigantesco baú espanhol. Em uma emergência, qualquer um serviria como esconderijo — se houvesse tempo para se esconder.

Naquela noite, ele ficou perplexo ao ver outra vez sua fotografia no jornal. O rosto familiar do dr. B. Edward Loxley, como era antes de matar a esposa: a barba curta alinhada e o bigode. Parecia que ele fora preso por um policial atento de Seattle, mas negara sua identidade.

O dr. Loxley inspirou profundamente, aliviado. Afinal de contas, talvez ainda estivesse seguro. Mas o que Glória poderia ter a dizer que exigisse um telefonema de Paris? Algum tipo de notícia ruim. E ruim para alguém.

Apesar dos novos temores, Loxley odiava deixar o prédio que lhe servira de refúgio. Ele tivera a esperança de morar ali indefinidamente, sem ser detectado; nunca mais voltar a se aventurar nas ruas até que o dr. Loxley estivesse tão esquecido quanto o dr. Crippen.

Mais uma vez, ele dormiu para esquecer os temores. No dia seguinte, passou toda a manhã sem interrupções, com a vista para o rio e os jornais. Estava de fato começando a se sentir quase tranquilo outra vez, quando o insuportável Jackson bateu na sua porta e gritou uma saudação animada. Estava acompanhado por alguém. Através do vidro fosco, a silhueta sombria de outro homem era visível.

— Podemos entrar? — perguntou o advogado. — Tenho dois amigos aqui que querem conhecer o senhor.

Loxley levantou-se cambaleante e foi até a porta. Então, finalmente *tinha sido descoberto*! Ele estivera certo quanto ao maldito cunhado e seu advogado furtivo. É *agora*! Então, de repente, ele soube o que devia fazer.

Ele destrancou a porta e a abriu.

— Entrem, cavalheiros — disse ele sem emoção. — O que posso fazer por vocês?

Jackson estava radiante.

— Estes são meus amigos, os sargentos Coughlin e Ripkin, da central. Esperam que você venha tranquilamente. — disse, rindo animadamente da própria pilhéria.

— Entrem, cavalheiros, e sentem-se — disse Loxley, com um sorriso forçado. Ele sentou-se à sua mesa, selou e endereçou um envelope, depois se levantou. — Eu estava prestes a ir até a caixa dos Correios para enviar uma carta importante. Voltarei em dois minutos.

— Claro — disseram cordialmente os dois policiais. — Sem pressa.

Ao sair, o dr. Loxley fechou a porta que dava para o corredor e foi, quase correndo, para a "M. Boggs, Antiguidades". Enquanto trancava a porta da loja de antiguidades, ficou aliviado ao ver que o corredor continuava vazio. Eles o seguiriam, é claro. Todos os escritórios no prédio seriam revistados, e este seria provavelmente o primeiro.

Tinha que ser o baú!

O baú estava aberto, como sempre, então ele entrou se espremendo bastante — era desconfortavelmente apertado — e depois baixou a tampa pesada, até que somente uma fresta estreita permancesse para a entrada de ar. Agora, ele ouvia passos fracos no corredor. Ele respirou fundo e fechou a tampa.

Houve um *clique* agudo. Depois, apenas uma escuridão intensa e um silêncio sufocante...

Vinte minutos depois, o sargento Ripkin disse para o parceiro:

— Pergunto-me o que estará detendo o sujeito. Ainda temos sessenta ingressos para vender, Pete.

— Ah, deixem-nos comigo — disse Jackson. — Providenciarei para que recebam seu dinheiro. Drayham é um bom sujeito.

Os dois policiais, que esperavam vender um talão de ingressos para um jogo beneficente de beisebol, partiram tranquilamente.

O desaparecimento de William Drayham, um "vendedor de livros raros" no Merchandise Exchange, chamou menos atenção do que o do dr. B. Edward Loxley; mas, durante alguns dias, foi uma sensação moderada.

Voltando da Europa, um mês depois, a srta. Boggs perguntou-se indolentemente quando Bill apareceria para tomar uma xícara de café. Ele dissera que estaria lá quando ela voltasse.

Ela entreteu-se alegremente cercada por seus tesouros. Algum tolo, ela reparou, trancara automaticamente o baú ao fechá-lo. Em breve, ela precisaria destrancá-lo e levantar a tampa...

A OBRA-PRIMA AUTOGRAFADA
FREDERICK IRVING ANDERSON

Frederick Irving Anderson (1877-1947) foi praticamente esquecido pelos leitores modernos, tendo escrito dois livros sobre agricultura e apenas três de crime e mistério; muitos outros contos foram publicados apenas em revistas, principalmente na *The Saturday Night Evening Post*, e nunca foram incluídos em antologias em livro.

Talvez sua personagem mais conhecida seja a encantadora jovem que apareceu no único volume *The Notorious Sophie Lang* (1925), uma ladra de joias de sucesso tão ousada e sem igual que é muitas vezes considerada uma lenda que, na verdade, não existe. Boa parte da fama de Sophie Lang é resultado de uma série de três filmes da Paramount, da década de 1930, que recontavam suas aventuras. Em todos, ela foi interpretada por Gertrude Michael.

Em *A célebre Miss Lang* (1934), a polícia usa um ladrão francês para capturá-la, mas ela e o ladrão se apaixonam e fogem. Em *A volta de Miss Lang* (1936), que também foi estrelado por Ray Milland, a aventureira reformada está em um navio de cruzeiro, viajando para os Estados Unidos com sua benfeitora idosa, quando reconhece um passageiro "distinto"; na verdade, ele é um ladrão de joias que planeja envolver Sophie no desaparecimento de um diamante no qual está de olho. O último filme da série, *Miss Lang em Hollywood* (1937), que também é estrelado por Lee Bowman e Buster Crabbe, relata o sufoco de Lang quando escapa da polícia embarcando em um trem para a Califórnia. Não demora muito até que ela se envolva com outros viajantes, incluindo um assessor de imprensa de Hollywood descarado, porém charmoso, e um sultão desesperado que espera que a joia valiosa que está transportando seja roubada. Curiosamente, apesar dos filmes terem obtido algum sucesso, o único volume com as aventuras de Sophie nunca foi publicado nos Estados Unidos.

As outras duas antologias de mistério de Anderson foram *Adventures of the Infallible Godhal* (1914) e *The Book of Murder* (1930), selecionado por Ellery Queen como uma das 106 melhores antologias de contos de mistério já publicadas. O vice-comissário Parr, que é logrado por Godahl em um livro e por Sophie Lang em outro, encontra-se mais uma vez com as mãos cheias com vários bandidos na terceira e última obra de ficção de Anderson.

O conto "A obra-prima autografada" foi publicado pela primeira vez na edição de junho/julho de 1921 da *McClure*; e foi publicado pela primeira vez em uma antologia em *The Notorious Sophie Lang* (Londres, Heinemann, 1925).

A OBRA-PRIMA AUTOGRAFADA

FREDERICK IRVING ANDERSON

I

O número 142, no lado sul da rua, era um apartamento de porão inglês daquela cômoda época de Van Bibber, quando Manhattan ainda era uma ilha nativa e seus habitantes possuíam espaço para se mover e uma sensação de vida próspera. Grande parte da cidade seguira a tendência e se mudara para o norte, mas o número 142 e alguns outros valentes — com janelas reluzentes de vidro plano, degraus varridos e campainhas de sino — ainda resistiam, espremidos por inúmeros prédios residenciais altivos e hotéis dourados.

O número 142 era ocupado pela viúva de Amos P. Huntington. O falecido, um sujeitinho sem graça e inofensivo, conquistara apenas uma vez a notoriedade nos jornais, quando explodira a si mesmo, rumo à eternidade, enquanto misturava borracha sintética. A sobrevivente era uma pequena senhora de porcelana Dresden; como prova de sua qualidade, ela conduzia um elegante coche cor de ameixa, puxado por um par ainda mais elegante de cavalos de Hackney, de crina tosada, suntuosos demais para aquela época; no assento do condutor, sentavam-se um cocheiro e um criado de libré em trajes cor de ameixa, dois homens austeros de meia-idade, de barba bem-feita e apresentando aquela palidez de prisão, adquirida por criados superiores que passavam a maioria de seus dias na semiescuridão de porões antiquados.

Aquela vizinhança, outrora elegante, havia começado a migração para o norte alguns anos antes. Uma a uma, as residências de pedras marrons no lado norte, que ficavam de frente para o número 142 e seus poucos companheiros, tinham sido convertidas em estrebarias de tijolos vermelhos com telhados pontudos, janelas de chalé e entradas largas. Por um breve período, o *ancien régime* respirara os vapores de amônia e de linimento para cavalos, além de testemunhar as travessuras de uma classe superior de equinos que eram conduzidos para tardes no parque por cavalariços *cockneys*, para trotar e passear, com o objetivo de ajudar a digestão de donos e donas alimentados em excesso.

Então, os cavalos superiores desapareceram e, no lugar deles, vieram artistas superiores que instalavam claraboias acima dos velhos celeiros de palha, enchiam o ar com o cheiro de aguarrás e argila molhada e, na maioria, jantavam de modo nada romântico em uma confeitaria na esquina. Depois, a cidade, como uma floresta que cresce descontroladamente e invade uma pradaria esquecida, tirou de cena os artistas e seus estúdios, a fim de, no lugar deles, erguer feias garagens e oficinas para automóveis doentes. O lado ensolarado da rua se tornou escorregadio com a graxa de filtros de óleo com vazamento; o ar, espesso com o cheiro de gasolina e borracha. Na rua, em todas as horas do dia, inclusive tarde da noite, entranhas enfermas de automóveis quebrados epalhavam-se pelas calçadas, enquando os mecânicos sujos as consertavam e testavam. Durante todas essas vicissitudes, a velha guarda resistiu soturnamente em protesto, o número 142 e seus companheiros, dando a impressão de que se tornavam ainda mais imaculados. A sra. Huntington, além destas agressões à sua paz doméstica, sofrera a indignidade adicional de ser arrastada de seu luto recluso para uma audiência pública pelos seguradores de seu falecido marido, que argumentavam que alguém tão temerário a ponto de mexer com borracha sintética só poderia ter um objetivo, o suicídio. Duas vezes, a pequena viúva conquistara a simpatia do júri, o qual, em dois processos, concedeu-lhe o valor total de sua reinvidicação de seguro: um quarto de milhão de dólares.

Exatamente no outro lado da rua, no número 143, havia uma oficina na qual a sujeira, o fedor e o barulho não se diferenciavam em nenhum aspecto das vizinhas. Uma pessoa observadora poderia ter reparado, com uma pontada de curiosidade, que todos os mecânicos dali eram jovens, tinham um metro e oitenta e pesavam noventa quilos. Sem que soubessem, e tampouco desconfiassem, o número 143 pertencia à Polícia; era uma daquela série de armadilhas que o arquicaçador de homens, o vice-comissário Parr, da central, instalara em esquinas inesperadas em toda a cidade. O crime é esporádico; contudo, também é regional e vocacional. Ali, através de seus lacaios, ele entreouvia os habitantes noturnos nativos da Alameda dos Automóveis. Na Broad Street, ele mantinha uma *bucket shop*, tripulada por enormes mensageiros e atendentes; na Maiden Lane, era uma refinaria de platina, cujo alquimista velho e enrugado podia lhe dizer prontamente a composição química de qualquer lote existente de platina; na Quarta Avenida, tinha um policial gigantesco infiltrado entre os vendedores de seda crua, uma mercadoria que atrai ladrões como o mel faz com as abelhas; e na Central Park West, sob o comando de um tentente competente, conduzia um centro espírita onde eram realizadas sessões com mesas giratórias e escrita automática, nas quais, ocasionalmente, recebiam um telegrama do além. Muitas pobres criaturas definhando atrás das grades se perguntavam, mas jamais saberiam, como tinham chegado tão sumariamente à ruína. Era bastante simples: bastava que tivessem conhecido as pessoas e sido prestativas.

Às dez horas da manhã, em um dia de começo do inverno, um carro de certa importância parou, engasgando aos solavancos, suspirou e morreu no meio-fio diante do número 142. O motorista, um homem de um metro e oitenta, com noventa quilos, saltou, abriu o capô e ficou observando o motor enfermo com o olhar desamparado de um médico cujo paciente superara suas capacidades. Um mecânico ruivo, de um metro e oitenta de altura e noventa quilos, saiu. Ele demonstrou um interesse solidário e enfiou a cabeça sob o capô.

— O chefe — disse o motorista, curvando-se e falando no ouvido do mecânico — quer um relatório sobre o número 142.

O mecânico reconectou um cabo de alta tensão a um terminal de uma vela, retornando assim o carro importante às suas plenas faculdades, caso surgisse uma emergência. Ele rasgou em dois um bilhete azul na linha perfurada, entregou uma metade ao motorista com o comentário "sem tíquete, sem limpeza", depois amarrou com um barbante forte a outra metade no para-brisa do automóvel. O motorista caminhou até uma sala nos fundos, ocupada por motoristas e mecânicos, e matou o tempo passando algumas horas conversando com eles. O mecânico fingiu recomeçar o conserto enquanto estudava com o rabo do olho aquele domicílio respeitável no outro lado da rua, o número 142, especulando vagamente sobre qual capricho de seu chefe volátil decidira colocar a viúva de porcelana Dresden sob vigilância da polícia.

Uma hora depois, a sra. Amos P. Huntington desceu os degraus e entrou na sua carruagem. Ela tinha pés pequenos, envoltos por elegantes botas de cano alto, as quais exibia por meio de uma saia curta da última moda; tinha a pele muito branca, olhos castanhos, e o cabelo daquele tom peculiar de mogno que só pode ser mantido com uma atenção incessante; estava de luto completo, de uma correção luxuosa que remetia a uma daquelas lojas elegantes perto da avenida que se dedicava exclusivamente à confecção de chapéus de luto. O criado de libré envolveu-a com uma pele de toupeira e subiu no assento do cocheiro; o par afetado de cavalos partiu em passos perfeitamente sincronizados, como que acompanhando o ritmo de alguma dança antiga. Naquele momento, o mecânico ruivo, coçando sua cabeleira castanho-avermelhada com dedos nefastos, pareceu decidir que era necessário fazer um teste. Ele ligou o motor hipocondríaco e partiu no rastro da carruagem cor de ameixa, inclinando a cabeça atenciosamente para captar algum murmúrio sintomátio do motor.

No Columbus Circle, aquele eterno carrossel de tráfego, o sinal de trânsito fechou diante da carruagem cor de ameixa e os cavalos pararam, motores bufando por todos os lados, enfileirando-se imediatamente com a fecundidade de um engarrafamento. Na calçada, um homem de chapéu-coco marrom reparou no tremular do bilhete azul no carro atrás da carruagem. Ele parou no meio-fio e, captando casualmente o olhar do mecânico ruivo, tirou o chapéu marrom, apesar de o clima estar congelante, e esfregou a testa. O mecânico ruivo respondeu assoando o nariz em uma bandana vermelha; e depois, virando-se, olhou estupidamente para a carruagem cor de ameixa. A comporta do trânsito foi aberta, o tráfego começou a avançar, e então o mecânico ruivo perdeu o interesse pela carruagem cor de ameixa, dobrando para o leste e, em dez minutos, estava de volta à oficina.

— Alguém está nos seguindo, William? — perguntou a viúva de porcelana Dresden através do tubo acústico de comunicação.

— Não, senhora — respondeu William, o criado de libré, falando pelo canto da boca, sem mover os lábios, no receptor ao lado de seu ombro. — Havia alguém — acrescentou ele, encorajadoramente. — O mecânico do outro lado da rua... Mas ele foi embora.

A sra. Huntington não se permitia ser tranquilizada por uma sensação de segurança. Durante um longo período, a graciosa dama do número 142 jamais saíra com a carruagem sem perguntar, mais cedo ou mais tarde: "Alguém está nos seguindo, William?". Tal pergunta poderia indicar vaidade ou medo. Houvera ocasiões que pareceram promissoras para o competente William. Mas tais promessas nunca foram cumpridas. Todas as vezes, a pessoa ou veículo específico que atraíra o escrutínio desconfiado de William era perdido no tráfego incessante das ruas da cidade, de uma maneira muito similar àquela como o mecânico ruivo, que despertara por um momento o interesse de William, estava agora perdido.

Naquela tarde, dois jovens diligentes foram ao número 142 testar o relógio de luz. Tal tarefa, estando relacionada com réguas de cálculo, cálculos logarítmicos e instrumentos reluzentes, foi executada na escada do porão com os criados interessados observando de vez em quando, e entregando solicitamente aos dois cientistas, quando requisitadas, as ferramentas cujas superfícies niqueladas tinham sido especialmente preparadas para registrar impressões digitais. No dia seguinte, funcionários da companhia telefônica pediram e obtiveram permissão para passar pelo interior da casa e subir no telhado para desemaranhar alguns cabos. Um inspetor do Departamento de Água, um sujeito muito divertido, inspecionou as torneiras em busca de vazamentos. Em função de uma discussão em um quarteirão obscuro quanto à violação da linha de edificação por aquela fileira de casas, um jovem precisou entrar e abrir cada janela para medir os parapeitos protuberantes com uma régua. Em um dado momento, quando estava debruçado com boa parte do corpo para fora da janela da sala de estar, ele perguntou educadamente, olhando sobre o ombro, se a sra. Huntington lhe faria a gentileza de lhe passar sua lupa, o que a pequena viúva fez educadamente, pegando-a, sem se dar a menor conta, com a mão que segurava seu lenço de renda. Ao partir, ele ofereceu a ela sua caneta tinteiro para assinar o recibo da visita, mas sem perceber o gesto, ela assinou com a própria caneta. Outros visitantes apareceram na porta do porão, todos educados e, pelo menos aparentemente, simples. No final da semana, um dossiê completo sobre o número 142 estava nas mãos do sr. Parr. Ele tratava da dona da casa e seu *ménage* em detalhes microscópicos. Se ela tivesse cultivado uma sensação imaginária de privacidade santificada, ficaria horrorizada em saber o quanto fora fácil para os olheiros de Parr virar o número 142 pelo avesso e de ponta-cabeça. Eles só tinham falhado em um ponto na preparação do relatório: não conseguiram levar nada com a impressão das pontas rosadas dos dedos da viúva patética, apesar de sua casa ter sido muito solícita nesse aspecto. A lupa, quando revelada na central, na Centre Street, forneceu apenas uma réplica difusa de seu delicado lenço.

II

— Sei que está na moda — disse o vice-comissário Parr, acomodando--se na sua poltrona favorita ao lado da mesa de Oliver Armiston — atribuir a nós, policiais, o papel de ignorantes nos dramas detetivescos modernos. Um policial obtuso sempre tem sucesso! — disse, enquanto lançava um olhar venenoso para Oliver, que, correndo os dedos por seu único cacho grisalho, levantou os olhos do trabalho, mas não se dignou a responder. — Algum jovem inteligente — prosseguiu o sr. Parr, com cansaço — pode fazer seu nome dotando um de nós com um pouco de massa cinzenta. — Ele escolheu um charuto da caixa de papelão ao lado do cotovelo de Oliver. — Estou ciente — disse ele, cortando a ponta com as unhas — de que há um preconceito popular contra isso. Mas poderia ser feito... Poderia ser feito. — Ele riscou um fósforo com uma única torção mágica no ar, acendeu o charuto e deu algumas baforadas meditativas, olhando Oliver através das pálpebras semicerradas.

Armiston, o escritor extinto, era apenas mais uma fase da versatilidade impressionante do vice-comissário Parr. Essencialmente, Parr praticava a lógica, não a intuição. Através da longa experiência com os hábitos e recursos das criaturas que caçava, montava suas armadilhas onde sabia que eram campos férteis para a caça. Depois, retirava-se para esperar que alguma criatura errante as ativasse. No entanto, ocasionalmente, as armadilhas bocejavam vazias, sem nem mesmo o rachar de um galho seco para recompensar sua mais longa vigília em meio a foragidos comprovados. Então, como seu protótipo, o caçador selvagem, Parr recolhia-se sorrateiramente para cosultar seu curandeiro. Armiston ocupava esta função. Armiston fora um tecelão de incríveis histórias de suspense. Em uma ocasião, fora realista demais; um ladrão ardiloso realmente dramatizara a ficção de Oliver como realidade, cujo resultado fora um assassinato. A sensação que se seguiu ao ocorrido forçara o agitado escritor a se aposentar. Foi quando o vigilante vice-comissário o encontrou. Se a ficção poderia ser transformada em realidade, por que a realidade não poderia ser transformada em ficção? Era o que pensava o vice-comissário da polícia.

O método dele era direto, mas sutil. Um mistério insolúvel ou um *dénouement* hesitante despertava as faculdades adormecidas do escritor extinto, como o clangor de um gongo reanima um aposentado cavalo de bombeiros. Parr preparava o palco para Oliver com personagnes e cenários, levantava a cortina para uma trama congelada. Além disso, do seu jeito mais insinuante, convidava Armiston a "seguir em frente". Ocasionalmente, os resultados tinham sido impressionantes. Para o policial pragmático, sempre beiravam o místico. A imaginação de Oliver, uma vez atiçada, era de uma fecundidade sobre-humana.

Agora, o vice-comissário, com um suspiro de corpulência excessiva, pegou seu pé, envolto em uma bota número 44, e depositou-o sobre o joelho direito. Ele bateu expressivamente na sola; era uma sola nova, uma verdadeira tábua, pregada no lugar, destinada para o uso, e não para a furtividade.

— Paguei 2,75 por ela — disse ele, com um tom de cansaço e irritação. — Costumava custar cinquenta centavos. Até o preço de detectar crimes subiu. Couro para sola! — exclamou ele com certa veemência. — Isso é o que obtém resultados no meu ramo. Sempre que contrato um novo homem, olho para os pés dele, e não para a cabeça.

Ele fez uma pausa. Oliver, permanecendo em silêncio, parecia guardar seu julgamento para si.

— Para dizer a verdade — continuou Parr, de modo confidencial —, não detectamos crimes. Os crimes detectam a si mesmos.

— Que pena que os criminosos não sejam tão solícitos — comentou Oliver.

— Mas eles são, caro amigo! A questão é justamente esta! — disse Parr, agora mais expansivo.

— Eles detectam a si mesmos?

—Ah, absolutamente, isso é inevitável. Ou melhor... No final das contas. O elemento "tempo" cumpre seu papel, é claro. Nós apenas esperamos — explicou de maneira agradável o policial. — Mais cedo ou mais tarde, todo bandido retorna aos lugares que costuma frequentar. Tenho um homem na porta esperando por eles — disse Parr, com um sorriso infantil.

— Você deve admitir que é necessária alguma inteligência de sua parte para escolher a porta certa — disse Armiston.

— De forma alguma! Esta é a menor das nossas preocupações. Eles nos fornecesem o endereço! — disse Parr, rindo.

Armiston retomou seus cálculos. Estava com o ar magoado de uma criança crédula demais que fora enganada.

— Todo cão tem sua pulga — disse Parr, assentindo solenemente para o Buda gordo no canto do escritório. — Todo bandido tem seu delator. Nunca vi isso dar errado, Oliver. Se algum dia eu conseguisse dar conta de todas as delações que caem na minha mesa toda manhã, eu encerraria as atividades e daria o trabalho por concluído — completou, e depois acrescentou asperamente: — Não tive um dia de folga em vinte anos. Fracassos? Não temos fracassos. Negócios inacabados, sim. Mais cedo ou mais tarde, alguém dá com a língua nos dentes... E justamente para mim! É para isso que estou aqui. — Parr bateu violentamente no peito. — Deixe-me ilustrar — prosseguiu gravemente. — Já ouviu falar em Sophie Lang? Suspeito que não — falou, sorrindo de um jeito estranho. — O público nunca ouve a respeito de bandidos bem-sucedidos. É somente quando fracassam, quando os capturamos, que se tornam famosos. Sophie ainda precisa dar um tropeço.

Armiston balançou a cabeça; o nome não sigificava nada para ele. Mas tinha um tom peculiar, ou na combinação acidental das letras ou pela maneira como Parr o pronunciou, que sugeria possibilidades inerentes. O caçador de homens ficou tranquilo, com um humor recordativo.

— Tínhamos o hábito de designar nossos jovens inteligentes para o caso de Sophie Lang. Era como mandar um aprendiz de maquinista buscar uma chave inglesa para canhoto, ou uma bolsa com um quilo de buracos de broca — disse, e riu de novo. — No que diz respeito aos meus jovens inteligentes, ela é apenas um boato.

— Ah, uma ladra lendária! Acho isso lindo! — exclamou Armiston.

— Lendária, de fato — concordou o vice-comissário, trincando os dentes. — Nenhum de nós jamais a viu. Só a conhecíamos por seus trabalhos. Quando nos dávamos mal, dizíamos "foi Sophie". Quando algo particularmente astuto era feito, Sophie novamente! Costumávamos dizer que Sophie assinava suas obras-primas, como qualquer outro artista. Bem — disse Parr, enfiando as mãos nos bolsos e alongando-se com prazer —, finalmente arquivamos Sophie como um "negócio inacabado".

Ele fixou seus olhos pequenos e ferozes em Armiston e aguardou. Oliver fez o mesmo.

— Sophie apareceu — disse Parr, em voz baixa.

— Algemada? — indagou Armiston.

— Ainda não. Mas em breve!

— Uma delação?

— Certamente! O que mais seria? Não acabo de lhe contar?

— Mas quem... Quem fez a delação?

Parr adotou um ar magoado.

— Quem? — repetiu a pergunta. — Como diabos posso saber? Que diabos me importa? Uma carta anônima — grunhiu ele. — Elas caem na minha mesa como o orvalho delicado do céu. Se parassem de chegar, eu ficaria sem emprego. Dadas as circunstâncias — acrescentou ele, outra vez com um sorriso estranho —, estou designando a mim mesmo, na minha velhice, ao caso de Sophie Lang. Compreende o humor nisso, Oliver? Mas, dessa vez, ela é mais do que um boato. Sophie é... — disse ele, mas fez uma pausa para dar efeito — Sophie é a sra. Huntington.

— A viúva... A viúva do seguro?

Parr assentiu lentamente, com os olhos brilhando.

Armiston recostou-se na cadeira e disse indignado:

— Acredita mesmo nisso, Parr?

— Tenho certeza.

— Tenho me encontrado com ela há muitos anos, entre as pessoas da mais alta estirpe. Ela é... Ela é eminentemente respeitável.

— Sophie seria — disse Parr, rindo.

— Existe algo definitivo que sugira que ela seja Sophie?

— Existe aquele quarto de milhão de dólares.

— Esqueça seus pés, Parr — disse Oliver com sarcasmo.

Depois, abruptamente, com uma inspiração repentina:

— Ela assinou? Diga logo: vai assinar, ou já assinou?

— Não existe nenhuma falha no caso dela — disse Parr. — É a assinatura habitual dela. Límpida. Ela derrotou duas vezes a seguradora, sua pequena viúva reclusa. Eles colocaram sobre ela o ônus da prova. Não foi nenhum ônus... para Sophie! — disse, soltando uma gargalhada. — Ela ainda não recebeu a bolada... Estão ganhando tempo para entrar com mais um recurso. Só conseguirão fazer com que não gostem deles, por implicarem com uma pobre mulher indefesa. Até parece! — disse Parr, divertindo-se.

— Você a investigou? — perguntou Armiston.

— Naturalmente. Todos a investigaram. A conduta dela é impecável! Impecável demais! Sophie é assim. Sophie não reage aos métodos originais

— disse o vice-comissário. — Foi por isso que procurei você. Achei que talvez gostasse de fazer um pouco de pesquisa psíquica.

Baixando a voz instintivamente e olhando com cautela ao redor para se certificar de que não havia ninguém os entreouvindo, o vice-comissário explicou como andava bisbilhotando a privacidade santificada da viúva do seguro durante a semana anterior, sem resultados. Exceto pelo único fato negativo de que a patética viúva evitara deixar as impressões das pontas rosadas de seus dedos nos instrumentos que ele preparara cuidadosamente, nada fora registrado. Parr forneceu a informação adicional de que acabara de ingressar em um novo ramo, o de limpeza de janelas. Um de seus melhores agentes polia semanalmente as do número 142. E havia também o mecânico ruivo e, sem que este soubesse, dois vagabundos casuais rondando o quarteirão. Os horários de Sophie estavam muito bem explicados.

— Qual é a especialidade dela, Parr? — perguntou Armiston, depois que Parr terminou.

— Qualquer coisa. Sophie não é melindrosa — disse Parr. — Tenho um peso de papel na minha coleção de museu com um pouco de cabelo humano preso nele... E algumas marcas de dedos. Sempre imaginei que gostaria de ver as impressões digitais de Sophie — acrescentou ele, com um olhar vazio.

Ele levantou-se e começou a abotoar o paletó, olhando de cima para Armiston e sorrindo.

— Há um determinado número de coisas óbvias que eu poderia destacar para você — disse ele. — Mas não farei isso. Elas podem obstruir o maquinário psíquico. — Ele deu sua pequena gargalhada.

Houve um silêncio absoluto. O fogo crepitava na lareira, o relógio de pêndulo na frente da sala enfatizava a passagem do tempo com baques abafados e preguiçosos. De repente, como que para lembrar aos dois homens, ele começou a soar a hora. Perto do final de sua contagem do meio-dia, na chaminé, outro relógio pequeno e irritante, folheado a ouro, despertou e juntou-se rapidamente ao de pêndulo. O vice-comissário olhou para seu relógio; depois, para Armiston, com um sorriso satisfeito. Oliver escovava seu cacho branco com dedos contemplativos. Pegando um novo charuto, o vice-comissário despediu-se.

III

— Alguém está nos seguindo, William? — perguntou a viúva reclusa, através do tubo de acústico de comunicação, sorrindo quase nostalgicamente.

— O mecânico do outro lado da rua, madame — respondeu William pelo canto da boca, sem mover os lábios, no receptor ao lado de seu ombro. O fiel vigia acrescentou que o mecânico ruivo estava a pé desta vez. — Está passando agora sob o letreiro vermelho da charutaria.

— Dirija lentamente — ordenou a mulher enlutada. — Não o apresse.

Mas o mecânico ruivo, que obviamente nem suspeitava de que era objeto de tamanha consideração por parte da viúva, logo começou a ficar para trás; passou a se interessar em olhar as vitrines daquela vizinhança, especialmente as muitas que apresentavam pneus recauchutados. Em pouco tempo, pareceu encontrar o que procurava, pois entrou em uma loja, e foi a última vez que o viram, por enquanto. Mas naquela mesma tarde, quando estava prestes a pegar a avenida — naquele horário nebuloso do crepúsculo de inverno quando as luzes nas ruas despertam com piscadelas enfermas, e lindas limusines, cujos interiores apresentam charmosos Rodney groups de mulheres e crianças, moviam-se lado a lado em sentidos opostos —, ela identificou-o outra vez em seu espelho bisbilhoteiro. Os cavalos da sra. Huntingotn pararam, empinando na esquina da avenida, prontos para a deixa, para seguirem a procissão cerimonial, quando o mecânico ruivo, exercitando outro carro doente, parou atrás da milady, seu para-choque raspando nas rodas da carruagem. No espelho, o formato de sua boca manifestou com clareza sua origem e propósito para os olhos experientes da viúva. Polícia? Sem dúvida! Agora, abruptamente, o fluxo da avenida dividiu-se em dois no sinal de trânsito, abrindo as comportas para a corrente transversal. William brandiu seu chicote, o par estiloso de cavalos dançou nas pontas delicadas das patas e avançou lentamente para seu lugar na parada. A vibração do motor soava atrás deles.

— Cuidado, William... Despiste-o! — advertiu a dama.

— Ele se foi, madame... Seguiu para o outro lado da cidade — disse William, desconsolado.

Agora, de repente, Sophie Lang ficou totalmente alerta. Como uma raposa astuta que passara o tempo ociosamente coçando pulgas, esperando até que a caça estivesse de novo ao alcance de uma mordida, Sophie recobrou por instinto suas faculdades, ciente de uma emoção agradável. Metaforicamente, ela farejou o ar para captar a mácula reveladora; da mesma forma, inclinou a cabeça para ouvir o som distante da matilha. Fora uma longa espera, esta última, pelos uivos dos cães de caça, anos de tédio e respeitabilidade, compartilhados com um marido sem graça. Maridos propriamente ditos não atraiam Sophie.

— Você o viu passar pelo "escritório", William?

William não detectara nada.

Sem dúvida, tinham passado pelo "escritório": inconscientemente, ela recaíra na gíria de seu ofício. Não era coincidência que o mecânico ruivo encontrara uma incumbência que o levava na direção dela sempre que ela saía de casa na carruagem; tampouco fora coincidência que ele perdera o interesse por ela antes que tivessem avançado um quilômetro pelas ruas movimentadas. Estavam a caçando em revezamento! Sophie empertigou-se. Era uma sutileza genuína por parte da polícia. Ela tinha tal obrigação, sua dignidade exigia aquilo. Ela riu delicadamente, quase a primeira revelação autêntica de divertimento que se permitira desde quando enviuvara. Num instante, fechou novamente seus belos lábios sobre seus belos dentes. Pelos cantos dos olhos amendoados, examinou os vizinhos na procissão. Sabia que, entre eles, deveria haver alguém preso nos seus calcanhares como uma sombra ao meio-dia. Mas os rostos para os quais olhou eram completamente anônimos.

Ela tentou cada um de seus truques; como a raposa astuta, mudando de direção, voltando pelo caminho pelo qual viera, desviando, escondendo-se na terra, na água, em troncos caídos. Mas sem resultados — exceto certeza! Quando, finalmente, voltou no fim da tarde para sua residência, por caminhos sinuosos, o mecânico ruivo consertava mais um carro doente no meio-fio diante da oficina; ele sequer levantou o olhar quando a carruagem chegou e partiu.

A partir daquele momento, a sra. Amos P. Huntington sumiu de cena aos poucos. A aparência exterior daquela ex-viúva permanecia — as roupas, o modo de falar, o aspecto de tristeza; mas sob tudo aquilo, ela era Sophie. Ela observava tudo com olhos pequenos e brilhantes. Durante vários dias, dedicou seus talentos ao ato de circular pessoalmente à mercê do revezamento dele. Mas ela nunca surpreendeu o momento propriamente dito. Aquilo era finesse. Talvez fosse o grande Parr em pessoa! Ela empolgou-se por um instante com essa observação. Depois, decidiu por um ataque muito característico.

Depois que William a envolvera com a pele de toupeira, ele atravessou a rua até o homem ruivo e, com aquela condescendência curiosa que criados superiores tratam simples trabalhadores manuais, informou-lhe que sua senhora gostaria de falar com ele.

— Qual é seu nome? — perguntou ela, quando o homem ruivo parou respeitosamente, de boné na mão, diante da porta da carruagem.

— Hanrahan, madame... John Hanrahan — respondeu ele.

— Ando de olho em você há algum tempo, John, sem que você tenha suspeitado — disse ela de maneira gentil. E naquele momento era o que ela estava fazendo, por isso quando os olhos deles se encontraram, ele teve a impressão surpreendente de que os dois se entendiam perfeitamente. A impressão foi passageira.

— Você trabalhará para mim — informou ela ao mecânico, com um ar grandioso de estar concedendo um favor inestimável.

Sem esperar pela resposta, ela informou a John que ele deveria acompanhar William, a fim de trazer para casa um novo carro que ela mencionou: ela estava abrindo mão do par de cavalos, pois o asfalto sacrificava demais suas patas. William foi instruído a levar John ao alfaiate e a providenciar um uniforme para ele. Tudo isso foi feito com um sorriso gracioso, enquanto ela elogiava John pela sua postura: o modo particular de John de permanecer com as costas eretas era produto do padrão do ginásio da polícia. A viúva falou em um fino fio de voz, entrecortada ocasionalmente quando fechava os olhos com um suspiro. Mesmo que o homem ruivo fosse mil demônios, não poderia rejeitar uma figura tão patética. Mas o elemento de humor na transação foi o atrativo máximo.

Alguns dias depois, o próprio Parr, parado por um de seus próprios majestosos policiais de trânsito em uma esquina movimentada, teve a horrível satisfação de ver Sophie exibindo seu mecânico ruivo. O carro novo, ao seu próprio modo, era tão perfeito quanto o par de cavalos que trotavam: um carro de luxo importado da França, onde fazem bem essas coisas.

O motor ocupava um capô cilíndrico reluzente na frente do carro. Sophie estava dentro de uma belíssima caixa de bombom na traseira. O mecânico ruivo estava exposto ao mundo e ao clima como a única coisa no exterior, empoleirado em um assento delgado, parecido com um cabrestante despontando em um convés descoberto no meio de um barco. Ela estava exibindo com sadismo seu prêmio. Parr não conseguiu conter uma risada. Era tão típico de Sophie!

A viúva de porcelana Dresden, ou o que restava dela para o consumo popular, não alterou um pingo da sua rotina aparente. Em casa e fora dela, seus olhos irrequietos estavam sempre se movendo lentamente de um lado para o outro, sob a tela de seus cílios longos. Em poucos dias, ela detectara os companheiros do bando do mecânico ruivo. Um deles era um homem com um chapéu-coco marrom que sempre mastigava um charuto apagado; o outro, um motorista de táxi tenso com uma barba desgrenhada que tinha um ponto muito próximo da avenida. Ela nunca os apressou, nunca os perdeu de vista; tratava-os com a mesma ternura que dedicava ao seu motorista. Eles eram apenas os cães de caça que seguiam cegamente. Era o caçador atrás deles que ela precisava desmascarar. Ela examinava trincos, barras, trancas, parapeitos e superfícies pintadas em busca de marcas reveladoras. Ao atravessar seu quarto, Sophie parava, movendo somente os olhos, com os sentidos em alerta e tão receptivos como se, no próprio claustro de seu recolhimento, já tivesse descoberto parcialmente aquilo que espreitava e atacaria quando chegasse a hora. Ela conhecia os truques e o ritmo de seus perseguidores, então sincronizou sua inteligência e ritmo aos deles.

Ela usava o telefone com o máximo de delicadeza, pois tinha sido grampeado, é claro. Sempre que o usava, pousava-o delicadamente no gancho, para em seguida, instantaneamente, pegá-lo de novo e escutar por vários minutos. Ele estava tomado por vozes incorpóreas, inarticuladas e distantes, que rodopiavam em turbilhões pelo rio incessante de diálogos. Nada ali: era necessária uma paciência única. Então, certo dia, enquanto escutava sorrateiramente, alguém bocejou descuidadamente bem debaixo de seu nariz e grunhiu preguiçosamente "Meu Deus! Meu Deus!". Sophie mostrou para si mesma seus dentes pequenos no espelho que observava sua escuta. Sua mente ágil elaborou uma imagem: deveria ser uma grande sala vazia com um homem preguiçoso de uniforme azul com receptores presos sobre os ouvidos, sentado a uma mesa. E este ouvido policial enxertado na sua linha sempre estaria aberto e atento.

Uma vez, Sophie foi recompensada ouvindo uma porta se abrir naquela sala indistinta. Outra vez, ouviu passos; depois, o murmúrio de vozes baixas. Mas foi o tiquetaquear de um relógio — dois, na verdade — que mais lhe agradou. Mas que estupidez, ficar esperando prendendo a respiração com um relógio evidente ao seu lado. Sophie riu. Enquanto acocorava-se contra o vento, vigiando aqueles que a vigiavam, ela saboreava a velha intoxicação do jogo aumentando em suas veias. Aquilo era *réclame*! Ela tivera o suficiente de respeitabilidade indigesta. Depois de executar seu último grande golpe, Sophie assegurara solenemente a si mesma que levaria uma vida tranquila até o fim de seus dias. Ela dedicara anos a esse objetivo. Ainda assim, com o primeiro estímulo à vaidade de sua lendária indiferença, ela, que nunca fora capturada!, voltou à ativa.

Enquanto isso, nosso amigo, o sr. Parr, que designara a si próprio, em sua idade avançada, ao caso de Sophie Lang, era uma companhia desagradável e soturna. No final da quarta semana, ele estava de cara feia. Havia a colheita diária de delações que caíam sobre sua mesa. Bandidos traídos, algemados, voltavam para se empoleirar em casa tão invariavelmente quanto gotas de chuva escorrem de volta para o oceano. Mas, da mesma forma que todos os rios desaguam no mar, e mesmo assim o mar não fica cheio, Parr estava consciente de um vazio doloroso. Tinha a sensação desconfortável de que estavam rindo dele.

— A maldita situação está congelada... Sólida! — murmurou ele, acomodando-se pesadamente em sua poltrona favorita, ao lado da mesa de Armiston.

Armiston não disse nada. Não estava congelada para ele. O que acontecera fora simplesmente que o elemento "tempo" entrara em cena. Aquela histõra se "escrevera" por conta própria, como ele diria profissionalmente. Ele apenas tocara as teclas oraculares de sua fiel máquina de escrever e a ação congelada que Parr colocara aos pés de seu curandeiro tomara vida imediatamente, começando a se mover. Ela desenvolvera o ímpeto do inevitável. Ele escrevera *Finis*, fechara a máquina de escrever e preparara as malas para Lakewood. Depois, esperou até que seu amigo, Parr, o visitasse.

Recostando-se em sua cadeira, Oliver mexia ociosamente em algum equipamento eletrônico de medição. O relógio de pêndulo tiquetateava, o fogo crepitava e o vice-comissário fazia uma careta misantrópica para o Buda gordo no canto da sala. O silêncio não constrangia Oliver. Na verdade, ele acreditava que se o silêncio durasse tempo suficiente, o outro sujeito diria algo interessante. Parr parecia estar com a língua amarrada. Como que para tomar a iniciativa, cansada de esperar que a situação se animasse, a agulha do instrumento na mão de Oliver fez um gesto espontâneo. Ela oscilou até o centro de um arco calibrado e permaneceu ali, como que determinada a fazer algo. Com um bocejo, Armiston colocou o aparelho sobre a mesa e pegou o telefone. Ele apoiou-se em um cotovelo, observando seu amigo Parr enquanto aguardava.

— Maldito serviço! — murmurou ele, depois de uma longa espera. Parr assentiu com tristeza. — Parr — disse Oliver abruptamente —, você realizou algum esforço para encontrar o marido? Suponho que o pobre diabo tenha se cansado de ficar escondido.

O efeito no vice-comissário destas palavras, ou melhor, deste ato, foi eletrizante. Ele estendeu uma mão de gorila e arrancou o telefone da mão de Oliver. O aparelho solto caiu no chão, e Parr pegou-o e o colocou no lugar. Ele olhou furioso para Armiston.

— Ela estava na linha? — perguntou ele, em tom ameaçador.

— Certamente — disse Oliver com tranquilidade.

Ele apontou para a agulha elétrica que ainda tremia no meio do mostrador. Aquela agulha reveladora avisava sempre que o telefone era tirado do gancho no número 142. Para os dois observadores, a agulha trêmula personificava a própria mulher, a bisbilhoteira, que provavelmente, naquele exato momento, estava inclinando sua bela cabeça com o movimento rápido de uma corça assustada.

— Quer dizer que deu uma dica a ela... Debaixo do meu nariz, não é? Não é? — rosnou Parr.

O fluxo rápido de pensamentos que evocou tais palavras deixou-o com uma aparência símia em sua ferocidade. Suas mãos enormes agarraram os ombros do escritor extinto. Oliver quase podia sentir os ossos esmigalhando. Ele trincou os dentes, mas continuou observando a agulha espiã sobre a mesa. Naquele instante, foi a própria agulha que veio em seu resgate. Abruptamente, como que libertada por uma força invisível, ela caiu de volta no zero, nada, na escala calibrada. Era tão significativo quanto o estalido de um galho seco. A espreitadora estava se retirando, na ponta dos pés.

Por mais um instante, Parr ficou ali sentado, fitando furiosamente os olhos de Oliver. Depois, como se também estivesse sob a influência de uma força invisível, o vice-comissário enfiou o chapéu na cabeça, levantou a gola do paletó e saiu às pressas da sala, como se o próprio diabo o estivesse cutucando.

Enquanto o trem para Lakewood seguia seu percurso passando sobre as pontes levadiças que se estendem sobre os estuários da baía de Newark, a viúva de porcelana Dresden cruzava montanhas e vales em meio ao castanho lúgubre da paisagem invernal para Byam, um pequeno lago entre as montanhas, onde seus elegantes cavalos de Hackney estavam adquirindo uma nova pelagem para o inverno e cascos novos em uma tranquilidade preguiçosa. De repente, naquela manhã, ela pensara em seus amados cavalos com uma pontada de autoacusação. Como de costume, quem a conduziu foi o honesto John Hanrahan, o mecânico ruivo. Atrás deles, a certa distância, aparecendo e sumindo ocasionalmente quando seu carro chegava ao topo de uma colina, seguia o homem do chapéu-coco marrom, só que, para aquela ocasião, ele trocara o chapéu-coco por um boné, descartara o charuto apagado e adotara um bigode.

A vida tornara-se uma cama de pregos para o mecânico ruivo. Empoleirado ali fora, ao ar livre, onde a viúva podia observá-lo respirando, não correspondia à sua ideia de ser um detetive. Além disso, tão pouco fora aprendido naquelas quatro semanas, que ele começava a duvidar seriamente da infalibilidade de seu grande chefe. No entanto, naquela manhã, um sabor do paraíso lhe aguardava. Ao chegar à fazenda, ele conferiu o carro, como um bom mecânico, enquanto aguardava para levar a viúva de volta para a cidade. Quando terminou, entrou na cozinha para se aquecer. Acomodando-se em um canto sombrio ao lado do fogão, ele esperou, meditando amargamente sobre a vida. Logo depois, entrou uma criada francesa pequena e bem arrumada, uma pessoa arredondada e rosada com curvas no estilo Chippendale, com um salto alto que atribuía ao seu caminhar o balanço de um poodle gaulês. Ela viu o próprio reflexo em um espelho — um tremó que fora obviamente banido do andar superior — e, diante dos olhos chocados de John, começou a ensaiar justamente aqueles atos de coqueteria que ele, em sua ignorância, sempre achara que fossem espontâneos quando exercitados sobre homens indefesos.

Em pleno ato, ela o viu. Não ficou nem um pouco constrangida. Tropeçou graciosamente até ele, sentou-se na beira do banco no qual ele estava e indicou com um empurrão que ele deveria chegar para o lado, mas não muito. Entrelaçou de maneira afetada as mãos sobre seu pequeno avental de renda e olhou para ele sob seus cílios; uma covinha formou-se na bochecha com tom de maçã que apresentou para ele. Depois, no fulgor de terem se apresentado adequadamente, os dois fixaram os olhos na caixa de lenha e suspiraram com alegria.

Uma hora mais tarde, quando sua senhora no andar de cima pediu que trouxesse o carro, o mecânico ruivo, criado na cidade, mudara de ideia quanto aos atrativos do campo.

Foi a pequena criada que ajudou a senhora a entrar no carro. A senhora encontrara um pouco de tristeza doce e renovada ali, entre os bucólicos penates* do falecido marido, então chorava e assoava o nariz sob seu véu. Enquanto a ajudava a entrar no carro, a criada arrumada, ousadamente, por trás do ombro da viúva em prantos, pressionou uma mão minúscula na pata larga de John. O carro manobrou na entrada e, enquanto passava pelo portão na direção da cidade, a criada, na ponta dos pés, lançou um beijo para o detetive romântico.

IV

Na West Broadway, em meio às fábricas de espaguete, às lojas de artigos de segunda mão e aos buracos nas paredes onde flores artificiais crescem, as janelas estão sempre sujas, os parapeitos cobertos por uma camada espessa de fuligem. Os trens elevados rugem durante todo o dia e a noite, espiando, ao passarem, os andares superiores, nos quais a vida é abertamente descortinada. O ar é tomado pelo aroma de café sendo torrado nos armazéns próximos e pelo cheiro azedo de cola das fábricas de piano.

Um homem em um uniforme surrado e com um boné com um distintivo de latão, com um número que o proclamava um condutor de trem elevado, examinava as entradas de todas as casas, uma depois da outra, sempre olhando para as janelas superiores, enquanto subia a rua. Finalmente, parou em um alpendre decrépito e, subindo três degraus bambos, tocou uma campainha. Em resposta, surgiu, após alguma espera, uma mulher siciliana volumosa, com um bebê acocorado no quadril. Ela não conseguia entender nada; com uma contração do ombro e movendo uma mão para cima, concedeu a ele a liberdade de entrar na casa. De fato, não havia nada

* Na mitologia romana, os penates eram os deuses do lar, responsáveis pelo bem-estar e a prosperidade das famílias. (N. do T.)

que valesse ser roubado. O condutor subiu um lance rangente de escadas e, no primeiro patamar, depois de alguma hesitação, escolheu uma porta voltada para a frente da casa e bateu nela com força. Ele escutou, boquiaberto, com muita atenção. Depois, bateu de novo várias vezes, cada vez mais alto. Portas acima dele se abriram e fecharam; cabeças desgrenhadas espiaram-no do alto sobre os corrimões. Mas a porta o encarava inexpressivamente.

Ele refez seus passos até a rua, subiu rapidamente um quarteirão para o norte, depois deu meia-volta e caminhou com a mesma rapidez na direção oposta. Em uma esquina, viu um policial experimentando os produtos de um vendedor de frutas. O condutor sussurrou para o policial.

— O que disse? — perguntou o policial, inclinando a cabeça. Ele prestou mais atenção no fluxo rápido de palavras do condutor. Juntos, atravessaram a rua rapidamente. O passo incomum deles atraiu uma multidão. Antes que tivessem avançado um quarteirão, seus seguidores entreolhavam-se com curiosidade. Muitos pararam e se viraram para observar. Um incidente tão sem importância quanto um policial andando mais rápido do que de costume prende a atenção dos passantes em uma rua como aquela.

— Ali! — disse o motorista, fazendo o policial parar e apontando através das treliças da estrutura do elevado. — Acho que aquele homem está morto. Está sentado naquela janela há trinta e seis horas. No começo — disse ele, no tom de alguém que falava de um tempo muito remoto —, ele estava lendo um jornal. Mas não está mais.

Ele continuou explicando que passara diversas vezes por aquele rosto na janela em seus turnos diurnos e noturnos, conduzindo o trem — até que, finalmente, aquilo o incomodara, de modo que precisara subir a pé para ver o que estava acontecendo. Ele acrescentou que não conseguira dormir naquela noite, pois ficava vendo aquele rosto e... O policial, profissionalmente, avançou em meio ao tráfego parado e subiu a escada com passos pesados. A multidão bateu na porta como um enxame de abelhas. Ele forçou a porta no andar superior, que então caiu com um baque fraco, estilhaçada.

O homem estava morto, de fato. O policial abriu uma janela manchada e apitou, sem prestar mais nenhuma atenção ao homem na cadeira. Em pouco tempo, outros policiais apareceram, correndo, e abriram caminho em filas através da multidão crescente. Um pouco depois, uma patrulha preta deu ré até a porta e levou embora o homem da cadeira, coberto por uma manta para cavalo. Outra patrulha levou a mulher siciliana gorda e o bebê, além de vários outros moradores aterrorizados da casa. Eles informaram que o falecido era inquilino há alguns meses, um homem pobre. Ah, sim, muito pobre! Tinha o hábito de passar horas sentado na janela; às vezes, dias. Teria ele algum amigo que pudesse vir para vê-lo? Quem poderia dizer? O mundo todo podia subir e descer aquela escada suja sem ser questionado. As patrulhas partiram; não demorou para que a multidão começasse a circular de novo; em cinco minutos, tudo fora esquecido.

Em uma loja de penhores, qualquer loja de penhores, clientes acanhados são propensos a ficar ainda mais tímidos por conta do olhar de um homem de um metro e oitenta, com noventa quilos, que passa o tempo na extremidade de um balcão baforando ociosamente em um charuto e observando, enquanto eles imploram e barganham. Eles bem que poderiam se sentir assim: trata-se de um dos invencíveis de Parr.

No pequeno prédio à beira do rio, no começo da rua 26 leste, para o qual patrulhas pretas se dirigiam todas as horas do dia e da noite para depositar fardos cobertos com mantas para cavalos, um homem igual fica de pé, fumando o mesmo charuto da mesma maneira ociosa, e tão languidamente interessado quanto seus irmãos nas lojas de penhores. Almas mortas eram levadas para lá; precisavam ser inspecionadas, suspeitadas, como qualquer objeto oferecido para penhorar. Pessoas perturbadas vão até lá, mães e irmãos ansiosos, amigos próximos, procurando. Um atendente abre uma gaveta depois da outra para que as inspecionem. Às vezes, um grito, ouvido na rua, informa aos parasitas que uma busca chegou ao fim. Do lado de fora, agentes funerários, como moscas, cercam-nos quando saem do prédio.

Um homem forte, evidentemente um pedreiro que viera diretamente do trabalho, sussurrava para o atendente, tremendo. Todos suspiram e tremem quando vão para lá. O atendente conhecia o mundo somente como pessoas temerosas que sussurravam e tremiam. O atendente escutou e assentiu. Ele sabia: sim, estava aqui; ele abriu uma gaveta. O pedreiro inclinou a cabeça, esfregando os olhos com uma mão manchada de gesso. Era seu irmão, disse ele. O atendente fez uma careta sobre o ombro, e o homem com o charuto se aproximou, examinando o pedreiro com um olhar exausto. Ele pegou um caderno, depois conversaram em voz baixa: o policial tomava notas enquanto o outro respondia.

— Você precisará de corroboração, obviamente — disse o policial, não indelicadamente. — Qualquer um poderia vir aqui e escolher o que quisesse.

— Mas por quê? — exclamou o pedreiro, horrorizado com a ideia de que qualquer pessoa que achasse uma utilidade para um cadáver e fosse ao necrotério poderia escolher um que lhe agradasse. O policial disse que não sabia dizer o motivo: aquilo já fora feito, e precisavam ser cautelosos. O pedreiro apresentou a carteira do sindicato e outras credenciais para confirmar sua identidade.

Lá fora, a informação fora transmitida. Os parasitas macabros aguardavam-no, então ele escolheu um, de modo áspero, que o conduziu triunfantemente para sua loja próxima. No dia seguinte, um pequeno cortejo funerário partiu daquela "funerária" em uma rua secundária, com a pompa modesta que os pobres podem conceder aos seus mortos. Havia quatro carruagens, três vazias, com as cortinas fechadas, e na primeira, somente o único enlutado, o pedreiro. Cocheiros com chapéus de seda surrados impeliam pangarés pretos decrépitos em um trote rápido sobre a ponte e para longe. O funeral do obscuro falecido deveria ser realizado em um trote rápido. Afinal, centenas eram realizados entre os crepúsculos.

Ao retornarem, o policial com o charuto recebeu a primeira carruagem: havia alguns papéis a serem assinados para os registros. Quando o pedreiro desembarcou, olhou para cima e viu a entrada com pórtico de um prédio grande, com torres e torreões enormes de tijolos vermelhos e terracota. Ele recuou involuntariamente; mas o homem com o charuto tinha uma insígnia com dois círculos na manga do paletó.

— Acompanhe-me com tranquilidade e não faça nenhum alvoroço — disse ele bondosamente, e conduziu o enlutado pelos degraus de pedra, atravessando o corredor até uma sala grande na qual havia um homem sentado à uma mesa. A porta fechou-se atrás dele. O homem à mesa era Parr, vice-comissário da polícia.

— Ah, ah! Finalmente! E então, como foi? — perguntou Parr, levantando o olhar.

O pedreiro encolheu-se como um animal, sua mão tateando atrás dele para tentar abrir a porta. Ele aprumou-se, com a respiração pesada.

— Sophie quase conseguiu se safar — disse Parr. — Matando o velho inútil daquela maneira, colocando arsênico na heroína dele! E entregando o presunto para nós, para que o entregássemos à primeira pessoa que o identificasse! Você achou que não estava correndo nenhum risco, não achou, William?

Era William, o cavalariço: William redesenhado, algumas linhas apagadas, tão plausível quanto um cheque falsificado; não obstante, era William. Ele engoliu em seco.

— Venha cá. Quero dar uma boa olhada em você — ordenou Parr.

O homem obedeceu taciturnamente. Parr apontou para um peso de papel de vidro em sua mesa.

— Já viu isso antes? Responda! — gritou ele, com uma ferocidade repentina.

William olhou de Parr para o peso de papel, e de volta para Parr, mas permaneceu em silêncio.

— Como Amos P. Huntington dizia que se chamava há dez anos, quando deixou suas impressões digitais neste peso de papel no assassinato em Park Place?

Parr referia-se a um crime que entrara para os anais como um mistério celebrado. Não era mais um mistério. O homem obscuro que fora encontrado morto em sua cadeira na West Broadway tinha as mesmas impressões digitais. Fora por isso que o homem com o charuto tratara o pedreiro com tanta educação quando ele aparecera em sua triste tarefa. William não respondeu. Seus olhos percorriam a sala, evitando a única coisa que temia.

— O que você explodiu na sua fábrica de borracha, William? — perguntou Parr. — Uma cesta de gatos... Ou de cachorros... Ou pegou emprestado outro de seus irmãos da rua 36 leste? Sophie cremou os restos tão rapidamente que não o pudemos ver.

Parr riu. William também. Com aquela risada, Parr soube que perguntas eram inúteis. Naquele momento, a porta foi aberta e Oliver Armiston entrou, de volta de Lakewood, vestindo uma manta e um boné pitorescos, balançando um taco.

— Leve-no para baixo! — rosnou Parr para um atendente. — Acuse-o de... Acuse-o de cumplicidade no assassinato de João-ninguém, também conhecido como Amos P. Huntingon.

Armiston largou o taco com um baque e olhou de volta com um movimento tão genuíno de espanto que o policial que o estava conduzindo chegou a agarrá-lo, pensando que fosse o assassino.

— Não! Não! Não ele! O outro! — disse Parr, com os olhos cintilando.

Depois que William foi levado, Parr disse a Oliver com certa satisfação:

— Na verdade, Oliver, você deveria estar lá embaixo sob a mesma acusação!

— Mas como... O quê... Recebi seu telegrama. Vim imediatamente. Algo... Ela...

— Com certeza — respondeu Parr, assentindo. — Você é incrível, Oliver! — disse, esfregando as mãos confortavelmente. — O que colocou em sua cabeça a ideia de fazer Sophie procurar o marido? Não me diga que não fez isso — disse o vice-comissário, enquanto Armiston tentava interrompê-lo. — Ouvi você! Você sabia que ela estava escutando no telefone naquele dia, no seu escritório, quando me disse em voz alta para procurar o marido dela... Que ele a denunciara. Denunciara! — gritou Parr. — Francamente, Oliver, eu poderia ter estrangulado você naquele momento. Achei que estava me delatando. Então, entendi tudo... De repente! — E ele estalou os dedos para indicar uma iluminação súbita. Ele deu um leve soco no joelho de Oliver. — Você é esperto! Você é bom, Oliver.

— Bem, era o mais óbvio a se fazer, é claro — concordou Oliver, envaidecendo-se. — Eu sabia que você não conseguiria encontrá-lo. Sabia que a única maneira era assutá-la de modo que o procurasse por conta própria. Depois, você poderia segui-la. Foi... Era um ótimo final para a história, foi o que imaginei. — disse Oliver, esfregando as mãos. — Seus homens a seguiram, certo?

— Bem, na verdade — disse Parr, com um tom de franqueza —, ela escapou de nós. Você conhece Sophie! Então, apenas ficamos sentados e esperamos.

— Esperaram?! — exclamou Armiston, boquiaberto.

— Ah, Sophie fez sua parte... Ela o revelou, com certeza — disse Parr. — Morto! — acrescentou ele soturnamente.

Então Parr relatou rapidamente como o falso Amos P. Huntington, que fora explodido por borracha sintética e cremado, no final chegou à própria morte e funeral de uma maneira tão obscura que a polícia jamais saberia quem era, exceto pela única coisa que Sophie negligenciou.

— Meu limpador de janelas também é incrível. Ele conseguiu pegar emprestada uma navalha, entre outros objetos pessoais de Amos P. Huntington. Sophie guardara-os em uma caixa. Encontramos impressões digitais nela que correspondiam a isso — disse ele, apontando para o peso de papel de vidro, a lembrança sinistra do famoso mistério de Park Place. — Quando o cadáver dele apareceu, com as mesmas impressões digitais, o resto foi muito simples. Apenas nos sentamos na porta e esperamos — disse Parr, que tramara complacentemente o assassinato de um assassino, recostando-se em sua cadeira com um sorriso sinistro. — Ah, todos encontram a ruína mais cedo ou mais tarde — disse ele, mais uma vez com seu humor filosófico.

— Mas... Sophie...

— Ah, ela está sendo trazida para cá agora. Espere. Você a verá.

A viúva de porcelana Dresden, uma hora antes, saíra para seu passeio da tarde para exibir seu mecânico ruivo. Na rua 42, um policial dissera asperamente:

— Pare no meio-fio, meu jovem.

O mecânico ruivo obedecera prontamente, sem saber naquele instante se era procurado por alguma infração de trânsito ou por seu chefe.

— Entregue-me as chaves — ordenou o policial de trânsito, depois pegou as chaves que lhe foram oferecidas e trancou com tranquilidade a porta da caixa de bombom conversível. Sophie não escaparia agora, exceto quebrando o vidro. — Leve-a para a central — ordenou o policial, que fora devidamente instruído.

Enquanto Parr e Oliver conversavam, a chegada de Sophie foi anunciada. Uma mulher pequena e graciosa vestida em uma nuvem negra entrou, chorando e fungando em seu lenço sobre o véu.

— Levante a cortina, Sophie — disse Parr, respirando fundo em júbilo. — É aqui que passará a noite.

Ela levantou o véu, revelando um rosto pateticamente bonito e coberto de lágrimas. Parr, com uma blasfêmia, levantou-se da cadeira. Os punhos dele cerraram com tanta força que as veias dos braços saltaram como as tiras de um chicote. Ele ficou olhando fixamente, imóvel, como se fosse uma estátua de madeira.

— Qual é a piada, Hanrahan? — gritou ele para o mecânico ruivo.

— Piada, senhor? Piada! — protestou Hanrahan

— Olhe para ela, idiota! — rosnou o vice-comissário, saindo detrás da mesa. — Veja o que trouxe para cá... Esta boneca de trapos coberta de *crêpe*.

A senhora explodiu, esbravejando uma enxurrada de palavras.

— Não entendo! — gritou ela, com sotaque francês. — Sou a empregada da madame Huntington! Ela se mudou... Vim para a cidade... Três... Quatro dias... Para preparar! Ela se mudou. Nesta tarde, saí... Para pegar um pouco de ar! O policial... Ele me trancou! Ah, ele me trancou! Gritei! Chorei! Bati na janela! Vim para cá! Este homem disse "não faça confusão"...

Mas Hanrahan segurava a cabeça entre as mãos. Estava revivendo o episódio na cozinha que tornara o campo tão atraente para ele alguns dias antes. Se esta era a empregada, então quem era aquela moça elegante e bonita com quem flertara?

— Onde conseguiu estas roupas? — perguntou Parr grosseiramente.

— Madame... Deu para mim... Não quer mais... Meu marido está morto... *Il est mort!*

— Levem-na daqui! — rugiu Parr.

— Qual é a acusação? — perguntou o humilde Hanrahan.

— Ah, nenhuma... — rosnou Parr — Qualquer coisa que mantenha isso fora dos jornais! Você, um detetive! Você, no caso de Sophie Lang! Meu Deus, meu Deus!

Quando a porta fechou, após as duas figuras saírem da sala, foi Armiston quem quebrou o silêncio doloroso.

— No final das contas — disse ele, como se estivesse sonhando, correndo os dedos por seu cacho grisalho —, foi uma obra-prima autografada! Não foi, Parr?

E foi o fim do caso de Sophie Lang. Havia detalhes inexplicados, obviamente, tais como William, a criada e o quarto de milhão de dólares descartado. Os subalternos provaram ser marionetes ignorantes e muito fiéis da senhora, que aceitaram sua punição merecida, em doses pequenas, afirmando até o fim que ignoravam o conhecimento de uma pessoa tão puramente lendária quanto Sophie Lang.

VILÃO: SR. OTTERMOLE

AS MÃOS DO SR. OTTERMOLE
THOMAS BURKE

Em geral considera-se a gênese da história de detetive/mistério como tendo ocorrido em 1841, com a publicação de "Os assassinatos na rua Morgue", de Edgar Allan Poe. É provavelmente impossível obter o número exato de histórias do gênero publicadas no século seguinte. Pouco mais de cem anos depois, em 1949, um painel formado por 12 especialistas foi convocado para eleger a melhor história de mistério de todas, e a que recebeu essa honraria extraordinária foi "As mãos do sr. Ottermole", de Sydney Thomas Burke (1886-1945), inspirada nos assassinatos de Jack, o Estripador.

Burke nasceu no subúrbio londrino de Clapham, mas quando ele tinha apenas alguns meses de idade seu pai morreu, e ele foi enviado para a East End para viver com o tio, até que aos dez anos o colocaram em um lar para crianças respeitáveis de classe média sem posses. Aos 15, Burke vendeu sua primeira história, "The Bellamy Diamonds". Seu primeiro livro, *Nights in Town: A London Autobiography,* foi publicado em 1915, logo seguido pelo marco literário *Limehouse Nights* (1916), uma coleção de histórias originalmente publicadas nas revistas *The English Review*, *Colour* e *The New Witness*. Esse volume de histórias românticas (mas violentas) sobre o distrito chinês de Londres tornou-se um sucesso extraordinário, e, embora muito elogiado pela crítica, foi alvo de objeções quanto à abordagem de relacionamentos inter-raciais, uso de ópio e outras "depravações".

"As mãos do sr. Ottermole" foi publicado originalmente na coletânea *The Pleasantries of Old Quong* (Londres, Constable, 1931); nos Estados Unidos, a publicação recebeu o título *A Tea-Shop in Limehouse* (Boston, Little, Brown, 1931).

AS MÃOS DO SR. OTTERMOLE

THOMAS BURKE

Às seis da tarde de uma noite de janeiro, o sr. Whybrow voltava para casa pelos becos emaranhados da East End de Londres. Ele deixou o burburinho brilhante da grande High Street, para a qual o bonde o trouxera, vindo do rio e de seu serviço diário, e agora se encontrava no tabuleiro de xadrez que são as ruelas da Mallon End. A correria e o esplendor da High Street não chegavam a essas ruelas. Alguns passos em direção ao sul e tinha-se a maré cheia da vida, espumando e rebentando. Mas, ali, nada havia senão vultos indolentes e uma pulsação abafada. Ele estava no ralo de Londres, o último refúgio dos nômades europeus.

Como se em harmonia com o espírito da rua, ele também caminhava lentamente, com a cabeça abaixada. Aparentava pensar em algum problema importante, mas não era o caso. Ele não tinha problemas. Caminhava devagar porque passara o dia inteiro de pé e parecia distraído porque imaginava se a esposa teria preparado arenque ou pescada para o chá; e tentava decidir o que seria mais saboroso numa noite como aquela. Era uma noite horrível, úmida e enevoada. A névoa lhe entrava pela garganta e pelos olhos, e a umidade impregnara-se pelo pavimento e pela rua, e a fraca luz dos postes deixava tudo com um aspecto de brilho gorduroso que gelava só de olhar. Por outro lado, isso tornava suas especulações mais agradáveis, deixando-o mais predisposto ao chá, fosse com arenque ou pescada. Seus olhos se desviaram dos tijolos lúgubres no horizonte e espiaram pouco mais de meio quilômetro à frente. Ele viu uma cozinha iluminada a gás, uma lareira aconchegante e a mesa preparada para o chá. Havia torradas na lareira onde uma chaleira assobiava, e apetitosas porções de arenque ou pescada, ou quem sabe salsichas. A visão deu a seus pés doloridos uma injeção de ânimo. Ele sacudiu a umidade imperceptível dos ombros e se apressou rumo àquela realidade.

Mas o sr. Whybrow não ia tomar chá naquela noite — nem em nenhuma outra. O sr. Whybrow ia morrer. A não mais de cem metros de distância dele, outro homem caminhava: um homem não muito diferente do sr. Whybrow ou de qualquer outro, mas destituído da única qualidade que permite à humanidade viver em paz e harmonia, e não como loucos numa selva. Um homem com um coração morto, que devorava a si mesmo e alimentava os organismos abjetos advindos da morte e da corrupção. E aquela coisa em forma de homem, por um capricho ou ideia fixa (não sabemos dizer), dedicira que o sr. Whybrow jamais haveria de provar outro pedaço de arenque. Não que o sr. Whybrow o tivesse prejudicado. Não que ele tivesse algo contra o sr. Whybrow. Na verdade, ele nada sabia de sua vítima, exceto o fato de ser uma figura habitual naquelas ruas. Mas, movido por uma força que se apossara de suas células vazias, ele escolhera o sr. Whybrow com aquela determinação cega que nos faz escolher uma mesa no restaurante que em nada difere de outras quatro ou cinco, ou uma maçã de um prato com meia dúzia de maçãs idênticas; ou que faz a Natureza enviar um ciclone para um canto do planeta, destruindo quinhentas vidas específicas e deixando outras quinhentas intocadas. Assim esse homem escolhera o sr. Whybrow, como poderia ter escolhido você ou a mim, se estivéssemos ao alcance de seus olhos; e nesse instante seguia seu alvo pelas ruas azuladas, aconchegando as grandes mãos pálidas enquanto se aproximava cada vez mais da mesa de chá do sr. Whybrow — e do próprio sr. Whybrow.

Esse homem, ele não era uma pessoa má. De fato, possuía muitas das qualidades ditas amistosas e sociáveis e passava por um homem respeitável, como a maioria dos criminosos bem-sucedidos. Mas ocorrera a sua mente apodrecida que ele gostaria de matar alguém, e, como não tinha medo de Deus ou do homem, ele iria fazê-lo e depois iria para casa tomar o seu *próprio* chá. Não digo isso de forma leviana, mas factual. Estranho como possa parecer àqueles mais dotados de empatia, assassinos precisam se sentar para comer após um assassinato, e com efeito o fazem. Não há motivo que os impeça, e muitos que os estimulem a isso. Para começar, eles precisam conservar sua máxima vitalidade física e mental para a tarefa de acobertar seus crimes. Depois, o esforço os deixa extenuados e famintos, e a satisfação de realizar algo desejado causa uma sensação de relaxamento vinculada aos prazeres humanos. É um consenso entre os não assassinos que o assassino está sempre tomado de temor pela própria segurança e de horror pelo ato praticado; mas esse é um tipo raro. Óbvio que sua segurança é motivo de preocupação premente, mas a vaidade é uma qualidade pronunciada na maioria dos assassinos, e isso, junto com a emoção da conquista, os torna confiantes da própria impunidade. E após restaurar as forças com comida, o assassino trata de garantir sua impunidade como uma jovem anfitriã trataria dos preparativos de seu primeiro grande jantar: com alguma ansiedade, e nada mais. Os criminologistas e detetives nos dizem que *todo* assassino, não importa quão inteligente e astuto, sempre comete um deslize em suas táticas — um pequeno deslize que traz o crime até o seu batente. Mas isso não passa de uma meia verdade, pois só se aplica aos assassinos que são capturados. Dezenas de assassinos não são capturados; e, portanto, dezenas de assassinos não cometem erro algum. Esse homem não o fez.

Quanto ao horror ou remorso, os capelães das prisões, médicos e advogados nos informam que, dos assassinos condenados à morte por eles entrevistados, apenas um ou outro expressou alguma contrição por seu ato ou demonstrou qualquer sinal de angústia. A maioria exibe apenas exasperação por ter sido capturada quando tantos jamais foram descobertos, ou indignação por serem condenados por um ato perfeitamente razoável. Não importa quão normais e humanos possam ter sido antes do assassinato, após o ocorrido eles se mostram totalmente desprovidos de consciência. Pois o que é a consciência? Simplesmente um apelido educado para a superstição, que é apenas um apelido educado para o medo. Os que associam o remorso ao assassinato sem dúvida baseiam suas ideias na lenda do remorso de Caim, ou projetam as próprias mentes frágeis como se fossem a mente do assassino, obtendo assim reações falsas. Pessoas pacíficas não têm como se relacionar a uma mente dessas, pois não são diferentes do assassino apenas no aspecto mental: são diferentes em sua constituição e em sua química pessoais. Alguns homens conseguem matar e de fato matam, não apenas uma pessoa, mas duas ou três, e depois seguem calmamente com seus afazeres habituais. Outros não conseguem sequer se forçar a ferir alguém, nem mesmo sob a coerção mais excruciante. São pessoas assim que imaginam o assassino sofrendo os tormentos do remorso e do medo da lei, enquanto na verdade ele está se sentando para tomar chá.

O homem com as mãos grandes e pálidas estava tão ávido pelo chá quanto o sr. Whybrow, mas ele tinha algo mais a fazer antes disso. Quando o tivesse feito, sem cometer nenhum erro, ele estaria ainda mais ávido e tomaria seu chá tão confortavelmente quanto no dia anterior, quando suas mãos ainda eram imaculadas.

Caminhe, então, sr. Whybrow, caminhe; e ao caminhar, olhe pela última vez o cenário familiar de sua jornada noturna. Siga na direção de sua mesa de chá iluminada. Capte bem seu calor, sua cor e aconchego; farte os olhos com essa visão e provoque o olfato com seus suaves odores domésticos; pois o senhor nunca mais se sentará ali. A menos de dez minutos de distância, um fantasma inoportuno tomou uma decisão, e o senhor foi condenado. Lá vão os dois — o senhor e o fantasma — feito borrões turvos de mortalidade, movendo-se na atmosfera esverdeada sobre o pavimento azul-claro, um para matar, o outro para ser morto. Caminhe. Não importune os pés doloridos apressando o passo, pois quanto mais devagar o senhor caminhar, mais poderá respirar a atmosfera esverdeada desse crepúsculo de janeiro e ver a luz feérica dos postes e as pequenas lojas, e ouvir o burburinho agradável da multidão londrina e a inquietante gravidade do realejo. Essas coisas lhe são caras, sr. Whybrow. O senhor ainda não sabe, mas em 15 minutos haverá dois segundos em que compreenderá o quão indescritivelmente caras lhe são essas coisas.

Caminhe, então, nesse louco tabuleiro. O senhor agora está na Lagos Street, entre as tendas dos nômades da Europa Oriental. Mais um minuto e o senhor está na Loyal Lane, entre os alojamentos que abrigam os imprestáveis e os depauperados seguidores de acampamentos militares de Londres. A rua está impregnada com o cheiro deles, e o breu suave parece pesar com o pranto dos inúteis. Mas o senhor não é sensível às coisas impalpáveis e atravessa a rua distraído, como faz todas as noites, e chegando a Blean Street atravessa-a também. Dos porões aos últimos andares, são cortiços de uma colônia estrangeira. As janelas mancham o ébano das paredes com clarões esverdeados. Por trás dessas janelas uma vida diferente se move, vestida em formas que não são de Londres ou da Inglaterra, mas em essência é a mesma vida agradável de que o senhor vem desfrutando, ao menos até esta noite. Lá do alto vem uma voz entoando "A canção de Katta". Por uma janela o senhor vê uma família cumprindo um ritual. Por outra avista uma mulher servindo o chá para o marido. Um homem remendando um par de botas; uma mãe dando banho em um bebê. O senhor já viu todas essas coisas e nunca as notou. O senhor não as nota agora, mas, se soubesse que jamais iria vê-las novamente, iria notá-las. O senhor *jamais* as verá novamente, não porque sua vida chegou ao fim do seu curso natural, mas porque um homem por quem o senhor frequentemente passou na rua decidiu em seu foro íntimo usurpar a temível autoridade da natureza e destruir o senhor. Então talvez seja adequado que não note mais nada agora, pois sua parte nesses assuntos terminou. Não mais o senhor apreciará esses belos momentos de nossa jornada terrestre; apenas um momento de terror, e então uma escuridão infindável.

Essa sombra do morticínio se aproxima cada vez mais do senhor, e já se encontra a pouco menos de quarenta metros. O senhor pode ouvir seus passos, mas não considera virar a cabeça e olhar. Está acostumado com passos. O senhor está em Londres, na segurança confortável de seu território cotidiano, e o instinto lhe diz que passos às suas costas não são nada além de um sinal de companhia humana.

Mas será que não consegue ouvir algo mais nesses passos, como uma síncope agourenta? Algo que parece dizer: *Cuidado, cuidado. Perigo, perigo.* Não consegue ouvir as inconfundíveis sílabas de *as-sas-si-na-to?* Não. Não há nada de extraordinário nos passos. Eles são neutros. O pé da vilania toca o chão com a mesma nota baixa que o pé da honestidade. Mas esses passos, sr. Whybrow, estão levando um par de mãos em sua direção, e nas mãos, *sim*, há algo mais. Atrás do senhor, nesse exato instante, esse par de mãos alonga os músculos se preparando para o seu fim. Em todos os minutos dos seus dias o senhor viu mãos humanas. Será que já chegou a compreender o horror absoluto das mãos, esses apêndices que são o símbolo de nossos momentos de confiança, afeto e saudação? Já pensou no potencial doentio ao alcance desse membro dotado de cinco tentáculos? Não, nunca pensou. Pois todas as mãos humanas que o senhor viu sempre lhe foram oferecidas com boa vontade ou companheirismo. No entanto, embora os olhos possam odiar e os lábios possam ferir, apenas esse membro pendente é capaz de reunir a essência acumulada do mal e eletrificá-la em correntes de destruição. Satanás pode entrar no homem por muitas portas, mas é apenas nas mãos que ele encontra os servos da sua vontade.

Mais um minuto, sr. Whybrow, e então saberá tudo sobre o horror das mãos humanas.

O senhor já está quase em casa agora. Já entrou em sua rua, a Caspar Street, e está no centro do tabuleiro. Já pode ver a janela da frente de sua casa de quatro cômodos. A rua está escura, e seus três postes geram apenas um borrão de luz, que é mais confuso do que as trevas. Está escura e também vazia. Ninguém por perto. Nenhuma luz acesa na fachada das casas, pois as famílias estão tomando o chá na cozinha; e apenas um brilho aparece aqui e acolá nos poucos cômodos do segundo andar ocupados por hóspedes. Não há ninguém por perto a não ser o senhor e seu acompanhante, e o senhor não o nota. O senhor o vê tão frequentemente que ele nunca é notado. Mesmo se virasse a cabeça e o visse, o senhor apenas diria "boa noite" e seguiria seu caminho. A ideia de que ele poderia ser um assassino nem faria o senhor rir. Seria tolice demais.

E agora o senhor está no seu portão. E agora o senhor encontrou a chave da porta. E agora o senhor entrou, e está pendurando seu chapéu e casaco. Sua esposa acabou de saudá-lo da cozinha, que emana um aroma que é outra saudação (arenques!), e o senhor respondeu, e é quando a porta sacode com uma forte batida.

Afaste-se, sr. Whybrow. Afaste-se dessa porta. Não a toque. Afaste-se dela imediatamente. Saia da casa. Corra com sua esposa para o quintal e pulem a cerca. Ou chamem os vizinhos. Mas não toque na porta. Não, sr. Whybrow, não abra...

O sr. Whybrow abriu a porta.

Esse foi o início do que ficou conhecido como os "Horrores do Estrangulador de Londres". E foram chamados de horrores por serem mais do que meros assassinatos; eles não tinham motivação, e sugeriam um quê de magia negra. Eram cometidos em horários em que a rua de descarte dos corpos estava desprovida de qualquer possível assassino à vista. Haveria um beco vazio. Haveria um policial no fim do beco. Ele daria as costas para o beco vazio por menos de um minuto. Então tornaria a olhar e correria noite afora com a notícia de outro estrangulamento. E em toda direção para onde olhasse, não haveria ninguém, nem nenhum relato de que alguém tinha sido avistado. Ou o policial estaria fazendo a ronda em uma rua sossegada, e de repente seria chamado até uma casa cheia de pessoas mortas que há apenas alguns segundos ele vira vivas. E novamente, para onde quer que olhasse, não haveria ninguém suspeito; e embora os apitos da polícia isolassem a área imediatamente e a polícia vasculhasse todas as casas, nenhum assassino era encontrado.

A notícia do assassinato do sr. e sra. Whybrow foi trazida pelo sargento da delegacia. Ele se dirigia à repartição e passava pela Caspar Street quando notou a porta aberta do nº 98. Espiando para dentro, ele viu, iluminado pela luz do gás no vestíbulo, um corpo imóvel no chão. Ele olhou mais uma vez e soprou o apito, e quando os policiais chegaram chamou um deles para vasculharem a casa, ordenando que os demais fossem vigiar as ruas próximas e reunir informações junto aos vizinhos. Mas nem na casa, nem nas ruas eles encontraram qualquer coisa que levasse ao assassino. Os vizinhos dos lados e da frente foram interrogados, mas não tinham visto ninguém nem ouvido coisa alguma. Um deles ouvira o sr. Whybrow chegar em casa — o barulho da chave na porta era tão regular todas as noites às seis e meia que dava para acertar o relógio por ele —, mas ele só ouviu o som da porta se abrindo e nada mais depois disso até soar o apito do sargento. Ninguém fora visto entrando ou saindo da casa, pela frente ou pelos fundos, e os pescoços das vítimas não tinham digitais nem nenhuma outra pista. Um sobrinho das vítimas foi chamado para averiguar a casa, mas não deu pela falta de nada; e o tio não possuía nada de valor para ser roubado. O pouco dinheiro que havia na casa não sumira, e não havia sinal de perturbação da propriedade nem de luta. Nenhum sinal de nada além de assassinato brutal e deliberado.

Os vizinhos e colegas de trabalho consideravam o sr. Whybrow um homem reservado, aprazível, que amava seu lar; o tipo de homem que não teria inimigos. Mas homens assassinados raramente os têm. Um inimigo implacável que odeia um homem a ponto de querer feri-lo raramente deseja matá-lo, já que isso livraria seu alvo de qualquer sofrimento. Assim, a polícia se viu diante de uma situação impossível: nenhuma pista do assassino e nenhum motivo para os assassinatos; apenas o fato de que tinham sido perpetrados.

As primeiras notícias sobre os horrores produziram um frêmito por toda Londres, e uma descarga elétrica na Mallon End. Tratava-se do assassinato de duas pessoas inofensivas, não por lucro nem por vingança; e o assassino — para quem, ao que parecia, o crime era um impulso casual — estava à solta. Ele não deixara vestígios, e, se de fato não teve cúmplices, parecia bem pouco provável a sua captura. Pois qualquer homem de cabeça fria e capaz de agir sozinho que não tenha medo de Deus nem do homem, pode, se quiser, subjugar uma cidade e até mesmo uma nação; mas a variedade mais comum de criminoso raramente tem a cabeça fria, e não gosta de estar sozinho. Ele precisa, se não do apoio de cúmplices, pelo menos de alguém com quem conversar. Sua vaidade precisa da satisfação de perceber em primeira mão o efeito de sua obra. Para isso ele frequentará bares e cafeterias e outros locais públicos. E aí, mais cedo ou mais tarde, no entusiasmo da camaradagem, ele dirá uma palavra a mais do que a prudência recomenda; e o trabalho do delator, que está por toda a parte, será fácil.

Mas embora os bares, pensões baratas e outros locais fossem passadas no "pente fino" e tivessem vigias a postos, e embora se dissesse à boca pequena que haveria bom dinheiro e proteção para quem tivesse alguma informação, nada foi encontrado que dissesse respeito ao caso Whybrow. O assassino claramente não tinha amigos nem vida social. Homens dessa estirpe foram convocados e interrogados, mas todos tinham bons álibis; em poucos dias, a polícia estava de volta à estaca zero. Tendo de lidar com a opinião pública de que os crimes tinham sido cometidos sob o nariz de todos, a polícia ficou nervosa e irritadiça, e durante quatro dias todos os seus membros trabalharam sob forte carga de estresse. No quinto dia ficaram ainda mais inquietos.

Era a época dos chás e entretenimentos infantis nas escolas dominicais, e em uma noite enevoada, quando Londres tornava-se um mundo de fantasmas tateantes, uma garotinha, com a valentia de quem usa suas melhores roupas e sapatos de domingo, rostinho brilhante e cabelo recém-lavado, partiu da Logan Passage rumo ao Salão da Paróquia de São Miguel. Ela nunca chegou lá. Só veio a morrer de fato às seis e meia, mas, assim que cruzou a porta de casa, já podia se considerar morta. Uma coisa parecida com um homem, ao descer a rua que dava na Passage, a viu saindo. E daquele momento em diante era como se já estivesse morta. Em meio à névoa as grandes mãos pálidas foram atrás dela, e em 15 minutos a alcançaram.

Às seis e meia um apito soou indicando problemas, e aqueles que o atenderam encontraram o corpo da pequena Nellie Vrinoff na entrada de um depósito na Minnow Street. O sargento chegou primeiro e enviou seus homens para locais estratégicos, dando as ordens no tom ríspido da raiva contida e repreendendo o oficial responsável pela patrulha naquela rua.

— Eu vi você, Magson, no final da rua. O que fazia ali? Você ficou dez minutos por lá e só agora me aparece aqui.

Magson começou a explicar que estava de olho em um vulto suspeito no final da rua, mas o sargento o interrompeu:

— Vulto suspeito uma ova. Ninguém mandou ficar de olho em vulto suspeito. É para ficar de olho no *assassino*. Você perdeu tempo com uma bobagem, e aí isso acontece justo onde era para você estar. Imagine o que vão dizer.

Com a velocidade das más notícias, a multidão chegou, pálida e inquieta; e ao ouvir que o monstro aparecera outra vez, agora para uma criança, seus semblantes marcaram a névoa com clarões de ódio e horror. Mas então chegaram a ambulância e mais policiais, que logo dispersaram a multidão. E enquanto ela se dispersava os pensamentos do sargento tornaram-se palavras, e de todos os lados vieram sussurros de "bem debaixo do nariz deles". O inquérito subsequente mostrou que quatro oficiais do distrito, pessoas acima de qualquer suspeita, tinham passado em frente à entrada do depósito a intervalos de segundos antes do assassinato e não tinham visto nem ouvido nada. Nenhum deles passara pela criança viva nem a viram morta. Nenhum deles vira ninguém na rua além deles mesmos. Novamente a polícia se viu sem um motivo para o crime nem pistas.

E então o distrito, como você bem se lembra, se entregou — não ao pânico, pois o público londrino nunca cede a essa emoção; mas à apreensão e à desesperança. Se tais crimes estavam acontecendo em suas ruas mais próximas, então qualquer coisa podia acontecer. Onde quer que se encontrassem — nas ruas, nos mercados, nas lojas — as pessoas só falavam desse assunto. As mulheres começaram a passar o ferrolho das janelas e portas assim que caía o crepúsculo. Mantinham os filhos sempre ao alcance da vista. Faziam as compras antes de escurecer e aguardavam ansiosamente (embora disfarçassem o nervosismo) pelo retorno dos maridos. Debaixo da resignação quase divertida da classe trabalhadora londrina ao desastre, escondiam seus implacáveis agouros. Por causa do capricho de um homem com um par de mãos, a estrutura e o curso de suas vidas rotineiras tinham sido abalados, como sempre o são quando encontram um homem que despreza a humanidade e não teme suas leis. Elas começaram a compreender que os pilares que suportam a sociedade pacífica em que viviam eram como palha, que qualquer um podia partir; que as leis só eram soberanas quando obedecidas; que a polícia só era eficaz quando temida. Com o poder de suas mãos, aquele homem sozinho forçara uma comunidade inteira a fazer algo novo: ele a forçara a pensar, chocando-a diante das óbvias conclusões.

E então, com a sociedade ainda exasperada após os dois primeiros golpes, ele golpeou pela terceira vez. Consciente do terror que suas mãos tinham criado e ávido como um ator que provou a emoção da plateia, ele anunciou novamente sua presença. E na manhã de quarta-feira, três dias depois do assassinato da criança, os jornais levaram às mesas do café da manhã da Inglaterra a história de um ultraje ainda mais perturbador.

Às 21h32 da última terça-feira, um policial montava guarda na Jarnigan Road e falou com um colega chamado Peterson, que estava no começo da Clemming Street. Ele viu o oficial descer a rua. Podia jurar que estava deserta, exceto por um engraxate coxo que ele conhecia de vista, que passou por ele e entrou em um cortiço do lado oposto ao que seu colega oficial ocupava. Ele tinha o hábito, como todos os policiais na época, de olhar constantemente para trás e ao redor, seja qual for a direção em que andasse, e tinha certeza de que não havia mais ninguém na rua. Passou pelo sargento às 21h33, bateu continência e respondeu à sua pergunta sobre ter visto algo. Ele relatou que nada vira e continuou seu caminho. Sua ronda terminava a pouca distância da Clemming Street e, tendo chegado lá, deu meia-volta e alcançou novamente o começo da rua às 21h34. Mal tinha parado ali quando ouviu a voz rouca do sargento:

— Gregory! Está aí? Rápido. Tem mais um aqui. Meu Deus, é Petersen! Enforcado. Rápido, chame os outros!

Esse foi o terceiro dos Horrores do Estrangulador, e ainda haveria um quarto e um quinto; e os cinco horrores entrariam no terreno do desconhecido e do desconhecível. Isto é, desconhecido no que dizia respeito às autoridades e ao público. A identidade do assassino *era* conhecida, mas apenas por dois homens. Um era o próprio assassino; o outro era um jovem jornalista.

Esse jovem, que trabalhava para o jornal *The Daily Torch*, não era mais inteligente que os outros jornalistas zelosos que se postavam por aquelas ruelas na esperança de topar subitamente com uma história. Mas ele era paciente e se aproximou um pouco mais do caso do que os demais. Ao perscrutar o caso continuamente, ele por fim conseguiu evocar o vulto do criminoso, como uma aparição surgida dentre as pedras das ruas onde se cometeram os assassinatos.

Já um pouco depois dos primeiros dias, os repórteres desistiram de qualquer tentativa de obter furos de reportagem, pois não havia nenhum. Eles se encontravam regularmente na delegacia, e a pouca informação que havia era compartilhada. Os policiais eram cordatos e nada mais. O sargento discutia com eles os detalhes de cada assassinato; sugeria possíveis explicações para os métodos do criminoso; relembrava casos antigos que traziam alguma similaridade; e quanto ao motivo, ele mencionava Neill Cream e John Williams, que não tinham nenhum, e insinuava que havia um processo em andamento que logo daria fim ao caso; mas sobre tal processo ele nada dizia. Também o inspetor tagarelava à vontade sobre o tema do assassinato, mas sempre que alguém do grupo levava a conversa na direção das investigações ele desviava do assunto. Seja lá o que os oficiais soubessem, não iriam divulgar a repórter algum. A situação se revelara um negócio pesado para a polícia, e apenas com uma captura obtida por seus próprios esforços eles poderiam se reabilitar na estima oficial e pública. A Scotland Yard estava no caso, é claro, e tinha acesso aos itens materiais da delegacia; mas a esperança daqueles policiais é que eles mesmos teriam a honra de encerrar o caso. E por mais útil que a cooperação da imprensa tenha sido em outros casos, não queriam arriscar o fracasso divulgando prematuramente suas teorias e planos.

Assim, o sargento falou bastante e propôs uma teoria interessante depois da outra, mas os repórteres já haviam pensado em todas elas.

O jovem repórter logo desistiu dessas palestras matinais sobre a filosofia do crime e passou a vaguear pelas ruas e a escrever matérias brilhantes sobre o efeito dos assassinatos na vida normal das pessoas. Um trabalho melancólico que aquele bairro tornava ainda mais melancólico. As ruas emporcalhadas, as casas deprimentes, as janelas manchadas — em tudo havia a miséria ácida que não evoca simpatia alguma: a miséria do poeta frustrado. A miséria fora trazida pelos forasteiros, que viviam daquela maneira improvisada porque não tinham residência fixa nem se davam ao trabalho de construir lares onde *pudessem* se estabelecer, nem de continuar sua peregrinação.

Não havia muito a se notar ali. Tudo o que ele via e ouvia eram rostos indignados e loucas conjecturas sobre a identidade do assassino e o segredo em torno do seu poder de aparecer e desaparecer sem ser visto. Uma vez que um policial fora morto, as denúncias contra a polícia cessaram, e o criminoso desconhecido agora se revestia com o manto da lenda. Os homens se entreolhavam, como que pensando: Talvez seja *ele*. Talvez seja *ele*. Já não procuravam mais por alguém que parecesse um assassino saído da Câmara dos Horrores de Madame Tussaud; agora procuravam por um homem, ou talvez uma megera, que tivesse praticado esses assassinatos em particular. Seus pensamentos se voltaram primeiro para a classe de imigrantes. Tal barbárie não podia pertencer à Inglaterra, assim como a astúcia atordoante que envolvia o crime. Assim, eles se voltaram para os ciganos romenos e os vendedores de carpetes turcos. Ali sem dúvida encontrariam seu alvo. Esse pessoal do Oriente — eles conhecem todo tipo de truque, e não têm religião de verdade, nada que os mantenha na linha. Os marinheiros que voltavam desses lugares contavam histórias sobre feiticeiros que ficavam invisíveis; e havia histórias sobre poções árabes e egípcias usadas para os fins mais estranhos. Talvez *eles* pudessem cometer tais atos. Quem saberia ao certo? Eles eram tão arredios e astutos e se moviam de forma tão sutil... Nenhum inglês conseguia sumir de vista como eles. Sem dúvida alguma o assassino estaria entre pessoas desse tipo — de posse de algum truque sombrio —, e uma vez que tinham certeza de que se tratava de um feiticeiro, sentiam que era inútil procurá-lo. Ele era um poder, capaz de subjugá-los e de se manter intocável. A superstição, que tão facilmente racha a frágil casca da razão, levara a melhor sobre eles. O assassino podia fazer o que bem entendesse, pois jamais seria descoberto. Esses dois conceitos eram tidos como indisputáveis, e as pessoas andavam pelas ruas com um ar de ressentido fatalismo.

Elas sussurravam seus pensamentos ao jornalista olhando de um lado para o outro, como se *ELE* pudesse escutar e decidir visitá-los. E embora todo o distrito pensasse no assassino, prontos como estavam para saltar sobre ele, ainda assim ele fizera sua presença ser sentida de maneira tão brutal que, se algum homem na rua — digamos, um homem pequeno, de compleição e porte comuns — gritasse "sou *eu* o Monstro!", será que a fúria contida da população se tornaria uma torrente que o engolfaria? Ou será que de repente não enxergariam algo sobrenatural naquele rosto e corpo banais, algo sobrenatural em suas botas banais, seu chapéu, algo que indicasse ser o assassino alguém que as armas da população jamais poderiam ferir ou alarmar? Será que não recuariam momentaneamente desse demônio, tal como o diabo recuou da Cruz formada pela espada de Fausto, dando tempo para que ele escapasse? Eu não sei; mas tão inabalável era a crença popular na invencibilidade do assassino que é ao menos provável que eles hesitariam, se a ocasião se apresentasse. Mas ela nunca ocorreu. Hoje em dia esse camarada banal, com sua sede de assassinatos saciada, ainda pode ser visto e observado entre a população, como sempre o foi; mas uma vez que ninguém jamais imaginou na época — como não imaginam agora — que ele pudesse ser o que era, todos o viam na época, e também agora, do mesmo modo que veriam um poste de luz.

A crença geral na invencibilidade do monstro foi quase justificada; pois, cinco dias após o assassinato do policial Petersen, quando a experiência e inspiração de toda a força policial de Londres se debruçou sobre a identificação e captura do assassino, ele atacou pela quarta e pela quinta vezes.

Às nove horas daquela noite, o jovem jornalista, que ficava no serviço até o jornal ser enviado para distribuição, caminhava pela Richards Lane. A Richards Lane é uma rua estreita, com duas seções: uma residencial e outra que abriga uma feira. O jovem estava na parte residencial, que tem de um lado pequenas casas da classe trabalhadora, e do outro um terreno de depósito ferroviário. A parede alta derramava sobre a rua uma cortina de sombra que, junto com a silhueta cadavérica das barracas de feira desertas, criava a aparência de uma rua viva, congelada no instante entre o último suspiro e a morte. Até os postes, que em outras partes pareciam halos de ouro, ali se mostravam com uma luz dura de pedra. O jornalista, percebendo a mensagem da eternidade gélida, dizia a si mesmo que estava cansado de tudo aquilo, quando de um só golpe o encanto foi quebrado. No instante entre dois passos o silêncio e as trevas foram sacudidos por um grito agudo e por uma voz:

— Ajuda! Socorro! *Ele está aqui!*

Antes que o jornalista pensasse no que fazer, a rua ganhou vida. Como se sua população invisível estivesse esperando por aquele grito, a porta de todas as casas se abriu de chofre, e das casas e dos becos se derramaram vultos sombrios encurvados feito pontos de interrogação. Por um ou dois segundos eles ficaram rígidos feito os postes; então um apito da polícia lhes indicou a direção, e o rebanho de sombras começou a subir a rua. O jornalista os seguiu, e outros foram no seu encalço. Da rua principal e das ruas próximas eles viram, alguns interrompendo o jantar, outros perturbados em seu descanso, usando chinelos e pijama, alguns trêmulos apoiando-se em membros fracos, e alguns eretos, armados com atiçadores de lareira ou com as ferramentas da profissão. Aqui e ali sobre a nuvem de cabeças moventes apareciam os capacetes rijos dos policiais. Em uma só massa eles convergiram até uma casa cuja porta fora marcada pelo sargento e dois policiais; e vozes da retaguarda apressavam os da frente gritando:

— Entrem logo! Achem ele! Vão pelos fundos! Pulem o muro!

E os da frente gritavam:

— Para trás! Para trás!

E então a fúria de uma multidão subjugada pelo perigo do desconhecido foi liberada. Ele estava ali — bem naquele lugar. Sem dúvida dessa vez ele *não poderia escapar*. Todas aquelas mentes se voltavam para a casa; todas as energias empregadas em suas portas, janelas e telhado; todos os pensamentos se concentravam naquele homem desconhecido e no seu extermínio. E, assim, as pessoas não viam umas às outras. Ninguém percebia a rua estreita lotada e a massa de sombras que se contorciam e se espremiam, e todos se esqueceram de procurar em volta o monstro que nunca perdia tempo ao lado das vítimas. De fato, todos esqueceram que, em sua cruzada de vingança coletiva, estavam criando para ele o esconderijo perfeito. Viam apenas a casa e ouviam apenas o estilhaçar de madeira e vidro na frente e nos fundos, e a polícia dando ordens ou gritando em perseguição; e continuaram avançando como podiam.

Mas não encontraram o assassino. Tudo o que encontraram foram informações sobre o assassinato e um vislumbre da ambulância, e sua fúria não encontrou outro alvo além da própria polícia, que lutava contra mais esse obstáculo ao cumprimento do seu dever.

O jornalista conseguiu forçar caminho até a porta da casa e obteve a história do policial postado ali. A casa era o lar de um marinheiro aposentado, casado e com uma filha. Eles estavam à mesa, e a primeira impressão era a de que algum gás venenoso tinha aniquilado os três enquanto jantavam. A filha jazia morta no carpete em frente à lareira com um pedaço de pão amanteigado na mão. O pai tombara da cadeira de lado, deixando no prato uma colher cheia de pudim de arroz. A mãe jazia com metade do corpo embaixo da mesa, e em seu colo havia cacos de uma xícara quebrada e manchas de chocolate derramado. Mas em três segundos a hipótese do gás foi desconsiderada. Uma olhada em seus pescoços e a ação do Estrangulador ficou evidente uma vez mais; e a polícia postou-se sem saber o que fazer, olhando de um lado para outro do cômodo, compartilhando o fatalismo do público. Estavam impotentes.

Aquela fora sua quarta visita, totalizando sete assassinatos. Como você sabe, ele ainda cometeria mais um — e seria naquela mesma noite; e então ele entraria para a história como o horror desconhecido de Londres e voltaria para sua vida decente de sempre, lembrando-se bem pouco do que fizera e sem se deixar atormentar pela lembrança. Por que ele parou? É impossível dizer. Por que começou? Impossível dizer tampouco. Simplesmente aconteceu daquela forma; e se ele chega a pensar naqueles dias e noites, creio que o faz da mesma maneira como nos lembramos das tolices ou pequenos pecados que cometemos na infância. Nós dizemos que aqueles não foram realmente pecados, por não estarmos totalmente conscientes de nós mesmos na época. Não tínhamos chegado à idade da ponderação. E relembramos a criaturinha tola que fomos e a perdoamos porque ela não sabia o que fazia. Acho que com o assassino se dava da mesma forma.

Como ele existem muitos. Eugene Aram, após o assassinato de Daniel Clarke, viveu uma vida contente e sossegada por 14 anos, sem se deixar atormentar pelo crime e com a autoestima inabalada. O dr. Crippen assassinou a esposa, então viveu feliz com a amante na mesma casa sob cujo assoalho enterrou sua vítima. Constance Kent, absolvida da acusação de ter assassinado o irmão mais novo, levou uma vida pacífica por cinco anos até confessar. George Joseph Smith e William Palmer viveram amistosamente entre seus conterrâneos, intocados pelo medo ou pelo remorso dos afogamentos e envenenamentos que cometeram. Charles Peace, quando fez sua tentativa criminosa malsucedida, levava uma vida de cidadão respeitável interessado em antiguidades. Aconteceu de, após algum tempo, aqueles homens terem sido descobertos, mas mais assassinos vivem vidas decentes hoje do que imaginamos, e morrerão de forma decente, insuspeitos, jamais desmascarados. Como no caso desse homem.

Mas ele escapou por pouco, e talvez tenha sido esse fator o que fez com que ele enfim parasse. Sua escapada se deu por um erro de julgamento por parte do jornalista.

Assim que ele obteve a história completa do que sucedera ali (o que levou algum tempo), ele passou 15 minutos no telefone, relatando a matéria, e no final dos 15 minutos, quando o estímulo do acontecimento amainou, ele se sentiu fisicamente cansado e mentalmente desorganizado. Ainda não podia ir para casa; o jornal só sairia para distribuição dali a uma hora. E assim ele foi até um bar em busca de bebida e sanduíches.

Foi aí, depois de deixar completamente de lado aquela história, quando ele estava apenas contemplando o bar e admirando o gosto do proprietário para correntes de relógio e seu ar de dominância, e pensando que o proprietário de um bar bem administrado tinha uma vida mais confortável que a de um repórter, que sua mente foi iluminada por um clarão. Ele não estava pensando sobre os Horrores do Estrangulador; sua mente estava ocupada com o sanduíche. Para um sanduíche de estabelecimento comercial, era bem curioso. O pão tinha sido cortado bem fino, fora amanteigado, e o presunto não era velho de dois meses; era presunto como deveria ser. Sua mente se voltou para o inventor desse lanche, o conde de Sandwich, depois para George IV, depois para os Georges, e para a lenda sobre o George que quisera saber como a maçã foi parar dentro da torta. Ele se perguntou se George ficaria igualmente intrigado com a maneira pela qual o presunto ia parar dentro do sanduíche, e quanto tempo seria necessário até ele se dar conta de que o presunto não iria a parte alguma a não ser que alguém o levasse. Ele se levantou para pedir outro sanduíche, e naquele instante um pequeno canto ativo de sua mente decidiu a questão. Se havia presunto no sanduíche, alguém devia tê-lo colocado ali. Se sete pessoas tinham sido assassinadas, alguém devia ter estado no local, assassinando-as. Não havia aviões ou automóveis portáteis; portanto a pessoa devia ter escapado correndo... ou ficando parada; e assim, portanto...

Ele imaginou a manchete de primeira página que seu jornal publicaria se sua teoria estivesse certa, e se — uma questão de conjectura — seu editor fosse corajoso o bastante para tomar uma atitude ousada, quando um grito de "está na hora, senhores! Por favor, hora de sair!" fez com que ele se lembrasse da hora. Ele se levantou e saiu para um mundo de bruma, interrompido pelos círculos irregulares das poças e pelas luzes passantes dos ônibus. Ele tinha certeza de que havia topado com *a* história, mas, mesmo que pudesse prová-la, duvidava que a polícia ou o jornal permitissem sua publicação. Pois ela tinha um grande defeito: era a verdade, mas uma verdade impossível. Abalaria os alicerces de tudo o que os leitores acreditavam e do que os editores os ajudavam a acreditar. Eles poderiam até acreditar que vendedores de carpete turcos podiam ficar invisíveis, mas não acreditariam nisso.

Do modo como as coisas aconteceram, ninguém pediu que acreditassem em nada, pois a reportagem nunca foi escrita. O jornal já tinha saído para distribuição, ele se sentia renovado pela comida e, estimulado por sua teoria, decidiu gastar mais meia hora testando-a. Assim, começou a procurar pelo homem que tinha em mente — um homem com cabelos brancos e grandes mãos pálidas; mas que de resto era uma figura ordinária que não mereceria dois segundos da atenção de ninguém. Ele queria testar aquela ideia no assassino sem aviso, e para isso se colocaria ao alcance de um homem revestido em lendas de horror e repulsa. Parecia um ato de coragem suprema — que um homem, sem poder contar com apoio imediato, se colocasse à mercê de alguém que mantinha todo um distrito aterrorizado. Mas não era. Ele não pensou no risco. Ele não pensou no dever para com os patrões ou na lealdade ao jornal. Ele apenas se submetia ao impulso de seguir uma história até o fim.

Saiu lentamente do bar e atravessou para a Fingal Street, indo na direção do Deever Market, onde esperava encontrar o homem. Mas sua jornada foi abreviada. Na esquina da Lotus Street ele o viu — ou alguém que parecia com ele. A rua era mal iluminada e ele não conseguia ver o homem direito. Mas viu suas mãos pálidas. Ele o seguiu por uns vinte passos, então se aproximou; e no ponto em que a curva de um trilho atravessava a rua, o jornalista viu que era mesmo o homem. Ele se achegou ao outro com a abertura de conversa comum no bairro naqueles dias:

— Mas, então, não viu sinal do assassino?

O homem parou e o encarou fixamente. E então, parecendo convencido de que o jornalista não era o assassino, respondeu:

— Ahm? Não, e ninguém viu nada também, praga. Duvido que alguém vai encontrá-lo.

— Não sei, não. Andei pensando nisso, acho que tive uma ideia.

— É? Qual?

— Sim. Me veio de repente. Faz uns 15 minutos. E acho que todos nós fomos cegos. Estava o tempo todo na nossa cara.

O homem se voltou novamente para encará-lo, e o olhar e o movimento pareciam desconfiar dessa pessoa que sabia tanto.

— Ah, é? Estava? Bom, se você tem tanta certeza, por que não divide conosco?

— Eu vou.

Eles caminhavam lado a lado e estavam quase no fim da ruela, onde começava o Deever Market, quando o repórter se virou casualmente para o homem. Ele tocou seu braço com o dedo.

— Sim, agora parece bem simples. Mas ainda tem uma coisa que não entendo. Uma coisinha que eu queria esclarecer. Falo do motivo. Sargento Ottermole, de homem para homem, me diga: *por que* você matou todas aquelas pessoas inofensivas?

O sargento parou e o jornalista também. Não havia muita luz no céu, que apenas refletia a luz londrina, e ele só podia discernir o rosto do sargento, que se voltava para ele com um grande sorriso. E o sorriso tinha tal polidez e charme que os olhos do jornalista ficaram paralisados encarando. O sorriso perdurou por alguns segundos. Então o sargento respondeu:

— Bom, para falar a verdade, Sr. Repórter, eu não sei. Eu não sei mesmo. De fato, eu venho pensando muito nisso. Mas tive uma ideia, assim como o senhor. Todos sabem que nós não podemos controlar o funcionamento de nossas mentes. Não é? As ideias surgem em nossa mente sem pedir licença. Mas todos devemos ser capazes de controlar nossos corpos. Por quê? Hein? Nós recebemos nossas mentes sabe-se lá de onde — de pessoas mortas já há séculos antes de nascermos. Será que não recebemos nossos corpos da mesma maneira? Nossas faces, pernas, cabeças... nada disso é totalmente nosso. Nós não criamos essas coisas, mas apenas as recebemos. Será que não é possível que ideias surjam em nosso corpo assim como surgem em nossa mente? Hein? Será que as ideias não conseguem viver em nervo e músculo tanto quanto no cérebro? E se certas partes de nosso corpo não forem nós? Será que ideias não podem surgir nessas partes, de repente...? Assim como de vez em quando certas ideias surgem... — e ele arremessou os braços para diante, exibindo as grandes mãos metidas em luvas brancas e os pulsos cabeludos, tão rapidamente na direção da garganta do jornalista que ele nem viu o que aconteceu — ... *nas minhas mãos?*

VIGARISTA: RICHARD VERRELL (CAMISA NEGRA)

"A DAMA" AO RESGATE
BRUCE GRAEME

Graham Montague Jeffries (1900-1982), cujo pseudônimo era Bruce Graeme, trabalhava como agente literário e, ainda jovem, enviou um romance seu para uma editora. Quando a história foi rejeitada, ele experimentou escrever um conto, uma aventura de dez mil palavras do Camisa Negra, que foi imediatamente aceita por uma revista, que o contratou para escrever mais sete. A editora inglesa T. Fisher Unwin usou as oito histórias do Camisa Negra para lançar uma série de "romances" baratos em 1925 e vendeu mais de um milhão de cópias de *Camisa Negra* nos 15 anos seguintes. A continuação, chamada *O retorno do Camisa Negra* (1927), também foi um sucesso de vendas.

Richard Verrell é conhecido como Camisa Negra por causa do disfarce que usa para arrombar cofres: uma roupa toda preta, incluindo máscara. Durante o dia Verrell é um membro endinheirado da alta sociedade; à noite, é um ladrão audacioso, um autor de sucesso que continua na vida de crimes em nome da aventura.

Seguro no anonimato, sua tranquilidade é interrompida quando sua identidade é descoberta por uma bela jovem que passa a lhe telefonar periodicamente. Ela ameaça divulgar sua identidade, forçando-o assim a se transformar de um mero ladrão para uma espécie de Robin Hood. Depois de um tempo ele passa a se referir à jovem como sua "Dama do Telefone". No segundo volume da série, eles já estão casados e têm um filho, que vive aventuras parecidas.

"'A Dama' ao resgate" foi publicada originalmente na *New Magazine* em 1925, sendo incluída pela primeira vez na coletânea *Blackshirt* (Londres, T. Fisher Unwin, 1925).

"A DAMA" AO RESGATE

BRUCE GRAEME

Richard Verrell, escritor, percebeu subitamente que embora duas horas já tivessem se passado desde que pousara a cabeça no travesseiro, ele ainda não tinha caído no sono. Olhou para o relógio e viu que suas duas horas imaginadas eram apenas quarenta ou 45 minutos. Ainda assim, aquilo era incomum, porque geralmente caía no sono assim que desligava a luz do abajur. Até o presente momento, o fato de que ele, um romancista famoso, era também o igualmente famoso Camisa Negra nunca lhe causara crises de consciência; mas naquela noite ele se sentia estranhamente inquieto, tocado de uma nova emoção que descobriu ser impossível de definir.

Inquieto, sem sono, acendeu um cigarro e deixou que seus pensamentos caóticos cabriolassem à vontade; analisando sua individualidade, dissecando sua personalidade. Nesse tumulto surgiram em sua mente lembranças da infância, de ambientes deploráveis, de pais adotivos cruéis e odiosos. Ele reviveu a noite em que se perdeu em um labirinto de ruas, separado dos pais, de quem já não se lembrava mais. Ele não ousou perguntar às pessoas que passam, que, para sua imaginação aterrorizada, assumem a estatura de gigantes, enquanto ele corre apavorado do único homem que poderia salvá-lo: o homem de azul, o policial na esquina. Para sua imaginação infantil, impressionada pelo que lhe dizia uma babá estúpida de dezessete anos, aquele homem era um ogro de quem todas as crianças boazinhas que rezam antes de dormir têm que fugir, pois a profissão dele é punir os pecadores.

Ele se viu encolhendo entre as sombras, nauseado de medo; uma mão cabeluda apertou seu ombro até ele gritar de dor, e uma voz ébria murmurou algo de forma incoerente. Então um redemoinho de movimento, cavalos passando barulhentos, pessoas empurrando, gritos e chamados, e incontáveis ogros, de quem o homem de mão cabeluda também se esconde.

Depois, um covil depauperado, uma mulher desmazelada, palavras ríspidas, e algo que na época ele não entendeu: um olhar de compreensão e admiração surgindo aos poucos no rosto da mulher, que sussurrou:

— Até que tu não é tão inútil, Alf.

Então uma palavra falsa de conforto para o menino trêmulo.

E depois a lembrança tênue, apagadiça, de golpes brutais e lições sobre a arte de bater carteiras. Com a prática frequente, seus braços se tornam rápidos, e seus dedos, ágeis. Alguém de costas, uma investida rápida do seu algoz, e no instante seguinte um bolo, maçã, bijuteria — qualquer coisa em que ele possa pôr as mãos — são transferidos para seu bolso.

Em meio a lembranças vagas de lições e mais lições, de escalar paredes, de abrir trancas de janela, ele se viu crescendo, ficando mais forte. Lembrou o orgulho com que descobriu um dia que sua cabeça chegava ao nível do lintel da lareira.

Então se seguiu o período em que sua alma despertou da emancipação de um menino nervoso e trêmulo para um rapaz que tinha uma intuição crescente de sua virilidade, também consciente de que seu ódio recente das incursões ilegais se transformou em uma ansiedade alegre para embarcar cada vez mais nessas aventuras noturnas, e essa inclinação ficaria mais forte à medida que ele envelhecia.

Mesmo agora, mantinha o hábito não pelo que conseguia furtar, mas pela emoção, empolgação, o risco envolvido na obtenção do item. Então lembrou o dia em que se libertou dos seus tiranos, para nunca mais testemunhar com desgosto as orgias embriagadas, ouvir as brigas, a linguagem suja. Seus sentimentos mais delicados insistiam para que escapasse daquele ambiente, deixando para trás os cortiços sórdidos. E assim ele fugiu, e foi quando sua inteligência altamente calibrada lhe informou que ele era ignorante, sem educação, grosseiro.

Seguiram-se anos de estudo, com interlúdios de mais emoções e aventuras pelas quais sua alma ansiava, e nesse período ele adquiriu o bastante para poder viver e progredir.

Assim se passaram os anos até sua transição se completar, e o pivete de cortiço se transformou no cavalheiro educado e refinado do West End — talvez a posição suprema para a qual, quem sabe, ele fora predestinado ao nascer.

Ele se moveu na cama, inquieto. Teria ele chegado à posição suprema? Seria ele o homem que suas circunstâncias de nascimento exigiam? Como Richard Verrell, autor de sucesso, certamente; mas como Camisa Negra — o homem misterioso em quem os detetives da Scotland Yard havia muito ansiavam pôr as mãos; o homem que roubava como, quando e onde queria, saindo-se perfeitamente bem sozinho contra os esforços conjuntos dos mirmidões da lei, vencendo pela superioridade de sua inteligência, sua sutileza e reações... Verrell sacudiu a cabeça. Se tivesse sido filho legítimo do homem e da mulher que por tanto tempo foram seus pais adotivos, e que nem sequer eram casados, então de fato, como Camisa Negra, ele progredira na vida; pois, embora fosse um criminoso, ele ainda era melhor que os parasitas bêbados e embaraçosos que lhe serviram de pais adotivos.

Ele sorriu sarcasticamente e se perguntou por que essas pontadas de consciência tinham surgido assim tão subitamente, mas seu sorriso se suavizou quando lembrou uma conversa que teve ao telefone, uma ou duas noites atrás.

— Por que você faz isso? — perguntara sua Dama do Telefone.

Ele considerou o assunto de vários ângulos, mas acabou por dar de ombros e confessou sem muito ânimo que não sabia o porquê, o que no final era verdade.

Por que ele era o que era? Como chegara à situação de viver uma vida dupla — de um lado, um cavalheiro, um membro respeitado da sociedade; e do outro, um fora da lei, um gatuno noturno?

Ele não tentou fazer rodeios. Nem conseguiria, pois seja lá quais fossem seus defeitos, seus pecados de ação e omissão, odiava a hipocrisia — ele que já vivia a hipocrisia de uma vida dividida em que uma parte contradizia a outra. Ele não sabia o porquê de ser aquele homem de dupla personalidade; mas quem o conhecesse bem poderia no ato apontar a raiz do problema. Sua vida oculta não passava de uma ânsia excessiva por emoções, uma válvula de escape para sua força e dinamismo, uma oportunidade de jogar um jogo de xadrez em escala natural. Como ladrão, era soberbo; como detetive, seria notável. Mas o Destino o pusera do lado errado da lei, e se havia alguém além dele mesmo que poderia ser culpado por suas más ações, era a babá de dezessete anos que negligenciara seus deveres pelo deleite de uma distração menos trabalhosa: ficar observando um guarda granadeiro passar.

O ressoar dos sinos de um relógio de igreja próximo ecoou duas vezes no ar parado, e Verrell ainda não conseguira dormir. De fato, estava mais alerta do que nunca.

Ele ligou o abajur, acendeu outro cigarro e pegou o livro que estivera lendo; mas depois de ler duas ou três páginas e descobrir que não tinha assimilado nem uma palavra, arremessou o livro para longe, desgostoso.

Seus nervos vibravam com uma sensação de pulsação, que ele bem sabia geralmente prenunciava suas incursões noturnas. O bater do seu coração parecia quase repetir continuamente: "Vamos, vamos, vamos!"

Tentou resistir ao chamado e pegou o jornal da tarde, ainda não lido, que estava dobrado sobre a mesa perto da cama. Ao abri-lo, seu olhar foi atraído para as manchetes impactantes em que duas palavras sobressaíam: "Camisa Negra".

Com certo divertimento e alguma ansiedade, pela primeira vez ele começou a ler sobre si mesmo. Melhor dizendo, sobre sua identidade secreta:

"CAMISA NEGRA"
"Misterioso mestre do crime à solta"
"Scotland Yard admite fracasso"

"Através de fontes confiáveis e por meio de quem o *Evening Star* mais de uma vez já obteve alguns dos maiores furos jornalísticos do mundo, se soubemos recentemente que se encontra à solta, e já há muitos anos, um criminoso misterioso, conhecido pelos membros do Depto. de Investigação Criminal da Scotland Yard como 'Camisa Negra', uma alcunha adequada, tendo em vista que esse criminoso sempre usa uma camisa preta ao praticar suas incursões nefastas.

O Camisa Negra se envolveu em uma série de crimes de furto notáveis, e apesar da vigilância da Polícia Metropolitana e da reconhecida eficiência de nossa força de detetives, ele até agora conseguiu escapar de todas as tentativas de captura. É um ponto a favor da nossa força policial o fato de até o presente momento nenhuma informação sobre o fato ter vazado para o público, que em sua ânsia de ajudar pode acabar atrapalhando os valentes esforços da polícia, ajudando o criminoso a escapar de seu justo castigo.

Assim que os primeiros boatos sobre a existência do Camisa Negra chegaram às antenas sensíveis do *Evening Star*, nosso especialista criminal imediatamente entrou em contato com os oficiais da Scotland Yard, que no entanto não acrescentaram nenhuma informação ao que foi relatado acima.

Entre os furtos recentes nos quais nenhum vestígio do perpetrador foi encontrado, e que presumimos serem obra do Camisa Negra, estão o roubo do pingente de diamante de Lady Carrington, o 'Estudo do Cristo Infante', de Michelangelo, de propriedade da sra. Sylvester-ffoulkes, a valiosa coleção de selos de Sir George Hayes e a famosa estátua de Apolo de lorde Walker, em malaquita. Como podemos ver, o Camisa Negra é extremamente versátil em sua escolha de espólios, e ainda mais em seus métodos de ataque. Certa feita ele obteve sucesso ao se fazer passar por um policial, e em outra, apareceu disfarçado de francês."

Havia mais nessa linha, e ao terminar de ler ele tremia com emoção silenciosa. O *Evening Star* era o mais marrom da imprensa marrom, e o redator não hesitou em puxar pela imaginação.

Por exemplo, foi a primeira vez que o Camisa Negra se deu conta de que havia se disfarçado de policial, embora fosse verdade que certa vez ele assumira o papel de um estrangeiro — um italiano.

Ele arremessou o jornal longe, desgostoso. Sempre era possível contar com a imprensa marrom para se concentrar no pior lado de alguém, ignorando o melhor.

Uma voz insistente e insidiosa chamava, e com um gesto impotente ele arrancou o pijama. Sabia que era inútil resistir.

Alguns minutos depois Richard Verrell desaparecia, e o Camisa Negra surgia em seu lugar. Sua aparência era a de um homem que vai sair para uma noite na cidade, com o chapéu de seda, sobretudo e cachecol, mas esta última peça fazia mais que manter seu colarinho limpo, pois também escondia a camisa negra que ele usava por baixo, assim como a camisa recobria um cinto elástico largo que continha um kit completo para abrir qualquer tipo de porta, janela ou cofre.

A próxima pergunta que ele precisava considerar era para onde ir, e ao se postar hesitante na janela do apartamento, o relógio da igreja bateu indicando que meia hora se passara.

Subitamente ele sorriu. Ainda era jovem o bastante para apreciar uma piada e assim determinou que caminharia sem rumo até o relógio de pulso dar três horas. Então entraria na casa mais próxima. Já prestes a sair, notou o papel amarrotado atirado a um canto. Mais uma vez ele sorriu. Decidiu então recortar a matéria que falava do Camisa Negra, levá-la consigo e deixá-la no lugar de seja qual fossem os bens que iria roubar, como lembrete mudo e incisivo de que o Camisa Negra ainda estava à solta.

Um relógio próximo bateu as três, e o Camisa Negra parou. Ele vagara sem rumo por uma rua e outra, sem se importar se ia para o norte, sul, leste ou oeste.

Relevando o fato de que teria trabalho a fazer quando batessem as três, ele passara uma meia hora feliz sonhando com sua Dama do Telefone.

Para ele, ela era apenas uma voz que começava a ter toda a importância do mundo; já se via preso a cada palavra que ela dizia, memorizando cada sílaba, cada entonação da doce música de sua conversação.

Por meia hora ele tivera sonhos em que apenas duas pessoas apareciam: ele e sua Dama da Voz como ele a imaginava ser, uma figura desconhecida e misteriosa.

Quando a última batida do relógio sumiu na distância, seus sonhos foram expulsos e ele voltou ao modo alerta usual, concentrado no trabalho, feliz com os perigos.

Ele se viu em uma rua pequena, certamente uma avenida pelos plátanos alinhados de cada lado. Havia poucas casas, afastadas umas das outras e construídas em terrenos individuais. Obviamente um bairro de ricos.

O Camisa Negra riu para si mesmo. Teria mais prazer botando as mãos nos bens de um rico.

Deu uma olhada rápida para os dois lados da rua e notou satisfeito que não havia ninguém à vista. Com um salto atlético, pulou por cima da mureta de tijolos e surgiu entre as sombras do outro lado.

Ele cobriu o rosto com uma máscara de seda negra e calçou um par de luvas negras de seda, tornando-se mais invisível do que nunca, um borrão negro que deslizava silenciosamente pelo pequeno gramado.

Nos limites daquele local ele parou por um momento, memorizando a geografia da parte da frente da casa, e então passou para os fundos, onde achava que seria mais reservado e ele teria menos chances de ser visto.

Viu que seu palpite estava certo, pois os fundos da casa ficavam protegidos das casas próximas por uma fileira de árvores.

Percebeu várias características similares entre os fundos e a frente da casa e concluiu que os cômodos do primeiro andar se estendiam por todo o comprimento do imóvel. Um cômodo, que ele imaginava ser a sala de visitas, se abria para uma pequena sacada diante de belas e altas janelas francesas.

Considerou que a sacada era sem dúvida a melhor maneira de entrar na casa, e menos de vinte segundos depois já estava diante de uma das janelas.

Houve um leve clique quando a taramela foi forçada por uma ferramenta que ele puxou do seu cinturão elástico, mas ele se desapontou ao ver que a janela não se abriu imediatamente. Evidentemente havia um ferrolho além da taramela.

Outra ferramenta entrou em campo, e então as janelas se abriram para dentro sem fazer barulho, e o Camisa Negra entrou como uma sombra e as fechou em seguida.

Por algum tempo ele ficou parado, com os ouvidos atentos para detectar qualquer som, mas a casa parecia absolutamente silenciosa.

Em seguida um filete de luz de sua lanterna de bolso varreu a sala, indo de um objeto a outro.

Ele se surpreendeu ao ver que, apesar de a casa aparentar ter sido construída no começo da era vitoriana, não parecia pertencer ao estilo prevalente no país. Os móveis e decoração pareciam indicar uma origem continental. Não era nada tangível que o Camisa Negra conseguisse identificar como pertencendo a outro país, mas, ainda assim, teve a distinta impressão de estar na residência de um estrangeiro.

A luz finalmente pousou em uma bela escrivaninha ornamentada, e o artista em seu íntimo observou com prazer as linhas graciosas, o delicado padrão insculpido. Era obviamente um *objet d'art,* um item para *connoisseurs.*

O Camisa Negra teve vontade de levar a escrivaninha com ele. Ele deixaria todo o resto com prazer se pudesse carregá-la.

Tentou desviar sua atenção da escrivaninha, mas seus olhos sempre acabavam voltando para ela, sonhadores, e por fim decidiu ao menos dar uma olhada por dentro do móvel, não tanto para vasculhar o que ele pudesse conter — pois não acreditava que houvesse algo de valor ali —, mas para apreciar o trabalho esplêndido que ele sabia que também encontraria do lado de dentro.

Viu que a escrivaninha estava trancada, mas não achou que teria dificuldades em abri-la, pois provavelmente a tranca era de um tipo comum.

Para sua surpresa, a tranca seguia um padrão intricado bastante incomum, e só depois de bastante esforço o Camisa Negra conseguiu forçá-la. Mas ele não se arrependeu do tempo dispendido. Sem dúvida era uma das escrivaninhas mais belas que já vira.

Dentro dela havia papéis e cartas espalhadas. Com um sorriso ele puxou uma carta, pensando que era melhor saber exatamente onde se encontrava. O envelope estava endereçado para:

Conde de Rogeri,
Versailles House,
Maddox Gardens.

O Camisa Negra ergueu as sobrancelhas. Maddox Gardens! Ora, ele frequentemente ouvira falar daquele bairro, mas, embora soubesse onde ficava, aquela era a primeira vez em que tinha colocado os pés ali.

Era de fato um bairro de gente afluente.

Mas o que era riqueza comparada à escrivaninha? Se alguma vez o Camisa Negra sentiu pena de deixar alguma coisa para trás, foi aquela. Suas mãos bem-feitas deslizaram com carinho pelos padrões insculpidos enquanto a lanterna revelava o design extravagante.

As pontas de seus dedos sensíveis tocaram um painel frouxo, e ele franziu o cenho. Evidentemente o proprietário era descuidado. Ele se perguntou o quão frouxo estava o painel e decidiu empurrá-lo um pouco.

Houve um clique, e o Camisa Negra se virou depressa, escondendo o filete de luz da lanterna ao fazê-lo. Ficou ali, tenso de excitação nervosa, mas não ouviu nada. Nenhuma voz o desafiava, nenhum revólver o ameaçava, e tudo continuava escuro, parado e silencioso.

Desconfiado, voltou-se para a escrivaninha outra vez. Ele não gostava de sons misteriosos, mas ao retomar a investigação do móvel a origem do barulho se revelou: onde antes havia um painel liso, agora havia um espaço aberto, como uma gaveta.

Por pura coincidência, o Camisa Negra descobrira um esconderijo.

Com os olhos brilhando, que sinalizavam a excitação feliz que ele sentia pela descoberta, ele viu que havia papéis lá dentro.

A curiosidade o impeliu a vasculhá-los, mas, ao investigar o primeiro documento, ele se aborreceu ao ver que o conteúdo estava em alemão. Sabia pouco do idioma e estava prestes a enfiar os papéis de volta no recesso quando algumas palavras isoladas que ele reconheceu chamaram sua atenção.

Pelos próximos minutos seu cérebro intrigado foi traduzindo o manuscrito. Quando terminou, ficou ali parado, sem conseguir organizar os pensamentos, com os sentidos atordoados pelo que acabara de descobrir.

Quando Marshall se aposentou do Depto. de Investigações Criminais da Scotland Yard, teve a sorte de conseguir um apartamento pequeno mas confortável em cima de uma mercearia em Shepherd Bush, onde se instalou para terminar seus dias. Ele não estava de todo feliz com sua nova fase de aposentado, pois era do tipo que encontrava satisfação apenas no trabalho, e em seu caso isso era mais pronunciado, pois considerava o antigo emprego como o tempero da sua existência.

Sentia falta da rotina, da disciplina e, acima de tudo, do interesse. Para ele, capturar um criminoso era tão prazeroso quanto seria descobrir uma peça da Chippendale para um colecionador de antiguidades.

De vez em quando ele dava a sorte de ser contratado como detetive particular, mas os casos nos quais realmente se interessava não apareciam com a frequência necessária para mantê-lo satisfeito. A maior parte do trabalho se resumia a casos de divórcio em que, à parte a simplicidade do trabalho, sua simpatia costumava recair sobre as pobres pessoas de comportamento errôneo que ele investigava. Por fim, chegara à conclusão de que, se todos os maridos e esposas fossem como as pessoas que o contratavam, ele estaria melhor permanecendo solteiro.

Vivia sozinho, ajudado por um empregado que vinha arrumar a casa toda manhã; mas como passava o dia — e frequentemente a noite — fora, não sofria com a solidão.

Naquela noite, chegara ao que costumava chamar de "beco sem saída", e quando o relógio deu as dez e meia da noite ele foi dormir, desgostoso, e logo caiu em sono profundo.

Estava sonhando — um pesadelo estranho e monstruoso em que todas as pessoas que ele conhecia o erguiam no ar e o jogavam de mão em mão, até ele se cansar e acordar. Quando abriu os olhos, se viu diante do cano de um revólver.

— Bom Deus! — murmurou ele, e olhou para o homem que se sentava na beirada da cama, sacudindo-o pelo ombro com a mão livre.

Não havia margem para dúvidas, com a roupa e a máscara negras:

— Camisa Negra! — arquejou Marshall, involuntariamente.

— Às suas ordens, Marshall — zombou o notório gatuno.

— Que diabos está fazendo aqui? — rugiu o detetive.

— Meu caro Marshall, é exatamente isso que vou explicar; mas enquanto isso não faça nenhum movimento, pois, como pode ver, tenho um revólver na mão, que aliás é o seu, que eu peguei debaixo do travesseiro e espero que não se importe.

Marshall não respondeu, mas grunhiu com um ar atônito.

— Obrigado — continuou o Camisa Negra —, vou considerar que está de acordo, então. Sabe, tenho grande admiração por você, Marshall, e creia-me, estou sendo sincero. Não estou só zombando de você. Tenho várias coisas para conversar e não estou a fim de cansar meu braço segurando esta arma. Dê-me sua palavra, Marshall, de que não vai tentar me capturar até que eu saia do prédio, e conversarei com você de homem para homem sobre um assunto diante do qual minha captura e seu prestígio não significam nada, pois diz respeito a algo mais importante para nós dois: nosso país.

O detetive pensou rapidamente. Será que deveria prometer o que o gatuno pedia, e, se, prometesse, será que devia manter a palavra? Sobre essa última questão ele se decidiu primeiro. Sabia, seja lá o que acontecesse, que não quebraria a palavra empenhada a homem algum, mesmo que fosse o Camisa Negra, por cuja captura ele daria a mão direita. Por outro lado, se não aquiescesse à exigência do gatuno, talvez fosse possível virar o jogo se surgisse uma oportunidade.

O Camisa Negra adivinhou suas intenções.

— Não adianta, Marshall. Se não concordar, sumo daqui no instante seguinte. Acho que você me conhece o suficiente para saber que não vou facilitar se não fizer o que eu mando.

O detetive deu de ombros.

— É, acho que tem razão. Tudo bem, eu lhe dou minha palavra.

O Camisa Negra pareceu aliviado e jogou o revólver na cama, perto de Marshall.

— Obrigado, Marshall. Eu tinha tirado as balas antes, mesmo.

— Praga! — murmurou o detetive — Se eu soubesse...

— Ah, com certeza — interrompeu o Camisa Negra, sem dar tempo que ele completasse, e deu um sorriso vitorioso que nem a máscara pôde ocultar de todo. — Eu sabia que conseguiria atiçar sua curiosidade.

Marshall olhou para ele com admiração.

— Você é bem abusado, isso já dá para notar. Mas, então, o que é que quer me dizer? Aceita um uísque com soda enquanto isso?

O Camisa Negra riu.

— Não, obrigado. Beber no meio do expediente às vezes atrapalha. Vamos aos negócios. Hoje à noite fui me deitar... "por um milagre", você deve estar pensando. Mas de vez em quando ajo como qualquer outro cidadão cumpridor da lei. Por algum motivo me senti inquieto, e não consegui, como diz o clichê, "cair nos braços de Morfeu". Então peguei o jornal da tarde e, para minha grande surpresa e divertimento, li tudo que havia para ler sobre mim.

— É, eu também li. No final eles começaram a inventar um pouco — disse Marshall, com um sorriso.

— Ah, bem, esse é o preço da fama, não é, Marshall? Mas continuando. O artigo teve um efeito infeliz sobre mim, confesso. Fez com que eu sentisse vontade de entrar em ação. Então imagine só, mais ou menos uma hora atrás eu estava vestindo essa roupa peculiar, que é bem útil, não tenha dúvida. O cartunista do jornal de amanhã vai adorar. Mas então: sem um destino fixo em mente, decidi que iria vagar sem rumo até o relógio dar as três, quando então eu invadiria a mansão mais próxima, coletaria os itens de valor do modo costumeiro e voltaria para casa um homem mais rico e mais sonolento.

Sua voz deixou de apresentar o tom brincalhão, e Marshall pressentiu que se aproximava o momento de saber qual era o motivo da visita inesperada.

— Marshall, por um golpe do Destino, quando o relógio deu as três eu me encontrava perto do que depois vim a descobrir ser a residência do conde de Rogeri: Versailles House, que fica em Maddox Gardens. Alguns minutos depois eu entrei, estava examinando uma escrivaninha maravilhosa, um exemplar da arte italiana do século XVI. Ao fazer isso, por acidente toquei numa mola oculta, e uma gaveta secreta apareceu. Havia papéis dentro, e minha curiosidade me fez investigar alguns deles. Estavam em alemão.

Ele parou, e sem perceber Marshal deixou escapar um impaciente "Diga logo, homem!", totalmente absorto na narrativa que aos poucos se revelava.

— Eu li os papéis, embora meu alemão não seja muito bom. Mas é bom o suficiente para perceber que tinha em mãos os planos e as especificações do último avião da Força Aérea.

— Santo Deus! Um espião!

— Exato.

Novamente o silêncio, enquanto os dois homens revolviam na mente a súbita revelação.

Então Marshall, curioso, perguntou:

— Por que você veio até mim?

— Por vários motivos, um dos quais já expliquei: eu confio em você. E esse espião precisa ser desmascarado. Obviamente, se eu escrevesse à Scotland Yard como o Camisa Negra informando-os sobre isso, eles provavelmente não acreditariam na acusação. Por outro lado, se eu assinasse com o nome pelo qual sou conhecido no mundo, ainda que eu conheça poucas pessoas, minha identidade seria revelada, e o Camisa Negra na mesma hora seria jogado na prisão, algo que eu realmente não desejo. Agora, não temos como saber quando o conde vai mexer na escrivaninha novamente. Quando a Scotland Yard enfim decidisse agir, indo até a casa dele em busca de provas, os papéis talvez já estivessem seguindo para a Alemanha, e aí seria minha palavra contra a do conde de Rogeri. Por isso trouxe os papéis comigo.

Marshall sacudiu a cabeça.

— Você errou em fazer isso. Eu trabalhei na Seção Especial do Depto. de Investigações Criminais durante a guerra, que, como você deve saber, lidava com espiões. Aprendi muito sobre os métodos para lidar com agentes estrangeiros. Durante a guerra era simples, só uma questão de prender, julgar e executar. Mas não é assim em tempos de paz. Aí vira um jogo bem mais sutil. A partir do momento em que temos certeza de que identificamos um espião, ele passa a ser vigiado dia e noite. Cada carta que ele escreve, cada pacote que envia, tudo é interceptado, e toda comunicação endereçada a ele é copiada antes que ele a receba. Assim, não só nosso Serviço Secreto fica a par de toda informação que sai do país, mas também descobre os nomes e endereços de outros espiões que podem entrar em contato com nosso alvo.

"Camisa Negra (esse é o único nome pelo qual o conheço), de um jeito ou de outro você precisa devolver esses papéis e deixar tudo como estava antes, para que ninguém suspeite da sua presença. Amanhã irei à Scotland Yard. Enquanto isso, pelo amor de Deus, devolva os papéis."

O Camisa Negra olhou para o relógio. Quatro e doze. Ele apertou os lábios.

— Impossível, Marshall. É tarde demais. A essa hora as empregadas já devem estar começando o serviço.

Mas Marshall sabia que, apesar do que dizia, o Camisa Negra já se decidira a fazer o que o detetive sugerira.

O Camisa Negra desapareceu como uma sombra, e alguns segundos depois Marshall ouviu o ruído mecânico de uma ignição elétrica. Evidentemente o Camisa Negra tinha um carro. Ele sentiu a tentação de correr à janela e anotar a placa, mas resistiu, dizendo a si mesmo que não podia jogar sujo com o gatuno.

Enquanto isso, o Camisa Negra acelerava em direção a Maddox Gardens. O carro era emprestado. No final da Maddox Road havia uma garagem, de onde o Camisa Negra pegara emprestado o veículo.

Ainda estava escuro quando retornou a Versailles House, depois de devolver o automóvel, mas do leste já se erguia um cinza suspeito, e ele calculou que os primeiros raios de luz do dia apareceriam em meia hora.

Mais uma vez deslizou pelo gramado até os fundos da casa e subiu pela sacada, entrando na sala pelas altas janelas francesas.

Ouviu com atenção, mas não detectou nenhum som. O filete de luz da lanterna varreu a sala lentamente, mas nada tinha saído do lugar. Suspirou aliviado. Aparentemente sua presença não tinha sido detectada, e seria fácil devolver os papéis.

Com passos rápidos e silenciosos atravessou a sala e, abrindo a escrivaninha, que deixara destrancada, ele devolveu os papéis ao esconderijo.

Dessa vez o Camisa Negra sabia que seria necessário trancar o móvel, e ele se ajoelhou para fazê-lo. Começou a trabalhar usando suas ferramentas delicadas, até que um leve clique o informou de que tinha conseguido.

Assim que isso aconteceu, experimentou uma sensação extraordinária. No fundo de sua mente surgiu a intuição de que algo estava errado. Isso foi comunicado ao resto do seu corpo, e os nervos sensíveis vibraram em uníssono.

Não conseguia definir o que era, mas a sensação era como se alguém o observasse, como se houvesse mais alguém na sala.

O Camisa Negra ouviu com atenção: nem um único som se fazia ouvir. A casa estava silenciosa como um cemitério; mas a sensação ficou mais forte, até ele ficar totalmente convencido de que estava sendo observado.

Quase deixou escapar um grunhido, pois, se fosse mesmo verdade, e se o observador invisível fosse o próprio conde, aquilo que Marshall mais temia iria acontecer. Sem dúvida as suspeitas do conde seriam levantadas ao ver um homem diante da escrivaninha, quando havia espólios mais valiosos em outras partes da sala.

O que poderia fazer para dirimir aquela suposição? Antes que pudesse agir, a sala foi inundada por luz.

Ele se virou depressa; a sala ainda estava vazia. Incrédulo e perplexo, olhou em todas as direções e confirmou o fato de que apenas ele estava presente. Instintivamente, ao compreender isso, deu um passo na direção da janela, mas...

— Ah! Você não está armado!

A pesada cortina foi empurrada para o lado, revelando um homem em trajes de gala.

— Boa noite — disse ele, com um sorriso agradável, desmentido pelo brilho nos olhos e pelo revólver ameaçador que segurava, apontado com firmeza desagradável para o abdome do Camisa Negra.

Apesar da gravidade da situação, lhe ocorreu que aquela cena era parecida com a de menos de meia hora atrás, mas então era ele quem segurava a arma.

O Camisa Negra olhou para o recém-chegado e deduziu que se tratava do próprio conde de Rogeri. Vestido e arrumado imaculadamente ao estilo inglês, nele ainda era possível reconhecer um leve traço de sangue estrangeiro, e o Camisa Negra se perguntou se ele não teria ascendência mista, quem sabe francesa ou alemã. Uma suposição correta, pois a mãe do conde era uma francesa da Alsácia, e o pai, um prussiano.

— Posso perguntar a que devo a honra desta visita? — Havia uma intensidade fixa na voz do conde, que confirmava a suspeita em seus olhos.

O Camisa Negra considerou em que termos deveria enfrentar o conde. Deveria se fazer passar por um invasor ignorante, ou agir como Camisa Negra mesmo? Decidiu pela última opção. Com alguma sorte, também o conde teria lido o jornal da tarde.

Ele deu de ombros.

— Qual o motivo de as pessoas geralmente invadirem casas?

O conde ergueu as sobrancelhas.

— Uma voz que denota educação... Permita-me acender um cigarro — sugeriu irônico, e com a mão esquerda pegou uma bela cigarreira dourada do bolso do casaco, abriu, pescou um cigarro com os lábios e o acendeu, o tempo inteiro sem permitir que o revólver se afastasse um milímetro da direção do Camisa Negra. — Infelizmente não posso lhe oferecer um — observou —, mas prefiro que suas mãos fiquem onde estão. — Ele fez uma pausa. — Você de fato parece pitoresco demais para ser um ladrão comum.

— Ora, meu senhor, gosto de pensar que não sou um invasor de casas comum.

— Ah, entendo. Um Arsène Lupin!

— E você, um Ganimand!

— Suas leituras são obviamente escolhidas com atenção; imagino que tenha lido o livro.

— No original.

— Ah, minha admiração aumenta a cada segundo! Você realmente é um troféu valioso. Se eu continuar conversando com você, sou até capaz de ficar por triste por ter de chamar esses policiais brutamontes que vocês têm aqui.

— Não conte com os ovos dentro da galinha, caro conde, não cometa esse erro.

— Banalidades. — O conde fez uma pausa e então, com rispidez preocupante, perguntou: — Como sabia meu nome?

Se o conde achava que iria surpreender o Camisa Negra, estava enganado, pois àquela altura ele já tinha planejado como agir, embora compreendesse, preocupado, que se conseguisse persuadir o conde de que estava ali apenas para cometer um furto comum, o mais provável é que o sujeito mandaria prendê-lo.

Por um breve instante pensou em comprar sua liberdade com o conhecimento que tinha obtido sobre as intrigas secretas do conde, mas assim que o pensamento lhe ocorreu foi imediatamente rechaçado.

— Um invasor de casas moderno e atualizado planeja seus ataques com tanto cuidado e preparação quanto um marechal de campo dirige seu exército. Eu venho observando esta casa pelas últimas duas semanas, então naturalmente sabia quem você era no minuto em que apareceu de forma tão desconcertante de detrás da cortina.

O conde soprou um anel de fumaça trêmulo no ar e, observando-o, perguntou casualmente:

— E a escrivaninha, *monsieur*... Esperava encontrar nela muitas notas do Banco da Inglaterra?

O Camisa Negra riu, zombeteiro.

— Nem de longe. Às vezes há papéis mais valiosos que cédulas de dinheiro.

Ele observava o conde com a máxima atenção e o viu enrijecer-se depois de um tremor quase imperceptível. Por um momento seu olhar fulminou o visitante inesperado, então se desviou casualmente, e o Camisa Negra sabia que agora as suspeitas do conde tinham se atiçado. Era o que queria

— Papéis! — disse o conde. — Que tipo de papéis?

— Cartas, conde de Rogeri, cartas! O senhor é um mulherengo.

Era um tiro no escuro, mas acertou o alvo.

— Talvez. E daí...?

— Às vezes cartas são trocadas entre um ghomem e sua amante. Essas cartas são valiosas.

— Chantagem! — O conde riu, condescendente, mas o Camisa Negra notou o tom de alívio em sua voz. As suspeitas, que tinham ficado mais fortes até quase se tornarem certezas, foram subitamente desfeitas. Ainda assim, não era o caso de se arriscar. — Posso perguntar se obteve sucesso?

O Camisa Negra perdeu subitamente o ânimo.

— Sinto informar que você chegou uns dez minutos adiantado. Essa sua escrivaninha tem uma tranca bem difícil, não consegui abrir antes de você fazer sua entrada.

Ainda mantendo o Camisa Negra sob a mira do revólver, o conde foi cuidadosamente até a escrivaninha e tentou abri-la, e apesar de sua expressão não trair nenhuma emoção, o Camisa Negra notou o alívio em seus olhos.

Sabendo-se seguro, a atitude do conde tornou-se mais dominadora, no controle total da situação. Antes estivera apenas experimentando o terreno, sem saber ao certo com o que estava lidando.

— Agora chega de brincadeiras. Qual o seu nome?

— Isso, conde de Rogeri, é algo que muitos gostariam de saber e que muitos tentaram descobrir. Ninguém teve sucesso até agora.

— Talvez por não estarem apontando um revólver para você, como eu estou.

— É um argumento forte, admito. Nessas circunstâncias, creio que devo dizer que me chamo Camisa Negra.

— Ah, o Camisa Negra! Tive o prazer de ler sobre você no jornal de hoje. Ora, ora! E que tal se tirasse a máscara? Lembro agora de o jornal dizer que você jamais foi visto sem ela.

— Infelizmente terei de recusar, por mais que eu queira conceder-lhe a honra, conde de Rogeri, de ser o primeiro a ter esse privilégio.

O conde fez um gesto para a frente com o queixo.

— Você vai tirar a máscara, ou... — Então olhou para o revólver significativamente. — Vai ser fácil ver seu rosto *depois*.

— Isso seria assassinato, e assassinato é crime punível com enforcamento na Inglaterra.

O conde riu de forma desagradável.

— Não será assassinato, meu caro Camisa Negra, mas homicídio justificado. Tenho outro revólver no andar de cima. Só precisaria colocá-lo na sua mão.

O Camisa Negra sentiu pequenas gotas de suor porejando em sua pele, e o desespero o dominou. Infelizmente sabia que o que o conde dizia era verdade. Não havia testemunhas para provar que ele fora assassinado de forma deliberada. Sabia que o conde era perfeitamente capaz de cumprir sua ameaça. A revelação parecia inevitável. Seu olhar se desviou em desespero dos olhos penetrantes de seu algoz.

O que foi aquilo que ele dissera a si mesmo há alguns instantes? "A revelação parecia inevitável!" Talvez. Mas não seria naquela noite, pois acabara de ver uma pequena e formosa mão lentamente surgindo por detrás da cortina e acenando para ele como num aviso.

Precisava adiar o momento de se desmascarar por mais alguns segundos. Talvez o resgate estivesse a caminho, pois, de outra forma, por que a pessoa atrás da cortina teria aquela atitude furtiva?

— Conde de Rogeri, admito a derrota. Você me venceu.

— Que gentil de sua parte me conceder a vitória — respondeu o conde, sarcástico —, mas a máscara. Estou esperando.

Seja lá quem fosse a pessoa escondida, ela estava saindo de detrás da cortina e se aproximando, e o Camisa Negra sentiu uma forte emoção ao perceber que era uma mulher.

— Por favor, preciso só de um minuto — pediu ele, desesperado —, quero lhe explicar algumas coisas. Conde de Rogeri, eu sou rico. Ando nos mesmos círculos que você. E também sou um cavalheiro, só entro nessas aventuras noturnas pela emoção.

A mulher usava um véu que escondia totalmente sua aparência. Pelo canto do olho o Camisa Negra viu que ela ainda estava se aproximando. Mais dois metros, não um metro, e ela estaria atrás do conde.

— Você também não gostaria de ir para a prisão. Deve ser horrível! Pense só, sete anos de tortura; sete anos de sofrimento, talvez mais, e sua consciência vai pesar por ter me mandado para lá. Por favor, por favor — e começou a choramingar em uma voz agoniada —, me deixe ir!

A mulher estava quase atrás do conde agora; mais um passo ou dois e o cachecol que ela segurava nas mãos envolveria o alvo.

— Bah! Um covarde!

O desprezo na voz do conde era chocante e, interpretando seu papel, o Camisa Negra se aprumou subitamente como se o golpe moral tivesse atingido em cheio, e então olhou em desespero para o revólver, e curvou-se novamente numa atitude esmorecida.

O conde fez outro muxoxo de desdém e relaxou a tensão na mão que segurava a arma.

Naquele momento a recém-chegada misteriosa esticou os braços e envolveu o rosto do conde com o cachecol, e o Camisa Negra avançou e tomou o revólver do sujeito. O jogo tinha virado.

— Pode soltá-lo — disse o Camisa Negra à sua salvadora desconhecida, e apontou a pistola para o conde.

Tremendo de fúria, o conde o encarou com ódio.

— Nem tão covarde assim, hein, conde de Rogeri? — zombou o Camisa Negra, e o outro percebeu que seu ex-prisioneiro estivera fingindo. — Sinto não poder pedir que tire a máscara nem nada assim, mas temo que terei de pedir que se sente, e aí minha amiga, que pelo jeito veio me resgatar, terá a bondade de amarrar seus braços e pernas. Não, com o cachecol não. É melhor não deixar nenhuma pista. O lenço de seda dele vai servir bem, e eu tenho outro aqui que não tem marca nenhuma.

Em alguns segundos, o conde de Rogeri estava com as mãos e os pés amarrados a uma de suas cadeiras e amordaçado com uma capa de almofada.

O Camisa Negra olhou admirado para o trabalho em equipe.

— Espero que esteja bem confortável, conde de Rogeri, pois temo que terá de suportar a dor de ficar na mesma posição até seus empregados acordarem. E tendo em vista que você é um mulherengo que provavelmente dorme tarde, não me surpreenderia se eles se atrasassem um pouco. Sinto não ter podido me desmascarar, mas se eu o tivesse feito, teria me sentido como a Cinderela, que foi transformada da bela do baile, vestida em seda e joias, em uma pobre serviçal. Aí eu teria deixado de ser desconhecido, e sem dúvida teria passado sete longos anos na prisão por sua causa. *Au revoir, Monsieur le Comte*, ou será que eu deveria dizer *"Adieu"*?

E no instante seguinte o Camisa Negra desapareceu.

Na frente da casa, protegidos dos olhos curiosos por um grande olmo, eles pararam.

— Ora, ora, minha nossa, aquela foi a melhor atuação que já vi! — disse a mulher, subitamente.

O Camisa Negra sentiu um choque delicioso nos nervos.

— Minha Dama do Telefone! — sussurrou ele, involuntariamente.

— Ah, é assim que você me chama? Veja só que meigo!

O Camisa Negra sentiu as bochechas corando e ficou feliz pela proteção da escuridão.

— Pode tirar a máscara, sr. Verrell — continuou a mulher —, e é melhor sairmos logo daqui antes que ocorra mais algum evento desagradável.

— Se eu tirar a máscara — sussurrou ele —, você levanta seu véu?

— É claro que não! — respondeu ela, decidida.

— Ora, por favor... — implorou ele, mas ela sacudiu a cabeça. — Mas você vai me ligar?

— Sim.

— Muitas vezes? — perguntou ele, pegando na mão dela.

Por um momento ela deixou sua mão na dele, e o Camisa Negra sentiu o calor de seus dedos suaves penetrando nos dele, mesmo através da luva; então ela puxou a mão.

— Talvez — sussurrou ela, tão suavemente que era mais como um suspiro do vento.

Ele se inclinou em sua direção, e a magia do momento os envolveu. Tremendo de corpo inteiro, seus braços a envolveram lentamente, e por um breve instante ela ficou ali, uma mulher sôfrega e trêmula. Foi quando um distante relógio de igreja bateu as cinco horas.

Ela o empurrou com força.

— Rápido! Vá até a mureta e veja se a barra está limpa. Eu o sigo, e você pode me ajudar a pular.

— Sim, pode deixar. Mas, antes de eu ir, me diga como sabia onde eu estava e que eu estava numa situação tão complicada.

— Isso é segredo meu — respondeu ela, alegre. — Agora vá.

— Mas você precisa me dizer — ordenou ele.

— Eu vou. Um dia. — E ela o empurrou, fazendo-o perceber que sua resposta era final.

Ele rastejou até a mureta e, vendo que não havia ninguém por perto, saltou com agilidade. Quando se virou para ajudar sua Dama do Telefone, viu que ela tinha desaparecido. Ainda esperou por meio minuto, mas, vendo que não havia sinal da mulher, o Camisa Negra percebeu que ela queria continuar sendo um mistério para ele.

Ele tirou a máscara do rosto, tirou as luvas negras de seda, ergueu o colarinho de seu casaco impermeável e pegou seu chapéu de gala, que sempre levava em um bolso especial do casaco. Colocou o chapéu inclinado na cabeça e partiu para casa, mais uma vez transformado em um cavalheiro da sociedade.

— Droga de relógio! — murmurou ele, selvagem.

Na garagem no fim de Maddox Gardens, um chofer perplexo coçava a cabeça e olhava, atônito, para o carro diante dele.

— Mas que coisa! — murmurou ele. — Eu podia jurar que limpei o carro ontem à noite!

A AUDIÊNCIA
EDGAR WALLACE

"Anthony Newton foi soldado aos 16 anos; aos 26 estava mendigando favores." Assim Richard Horatio Edgar Wallace (1875-1932) apresenta o jovem que encontra o sucesso como trapaceiro e ladrão. Após o serviço militar, Newton tenta de todas as formas ganhar a vida honestamente, mas não consegue. Ele descobre que sua mente astuta e sua língua afiada podem fazer dele um bem-sucedido artista da fraude, e assim passa a devotar suas energias para tal fim.

Newton é apenas um entre vários pilantras criados por Wallace. Como escritor populista, Wallace descobriu que as pessoas comuns se identificavam com seus anti-heróis — criminosos que não eram violentos nem fisicamente perigosos, mas cujos talentos e inclinações os levavam a agir fora da lei. Destacamos, entre outros, Anthony Smith (*The Mixer*, 1927), Edward Farthindale, "o Elegante" (*Elegant Edward*, 1928) e Jane dos quarto quadrados (*Four Square Jane*, 1929). Os leitores torciam por esses e outros criminosos literários de Wallace, que sempre roubavam dos ricos e poderosos.

O prolífico Wallace escreveu 170 romances, 18 peças, 957 contos e partes de vários roteiros e tramas, incluindo a primeira versão britânica sonorizada de "O cão dos Baskervilles". Cento e sessenta filmes, mudos e sonorizados, foram baseados em seus livros e histórias.

"A audiência" foi publicado pela primeira vez em *The Brigand* (Londres, Hodder & Stoughton, 1927).

A AUDIÊNCIA
EDGAR WALLACE

A bandidagem bem-educada tem aspecto de novidade e momentos de fascínio. Homens vulgares, de poucas luzes, lucram com a violência franca, mas as nuances mais sutis e delicadas da arte do furto gentil eram mais atraentes para alguém que, como o poeta, preferia o esporte ao prêmio no final da partida.

Assim foi que o sr. Newton se viu em uma situação inusitada. As duas rodas laterais do seu carro estavam numa vala; com alguma dificuldade ele permanecera ao volante, embora os galhos da sebe próxima estivessem tão perto que ele precisou inclinar a cabeça de lado. Ainda assim, manteve a compostura de dignidade suprema ao sair do carro, e os olhos que cruzaram com o semblante alarmado da moça no outro carro tinham um ar de reprovação serena.

Ela se sentava ereta ao volante do seu belo Daimler, sem conseguir falar.

— Você estava do lado errado da estrada — disse Tony, gentil.

— Sinto muito mesmo — arquejou ela. — Toquei a buzina, mas a porcaria dessas estradas de Sussex não deixam a gente ver nada adiante...

— Não precisa dizer mais nada — disse Anthony, avaliando o estrago em seu carro.

— Achei que você me veria ao descer a colina — desculpou-se ela. — Vi você e apertei a buzina.

— Não ouvi — disse Anthony —, mas não importa. A culpa é toda minha... Só temo que meu pobre carro esteja arruinado.

Ela saiu e se postou ao lado dele, a imagem da penitência, olhos fixos nos destroços.

— Se eu não tivesse desviado para a vala — disse Anthony —, teríamos colidido. Foi melhor eu ter arruinado meu carro a lhe causar alguma apreensão.

Ela suspirou suavemente.

— Ainda bem que é só um carro velho — disse ela. — Claro que o papai vai...

— Parece velho agora — respondeu ele, gentil. — Parece até decrépito. Tem a aparência arruinada que a idade avançada traz, mas não é um carro velho.

— É um modelo antigo — insistiu ela. — Ora, já deve ter uns vinte anos, dá para ver pelo formato do para-lama.

— Os para-lamas do meu carro — respondeu Anthony — talvez sejam antiquados. Sou um homem antiquado e gosto de para-lamas antiquados. Aliás, insisti para que esses para-lamas antiquados fossem instalados no meu carro novinho em folha. Dê uma olhada na qualidade da carroceria; o verniz...

— Você mesmo envernizou — acusou ela. — Dá para ver que foi recém-envernizado.

Ela tocou a tinta e seu dedo ficou manchado de preto.

— Viu? — comprovou ela, triunfante. — Você usou o verniz Binko, está cheio de propaganda no jornal: "Binko seca em duas horas." — Ela tocou a tinta novamente e olhou para a segunda mancha preta no dedo. — Ou seja, você pintou tem umas duas semanas... porque sempre leva um mês para secar.

Anthony não disse nada. Sentia que aquela constatação por parte dela seria melhor respondida com silêncio. Além do mais, não conseguia pensar em réplica nenhuma naquele momento.

— Mas claro que foi muito gentil de sua parte correr esse risco todo — continuou ela, agora num tom suave. — Meu pai vai ficar muito agradecido, tenho certeza.

Ela olhou para o carro outra vez.

— Acha que consegue tirá-lo daí?

Anthony tinha certeza de que não conseguiria resgatar o carro. Ele o tinha comprado na semana anterior por trinta libras. O dono pedira 35, e Anthony propusera resolverem no cara ou coroa — trinta libras ou quarenta — e vencera. Anthony sempre vencia no cara ou coroa. Sempre carregava um níquel no bolso com coroas dos dois lados, e, uma vez que 99% das pessoas pedia "cara", era dinheiro garantido.

— Quer que eu o leve até Pilbury? — perguntou ela.

— Tem algum lugar em que eu possa achar um telefone? — perguntou Anthony.

— Eu levo você lá em casa — antecipou-se Jane Mansar. — Fica perto, dá para telefonar de lá, e quero que você fale com o papai. Não vamos deixar que leve prejuízo pela sua ação altruísta, ainda que eu tenha apertado sim a buzina quando dobrei a estrada.

— Eu não ouvi — respondeu Anthony, grave.

Ele entrou no carro, e ela deu ré em um recesso do portão, manobrou o carro e disparou a uma velocidade alarmante pelo caminho de volta. Ela saiu da estrada abruptamente, passou raspando pelo portão de entrada e acelerou até uma pista espaçosa que levava até uma grande casa branca que despontava entre os círculos de olmos a distância. Ela freou subitamente, e Anthony saiu do carro aliviado.

O sr. Gerald Mansar era um homem robusto, calvo, cuja aparência intempestiva era suavizada por um bigode branco e sobrancelhas brancas eriçadas. Ele escutou, atento e calmo, enquanto a bela filha contava a história do acidente que quase sofrera.

— Você tocou a buzina? — insistiu ele.

— Sim, papai, tenho certeza de que a toquei.

— E você estava andando a uma velocidade razoável, não é? — perguntou o sr. Mansar.

Em seus anos de mocidade ele praticara o direito no tribunal do distrito. Anthony Newton reconheceu o estilo e achou que era um momento oportuno para intervir.

— Sr. Mansar, só quero que o senhor entenda que estou eximindo a srta. Mansar de toda e qualquer responsabilidade. Tenho certeza de que ela tocou a buzina, embora eu não tenha ouvido. E posso confirmar que ela estava dirigindo a uma velocidade perfeitamente razoável. Se alguém tem culpa, sou eu.

Anthony Newton era um observador astuto dos homens, sobretudo dos ricos. Ele os estudara de muitos ângulos, e uma das primeiras lições que aprendera dizia que, ao tratar de alguma demanda, era necessário eximir esses cavalheiros de qualquer responsabilidade legal. Os ricos odeiam o ônus da responsabilidade legal. Eles gastam somas extravagantes com custos legais apenas para mostrar para si mesmos e para o mundo que não são legalmente responsáveis pelo pagamento devido a um engraxate. O prazer da riqueza é a generosidade. Nunca houve um milionário que não preferisse dar mil libras a ter que pagar um centavo em disputa.

A face tensa do sr. Mansar relaxou.

— Certamente não permitirei que saia perdendo, senhor...

— Meu nome é Newton.

— Newton. O senhor é da firma Newton, Boyd e Wilkins? Da borracha?

— Não — respondeu Anthony. — Nem chego perto de borracha.

— Você não é um dos Newton da olaria, é? — perguntou o sr. Mansar, esperançoso.

— Não — respondeu Anthony, grave. — Minha família sempre passou longe de olarias.

Depois do sr. Mansar ter averiguado, em um exame diligente, que ele não era um dos Newtons de Warwickshire ou de Monmouth, nem um MacNewton de Ayr, ou um dos Newtons irlandeses, nem um Newton de Newton Abbot, mas um simples Newton de Londres, seu interesse pareceu relaxar por um momento.

— Bem, minha filha — disse ele —, o que vamos fazer?

A moça sorriu.

— Acho que pelo menos devemos convidar o sr. Newton para almoçar — respondeu ela, e o velho, que parecia não fazer ideia de como aquela situação poderia ser resolvida ou desenvolvida, se animou com a sugestão.

— Notei que o sr. me chamou pelo nome. Minha filha deve ter lhe contado... — comentou.

Anthony sorriu.

— Não, senhor — respondeu ele. — Mas conheço bem a cidade, e, claro, sua residência aqui na região é tão famosa quanto...

— Naturalmente — disse o sr. Gerald Mansar.

Ele não se enganava com relação à sua fama. O homem que arquitetara o *boom* do petróleo Nigeriano, o *boom* do linho irlandês, que bancara o sindicato da indústria de papel em Milwaukee em dois milhões, não teria ilusões quanto à própria obscuridade.

— Também está na cidade, sr. Newton?

— Sim — respondeu Anthony.

Ele estava na cidade, mas apenas porque tinha alugado um escritório de primeiro andar de um prédio do centro; e era verdade que seu nome estava pintado na porta. Mas não era um escritório grande — um de seus conhecidos dissera que não era possível nem trocar de camisa lá dentro, de tão apertado.

O almoço não foi desagradável, pois um fator inesperado se intrometeu em seus grandes planos. Ninguém sabia melhor que Anthony Newton que era o próprio sr. Mansar quem dirigia o Daimler todo domingo de manhã até Pullington, e quando Anthony comprou o calhambeque, gastando muitas horas na aplicação de "Binko" para emprestar à carcaça uma aparência de frescor, jamais sonhara que a aventura terminaria de forma tão agradável. Ele sabia que o sr. Mansar tinha uma filha — ele tinha uma vaga ideia de alguém lhe informando que ela era bonita. Ele não imaginava, ao arquitetar o acidente com todo o cuidado, que seria com ela que o incidente ocorreria.

Pois fosse o que fosse, Anthony Newton era um aventureiro honesto. Chegara à conclusão de que era possível fazer dinheiro em aventuras honestas, após estudar cuidadosamente a imprensa. Havia outros aventureiros cujos nomes apareciam frequentemente nos relatórios da polícia. Todos eram homens engenhosos e precavidos, mas sua engenhosidade e suas precauções eram empregadas de maneiras que não atraíam aqueles que possuíam visões mais austeras — mas não tão mais austeras assim — no que dizia respeito à sacralidade da propriedade privada.

Alguns desses aventureiros tinham entrado em agências dos correios mais isoladas, com uma máscara cobrindo o rosto e um revólver nas mãos, levando o conteúdo do caixa sob os protestos dos carteiros presentes. Outros entraram em bancos com disfarces parecidos e sacaram dinheiro de contas que certamente não eram as suas.

E Anthony, pensando sobre isso, decidiu que era bem possível, exercitando seu talento mental, obter bastante dinheiro sem o menor risco.

Queria conhecer o sr. Mansar. Conseguir se aproximar do sr. Mansar seria impossível em circunstâncias normais. Entrar em seu escritório e pedir uma audiência era quase tão fútil quando se dirigir ao caixa nos correios de St. Martin-le-Grand e pedir para ver o diretor-geral. O sr. Mansar vivia cercado de guarda-costas, internos e externos, por secretários, chefes de departamento, gerentes-gerais e diretores executivos, sem falar nos factótuns, porteiros, mensageiros e demais funcionários e vendedores.

Há duas maneiras de conhecer gente poderosa. Uma é descobrir seus hobbies, que é o flanco mais vulnerável em suas defesas, e a outra é encontrar-se com eles quando saírem de férias. O sujeito com quem você não consegue se encontrar em Londres fica bem acessível no Hotel de la Paix.

Mas pelo jeito o sr. Mansar jamais saía de férias, e seu único hobby era manter viva a ilusão de sua profunda genialidade.

Depois do almoço, quando Anthony já havia alcançado seu objetivo, parecia não haver mais motivo para ele ficar por ali. Esperou com alguma confiança a austera notícia de que já havia um carro esperando para levá-lo à estação, e que o sr. Mansar ficaria honrado se o sr. Newton pudesse jantar com ele em sua casa em Londres na quinta-feira. Talvez quarta. Anthony pensou que provavelmente o jantar seria adiado em umas duas semanas. Mas a notícia não vinha. Era tratado como se tivesse chegado para ficar indefinidamente.

O sr. Mansar lhe mostrou a biblioteca e disse para ele ficar confortável, apontando certos livros que o tinham entretido (o sr. Mansar) em seus momentos de lazer.

Anthony Newton aquiesceu e se ajeitou, talvez não para ler, mas para pensar à larga nos grandes golpes financeiros que ele poderia arquitetar com aquele príncipe dos capitalistas, nas parcerias, quem sabe, nos lucros certos.

Havia uma grande janela que dava para um terraço de mármore, e enquanto ele lia — ou fingia ler — o sr. e a srta. Mansar caminhavam inquietos ao longo do terraço pavimentado. Eles conversavam em voz baixa, e Anthony, perdendo todo o senso de decoro, aproximou-se lentamente da janela e ficou escutando enquanto passavam.

— Ele é bem mais bonito que o último — murmurou Jane, e ele viu o sr. Mansar aquiescendo com a cabeça.

Mais bonito que o último? Anthony coçou a cabeça.

Os dois estavam voltando agora.

— Ele tem um rosto bem inteligente — disse Jane, e o sr. Mansar grunhiu.

Anthony não tinha a menor dúvida sobre quem estavam falando. Quando ela disse "rosto inteligente", Anthony soube que era ele.

Eles não voltaram, e Anthony esperou, um pouco impaciente e curioso; decidira que ia partir dali por conta própria quando o sr. Mansar entrou na biblioteca e fechou a porta cuidadosamente atrás de si.

— Quero ter uma conversa, sr. Newton — disse ele, solene. — Me ocorreu que o senhor pode prestar um grande serviço à minha firma.

Anthony limpou o pigarro. O mesmo pensamento lhe ocorrera.

— O senhor conhece Bruxelas?

— Como a palma da minha mão — respondeu ele.

Anthony jamais fora a Bruxelas, mas sabia que podia obter conhecimento operacional na cidade com qualquer livro-guia.

O sr. Mansar coçou o queixo, apertou os lábios, franziu a testa e explicou:

— Sua chegada foi providencial. Tenho uma missão estritamente confidencial para a qual venho procurando alguém. De fato, pensei em ir à cidade esta tarde para ver se encontrava esse alguém, mas, como eu disse, sua chegada foi realmente providencial. Conversei com minha filha sobre isso, espero que o senhor perdoe minha impertinência — disse ele, cortês.

Anthony Newton o perdoou ali mesmo.

— Minha filha, que é uma excelente juíza de caráter, ficou bastante impressionada com o senhor.

Ficou claro para Anthony que ele tinha sido o assunto da conversa que entreouvira. Agora ardia de curiosidade para descobrir a natureza exata da missão que lhe seria confiada. O sr. Mansar não o deixou esperar muito.

— Quero que vá de trem hoje à noite para Bruxelas. Você chegará domingo de manhã e ficará lá até a manhã de quarta-feira. Tem dinheiro suficiente para a viagem?

— Sim — disse Anthony, despreocupado.

— Ótimo. — O sr. Mansar aquiesceu com a cabeça, grave, como se jamais houvesse tido dúvidas a respeito. — O senhor levará um envelope selado, e o abrirá na manhã de quarta-feira na presença do meu agente em Bruxelas, Monsieur Lament, da firma Lament and Lament, os grandes financistas, dos quais já deve ter ouvido falar.

— Naturalmente — disse Anthony.

— O senhor deverá conduzir esta missão em segredo. Não poderá falar sobre isso a ninguém, compreendeu?

Anthony compreendeu perfeitamente.

— O senhor mesmo providenciará seu meio de transporte. Há um trem para Londres saindo em meia hora; eis a carta.

Ele retirou o envelope do bolso interno do paletó. Estava endereçada ao sr. Anthony Newton, com o sobrescrito: "Deverá ser aberta na presença de Monsieur Cecil Lament, 119, Rue Partriele, Bruxelas."

— Não posso prometer que o senhor será bem pago, ou mesmo pago de alguma maneira, por realizar esta missão — disse o milionário. — Mas creio que a experiência lhe será útil em mais de uma maneira.

Anthony detectou certa importância naquela promessa cautelosa e sorriu, bem-disposto.

— Acho melhor ir andando, senhor — disse ele, brusco. — Quando estou me desincumbindo de uma missão... e, como deve adivinhar, não é a primeira vez que sou designado para tarefas dessa importância... prefiro não perder tempo.

— Bastante inteligente — disse o sr. Mansar, austero.

Anthony esperava ver a moça antes de partir, mas se decepcionou. Foi um motorista comum que o levou até a estação. E ao passar pelos destroços de seu carro ainda na vala, Anthony não se arrependeu de nenhum centavo que gastou comprando-o. E ainda seria possível vender o veículo pelo preço de ferro-velho.

Chegou a Bruxelas no domingo, a tempo para o café da manhã, e na segunda visitou o escritório de Monsieur Lament. Monsieur Lament era um homem baixo, troncudo, com uma barba grande e felpuda, e pareceu surpreso com a aparição daquele jovem britânico misterioso e bem-apessoado.

— Da parte de M'sieur Mansar — disse ele, respeitosamente, até mesmo com veneração. — M'sieur Mansar não me disse que enviaria alguém. É sobre os Rentes?

— Não posso falar nada — disse Anthony, discreto. — De fato, estou por assim dizer sob ordens seladas.

Monsieur Lament ouviu a explicação e aquiesceu.

— Louvo sua discrição, M'sieur. Posso fazer alguma coisa pelo senhor enquanto está em Bruxelas? Talvez queira jantar comigo esta noite em meu clube.

Anthony ficou muito feliz de poder jantar com ele no clube, pois levara consigo uma quantia de dinheiro insuficiente para pagar suas despesas.

No jantar daquela noite, Monsieur Lament falou com reverência do grande financista inglês.

— Que homem maravilhoso — disse ele, com um gesto expressivo. — É amigo dele, M'sieur Newton?

— Não exatamente amigo — disse Anthony, cuidadoso. — Como alguém pode ser amigo de um monumento? Só podemos admirá-lo a distância.

— Verdade, verdade — disse o pensativo Monsieur Lament. — Ele é de fato um personagem notável. E a filha — ele beijou as pontas dos dedos —, que charme, que inteligência, que beleza!

— Ah! — disse Anthony. — Não é??

Ele se mostrou uma companhia tão agradável que Monsieur Lament marcou outro almoço no dia seguinte, e dessa vez o belga demonstrou curiosidade quanto ao motivo da visita de Anthony.

— É sobre o empréstimo dos turcos? — perguntou.

Anthony sorriu.

— O senhor há de concordar comigo que preciso manter todo sigilo possível — disse, firme.

— Naturalmente! É claro! Certamente! — disse Monsieur Lament, mais que depressa. — Louvo sua discrição. Mas, se diz respeito ao empréstimo dos turcos, ou ao empréstimo da prefeitura de Viena...

Anthony ergueu a mão com um gesto peremptório, mas gentil.

Monsieur Lament se dissolveu em pedidos de desculpas.

O próprio Anthony estava curioso e entrou no escritório de M. Lament na manhã de quarta-feira com uma sensação feliz de expectativa.

Na antessala com lambris de jacarandá, de pé com as costas voltadas para a lareira de mármore branco, ele rasgou o envelope com dedos trêmulos, pois compreendeu que podia estar no momento decisivo de sua carreira e que seu plano de aterrissar na sociedade financeira tinha sido bem-sucedido além de seus sonhos mais loucos.

Para sua surpresa, a carta era de Jane Mansar, e ele a leu de queixo caído:

Caro sr. Newton:

O papai quer entregar o senhor para a polícia ou afogá-lo no laguinho. Escolhi essa maneira de propiciar ao senhor uma saída digna, pois acho que um homem do seu gênio e coragem não deve ser submetido a um fim tão ignóbil. O senhor é a 34ª pessoa que obteve uma audiência com meu pai por meios inovadores e, em alguns casos, dolorosos. Já fui salva de delinquentes aterrorizantes (contratados pelo meu próprio salvador) umas seis vezes. Em duas ocasiões fui empurrada no rio e resgatada. Papai feriu "acidentalmente" três pessoas enquanto caçava coelhos, e umas cinco outras foram apanhadas por seu carro enquanto ele dirigia entre a casa e a estação.

Reconhecemos e apreciamos a novidade do método que o senhor empregou, e confesso que por algum tempo fui enganada pelos destroços artísticos do seu pobre carro. Para me certificar de que não estava cometendo uma injustiça, telefonei para a garagem local e descobri, conforme esperava, que o senhor tinha deixado o carro lá por duas semanas antes do "acidente". Pobre sr. Newton, melhor sorte da próxima vez.

Atenciosamente,

Jane Mansar.

Anthony leu a carta três vezes, e então olhou mecanicamente para um pedaço de papel que ficara no envelope. Nele estava escrito:

Para MONSIEUR LAMENT,

Pague ao sr. Anthony Newton uma quantia para que ele chegue em Londres, suficiente para os gastos da jornada.

Gerald Mansar.

Monsieur Lament observava o jovem atônito.

— É algo importante? — perguntou, ansioso. — É algo que deve ser comunicado a mim?

Anthony jamais se deixava abalar totalmente nem pelas circunstâncias mais tremendas. Dobrou a carta, a colocou em seu bolso e tornou a olhar para o papel.

— Lamento informar que não posso revelar o conteúdo da carta. Estou partindo imediatamente para Berlim. De lá sigo para Viena, de Viena para Istambul. De lá devo me apressar até Roma, e de Roma sigo para Tânger. De lá chego em Gibraltar em um mês, e aí pegarei um avião para Londres.

Ele entregou o papel a Monsieur Lament.

"Pague ao sr. Anthony Newton uma quantia para que ele chegue em Londres, suficiente para os gastos da jornada."

Monsieur Lament olhou para Anthony.

— De quanto vai precisar, M'sieur? — perguntou, respeitosamente.

— Umas novecentas libras devem bastar, creio — disse Anthony, suavemente.

Monsieur Lament entregou o dinheiro no ato, e quando Mansar soube do que tinha acontecido, ficou aborrecido, e com razão.

Ele foi falar com Jane, intempestivo.

— Aquele... Aquele... — gaguejou — patife...

— Qual patife, papai, o senhor conhece tantos... — A moça esboçava um sorriso.

— Newton... Como você sabe, dei ordens a Lament de pagar as despesas de viagem dele até Londres!

Ela aquiesceu com a cabeça.

— Bom, ele pegou novecentas libras.

A moça arregalou os olhos, agradavelmente surpresa.

— Ele disse a Lament que ia voltar para casa passando primeiro por Berlim, Viena, Istambul e Roma — grunhiu o sr. Mansar. — Graças a Deus que a ferrovia transiberiana não está ativa! — acrescentou. Era sua única fonte de conforto.

OS 15 ASSASSINATOS
BEN HECHT

O notável Ben Hecht (1894-1964) foi uma criança prodígio do violino e deu um concerto em Chicago aos dez anos. Na juventude, passava as férias de verão em Winsconsin fazendo turnês como acrobata com um pequeno circo. Fugiu para Chicago aos 16 e se tornou proprietário e gerente de um "teatro artístico", depois se firmou como jornalista de sucesso, primeiro como repórter policial e depois como correspondente estrangeiro.

Ele foi parte integral da renascença literária de Chicago nos anos 1920, escrevendo colunas de jornal, contos, noveletas e dramas. Hecht ficou famoso e rico coescrevendo *The Front Page* com Charles MacArthur; a peça é produzida frequentemente desde que estreou em Nova York em 1928, e serviu de base para vários filmes com o título original e com outros títulos, como *His Girl Friday* (*Jejum de amor*, no Brasil).

Ben Hecht pode ser considerado um dos roteiristas mais bem-sucedidos da história de Hollywood, tanto na opinião dos críticos quando na popularidade de seus filmes. Entre seus quase cem créditos encontram-se *Underworld* (1927), vencedor do primeiro Oscar de Roteiro Original, *Última hora* (1931), *Scarface — A vergonha de uma nação* (1932), *Gunga Din* (1939), *O Morro dos Ventos Uivantes* (1939), *Que mundo maravilhoso* (1939), *Quando fala o coração* (1945), *Interlúdio* (1946) e *O beijo da morte* (1947). Filmes nos quais ele trabalhou mas não recebeu crédito incluem *No tempo das diligências* (1939), *...E o vento levou* (1939), *Correspondente estrangeiro* (1940), *O monstro do Ártico* (1951), *O corcunda de Notre Dame* (1956) e *O grande motim* (1962).

"Os 15 assassinatos" foi publicado pela primeira vez na edição de 16 de janeiro de 1943 da *Collier's Magazine*. Foi reunida em coletânea pela primeira vez em *The Collected Stories of Ben Hecht* com o título de "O milagre dos 15 assassinatos" (Nova York, Crown, 1945).

OS 15 ASSASSINATOS

BEN HECHT

Há sempre uma aura de mistério nos ajuntamentos da fraternidade médica. Podemos nos perguntar se o sigilo com que os médicos tratam suas reuniões não foi pensado para impedir que o leigo descubra o quanto eles de fato sabem — ou não sabem. Ter acesso a essa informação seria inquietante para a ancestral cobaia que tem se submetido aos abracadabras dos produtos químicos, bisturis e encantamentos, na ilusão de estar sendo curado, e não explorado.

Entre os mais misteriosos congressos médicos dessa geração, encontram-se os que aconteceram em Nova York, organizados por um grupo de médicos eminentes chamado "Clube X". A cada três meses esse pequeno grupo de curandeiros tem se hospedado no Walton Hotel, perto do East River e, por trás de portas fechadas e protegidos até do olhar do jornalismo médico, se dedicam até o amanhecer a uma empreitada desconhecida.

Ninguém sabia o que diabos acontecia nessas reuniões já havia vinte anos, nem mesmo o onipresente chefe da Associação Médica Americana, nem os colegas, esposas, amigos ou dependentes dos membros do Clube X. O talento para o sigilo é altamente desenvolvido entre médicos que, mesmo sem ter nada a esconder, costumam ter a boca tão fechada quanto o compartimento de bombas de um bombardeiro antiquado se dirigindo para o destino marcado.

Como é que sei, então, a história dessas sessões secretas? A resposta é: a guerra. A guerra encerrou essas reuniões, como encerrou quase todos os mistérios que não sejam os seus próprios. O mundo, ocupado em reexaminar seus modos e sua alma, fechou as portas das aventuras menores. Nove dos quinze sábios médicos que formavam o Clube X estão de uniforme, cuidando de hospitais em zonas de combate. As deficiências da idade e da saúde mantiveram os outros em casa — com cada vez mais trabalho. Existe uma parte da ciência que mantém um interesse relutante nas vicissitudes dos civis e ainda não desviou de todo o olhar dos campos de batalha banais onde eles continuam a morrer na ignomínia.

— Considerando que o grupo se desfez — disse o dr. Alex Hume para mim durante o jantar certa noite — e que é improvável que voltemos a nos reunir, não vejo motivo para manter o segredo. Sua mente é infantil e romântica, e pode se revoltar com a história que vou contar. Sem dúvida você considerará tudo um negócio diabólico, e ignorará a profunda importância humana e científica do Clube X. Mas não serei eu quem vai reformar a arte da ficção, que precisa trocar a verdade pelo sentimentalismo, Galileu pela Cinderela.

E assim por diante. Vou poupá-los do preâmbulo arrogante do meu amigo. Vocês terão lido os vários livros do dr. Hume que tratam das traquinagens do inconsciente. Se leram, então conhecem bem esse brilhante estrategista calvo. Se não leram, aceitem minha palavra de que ele é um gênio. Não conheço ninguém com maior aptidão para saracotear pelos pântanos do plexo solar do qual surge a maior parte da incompetência e confusão do mundo. E se alguém ainda duvidar de seu grande talento, ele também tem o ricto desdenhoso e a risadinha que são o grito de guerra dos superpsicanalistas. Seu rosto é arredondado, e sua boca vive franzida em uma careta crônica de descrença e contradição. Não dá para evitar essa expressão depois que se descobre o lamaceiro infecto e detestável que é a alma humana. Como a maioria dos trabalhadores subterrâneos, meu amigo é cego como um morcego por trás dos óculos de lente grossa. E como muitos psicanalistas de renome, ele se apresenta com o físico atarracado e abaulado de Napoleão.

O último encontro dramático do Clube X aconteceu em uma noite chuvosa de março. Apesar do tempo hostil, todos os quinze membros compareceram, pois havia uma atração inédita naquela reunião. Um novo membro seria empossado na sociedade.

O dr. Hume fora designado para preparar o neófito para sua apresentação. E logo depois do consertador de almas de cara redonda, o dr. Samuel Warner entrou no *sanctum* do Clube X.

O dr. Warner era incomumente jovem para ser um gênio médico — reconhecido como tal, quero dizer. E ele jamais tivera um reconhecimento tão cabal de sua maestria com serrote, machadinha e perfurador como foi sua eleição para membro do Clube X. Pois os catorze homens mais velhos que o convidaram para ser um deles eram líderes em suas áreas. Eram a távola redonda dos médicos. O que não quer dizer que algum leigo necessariamente tenha ouvido falar deles. A eminência na profissão médica é chamativa como um broto de edelvais no topo de uma montanha. A guerra, que oferece holofotes mágicos para as vaidades das almas pequenas e transmuta a fome de publicidade em ardores patrióticos e sacrificais, ainda não perturbou o anonimato dos grandes médicos. Eles levaram seus alqueires para as linhas de frente e estão ocupados debaixo deles, espalhando seu conhecimento entre os feridos.

O novo membro era um homem tenso e bem-apessoado com a febre do trabalho brilhando nos olhos escuros. Sua boca ampla dava sorrisos rápidos e distraídos, como frequentemente é o caso dos cirurgiões que treinam para que suas reações não interfiram com sua concentração.

Tendo saudado os eminentes membros do clube, que incluía metade de seus heróis médicos vivos, o dr. Warner sentou-se a um canto e recusou discretamente um *highball*, um coquetel e uma dose de *brandy*. Seu rosto permaneceu tenso, seu corpo atlético reto na cadeira como se pronto para uma corrida, e não uma reunião.

Às nove em ponto o dr. William Tick ordenou uma pausa na bebedeira e declarou aberto o quinquagésimo terceiro encontro do Clube X. O venerável médico se colocou atrás da mesa no bem decorado aposento do hotel e olhou para o grupo reunido à sua frente.

O dr. Tick dividira seus setenta e cinco anos igualmente entre praticar a arte da medicina e dar tudo de si para erradicá-la — pelo menos essa era a impressão dos milhares de estudantes submetidos à sua orientação irascível. Como professor de medicina interna em uma importante escola de medicina oriental, o dr. Tick favorecia a teoria pedagógica da educação pelo insulto. Havia médicos eminentes que ainda coravam ao lembrar algumas das avaliações de seus talentos nascentes feitas pelo encurvado, artrítico dr. Tick de olhos biliosos, e que ainda tremiam ao lembrar a filosofia médica que este preconizava.

— A medicina — confidenciara o dr. Tick a vários grupos de alunos — é um sonho nobre e ao mesmo tempo a mais antiga expressão do erro e da idiotice conhecida pelo homem. A resolução dos problemas do céu não gerou tantas descobertas abortivas como a inquirição dos mistérios do corpo humano. Quando vocês se considerarem cientistas, quero se lembrem de que tudo o que aprenderam comigo será provavelmente considerado amanhã como o conjunto de confusões ingênuas de um grupo de curandeiros aborígenes. Apesar de todo o nosso trabalho e progresso, a arte da medicina ainda se encontra em algum lugar entre o augúrio com entranhas e a escrita automática dos médiuns.

"Existem duas desvantagens na prática da medicina", repetira Tick ao longo de quarenta anos de ensino. "O primeiro é o eterno charlatanismo do paciente, cheio de doenças falsas e agonias fantasmagóricas. O segundo é a incompetência básica da mente humana, médica ou não, para observar sem preconceito, para adquirir informação sem se tornar orgulhosa demais para usá-la de forma inteligente, e sobretudo para usar a sabedoria sem vaidade."

Detrás da mesa os olhos do velho Tick brilhavam encarando o presente grupo de "incompetentes", até que se fez um silêncio de sala de aula, e então ele se voltou para o rosto tenso e bem proporcionado do dr. Warner.

— Temos um novo gênio médico conosco esta noite — começou ele —, alguém de cujos dias de pré-genialidade eu me lembro muito bem. Um caso de hipertireoidismo com disfunção nefrítica indicada. Mas com algum talento. Para seu próprio bem, Sam, vou declarar o sentido e o propósito da nossa organização.

— Já fiz isso — disse o dr. Hume — em minúcias.

— As explicações do dr. Hume — atalhou Tick, friamente —, se forem parecidas com as que ele imprime em seus livros, devem tê-lo deixado confuso, se não deslumbrado.

— Eu o compreendi perfeitamente — respondeu Warner.

— Bobagem — disse o velho Tick. — Você sempre teve um fraco por psiquiatria, e sempre o adverti contra isso. A psiquiatria é um complô contra a medicina. Sabe lá se algum dia não irá nos destronar? Enquanto isso, não é adequado que tratemos muito livremente com o inimigo.

Pode apostar que o dr. Hume deu um sorriso sardônico ao ouvir isso.

— Permita-me — continuou Tick — esclarecer o que o dr. Hume tentou lhe explicar.

— Bom, se quiser perder tempo... — O novo membro riu nervosamente e enxugou o pescoço com um lenço.

O dr. Frank Rosson, o ginecologista distinto e gorducho, deu uma risadinha.

— Tick hoje está nos cascos — sussurrou ele para Hume.

— Senilidade inflamada por sadismo — respondeu Hume.

— Dr. Warner — continuou o pedagogo —, os membros do Clube X têm um único e interessante propósito em suas reuniões. Eles se reúnem a cada três meses para confessar algum assassinato que tenham cometido desde nossa última reunião. Estou falando, é claro, de assassinato médico. Embora fosse um alívio se ouvíssemos alguém confessar um assassinato causado por paixão, e não por estupidez. De fato, dr. Warner, se o senhor tiver assassinado uma esposa ou mandado um tio para debaixo da terra recentemente e quiser tirar esse peso da mente, nós escutaremos com todo o respeito. O acordo aqui é que nada do que o senhor disser será levado para a polícia ou para a Associação Médica Americana.

Os olhos do velho Tick pausaram para estudar a tensão crescente no rosto do novo membro.

— Tenho certeza de que o senhor não eliminou nenhum dos seus parentes — suspirou ele — e de que não o fará a não ser no exercício de suas funções. O dr. Hume sem dúvida lhe explicou nossas reuniões pela perspectiva da psiquiatria, de que a confissão faz bem para a alma. Isso é bobagem. Não estamos aqui para aliviar nossas almas, mas para aperfeiçoá-las. Nosso propósito real é científico. Uma vez que não ousamos admitir nossos fracassos para o público, uma vez que somos famosos e inteligentes demais para sermos criticados pelos leigos desorientados, e uma vez que essa perfeição inumana que fingimos possuir não é boa para nossas naturezas fracas e humanas, formamos esta sociedade. É a única organização médica do mundo em que os membros só se gabam de seus enganos.

"E agora", disse Tick, sorrindo para o neófito, "permita-me definir o que consideramos um bom assassinato profissional à risca. É matar um ser humano que se colocou nas mãos do médico na base da confiança. Lembre-se, a morte de um paciente por si só não é o mesmo que assassinato. Só tratamos aqui dos casos em que o médico, por um diagnóstico errado ou ao adotar uma medicação ou procedimento operacional errados, tenha matado um paciente que, sem os cuidados desse referido médico, teria continuado a viver e prosperar."

— Hume explicou tudo isso para mim — murmurou o novo membro, impaciente, e ergueu a voz: — Estou ciente de que esta é minha primeira reunião e de que posso aprender mais ao ouvir meus distintos colegas do que falando. Mas tenho algo importante a dizer.

— Um assassinato? — perguntou Tick.

— Sim — respondeu o novo membro.

O velho professor aquiesceu.

— Muito bem — disse ele. — E ficaremos felizes em ouvir. Mas temos vários assassinos antes de você na fila.

O novo membro fez silêncio e permaneceu sentado ereto na cadeira. Foi ali que vários dos presentes, incluindo Hume, notaram que havia algo mais que tensão de estreante no comportamento do jovem cirurgião. A sala toda teve certeza de que Sam Werner viera para seu primeiro encontro do Clube X com algo misterioso e violento fervendo à flor da pele.

O dr. Philip Kurtiff, eminente neurologista, pôs a mão no braço de Warner e disse, suavemente:

— Não precisa se sentir mal por nada do que nos contar. Somos todos grandes profissionais da medicina e já fizemos pior do que o que você vai contar, seja lá o que for.

— Com sua licença — interrompeu o velho Tick —, pode fazer silêncio? Aqui não é um asilo para médicos com complexo de culpa. É uma clínica de erros. E vamos continuar a proceder de forma ordeira e científica. Se quiser segurar a mão de Sam Warner, Kurtiff, é com você. Mas faça silêncio.

Ele sorriu subitamente para o novo membro.

— Confesso — continuou ele — que estou tão curioso quanto os demais para descobrir como um sabe-tudo tão notório quanto nosso jovem amigo dr. Warner teria matado um de seus pacientes. Mas nossa curiosidade terá de esperar. Uma vez que cinco de vocês faltaram à nossa última reunião, creio que a confissão do dr. James Sweeney deveria ser repetida para quem não a ouviu.

O dr. Sweeney se levantou e voltou o rosto lúgubre e os olhos brilhantes para os cinco que tinham faltado. De todos os presentes, Sweeney era considerado o diagnosticador mais capaz do Oriente depois do velho Tick.

— Bem — disse ele, em seu tom monótono de preocupação —, já contei uma vez, mas posso contar de novo. Eu mandei um paciente para minha sala de raios X para fazer uma fluoroscopia. Meu assistente lhe deu uma solução de bário para beber e o pôs debaixo do fluorocóspio. Fui para lá meia hora depois para observar o progresso e, quando vi o paciente debaixo da tela fluoroscópica, disse ao meu assistente que aquilo era fantástico e que nunca vira nada parecido. Kroch estava aturdido demais para concordar.

"O que vi foi que todo o estômago e a parte inferior do esôfago do paciente estavam imóveis e dilatados, e pareciam feitos de pedra. E ao estudar o fenômeno, notei que a imagem ia ficando mais clara e definida. O fator mais perturbador na situação é que ambos sabíamos que não havia nada a ser feito. De fato, o dr. Kroch exibiu indícios claros de histeria. Um pouco depois o paciente já estava nos estertores finais e caiu no chão."

Vários dos que tinham estado ausentes gritaram a uma só voz:

— Minha nossa, mas como pode?!

E o dr. Kurtiff repetiu:

— Mas como?

— É simples — respondeu Sweeney. — O fundo do copo que continha o bário que o paciente bebera tinha se tornado uma pasta solidificada. O copo continha gesso. Imagino que a pressão tenha causado um ataque das coronárias.

— Meu Deus — disse o novo membro. — Mas como o gesso foi parar no copo?

— Um erro de algum farmacêutico — disse Sweeney, suave.

— Qual era o problema do seu paciente, se é que ele tinha algum, quando entrou em seu escritório? — quis saber o dr. Kurtiff.

— A autópsia revelou principalmente um estômago e esôfago solidificados — respondeu Sweeney. — Mas acredito, a partir de várias indicações, que podia haver alguma tendência a espasmos pilóricos, que causou os arrotos que o fizeram me procurar.

— Um assassinato bastante literário — disse o velho Tick. — Uma espécie de Pigmalião às avessas.

O velho professor pausou e fixou os olhos avermelhados em Warner.

— Aliás, antes de prosseguirmos — disse ele —, creio que é hora de revelar o nome completo do nosso clube. Nosso nome completo é "Clube

X Marca o Local". Preferimos a forma abreviada, pois socialmente é a mais prática.

— É claro — disse o novo membro, cujo rosto parecia estar ficando mais vermelho.

— E agora — anunciou o velho Tick, consultando um pedaço de papel com algo anotado — nosso primeiro caso da noite será o do dr. Wendell Davis.

Fez-se silêncio enquanto o elegante especialista estomacal se levantava. Davis era um médico que levava suas maneiras tão a sério quanto sua medicina. Alto, solidamente constituído, grisalho e com uma barba perfeita, seu rosto não tinha expressão — uma grande máscara rosada que nenhum paciente, nem mesmo os mais doentes e agonizantes, jamais viu perturbada.

— Fui chamado no fim do verão passado até a casa de um operário — começou ele. — O senador Bell tinha oferecido um piquenique para a parte mais pobre do seu eleitorado. Como resultado, os três filhos de um técnico em equipamentos de ventilação e aquecimento chamado Horowitz ficaram doentes com suspeita de intoxicação alimentar. Eles tinham comido demais no piquenique. O senador, como anfitrião, sentiu-se responsável, e fui à casa dos Horowitz em atenção ao seu pedido. Vi que duas das crianças estavam bem doentes e vomitavam copiosamente. Tinham nove e onze anos de idade. A mãe me deu uma lista dos vários tipos de comida que as três crianças tinham consumido. Era impressionante. Dei a elas uma boa dose de óleo de rícino.

"A terceira criança, de sete anos, não estava tão doente quanto as outras duas. Estava pálida, com pouca febre, sentia alguma náusea, mas não estava vomitando. Parecia óbvio que tinha sido intoxicada, mas com menos intensidade. Por isso, receitei uma dose igual de óleo de rícino para a criança mais nova, apenas por garantia.

"Fui chamado pelo pai no meio da noite. Ele estava alarmado com o estado da criança de sete anos e relatou que as outras duas tinham melhorado bastante. Eu disse para ele não se preocupar, que a mais jovem tinha demorado um pouco mais a exibir os sintomas de intoxicação alimentar, mas sem dúvida estaria melhor pela manhã, e que sua cura era tão certa quanto a dos irmãos.

"Acordei bastante satisfeito de ter antecipado a situação da criança mais jovem e receitado o óleo de rícino profilaticamente. No dia seguinte, ao meio-dia, cheguei à casa dos Horowitz e vi que as duas crianças estavam praticamente recuperadas. Mas a de sete anos parecia bem doente mesmo. A família vinha tentando falar comigo desde o amanhecer. A criança estava com 40º de febre. Desidratada, olhos fundos e com olheiras, expressão seca, narinas dilatadas, lábios cianóticos e a pele úmida."

O dr. Davis fez uma pausa. O dr. Milton Morris, especialista pulmonar de renome, interveio:

— Ela morreu em pouco tempo?

O dr. Davis aquiesceu.

— Bom — disse o dr. Morris, sereno —, parece bastante óbvio. A criança sofria de apendicite aguda. O óleo de rícino rompeu o apêndice. Quando você tornou a examiná-la, já havia um quadro de peritonite.

— Sim — disse o dr. Davis, devagar. — Foi exatamente isso.

— Assassinato por óleo de rícino — gargalhou o velho Tick —, junto com certa indiferença para com os pobres.

— De forma alguma — disse o dr. Davis. — As três crianças tinham comparecido ao piquenique, comido demais e mostrado os mesmos sintomas.

— Não exatamente os mesmos — disse o dr. Hume.

— Ah, o senhor teria feito psicanálise na terceira criança? — E o dr. Davis sorriu.

— Não — disse Hume. — Teria examinado seu abdome como qualquer médico barato, considerando que a criança sentia dor e náusea, e descoberto que ele estava rígido pela dor da compressão e da descompressão.

— Sim, seria um diagnóstico fácil para qualquer estudante de medicina — concordou o dr. Kurtiff. — Mas infelizmente, abandonamos a humildade dos estudantes de medicina.

— O assassinato praticado pelo dr. Davis é moralmente instrutivo — anunciou o velho Tick —, mas achei tedioso ao extremo. Tenho aqui um memorando do dr. Kenneth Wood. O dr. Wood falará agora.

O renomado cirurgião escocês, famoso como atleta dos Jogos Olímpicos em seus anos na universidade, se levantou. Ainda era um homem forte, com mãos grandes, ombros amplos e com o timbre da força masculina em sua voz suave.

— Não sei em qual categoria de assassinato vocês colocarão este incidente. — O dr. Wood sorriu para os colegas.

— Assassinato nas mãos de açougueiro é o título mais comum — disse Tick.

— Não, eu duvido — disse o dr. Morris. — Ken é habilidoso demais para cortar a perna de alguém por engano.

— Acho que terão de classificar como simples assassinato por estupidez — disse o dr. Wood, suave.

O velho Tick cacarejou:

— Se você prestasse um pouco mais de atenção aos diagnósticos e esquecesse um pouco o circuito de golfe, não estaria matando tantos pacientes.

— Esta é minha primeira confissão em três anos — respondeu Wood, cioso. — E costumo operar quatro ou cinco pessoas diariamente, inclusive em dias de descanso.

— Meu caro Kenneth — disse o dr. Hume —, todo cirurgião tem direito a um assassinato a cada três anos. Realmente é um recorde fenomenal, quando consideramos as tentações.

— Vamos logo com esse crime — disse Tick.

— Bem — o robusto cirurgião olhou para o colega do hospital, o novo membro —, você sabe como é vesícula biliar quando inflama, não é, Sam?

Warner aquiesceu distraidamente.

O dr. Wood continuou:

— A paciente chegou tarde da noite. Com bastante dor. Eu a examinei. Localizei o incômodo no quadrante superior direito do abdome. Irradiava para o ombro direito e para as costas. Tudo característico de vesícula inflamada. Eu lhe dei opioides. Não tiveram efeito algum, o que, como vocês sabem, reforça o diagnóstico de inflamação da vesícula. Opioides não surtem efeito na vesícula.

— Nós sabemos disso — disse o novo membro, nervoso.

— Perdão — disse o dr. Wood, e sorriu. — Quero relatar tudo da maneira mais precisa. Bom, dei a ela um pouco de nitroglicerina para aliviar a dor. Ela estava com 38º de febre. Pela manhã a dor estava tão forte que tive certeza de que a vesícula tinha sido perfurada. Eu a operei. Não havia nada de errado com a vesícula. Ela morreu uma hora depois.

— O que a autópsia mostrou? — perguntou o dr. Sweeney.

— Espere um pouco — respondeu Wood. — Vocês precisam deduzir, não é? Vamos lá, digam-me vocês o que havia de errado com a paciente.

— Você verificou o histórico dela? — perguntou o dr. Sweeney.

— Não — respondeu Wood.

— Arrá! — fungou Tick. — Aí está! Mais uma aposta às cegas.

— Era uma emergência. — Wood parecia envergonhado. — E parecia um caso óbvio. Já curei centenas deles.

— Os fatos parecem ser os seguintes — recapitulou Tick. — O dr. Wood assassinou uma mulher porque falhou ao identificar a origem da dor. Temos então um problema bem simples. O que, além da vesícula biliar, pode causar o tipo de dor que nosso eminente cirurgião descreveu?

— Coração — respondeu o dr. Morris, mais que depressa.

— Está esquentando — disse Wood.

— Antes de operar alguém com uma dor tão aguda, e sem acesso ao histórico médico — continuou Tick —, eu certamente teria verificado o coração.

— Bom, você teria agido certo — disse Wood, sereno. — A autópsia mostrou um infarto do ramo descendente da coronária direita.

— Um cardiograma teria lhe mostrado isso — disse o velho Tick. — Mas você nem precisava ter encostado em um cardiógrafo. Só precisava fazer uma pergunta. Se tivesse ao menos perguntado a um conhecido da paciente, teriam lhe dito que os ataques de dor anteriores sempre se seguiam a algum esforço, e isso indicaria o coração, e não a vesícula. Um assassinato digno de segundanista — sentenciou o velho Tick, irado.

— O primeiro e último — disse Wood, sereno. — Não haverá mais enganos quanto a problemas do coração em meu hospital.

— Ótimo, ótimo — disse o velho Tick. — E agora, senhores: os crimes relatados até aqui foram infantis demais para ser discutidos. Não aprendemos nada com eles além de que a ciência e a estupidez andam de mãos dadas, um fato que todos nós já conhecemos bem. No entanto, esta noite temos a presença de um jovem mas extremamente talentoso usuário dos serrotes médicos. Ele já está sentado ali tem uma hora, inquieto como um criminoso de verdade, suando de culpa e de vontade de contar tudo. Cavalheiros, eu lhes apresento nosso novo e mais jovem culpado, o dr. Samuel Warner.

O dr. Warner encarou os catorze colegas eminentes com súbita empolgação. Seus olhos brilharam, e a aparência cansada de trabalho duro e quase exaustão que já começava a marcar sua juventude sumiu de seu rosto.

Os homens mais velhos o encararam, quietos e com variados graus de empolgação. Eles sabiam, sem outra evidência além dos seus modos, que aquele médico estava cheio de teorias insustentáveis e descobertas médicas suspeitas. Também tinham sido assim na juventude. E assim se refestelaram para apreciar melhor o que aconteceria. Não há nada mais prazeroso para um médico idoso que a oportunidade de colocar um chapéu de burro em um colega jovem. O velho Tick, observando os colegas, sorriu. Tinham todos adquirido a aparência de pedagogos com uma palmatória escondida atrás das costas.

O dr. Warner passou o lenço úmido no pescoço e sorriu com cumplicidade para os colegas.

— Vou contar o caso em detalhes — disse ele —, pois acho que ele contém um problema bastante interessante, que podemos encontrar em nossa prática.

O dr. Rosson, um ginecologista, grunhiu, mas não disse nada.

— O paciente era um jovem, ou, melhor dizendo, um garoto — prosseguiu Warner, ansioso. — Tinha 17 anos e era bastante talentoso. Escrevia poesia. Foi como o conheci. Li um de seus poemas em uma revista e achei tão impressionante que lhe escrevi uma carta.

— Poesia rimada? — perguntou o dr. Wood, piscando para o velho Tick.

— Sim — disse Warner. — Li todos os manuscritos dele. Eram um tanto revolucionários. Sua poesia era um grito contra a injustiça. Todo tipo de injustiça. Era amargo e queimava.

— Espere um instante — disse o dr. Rosson. — O novo membro parece estar enganado quanto à natureza de nossa sociedade. Não somos uma sociedade literária, Warner.

— E antes de começar — disse o dr. Hume, sorrindo —, não venha se gabar aqui. Você pode fazê-lo à vontade na convenção anual de cirurgiões.

— Senhores — disse Warner —, não tenho a intenção de me gabar. Vou me ater ao assassinato, garanto. E um tão ruim quanto qualquer que vocês já tenham visto.

— Ótimo — disse o dr. Kurtiff. — Prossiga. Vá com calma e não perca a compostura.

— Sim — sorriu o dr. Wood. — Eu me lembro de quando Morris fez sua primeira confissão. Tivemos de enfiar-lhe quase meia garrafa de uísque até que ele parasse de choramingar.

— Não perderei a compostura — disse Warner. — Não se preocupem. Bom, o paciente estava doente já havia duas semanas antes de eu ser chamado.

— Achei que você fosse amigo dele — disse o dr. Davis.

— Eu era — respondeu Warner. — Mas ele não acreditava em médicos.

— Não tinha fé neles, hein? — cacarejou o velho Tick. — Rapaz brilhante.

— Ele era mesmo — disse Warner, ansioso. — Fiquei perturbado ao visitá-lo e ver o quanto ele estava doente. Eu o transferi para um hospital imediatamente.

— Ah, um poeta com dinheiro — disse o dr. Sweeney.

— Não — disse Warner. — Eu paguei suas despesas. E passei todo o tempo que pude junto a ele. A doença tinha começado com uma dor forte do lado esquerdo do abdome. Ele ia me chamar, mas a dor diminuiu depois de três dias, e o paciente achou que estava curado. A dor retornou dois dias depois, e ele começou a ter febre. Depois, diarreia. Havia pus e sangue, mas, quando finalmente mandou me chamar, não descobri traços de amebas ou bactérias patógenas.

"Após os relatórios da patologia, eu o diagnostiquei com colite ulcerativa. A dor era do lado esquerdo, por isso não podia ser o apêndice. Administrei sulfaguanidina e extrato de fígado diluído, e o pus em uma dieta rica em proteína... leite, principalmente. Apesar do tratamento e da observação constantes, o paciente piorou. Ele desenvolveu sensibilidade generalizada à compressão e descompressão no abdome, e rigidez de todo o reto abdominal esquerdo. Após duas semanas de tratamento cuidadoso, o paciente morreu."

— E a autópsia mostrou que você estava errado? — perguntou o dr. Wood.

— Não fiz autópsia — disse Warner. — Os pais do rapaz tinham total confiança em mim. Assim como o rapaz. Eles acreditavam que eu estava fazendo o possível para salvar sua vida.

— Então como sabe que errou o diagnóstico? — perguntou o dr. Hume.

— Pelo simples fato — disse Warner, irritado — de que o paciente morreu em vez de ser curado. Quando ele morreu eu soube que o tinha assassinado com um diagnóstico equivocado.

— Uma conclusão lógica — disse o dr. Sweeney. — Medicação inútil não é um álibi.

— Bem, cavalheiros — o velho Tick cacarejou detrás da mesa —, nosso novo membro talentoso mandou um grande poeta e amigo íntimo desta para a melhor. Agora devemos analisar seu diagnóstico.

Mas ninguém falou. Os médicos têm um sentido para coisas ocultas e complicações não declaradas. E quase todos os catorze médicos olhando para Warner sentiram que havia algo oculto ali. A tensão do cirurgião, sua euforia e tom sutil de zombaria os convenceram de que havia algo não declarado na história do poeta morto. Eles abordaram o problema cautelosamente.

— Faz quanto tempo que o paciente morreu? — perguntou o dr. Rosson.

— Quarta-feira passada — respondeu Warner. — Por quê?

— Que hospital?

— St. Michael's.

— Você disse que os pais tinham fé em você — disse Kurtiff — e ainda têm. Mas você parece estranhamente preocupado com alguma coisa. A polícia fez algum inquérito?

— Não — disse Warner. — Eu cometi o crime perfeito. A polícia nem ouviu falar disso. E até a vítima morreu agradecida. — Ele sorriu para os presentes. — Ouçam — continuou ele —, nem vocês todos talvez sejam capazes de contradizer meu diagnóstico.

Esse desafio impertinente irritou alguns dos membros.

— Não acho que será muito difícil provar o erro do seu diagnóstico — disse o dr. Morris.

— Tem uma pegadinha aí — disse Wood lentamente, fixando o olhar em Warner.

— A única pegadinha — atalhou Warner — é a complexidade do caso. Os caros cavalheiros obviamente preferem crimes de erro médico do tipo mais simples, como os que ouvi aqui hoje.

Houve uma pausa, e então o dr. Davis perguntou em uma voz apaziguante:

— Você descreveu o aparecimento de dor aguda antes da diarreia, não foi?

— Isso mesmo — disse Warner.

— Bem — continuou Davis, friamente —, o alívio temporário dos sintomas e seu reaparecimento depois de alguns dias parece indicar úlceras, exceto por um detalhe.

— Discordo — disse o dr. Sweeney, suave. — O diagnóstico do dr. Warner é de uma estupidez desastrosa. Os sintomas apresentados não têm nada a ver com colite ulcerativa.

Warner corou e seus músculos do maxilar tensionaram com raiva.

— Se importa de provar seus insultos usando a ciência? — perguntou.

— Nada mais fácil — respondeu Sweeney, calmamente. — O aparecimento tardio de diarreia e febre que você descreveu já eliminam a possibilidade de colite ulcerativa em noventa e nove por cento dos casos. O que acha, dr. Tick?

— Nada de úlceras — disse Tick, estudando Warner com atenção.

— Você mencionou grande sensibilidade do abdome como um dos últimos sintomas — disse o dr. Davis, suave.

— Correto — disse Warner.

— Bom, se você descreveu o caso com exatidão — continuou Davis —, um fato óbvio se revela. A sensibilidade geral indica um quadro de peritonite. Tenho certeza de que uma autópsia mostraria que a perfuração se desalojou e espalhou, e que uma parte do intestino deslizou para dentro de outra.

— Eu acho que não — disse o dr. William Zinner, um oncologista. Ele era pequeno, com um rosto delicado como o de um pássaro, e falava num volume quase inaudível. Fez-se silêncio na sala, e os outros esperaram com atenção por sua voz macia. — Não poderia ter sido uma intussuscepção como a descrita pelo dr. Davis. O paciente tinha apenas dezessete anos. Intussuscepção é incomum nessa idade a menos que o paciente tenha um tumor no intestino. Se fosse esse o caso, ele não teria sobrevivido tanto tempo.

— Excelente — disse o velho Tick.

— Eu pensei em intussuscepção — disse Warner — e descartei pelo mesmo motivo.

— Não teria sido nó no intestino? — perguntou o dr. Wood. — Isso produziria os sintomas descritos.

— Não — disse o dr. Rosson. — Um vólvulo resultaria em gangrena e morte em três dias. Warner disse que ele cuidou do paciente por duas semanas, e que o rapaz ficou doente duas semanas antes de ele ser chamado. A duração da doença exclui a hipótese de intussuscepção, vólvulo e tumor intestinal.

— Tem mais uma coisa — disse o dr. Morris. — Um apêndice do lado esquerdo.

— Também não é possível — interveio depressa o dr. Wood. — O primeiro sintoma de apêndice no lado esquerdo não seria a dor aguda descrita pelo dr. Warner.

— A única coisa que estabelecemos — disse o dr. Sweeney — foi a perfuração que não é uma úlcera. Por que não prosseguimos daí?

— Sim — disse o dr. Morris. — Colite ulcerativa está fora de questão, considerando o rumo que a doença tomou. Tenho certeza de que estamos lidando com outro tipo de perfuração.

— A próxima pergunta — anunciou o velho Tick — é: o que causou a perfuração?

O dr. Warner passou o lenço úmido pelo rosto e disse:

— Nunca considerei uma perfuração por objeto.

— Pois deveria — disse o dr. Kurtiff.

— Vamos, vamos — interrompeu o velho Tick. — O que causou a perfuração?

— Ele tinha dezessete anos — respondeu Kurtiff —, era velho demais para engolir alfinetes.

— A menos — disse o dr. Hume — que ele gostasse de alfinetes. O paciente queria viver, Warner?

— Ele queria viver — disse Warner, sombrio —, mais do que qualquer pessoa que já conheci.

— Creio que podemos descartar a teoria do suicídio — disse o dr. Kurtiff. — Tenho certeza de que estamos lidando com uma perfuração do intestino e não do subconsciente.

— Bem — disse o dr. Wood —, não poderia ser osso de galinha. Teria ficado preso no esôfago e não chegaria ao estômago.

— Aí está, Warner — disse o velho Tick. — Nós reduzimos as possibilidades. A crescente sensibilidade por você descrita era indício de uma infecção se generalizando. O rumo que a doença tomou indica uma perfuração que não foi causada por úlcera. E uma perfuração desse tipo indica que algum objeto foi engolido. Nós descartamos alfinetes e ossos de galinha. O que nos deixa com apenas um palpite razoável.

— Uma espinha de peixe — disse o dr. Sweeney.

— Exatamente — disse Tick.

Warner ficou tenso, escutando o diagnóstico proferido pelos colegas. Tick decretou o veredito.

— Creio que todos concordamos — disse ele — que Sam Warner matou seu paciente ao tratar uma colite ulcerativa inexistente, quando uma operação para remover a espinha de peixe que causou um abscesso teria salvado sua vida.

Warner atravessou a sala rapidamente até o armário onde tinha guardado seu chapéu e casaco.

— Para onde está indo? — perguntou o dr. Wood. — A reunião acabou de começar.

Warner estava vestindo o casaco e sorrindo.

— Não tenho muito tempo — disse ele —, mas gostaria de agradecer a todos pelo diagnóstico. Vocês estavam certos ao pressentir que havia uma pegadinha. A pegadinha é que meu paciente ainda está vivo. Há duas semanas venho tratando dele como se fosse um caso de colite ulcerativa, e hoje à tarde me dei conta de que diagnostiquei o caso erroneamente e que ele morreria em vinte e quatro horas se eu não conseguisse descobrir seu problema.

Warner estava na porta, e seus olhos brilhavam.

— Obrigado novamente, cavalheiros, pela consulta e pelo diagnóstico — disse ele. — Isso permitirá que eu salve a vida do meu paciente.

Meia hora depois, os membros do Clube X se reuniam em uma das salas de operação do Hospital St. Michael's. Eles pareciam diferentes dos homens que tinham participado daquele Dia das Bruxas médico no Walton Hotel. Médicos passam por uma transformação quando se encontram diante da doença. Os mais velhos e mais cansados entre eles extraem vigor da crise. O desânimo os abandona, e eles entram na sala de operação com as costas eretas de um campeão. Confrontando o problema da vida e da morte, os olhos cansados e avermelhados tornam-se repletos de grandeza e até beleza.

Na mesa de operação jazia o corpo inconsciente de um rapaz negro. O dr. Warner, já no uniforme de médico, se debruçava sobre ele.

Os catorze outros membros do Clube X assistiam a Warner operar. Wood acenava aprovando sua velocidade com a cabeça. Rosson limpou o pigarro para dizer algo, mas as mãos velozes do cirurgião o mantiveram em silêncio. Ninguém falava. Os minutos se passavam. As enfermeiras passavam os instrumentos em silêncio para o cirurgião. Havia sangue em suas mãos.

Catorze grandes homens da medicina observavam esperançosamente o rosto inconsciente e chupado de um rapaz que engolira uma espinha de peixe. Nenhum rei ou papa jamais jazera adoentado com maior quantidade de gênios médicos apreensivos ao redor de sua cama.

Subitamente o cirurgião, perspirando copiosamente, ergueu um objeto usando o fórceps.

— Lave isto aqui... e mostre àqueles cavalheiros.

Ficou colocando drenos na cavidade com abscesso e borrifou sulfanilamida no abdome aberto para matar a infecção.

O velho Tick se adiantou e pegou o objeto da mão da enfermeira.

— Uma espinha de peixe — disse ele.

O Clube X se aglomerou ao redor do objeto como se fosse um tesouro indescritível.

— A remoção deste pequeno objeto — cacarejou suavemente o velho Tick — permitirá que o paciente continue escrevendo poesia e denunciando a cobiça e os horrores do nosso mundo.

De fato, essa foi a história que Hume me contou, além do epílogo da recuperação do poeta negro três semanas depois. Tínhamos terminado o jantar havia muito tempo e já era tarde da noite quando saímos para as ruas nova-iorquinas, obscurecidas então pela guerra. As manchetes nas bancas de jornal tinham mudado apenas de tamanho. Ficaram maiores em honra aos massacres maiores que anunciavam.

Olhando para as manchetes, era possível ver os ermos atulhados de corpos das batalhas. Mas outra imagem me veio então — uma imagem que trazia consigo a esperança de um mundo melhor. Era a sala de hospital em que quinze heróis famosos e sábios combateram pela vida de um rapaz negro que engolira uma espinha de peixe.

A DONZELA EM APUROS
LESLIE CHARTERIS

Simon Templar, o aventureiro criado por Leslie Charteris (1907-1993), é conhecido como "o Santo", embora de santo não tenha nada. Ele é um herói romântico que trabalha fora da lei e se diverte bastante com isso. Como muitos dos facínoras literários, ele se imbui do espírito de Robin Hood, que sugere que roubar não é errado, contanto que seja dos ricos. A maioria dos mais de quarenta livros sobre o Santo são coletâneas de contos curtos ou noveletas, e na maioria das histórias ele também trabalha como detetive. Sem as restrições aplicáveis a policiais de verdade, ele transgride a lei para recuperar dinheiro ou tesouros que não podem ser obtidos de forma honrada, para aumentar sua riqueza ou devolver ao dono de direito. E de forma parecida a James Bond, um número notável dos seus casos envolve donzelas em apuros.

"Talvez eu seja um facínora", considera Templar, "mas às vezes me torno algo mais. Do meu jeito simples, eu sou um tipo de justiça."

Além dos vários livros sobre o Santo, há mais de vinte filmes sobre ele (os melhores são protagonizados por George Sanders ou Louis Hayward), além de uma tirinha de jornal, uma série de rádio transmitida durante a maior parte dos anos 1940 e uma série de televisão, estrelando Roger Moore e que foi um sucesso mundial, com cento e dezoito episódios.

Charteris nasceu em Cingapura, mas passou a maior parte da vida em Londres, mesmo depois de se tornar cidadão norte-americano em 1946.

"A donzela em apuros" foi publicada pela primeira vez na edição de 19 de novembro de 1933 da revista *Empire News*, com o título "O sequestro do financista volúvel". Foi reunida em coletânea pela primeira vez com o título mais famoso em *Boodle* (Londres, Hodder & Stoughton, 1934); o título norte-americano é *O Santo intervém* (Nova York, Doubledat, 1934).

A DONZELA EM APUROS

LESLIE CHARTERIS

— Nesta vida de crime é preciso ter cérebro — costumava dizer Simon Templar. — Mas às vezes acho que, mais que cérebro, é preciso ter sorte.

Ele poderia ter acrescentado que essa sorte deve ser consistente.

O sr. Giuseppe Rolfieri teve sorte até certo ponto, pois calhou de estar na Suíça durante a impressionante descoberta da falsificação dos Títulos Municipais de Liverpool. Para ele foi simples atravessar a fronteira para seu país de origem; e quando seus quatro parceiros na tramoia seguiram trôpegos pelo estreito caminho que leva das docas do *Old Bailey** até os terríveis anos de servidão penal, ele estava confortavelmente instalado em sua vila em San Remo, a salvo da vingança da Lei. Pois é um princípio do direito internacional que ninguém pode ser extraditado do próprio país, e o sr. Rolfieri teve a sorte de ter mantido sua cidadania italiana, mesmo tendo se estabelecido como figura poderosa nas finanças de Londres.

Simon Templar leu a respeito do caso — não teria como evitar, já que se tratava de um daqueles escândalos sensacionais que sacodem o mundo financeiro uma vez a cada geração —, mas não pareceu que aquilo mereceria sua intervenção. Quatro dos cinco conspiradores, incluindo o líder, foram condenados e sentenciados. E embora seja verdade que houve alguma indignação pública quanto à imunidade do sr. Rolfieri, era inevitável que o Santo, em sua carreira de criminalidade desavergonhada, às vezes tivesse que ignorar uma oportunidade interessante para se concentrar em outra, mais à mão. Ele não podia estar em toda parte ao mesmo tempo — era uma das poucas limitações humanas que não se importava de admitir.

Mas um certo Domenick Naccaro tinha outros planos.

---

* Tribunal Criminal Superior da Inglaterra. (N. do T.)

Ele visitou o apartamento do Santo em Piccadilly certa manhã — um homem atarracado e calvo em um terno azul-marinho e colete azul-claro, com colarinho rígido antiquado, gravata negra comprida e o penacho vistoso de um bigode negro ornamentando seu rosto —, e em um primeiro momento alarmante, Simon se perguntou se não tinha sido confundido com alguém com o mesmo nome mas com moral menos respeitável, pois o sr. Naccaro vinha acompanhado de uma bela moça pálida que trazia uma criança de colo enrolada em um cachecol.

— Tenho a honra di *parlare* com o *senhore* Templar? — perguntou Naccaro, fazendo um cumprimento elaborado com o chapéu-coco.

— Bom, eu sou *um* sr. Templar — admitiu o Santo, cauteloso.

— Rá! — disse o sr. Naccaro. — O *senhore* é o Santo?

— É o que dizem.

— Pôs é com o *senhore* qui queremo *parlare* — declarou o sr. Naccaro, com convicção profunda.

Como se presumisse que todas as formalidades necessárias tinham sido observadas, ele fez a moça entrar com uma mesura, fez uma mesura também e entrou na sala de visitas. Simon fechou a porta e seguiu a comitiva com certa curiosidade divertida.

— Bom, meu camarada — murmurou ele, pegando um cigarro da cigarreira sobre a mesa. — Quem é você, e em que posso ajudar?

O sr. Naccaro fez a moça sentar-se com um gesto floreado do chapéu--coco, que repetiu ao se sentar também, deixando o chapéu pousado nos joelhos.

— Rá! — disse o italiano, como um acrobata anunciando a conclusão de um truque. — *Io* me *quiamo* Domenick Naccaro!

— Que bom pra você — murmurou o Santo, amigavelmente. Ele apontou com o cigarro para a moça e a criança. — Esse é o restante do clã?

— Ela é *mia filia* Maria. E aquele *bebé* no colo dela — disse o sr. Naccaro, com os olhos negros subitamente marejados — *non* tem *papá*.

— Bem descuidada, ela — observou Simon. — Que é que o bebê acha disso tudo?

— O *papá* — disse o sr. Naccaro, contradizendo-se dramaticamente — é Giuseppe Rolfieri.

As sobrancelhas de Simon desceram, ficaram retas, e o tom de deboche divertido desapareceu sob a superfície de seus olhos azuis. Ele apoiou o quadril na beirada da mesa e moveu um pé lentamente para o lado, pensativo.

— Como foi isso? — perguntou ele.

— *Io* tenho *uno* pequeno *ristorante* no Soho — explicou o sr. Naccaro. — Rolfieri, ele vinha sempre *mangiare u spaguéti*. Maria ficava no balcão e recebia *u* dinheiro. *U sinhore* vê como ela é bela. Rolfieri também ficava de olho. Quando ia pagar a conta, ficava *parlando* com ela. Um dia ele convida ela para sair.

O sr. Naccaro pegou um grande lenço xadrez e enxugou os olhos. Depois continuou, agitando as mãos com eloquência hesitante.

— *Io non* fiz nada para impedir. Achei *qui* Rolfieri era *uno cavaliero*, *qui* ia ser bom para *mia* Maria sair com ele. O tempo todo eles saíam. *Io* comecei a *acreditare qui* Maria ia *fazere* um bom casamento e fiquei feliz. Então *un* dia vejo *qui* ela vai *tê nenén*.

— Deve ter sido emocionante — disse o Santo, grave.

— *Io* disse para ela: "Maria, o que *qui* você fez?" — relatou o sr. Naccaro, agitando os braços. — Ela *non* me fala nada. — O sr. Naccaro fechou a boca, firme. — *Má* depois *confessô qui* foi Rolfieri. *Io* bati *nos peito di* raiva. — O sr. Naccaro bateu no peito. — *Io* disse: "Ah, *má io ammazzo* esse traste; mas *primero* ele casa com você!"

O sr. Naccaro pulou da cadeira com a teatralidade natural dos de sua pátria.

— Rolfieri *non* aparece mais para *mangiare u spaguéti*. *Io vô* ao escritório dele, e me dizem *qui* ele *non stá* lá. *Io iscrevo* cartas *ma ele non* responde. *I u* tempo vai passando. *Entón io iscrevo* outra carta dizendo: "*Si u sinhore non parlare* comigo logo, *io vô* à polícia." Essa carta ele respondeu. Disse *qui* logo ia aparecer. *Má* ele *non* apareceu. Aí diz *qui* tem *qui* sair do país. E *mi iscreveu* dizendo qui quando voltasse vinha *parlare* comigo. Mas ele nunca *voltô*. Um dia *io* leio no jornal *qui* ele é um criminoso e a polícia já *stá* procurando *pur* ele. Aí Maria teve o *nenén* — e Rolfieri nunca mais vai *voltá*!

Simon acenou com a cabeça.

— Isso é bem triste — condoeu-se ele. — Mas o que posso fazer quanto a isso?

O sr. Naccaro enxugou a testa, guardou o grande lenço xadrez e voltou a se sentar.

— *U sinhore* é *l'uomo qui* ajuda os pobres, *non* é? — perguntou o sr. Naccaro, súplice. — *U sinhore* é "o Santo", *qui* sempre *lavora* para *fazere justicia, non* é?

— Sim, mas...

— *Entón* pronto. *U sinhore mi* ajuda. *Iscuta, sinhore*, tudo, *stá* tudo arranjado. *Io* tenho bons amigos na Inglaterra e em San Remo, e *nói juntamo dinhêro* para fazer isso. *Vamu sequestrare* Rolfieri. *Entón trazemo* ele aqui no avião. Mas *non conhecemo* ninguém *qui* pilote avião. *U sinhore* sabe *pilotare* avião. — Subitamente o sr. Naccaro caiu de joelhos e abriu os braços. — Olha, *sinhore, io mi* humilho, *io* beijo seus pés. *Io* imploro *qui u sinhore* ajude a gente *i non* deixe o *nenén di* Maria sem *papá*!

Simon permitiu que a atmosfera melodramática corresse solta, depois ouviu com uma seriedade que em nada era prejudicada por seu ar superficial e naturalmente divertido. Era um apelo de um tipo que ele ouvia às vezes, pois o nome do Santo era conhecido tanto por aqueles que sonhavam com sua ajuda quanto por aqueles que viviam aterrorizados por sua possível intervenção, e ele não era de todo surdo aos pedidos das almas problemáticas que vinham à sua casa demonstrando fé em milagres.

A proposta do sr. Naccaro era mais prática que a maioria.

Aparentemente, ele e seus amigos tinham se debruçado sobre o problema de se vingarem da vilania de Giuseppe Rolfieri com o instinto conspiratório de profissionais. Um deles tornara-se o mordomo do sr. Rolfieri em sua vila em San Remo. Outros do lado de fora tinham marcado o sequestro com um cronograma detalhado. O próprio sr. Naccaro adquirira uma velha fazenda em Kent onde Rolfieri seria mantido prisioneiro, com um grande terreno próximo onde um avião podia pousar. O próprio avião já fora comprado e estava pronto para uso no Aeródromo de Brooklands. Só faltava o homem capacitado para pilotá-lo.

Quando Rolfieri fosse levado para a fazenda, como eles o convenceriam a se casar?

— *Nói forçamo* ele — foi tudo o que Naccaro respondeu, com convicção sombria.

Quando o Santo finalmente aceitou o trabalho, houve outra cena de gratidão melodramática que superou todas as demonstrações anteriores.

Dinheiro foi oferecido; mas Simon já tinha decidido que nesse caso o entretenimento já era recompensa o bastante. Ele se sentiu compreensivelmente esgotado quando por fim Domenick Naccaro, curvando-se, trombando com as coisas e tagarelando incoerente, conduziu a filha, o neto ilegítimo e o bigode emaranhado para fora do apartamento.

Os preparativos para sua parte no sequestro ocuparam o tempo de Simon Templar pela maior parte da semana seguinte. Ele dirigiu até Brooklands e testou o avião que os conspiradores compraram. Era um antigo Avro que devia ter passado literalmente raspando no teste para obter o certificado de aeronavegabilidade, mas ele achou que a aeronave conseguiria completar a jornada dupla, com um pouco de sorte e bom tempo. Havia também uma base de reabastecimento na metade do caminho, estabelecida em algum lugar da França — uma necessidade prática que não ocorrera ao simples sr. Naccaro. A sexta-feira chegou antes que ele tivesse a chance de avisar que já estava pronto para partir; e houve outra cena de gratidão embaraçosa.

— *Io* mandei telegrama marcando o sequestro Rolfieri na noite de domingo — foi a essência do que o sr. Naccaro tinha a dizer; mas suas bênçãos derramadas sobre o Santo, sobre os ossos de seus ancestrais e sobre a cabeça de seus descendentes por gerações levaram bem mais tempo.

Simon teve de admitir, no entanto, que a contribuição prática do clã Naccaro tinha sido executada com uma eficiência que nem ele conseguiria aperfeiçoar. Ficou aguardando junto àquele Avro digno de um museu do aeródromo de San Remo ao fim da tarde de domingo e observou com genuína admiração o cortejo de sequestradores aproximando-se pelo campo. O personagem principal era uma figura aparentemente mumificada enrolada em lençóis, que se sentava em uma cadeira de rodas empurrada pela infeliz Maria, vestida de enfermeira. Seu belo rosto pálido mostrava uma expressão de solicitude beatífica diante da qual Simon, fazendo ideia do que esperava o Signor Rolfieri na Inglaterra, teve de se controlar para não rir alto. Ao lado da cadeira de rodas seguia um homem de óculos moroso cujo papel era obviamente o de médico dedicado. Os funcionários do aeroporto, que já tinham verificado os documentos do piloto e dos passageiros, permaneceram distantes, ao fundo, e entediados, sem nenhuma suspeita da escapada clássica que estava sendo preparada bem debaixo de suas vistas.

Simon e o "médico" ergueram gentilmente a figura mumificada para dentro do avião.

— Ele só vai acordar depois que vocês pousarem, *signor* — sussurrou o homem, confiante, abaixando-se para ajeitar os lençóis carinhosamente ao redor do corpo do paciente.

O Santo sorriu com amabilidade e afastou-se para ajudar a "enfermeira" a se instalar em seu lugar. Não fazia ideia de como tinha corrido a primeira fase do sequestro, nem se incomodou de perguntar. Já realizara proezas semelhantes, com igual competência, sem perder o poder de admirar de forma impessoal a técnica de outros na mesma área. Com um suspiro de satisfação instalou-se em seu assento, sinalizou para o mecânico postado perto da hélice do motor já aquecido e fez a aeronave alçar voo rugindo em direção ao crepúsculo.

O voo em direção norte foi calmo, sem incidentes. Com um vento sul seguindo-os e ajudando o voo, Simon divisou as três luzes vermelhas que identificavam a estação de reabastecimento por volta das duas e meia, e pousou perto das três chamas que foram acesas depois que ele piscou com as luzes de navegação. Os dois homens contratados pelo sr. Naccaro reabasteceram o tanque enquanto ele fumava um cigarro e esticava as pernas, e em vinte minutos ele partiu. Simon passou por Folkestone quando já estava amanhecendo e voou baixo por algumas milhas até chegar ao destino para que nenhum caipira curioso visse exatamente onde ele tinha pousado.

— *U sinhore* trouxe ele? — perguntou o sr. Naccaro, dançando em delírio enquanto Simon descia do avião, rígido.

— Trouxe — disse o Santo. — É melhor levá-lo logo para dentro, acho que seu pessoal não o dopou tão bem quanto imaginava, e pelo modo como ele tem se comportado nos últimos minutos, vai *acabare* tendo *uno bebé* também.

Ele tirou a touca e os óculos de proteção e observou com interesse sua carga ser descarregada. O senhor Giuseppe Rolfieri tinha se recuperado consideravelmente dos efeitos da droga sob cuja influência ele embarcara; mas a ressaca, junto com as condições climáticas adversas da última parte da jornada, o impediram com ainda maior eficiência de tentar resistir. Simon não tinha ideia de que a pele humana podia ficar verde, mas a epiderme do Signor Rolfieri tinha literalmente ficado com esse tom notável.

O Santo ficou para ajudar a outra metade do comitê de recepção — que se apresentou como o irmão do sr. Naccaro — a conduzir o fiel Avro para um celeiro; então ele voltou para a sede da fazenda. Quando chegou ao batente, a porta se abriu e Naccaro apareceu.

— Rá! — gritou ele, apertando o ombro do Santo. — *Sinhore* Templar, *u sinhore* tem sido tão *buono*, fico sem jeito de *pedire*, *ma*... *u sinhore* tem *uno* carro... será *qui non* pode fazer outro *favore*?

Simon ergueu as sobrancelhas.

— Não posso assistir ao casamento? — protestou ele. — Talvez eu possa ajudar.

— Sim, depois, sim — respondeu Naccaro. — *Ma noi non stamo pronto. Ecco, ficamo* tão apressado, *agitato, qui viemo i isquecemo du más* importante. *Isquecemo u* sabão!

Simon piscou.

— Sabão? — repetiu. — Não dá para fazer o casamento com ele sujo assim mesmo?

— *Non, non, non* — respondeu Naccaro. — *U sinhore non* entende. *U* sabão *non* é para *lavare*. É para *persuadire*. *Io* mostro ao *sinhore* depois. Foi ideia minha. *Mai precisamo du* sabão. *Per favore, sinhore*, pode ir *buscare* com *vostro* carro?

O Santo franziu o cenho para ele sem expressão por um instante; então deu de ombros.

— Ok, camarada — murmurou ele. — Eu faria até mais para saber como é que você convence um sujeito a casar usando uma barra de sabão.

Ele meteu a touca e os óculos de proteção no bolso de seu casaco de piloto e foi até o celeiro, onde tinha deixado o carro antes de partir para San Remo. Já tinha ouvido falar de vários instrumentos de persuasão esquisitos, mas era a primeira vez que via sabão comum sendo usado como instrumento de tortura ou coerção moral. Ele se perguntou se o clã Naccaro fazia tão má ideia da limpeza pessoal de Rolfieri a ponto de achar que a mera ameaça de dar um banho nele o aterrorizaria de forma a concordar em cumprir seus compromissos, ou se a vítima primeiro seria suja de tinta e subornada com o sabão, ou se ameaçariam fazê-lo comer o sabão à força. E o Santo ficou tão fascinado com essas especulações provocativas que dirigiu por quase um quilômetro até lembrar que não tinha recebido dinheiro para comprar o item necessário.

Simon Templar não era avarento. Teria dado uma barra de sabão a qualquer pessoa necessitada. Em troca da solução do mistério que o deixava perplexo, ele com prazer teria arranjado um caminhão carregado de sabão para dar ao sr. Naccaro. Mas ele não levava dinheiro consigo. Em um momento de distração, partira em viagem com apenas uma pequena quantia de dinheiro em espécie. E tudo que tinha restado eram duas liras, o troco da última refeição que fizera em San Remo.

Ele parou o carro e ficou pensativo por alguns instantes. Não havia espaço visível adiante que lhe permitisse virar o carro, e ele não iria dar ré por quase um quilômetro naquela via estreita; mas, desde que partira, a estrada curvara-se para a esquerda o tempo todo, e ele se ergueu para averiguar o cenário na esperança de que a fazenda ficasse a uma curta distância, cortando os terrenos em linha reta. E ao se erguer ele viu algo curioso.

Outro carro, sobre cuja existência ninguém dissera nada, estava em frente à sede da fazenda; e o sr. Naccaro e seu irmão carregavam às pressas para dentro dele o corpo do infeliz Signor Rolfieri, agora amarrado com vários metros de corda, como um artista de fugas demonstrando um truque. A moça Maria postava-se perto; e assim que Rolfieri entrou no carro ela o seguiu, cobrindo-o com um carpete e sentando-se confortavelmente no banco. Naccaro e seu irmão entraram na frente, e o carro partiu acelerado na direção oposta à que o Santo tinha tomado.

Simon Templar afundou devagar no banco do motorista e pegou a cigarreira. Pausadamente, ele bateu a cigarreira na palma da mão, retirando um cigarro, o acendeu e deu duas tragadas lentas como se tivesse bastante tempo livre. Então deu marcha a ré e conduziu o grande carro modelo Hirondel vermelho e cor de creme de volta pela estrada a uma velocidade que não indicava sua hesitação prévia em executar a manobra.

Virou o carro diante dos portões da fazenda e partiu veloz com o escapamento fechado e os olhos varrendo cuidadosamente a paisagem adiante. O outro carro era um sedã, e durante boa parte do tempo ele conseguia ver o teto do carro acima das sebes baixas que escondiam seu Hirondel sem teto da presa. Mas é improvável que a possibilidade de estar sendo perseguido tenha ocorrido ao grupo na frente, que devia estar tranquilo acreditando que o Santo naquele momento se afastava inocentemente na direção do vilarejo que eles tinham indicado. Uma vez, em uma bifurcação, ele perdeu o rastro deles; mas então viu um fiapo de fumaça subindo da grama depois de uma curva mais à frente e dirigiu lentamente até o local. Era a ponta ainda acesa de um charuto que não poderia ter sido deixado em um lugar mais conveniente para marcar o caminho. O Santo sorriu e seguiu caminho.

Em alguns segundos recuperou o rastro do sedã outra vez. E logo em seguida ele pisou no freio e fez o Hirondel parar de súbito.

O sedã parou diante de um chalé solitário cujo telhado de palha era bem visível. No instante seguinte o Santo saiu do carro e caminhou com cautela até o chalé. A curva seguinte do caminho o deixaria visível para quem estivesse no carro, por isso meteu-se em um vão na sebe próxima, atravessando-a e correu para os fundos da casa. Em plena luz do dia, não havia como se esconder, e agora era tudo ou nada. Mas a sorte do Santo persistiu, e até onde percebia, tinha conseguido aproximar-se do alvo sem ser detectado. Tendo chegado ao local, encontrou uma janela de cozinha aberta, convidativa; apenas mais um elo na sequência de eventos fortuitos que o ajudara de forma tão benevolente em sua aventura até ali.

Rolfieri e a turma de Naccaro já estavam na casa. O Santo ouvia suas vozes abafadas ao avançar de mansinho pelo corredor escuro até a fachada. E se postou diante da porta da sala em que estavam. Pelo buraco da fechadura ele pôde ver a cena. Rolfieri, ainda amarrado, estava sentado em uma cadeira, e os irmãos Naccaro parados ao seu lado. Maria estava esparramada em um divã, fumando um cigarro e deixando à vista suas pernas metidas em uma meia de seda que não condizia com a imagem de uma virgem traída cuja honra estava ameaçada. A conversação era em italiano, apenas mais uma entre tantas que o Santo dominava. E era bastante esclarecedora.

— Vocês não podem me forçar a pagar — dizia Rolfieri, mas sua teimosia não parecia tão convincente.

— Isso é verdade — concordou Naccaro. — Só posso mostrar as desvantagens de não pagar. Você está na Inglaterra, onde a polícia ficaria bem feliz em vê-lo. Seus comparsas já foram julgados e condenados, e para você se juntar a eles seria apenas mera formalidade. A menor sentença no caso até agora foi de cinco anos, e acho difícil você receber menos que isso. Se o deixarmos aqui e informarmos à polícia o seu paradeiro, em pouco tempo você estará na prisão. Certamente vinte e cinco mil libras é um preço pequeno para evitar tudo isso.

Rolfieri ficou olhando emburrado para o chão e então disse:

— Eu dou dez mil.

— Vinte e cinco mil ou nada — disse Naccaro. — Vamos, vamos. Creio que sabe ser razoável. Dê o que pedimos, e você poderá sair da Inglaterra antes do anoitecer. Vamos dizer ao idiota do Templar que você concordou com nossos termos sem precisar de sabão e que o levamos para a igreja antes que você mudasse de ideia. Ele o levará a San Remo imediatamente, e você não terá mais o que temer.

— Eu já não tenho nada a temer — disse Rolfieri, tentando se encorajar. — Não adiantaria nada a vocês me entregar para a polícia.

— Seria um castigo por você desperdiçar nosso tempo e nosso dinheiro — disse a moça, em um tom que não deixava dúvidas de que a vingança seria obtida a qualquer custo.

Rolfieri passou a língua nos lábios e se contorceu, cingido pelas cordas apertadas. Ele era um homem gordo, e fora preciso muita corda. Talvez a lembrança de sua constituição bem alimentada o tenha feito considerar os inescapáveis desconfortos da servidão penal para um amante da boa vida, pois sua voz pareceu ainda mais desalentada quando ele falou novamente.

— Eu não tenho tanto dinheiro na Inglaterra.

— Você tem muito mais do que isso na Inglaterra — respondeu o outro Naccaro, ríspido. — Está depositado no City and Continental Bank no nome de Pierre Fontanne. E temos um cheque aqui já pronto para você assinar. Só precisamos que assine e escreva uma carta instruindo o banco a pagar em dinheiro. Ande logo e decida-se, porque já estamos perdendo a paciência.

Era inevitável que ainda haveria alguma discussão, mas o resultado mostrava-se inescapável.

O cheque foi assinado, e a carta, escrita; Domenick Naccaro entregou os papéis ao irmão.

— Agora me deixe ir embora — disse Rolfieri.

— Só quando Alessandro voltar com o dinheiro — disse Domenick Naccaro. — Até lá, você fica aqui. Maria vai vigiá-lo enquanto eu volto à fazenda para falar com Templar e retê-lo.

O Santo não precisou ouvir mais nada. Voltou para a cozinha rápida e silenciosamente, e saiu pela janela em que entrou. Mas antes de sair pegou um troféu de uma prateleira em cima da pia.

Domenick Naccaro chegou à sede da fazenda pouco depois do Santo, e o encontrou lendo um jornal.

— Rolfieri *si casô* com Maria — anunciou ele triunfante, e beijou as bochechas do Santo. — Então *vô mantere il* segredo *du* truque com *u* sabão. *Mai nói devemo tutto* a você, *mio* amigo!

— Acho que sim — admitiu Simon. — Onde está o casal feliz?

— Rá! Agora é *uno* romance. Parece *qui u sinhore* Rolfieri sempre *gostô* da Maria, *i* quando soube *qui* ela teve *nenén*, e viu ela de novo... *presto! Si apaixonô pur* ela. Agora eles vão para Londres *pegare* as roupas, rápido, para poderem *saíre* na lua de mel. Então *podemo ficare* tomando vinho até voltarem.

E assim eles passaram uma manhã agradável, que Simon Templar teria apreciado mais se a cautela não o tivesse feito derramar todas as suas taças de vinho no chão, disfarçadamente.

Era uma e meia da tarde quando um carro se aproximou, e dele saíram Rolfieri, meio esmolambado, Alessandro Naccaro, contente, e Maria, sorrindo discreta. Domenick se levantou de um salto.

— Está tudo certo? — perguntou.

— *Perfetto!* — sorriu Alessandro.

Era só isso que o Santo estava esperando ouvir. Ele se levantou rápido da cadeira e sorriu para os presentes.

— Nesse caso, moças e rapazes, ponham as mãos para o alto e fiquem quietinhos, sim?

Havia uma pistola automática em sua mão. E seis olhos a encararam, perplexos. Domenick Naccaro deu um sorriso aguado e incerto.

— *U sinhore stá a brincare, non* é?

— Ah, sim — murmurou o Santo, amistoso. — *Stô a brincare*. Experimentem me dar trabalho que vocês vão me ver rindo.

Fez sinal para que o furioso Alessandro se aproximasse e vasculhou seus bolsos. Ninguém ali realmente se animava a dar trabalho, mas a tentação de fazê-lo deve ter sido quase irresistível quando o Santo pegou um magote de cédulas novas e as transferiu para sua carteira.

— Isso deve parecer bem cruel de minha parte — observou Simon —, mas eu tenho de fazê-lo. Vocês são uma família bem talentosa, se é que são mesmo uma família, e vão ter que se contentar com a lembrança de que me enganaram durante dez dias. Quando penso quão facilmente poderiam ter me enganado até o fim, eu sinto calafrios. Realmente, pessoal, foi um plano brilhante, e eu queria ter pensado nele.

— *Spera* só a próxima vez que *io ti encontrare*, seu porco — disse Domenick, emburrado.

— Eu vou esperar — prometeu Simon.

Ele saiu da sala discretamente e andou em direção ao carro. E os golpistas se reuniram na porta da casa para vê-lo. Foi só quando ele deu a partida que o Signor Rolfieri percebeu as implicações do que estava acontecendo.

— Mas e quanto a mim? — gritou ele. — Como eu volto para San Remo?

— Não faço ideia, camarada — respondeu o Santo, insensível. — Talvez Domenick ajude você em troca de mais dinheiro. Vinte e cinco contos em vez de cinco anos de cadeia saíram bem em conta, no fim.

Engatou a marcha gentilmente e o grande automóvel começou a se mover. Mas menos de três metros depois ele parou e tateou em um dos bolsos do casaco. Ele pegou a lembrança roubada da cozinha e a arremessou na direção de Domenick, já roxo de raiva.

— Desculpe, camarada — gritou ele por cima do ombro. — *Mi squeci du* sabão!

A ERA PULP

VILÃO: ?

HISTÓRIA APÓS O JANTAR
WILLIAM IRISH

Provavelmente o maior escritor de suspense de todos os tempos, Cornell George Hopley-Woolrich (1903-1968) nasceu em Nova York, cresceu entre México e Nova York e foi educado na Columbia University, tendo deixado para esta seu espólio literário.

Escrevendo sob os pseudônimos de Cornell Woolrich, William Irish e George Hopley, foi um escritor triste e solitário, que dedicou livros à sua máquina de escrever e ao seu quarto de hotel. Alcoólatra e quase certamente um homossexual enrustido, Woolrich era tão antissocial e recluso que se recusou a sair do quarto de hotel quando sua perna infeccionou, o que resultou na amputação do membro.

Não é de surpreender que a maior parte do seu trabalho seja carregada de trevas sufocantes, e poucos personagens seus, bons ou maus, tenham esperança de obter felicidade — ou mesmo justiça. Embora suas noveletas e contos requeiram bastante suspensão de descrença ao abusar das coincidências, nenhum autor do século XX pode competir com Woolrich em sua habilidade de criar tensão.

Os produtores de Hollywood reconheceram a qualidade cinemática de suas narrativas sobre o cotidiano de imprevistos, e poucos escritores tiveram tantos filmes baseados em suas obras quanto Woolrich, incluindo *Sacrifício de irmã* (1938), com Rita Hayworth, baseado em "Face Work"; *Vida contra vida* (1942), com Burgess Meredith e Claire Trevor, baseado em *The Black Curtain* (1941); *O homem-leopardo* (1943), com Dennis O'Keefe e Jean Brooks, baseado em *Black Alibi* (1942); *A dama fantasma* (1944), com Ella Raines e Alan Curtis, baseado na noveleta de mesmo nome (publicada em 1942); *Morte ao amanhecer* (1946), com Susan Hayward, baseada na noveleta de mesmo nome (publicada em 1944); *Janela indiscreta* (1954), com Grace Kelly e James Stewart, baseado em "It Had to Be Murder"; e mais 16 outros, incluindo dois dirigidos por François Truffaut: *A noiva estava de preto* (1968), com Jeanne Moreau, baseado na noveleta de mesmo nome (publicada em 1940); e *A sereia do Mississippi* (1969), com Catherine Deneuve, baseado em *Waltz into Darkness* (1947).

"História após o jantar" foi publicado originalmente na edição de janeiro de 1938 da *Black Mask Magazine*, e foi reunido em coletânea pela primeira vez em *After-Dinner Story* (Filadélfia, J.B. Lippincott, 1944).

HISTÓRIA APÓS O JANTAR

WILLIAM IRISH

Mackenzie entrou no elevador no 13º andar. Ele era vendedor de filtros de água e tinha ido ao escritório fechar a contabilidade do dia antes de voltar para casa. Mais tarde naquela noite ele contou à esposa, rindo um pouco, que ter entrado no elevador no décimo terceiro andar devia ter sido a causa do que lhe acontecera. A maioria dos prédios pula esse número.

A lâmpada vermelha acendeu e o elevador parou para ele entrar. Era do tipo expresso, que pulava todos os andares abaixo do décimo, subindo ou descendo. Havia outros dois homens no elevador quando ele entrou, sem contar o ascensorista. Era o final do dia, e a maioria dos escritórios já se esvaziara. Um dos homens tinha aparência de acadêmico com óculos sem aro, alto e levemente encurvado. MacKenzie a seu tempo descobriu o nome dos dois. O acadêmico era Kenshaw. O outro era atarracado e parecia um querubim de pintura, sócio em um vacilante empreendimento de venda de canetas-tinteiro com pequenas lâmpadas embutidas que não estava tendo muito sucesso. Estava mexendo em um de seus modelos, apertando o botão de liga-desliga com um ar de propriedade orgulhosa. Seu nome era Lambert.

O elevador, reluzente em bronze e cromo, parecia bastante eficiente e se locomovia com suavidade. Parecia bem seguro. Parou no próximo andar, o décimo segundo, e um sujeito de aparência ranzinza com sobrancelhas peludas entrou: Pendergast. Então o número 11 se acendeu no painel do ascensorista e o elevador parou outra vez. Um homem de idade próxima à de MacKenzie e outro mais velho com um bigode branco aparado postavam-se lado a lado no décimo primeiro andar quando a porta abriu. Mas apenas o mais jovem entrou; o mais velho o pegou pelo braço ao se despedir e se virou, comentando bem alto: "Diga a Elinor que eu perguntei por ela." O mais jovem respondeu "Tchau, papai" e entrou. Hardecker era o seu nome. Quase imediatamente o número 10 se acendeu.

O recém-chegado do 11º andar voltou-se para a porta, como todos os passageiros devem fazer em um elevador, para sua própria segurança. MacKenzie olhou para o homem de aparência azeda com sobrancelhas peludas naquele momento; ele estava bem atrás do recém-chegado. Ele encarava a nuca de Hardecker com intensidade ameaçadora. De fato, MacKenzie jamais vira alguém com um olhar tão intenso antes, exceto pelos capangas dos filmes. Era forçoso admitir que as características faciais do homem se prestavam admiravelmente a essa expressão, mesmo quando seu rosto estava relaxado.

MacKenzie imaginou que essa reação discreta fora causada pelo recém-chegado, que sem notar pisara no pé do outro ao se voltar para a porta. E de fato, nem o próprio MacKenzie se dava conta de estar analisando a cena em detalhes, vagando entre pensamentos que se seguiam, desconexos.

Outro passageiro entrou no décimo andar, um cobrador, a julgar pela resma de boletos rosa, verdes e amarelos que ele ficou examinando. Pelo ar enfezado, não parecia estar tendo muita sorte naquele dia. Ou talvez seus pés doessem. Seu nome era Megaffin.

Agora havia sete pessoas no elevador, contando o ascensorista, em um grupo compacto voltado para a porta, e não haveria mais paradas até chegarem ao primeiro andar. Não era um grupo grande. Certamente não era nem de longe o máximo que o elevador podia sustentar. O aviso emoldurado, afixado ao painel diante dos olhos de Mackenzie, dizia que o elevador tinha sido inspecionado dez dias antes.

O elevador não parou no primeiro andar.

Mackenzie, tentando reconstruir a sequência de eventos daquela noite para sua esposa, disse que o ascensorista pareceu acelerar o elevador assim que este saiu do décimo andar. Era o elevador expresso, e não deu maior importância ao fato. Ele se lembrou de notar que o ascensorista tinha uma espinha inchada na nuca, sobressaindo pela borda do colarinho, coberta por uma cruz formada por dois esparadrapos. Ele sentiu o frio na boca do estômago que ocorre durante uma queda precipitada. O homem perto dele, o jovem do décimo primeiro andar, se virou e o encarou com uma expressão meio divertida, meio incomodada, demonstrando que também sentia o mesmo. Mais atrás alguém assobiou em sinal de desconforto.

O elevador era de metal e todo fechado, e não era possível ver as portas de cada andar, que deviam estar passando velozmente. MacKenzie começou a sentir um zumbido peculiar nos ouvidos, como quando ele pegava o metrô debaixo do East River, e as juntas dos joelhos pareceram se afrouxar, como se fossem ceder e derrubá-lo.

Mas o que o fez perceber — junto com todos os outros — que tinha algo de muito errado acontecendo e que aquela não era uma descida normal foi o modo súbito, fútil e estabanado com que o ascensorista começou a empurrar e a puxar a alavanca de controle. A alavanca docilmente se movia no curto arco de sua órbita, mas o elevador se recusava a obedecer. O ascensorista continuou batendo com a alavanca na extremidade do console onde estava escrito "Parar", mas nada acontecia. Frações de segundo arrastavam-se feito minutos.

Eles ouviram o ascensorista dizendo "Cuidado! Vai bater!", e não houve tempo para mais nada.

Tudo aconteceu em segundos. O clique de um obturador de câmera. A velocidade de descida tornou-se enjoativa. MacKenzie sentiu que ia vomitar. Então houve um tremendo atroar como um tiro de canhão e uma explosão de trevas quando as lâmpadas quebraram, lançando vidro estilhaçado sobre todos.

Os passageiros tombaram em uma pilha de corpos feito pinos de boliche. MacKenzie, que caíra para trás, foi quem teve mais sorte no grupo. Não chegou a tocar o assoalho de borracha dura do elevador e sentia corpos se retorcendo embaixo de si. Mas seu quadril e ombro torceram de mau jeito, e a sola do pé ficou dormente com a pancada forte que deu na parede de bronze do elevador.

Não havia chance de sair da posição embaraçosa nem de se levantar. Agora o elevador subia novamente como se tivesse molas. A sensação de enjoo retornou, mas mais fraca. O elevador parou, voltou a cair e eles bateram pela segunda vez. Não com o impacto terrível de antes, mas de forma mais amena, o que os deixou ainda mais emaranhados do que antes no chão. O sapato de alguém raspou na cabeça de MacKenzie. Ele não viu o sapato, mas conseguiu pegá-lo e afastá-lo para o lado — mas o sapato voltou, chutando-o e causando uma fratura.

Uma voz perto dele gritava, quase histérica, como se fosse possível controlar as subidas e descidas: "Pode parar! Pare com isso!" Nem MacKenzie, assustado e atônito como estava, tinha perdido a cabeça daquela maneira.

O elevador finalmente parou depois de mais uma quicada que quase não moveu as molas embaixo do assoalho e de uma sacudidela quase imperceptível. Só restaram então trevas densas, a sensação de sufocamento, um ajuntamento de corpos se sacudindo como em um formigueiro, gemidos dos que tinham se ferido gravemente e um ou outro suspiro preocupante dos que já não tinham forças para gemer.

Alguém debaixo de MacKenzie já não se movia. Ele apalpou o corpo e identificou um colarinho alto e duro e, um pouco acima, um inchaço coberto por dois esparadrapos entrecruzados. O ascensorista estava morto. A inércia do corpo e o carpete de borracha debaixo do crânio do ascensorista, recoberto de um líquido pegajoso, fizeram MacKenzie ter certeza disso.

Ele tateou pela parede de metal liso do compartimento que os enterrara vivos e forcejou para se erguer feito uma mosca subindo uma janela de vidro, com a base das mãos e os cotovelos. Aos poucos conseguiu erguer e firmar o corpo com esses apoios precários. E, de pé mais uma vez, se encostou contra o bronze frio.

A voz — sempre tem uma em todo pânico ou catástrofe — que gritara "Pare com isso!" agora implorava com veemência infantil: "Me tire daqui! Por tudo que é mais sagrado, eu tenho esposa e filhos. Me tire daqui!"

MacKenzie teve a impressão de que era o sujeito carrancudo com sobrancelhas peludas. "As chances são altas", pensou. Truculência ostensiva e banca de durão geralmente são cascas vazias, máscaras para a fraqueza.

— Cale a boca — disse McKenzie. — Eu também tenho esposa, e daí?

O importante, reconheceu ele, não eram as trevas, nem o fato de estarem presos no fundo de um poço fechado, nem os possíveis ferimentos que tinham sofrido. Mas o resultado menos notável daquela situação era também o mais perigoso. Era a vaga sensação de abafamento, de sufocamento. Era preciso fazer algo a respeito de imediato. O ascensorista abrira a porta do elevador em cada andar simplesmente usando a trava automática. Não havia motivo para crer que o processo não se repetiria ali embaixo, embora não houvesse uma abertura na frente da porta ali, no fundo do poço. Ar suficiente viria pelo estreito espaço entre o elevador emperrado e a parede para mantê-los respirando até a ajuda chegar. Precisariam de mais ar o quanto antes.

Os braços de MacKenzie se moveram em círculos encostados à superfície lisa de metal do elevador, buscando o recesso da trava que permitiria abrir a porta.

— Fósforos — pediu ele. — Alguém acenda um fósforo. Estou tentando abrir isso aqui. Estamos hermeticamente selados.

A reação imediata, e esperada, do sujeito de aspecto durão foi um uivo de medo, como o ganido de um cão covarde.

Outra voz, mais controlada, disse:

— Espere um instante.

Mas nada aconteceu.

— Estou aqui. Pode me dar — disse Mackenzie, esticando a mão com a palma virada para cima para as trevas que o cercavam.

— Não vão acender, estão molhados. Devo ter me cortado no vidro. — E então um grito alarmado: — Minha camisa está coberta de sangue!

— Calma, pode não ser seu — disse MacKenzie, calmamente. — Apalpe-se antes de sair gritando. Se for seu sangue, aperte um lenço contra a ferida. O vidro da lâmpada não é forte o bastante para cortar muito fundo.

E então, exasperado, ele gritou:

— Pelo amor de Deus! Seis pessoas! Nenhum de vocês tem um fósforo? — Uma reclamação injusta, considerando que os seus tinham acabado antes de deixar o escritório, e ele já tinha planejado comprar mais na tabacaria quando saísse do elevador.

— Aquele cara que estava mexendo numa caneta-tinteiro que acende, me empreste sua caneta.

Outra voz, sem medo mas infinitamente decepcionada, respondeu:

— Ela... Ela quebrou... — E então, com uma tristeza que indicava haver tragédias maiores que o que acontecera ao elevador, continuou: — Pelo visto não dá para deixar cair sem quebrar. Esse era o destaque da nossa campanha publicitária. — Então, um murmúrio indistinto, e: — Mil e quinhentos dólares de investimento! Quando o Belman souber do aperto em que a gente se meteu... — Um comentário que, dadas as circunstâncias, não tinha como não ser engraçado.

"Pelo menos esse aí não é covarde", pensou Mackenzie.

— Esqueçam! — exclamou ele, subitamente. — Já consegui.

Seus dedos tinham encontrado o recesso no canto do painel de bronze liso. Não parecia ter entortado, mas, se a pancada tivesse causado isso, se a peça se recusasse a abrir...

Ele puxou a trava, inclinando-se sobre o corpo do ascensorista morto, e forçou a alavanca. Ela cedeu e recuou um terço da distância usual no trilho, até que emperrou totalmente. Era o bastante para o que precisavam no momento, embora não fosse possível alguém passar pelo espaço resultante. Os tijolos ásperos da parede do poço estavam a um dedo de distância da saída do elevador, e nem um gato conseguiria esticar a pata ali sem prendê-la. Mas o importante é que não sufocariam, não importava quanto tempo demorasse para liberar o mecanismo e erguer o elevador.

— Está tudo bem, pessoal — disse, tranquilizador, para os que estavam atrás dele. — Já está passando ar aqui para dentro.

Se havia luz lá no alto do poço, não estava chegando ali. A parede do poço diante da abertura era tão escura quando o interior do elevador.

Ele disse:

— Eles nos ouviram. Sabem o que aconteceu. Não adianta gritar desesperadamente, isso só vai irritar o resto de nós. Vão mandar uma equipe de emergência. Só temos que sentar e esperar, nada mais.

Os enervantes gritos pedindo ajuda, provavelmente do sujeito durão, foram silenciados pela vergonha. Um gemido de outra pessoa ainda se fazia ouvir, intermitente.

— Meu braço, ah, Deus, como dói!

Aqueles suspiros, de um ferimento ainda mais profundo, tinham silenciado de forma suspeita há alguns minutos. Ou o homem desmaiara, ou tinha morrido também.

MacKenzie, pragmático, mas não insensível, tateou em busca do corpo desabado do ascensorista e o ajeitou a um canto do elevador, erguendo-o e encostando-o à parede. Então ele se sentou no espaço agora disponível no chão, dobrou as pernas e as abraçou. Ele não diria que era um homem corajoso. Era apenas realista.

Houve um silêncio temporário de todos ao mesmo tempo, uma daquelas pausas. Então, por causa do total silêncio e calmaria que parecia dominar o topo do poço, o pânico apertou o sujeito durão outra vez.

— Eles vão nos deixar aqui a noite inteira? — choramingou. — Vocês tão aí sentados parados por quê? Não querem sair?

— Por favor, alguém cale a boca desse cara com um soco! — retorquiu MacKenzie, irritado.

Alguém sugou ar entredentes e gemeu:

— Meu braço! Ah, meu braço!

— Deve ter quebrado — sugeriu MacKenzie, solidário. — Tente amarrar sua camisa em volta para amenizar a dor.

O tempo pareceu parar, dando saltos para diante de vez em quando como uma fivela nos furos de um cinto. O remexer de um corpo inquieto, um grunhido, suspiros de impaciência, um grito ocasional do covarde do grupo, a quem MacKenzie destratava com cada vez mais virulência à medida que seus nervos se esgotavam.

A espera, a sensação de estarem presos e indefesos, começou a fazer sentir suas sequelas, mais do que o próprio acidente.

— Devem achar que morremos e que por isso não precisam se apressar — disse alguém.

— Eles jamais agem assim num caso desses — respondeu MacKenzie, abruptamente. — Estão fazendo o possível, o mais rápido que podem. Vamos dar tempo a eles.

Uma voz que ainda não se pronunciara disse, para ninguém em particular:

— Que bom que meu pai não entrou comigo.

Alguém disse:

— Quem dera eu não tivesse voltado para atender a droga do telefone. Discaram o número errado. Eu podia ter descido no elevador antes desse.

MacKenzie zombou:

— Ah, vocês parecem crianças! Aconteceu! De que adianta ficar fantasiando?

Ele tinha um relógio de pulso com um mostrador luminoso. Ele queria não ter um relógio, ou que este tivesse quebrado como a caneta do outro sujeito. Era enervante; seus olhos buscavam o mostrador a cada minuto, e quando parecia que meia hora tinha se passado, ele verificava que tinham sido apenas cinco minutos. Sabiamente ele decidiu não mencionar o relógio aos outros, pois ficariam perguntando quanto tempo tinha se passado até o enlouquecerem.

Quando já tinham se passado vinte e dois minutos e trinta segundos desde quando ele olhara para o mostrador, e todos — inclusive ele — se encontravam em um estado de instabilidade nervosa prestes a estourar em frenesi histérico, houve uma batida súbita e inesperada vinda do alto, como se algo pesado tivesse aterrissado no teto do elevador.

Dessa vez foi MacKenzie quem se levantou de um salto. Ele pressionou o rosto contra os tijolos do lado de fora e gritou pela abertura fina feito papel:

— Oi! Alô!

— Oi! — respondeu uma voz. — Estamos chegando aí, fiquem calmos!

Houve mais batidas, como se acima deles alguém estivesse dançando. Então um clangor metálico súbito, como se uma caldeira central tivesse estourado no alto. O elevador inteiro vibrou, e tornou-se impossível tocar qualquer parede ali dentro por muito tempo sem as mãos ficarem dormentes. O espaço confinado do poço amplificava o som, que atroava e sufocava suas palavras. Mackenzie não aguentou e precisou tapar os ouvidos com as mãos. Uma fagulha elétrica azulada faiscou vinda do alto pela estreita abertura frontal. Então outra, e depois outra. Mas apagaram-se rápido demais para iluminar o interior do elevador.

Maçaricos! Estavam tendo de cortar um buraco no teto do elevador para chegar até eles. Se havia uma abertura para o porão, e devia haver, o elevador devia tê-la atravessado e descido até o subsolo, ficando preso lá embaixo. Não havia outra maneira.

Uma faísca se materializou, fantasmagórica, pelo teto. Depois outra, e então um jorro delas em semicírculo. Uma cortina de fogo desceu entre eles até o meio do elevador, iluminando fracamente seus rostos por um minuto. Por sorte, se apagou antes de chegar ao assoalho.

O barulho cessou subitamente, deixando em sua esteira um silêncio ensurdecedor. Uma voz gritou acima deles:

— Vocês aí embaixo, cuidado com as faíscas, estamos chegando. Fechem os olhos e se encostem nas paredes!

O barulho recomeçou, mais próximo e mais alto. Os dentes de MacKenzie rilhavam com a vibração incessante. Ser resgatado parecia pior do que ficar preso ali embaixo. Ele se perguntou como os outros estavam aguentando, especialmente o pobre coitado com o braço quebrado. Achou ter ouvido uma voz gritando “Elinor! Elinor!” duas vezes, mas não dava para ter certeza em meio à barulheira infernal.

As faíscas continuavam caindo em cascata; MacKenzie apertou os olhos e os cobriu com a mão para proteger a vista. Achou ter visto uma faísca disparando na horizontal, em vez de na vertical, como as outras; e a cor era diferente, mais alaranjada. Devia ser uma ilusão ótica produzida por luz e trevas alternadas a que estavam sendo submetidos. Ou isso, ou um pedaço solto de metal em combustão tinha se soltado do teto e ricocheteado nas paredes. E MacKenzie decidiu fechar totalmente os olhos para não arriscar.

Não aconteceu nada de diferente depois disso. O barulho e as faíscas cessaram abruptamente. Os trabalhadores entortaram o pedaço em forma de meia-lua que tinham cortado no teto com pés de cabra, mantendo-o seguro para que não desabasse para dentro do elevador, esmagando quem estivesse lá embaixo. Os feixes de luz azulada e fria das lanternas bruxuleou no meio deles. Um policial saltou para dentro, e cordas foram arremessadas do teto. Ele disse, de forma pragmática e factual:

— Tudo bem, quem vai primeiro? Quem está mais machucado?

Sua lanterna mostrava três corpos imóveis aos pés dos outros no espaço confinado. O ascensorista, amontoado no canto em que MacKenzie o deixara. O homem de aparência acadêmica com os óculos sem aro (já sem óculos agora, com um corte profundo debaixo de um olho para mostrar o que acontecera com eles) caídos para o lado. E o jovem que entrara no décimo primeiro andar, caído parcialmente sobre o acadêmico, de bruços.

— O ascensorista morreu — respondeu MacKenzie, como porta-voz dos outros —, e esses dois já não estão mais sofrendo. Tem um aqui com o braço quebrado, pode levar.

O policial passou uma corda agilmente por baixo dos braços do cobrador de rosto lívido, que apertava a manga solta do paletó com a outra mão e suava profusamente.

— Pode puxar! — gritou o policial na direção da abertura do teto. — E vão com calma, ele está ferido.

O cobrador subiu pelo teto, gemendo, com as pernas encolhidas feito um peru assado.

O acadêmico foi o próximo, com a cabeça balançando, inconsciente. Quando a corda terminada em laço desceu, o policial se agachou para amarrá-la ao redor do jovem que ainda estava no chão.

MacKenzie viu quando ele mudou de ideia. O policial abriu uma pálpebra do jovem e em seguida passou a corda para o sujeito durão que tinha passado o tempo todo choramingando e que estava tremendo em reação nervosa ao medo que passara.

— Qual o problema com ele? — intrometeu-se MacKenzie, apontando para o chão.

— Morreu — respondeu o policial. — Ele pode esperar, os vivos vão primeiro.

— Morreu! Mas eu o ouvi dizer que estava feliz pelo pai não ter entrado com ele, bem depois de termos caído!

— Não estou nem aí para o que você ouviu ele dizer! — respondeu o policial. — Ele pode ter falado isso e morrido depois! Maluco. Quer me ensinar meu trabalho? Você parece estar bem alegrinho para quem acabou de passar por uma experiência dessas!

— Esqueça — disse MacKenzie, apaziguando.

Concluiu que não era mesmo da sua conta se o sujeito parecera estar bem e agora estava morto. Talvez tivesse o coração fraco.

Ele e o entristecido empresário do ramo das canetas-tinteiro pareciam ser os únicos dois do grupo totalmente ilesos. Este, no entanto, ficara tão deprimido com o fato de seu dispositivo não ter aguentado a pressão de uma emergência que parecia nem se importar se iria subir ou ficar ali embaixo, nem com o que pudesse lhe acontecer. Ficou examinando o dispositivo defeituoso até mesmo enquanto subia pela abertura no teto, com a expressão de um homem que mordeu um limão bastante azedo.

MacKenzie foi o último a subir, antes das duas fatalidades. Foi puxado sob a borda da abertura do porão, de onde as portas deslizantes tinham sido arrancadas. Estava a apenas um metro e vinte centímetros acima do teto do carro; ou seja, o poço continuava depois do porão por pouco mais que a altura do elevador. Ele não entendia por que tinham construído daquela forma em vez de terminar no nível do porão, de forma que aquele longo período de aprisionamento teria sido evitado. Depois o zelador do prédio lhe explicou que aquilo era para que o elevador tivesse espaço extra embaixo, pois de outra forma haveria risco de emperrar sempre que descesse até o nível do porão.

Havia macas no corredor saindo do porão, e o cobrador e o acadêmico estavam recebendo os primeiros socorros de dois enfermeiros. O sujeito durão cheirava sofregamente um frasco com sais de amônia, batendo os dentes. MacKenzie deixou que um dos enfermeiros o examinasse depois de alguma insistência. E ouviu o que já sabia, que estava bem. Ele informou seu nome e endereço ao tenente encarregado e subiu um lance de escadas para o nível da rua, pensando que o jeito antiquado ainda era o melhor, no fim das contas.

O saguão do prédio estava lotado de gente, e ele rechaçou alguns advogados de porta de cadeia que tentaram chamar a atenção para seus ferimentos inexistentes, dizendo coisas como: "Dá para fazer um bom dinheiro aí, rapaz, não seja trouxa!" MacKenzie telefonou para a esposa de uma cabine próxima para mitigar sua ansiedade, e então saiu dali, dirigindo-se para casa.

Sua última impressão fugaz foi a de um vulto desolado parado no saguão, um homem com um bigode branco aparado, o pai do jovem que jazia morto lá embaixo, abordando todo policial que encontrava pela frente, perguntando repetidamente:

— Onde está meu filho? Por que ainda não subiram com ele?

Não obtinha resposta de ninguém — o que já era resposta suficiente. MacKenzie seguiu em direção à rua.

Na sexta-feira, quatro dias depois, a campainha tocou logo após o jantar, e ele recebeu uma visita.

— MacKenzie? Você estava naquele elevador segunda-feira, não estava?

— Sim — respondeu MacKenzie, e sorriu. E como estava.

— Sou da delegacia de polícia. Se importa se eu fizer algumas perguntas? Estou falando com todos os envolvidos.

— Entre, sente-se — disse MacKenzie, intrigado. Seu primeiro palpite era que estavam tentando identificar sabotagem ou alguma violação das leis de construção. — Por quê? Tem algo suspeito no acidente?

— Não é o que achamos — disse o policial, sem dúvida porque aquela era a última etapa de um inquérito de rotina com todos os sobreviventes, e ele se recusava a discordar de seus superiores. — O jovem que estava morto no fundo da cabine... não o ascensorista, mas o rapaz chamado Wesley Hardecker... O legista descobriu que ele tinha uma bala alojada no coração.

MacKenzie, com o choque, deu um longo assobio, o que atraiu seu cão Scotty para a porta, com ar inquisitivo.

— Nossa! Então alguém atirou nele enquanto estávamos todos presos naquele caixote?

O policial demonstrou, sem tornar-se hostil, que estava ali para fazer as perguntas, não respondê-las.

— Você o conhecia?

— Nunca o vi antes na vida, até ele entrar no elevador naquela noite. Agora sei o nome dele, porque li nos jornais no dia seguinte; mas não sabia na ocasião.

O visitante aquiesceu, como se aquela fosse a resposta que ouvira de todos os outros até o momento.

— Bom, você ouviu alguma coisa parecida com um tiro enquanto estava lá embaixo?

— Não, não ouvi nada até ligarem os maçaricos. Depois disso, não deu para ouvir nada. Na verdade, eu cobri os ouvidos com as mãos na hora. Mas vi uma faísca — continuou, ansioso. — Pelo menos me lembro de ver uma das faíscas disparando *de lado* em vez de cair, e era mais alaranjada.

O policial assentiu outra vez.

— Sim, outras pessoas também viram. Deve ter sido isso aí mesmo. Você viu se essa faísca iluminou o rosto de alguém, algo do tipo?

— Não — admitiu Mackenzie. — Meus olhos não estavam servindo de nada, com toda a escuridão e as fagulhas caindo do teto. E eles pediram para a gente fechar os olhos um minuto antes. — Ele fez uma pausa, pensou e pouco e continuou: — Não parece fazer sentido, não é? Por que alguém escolheria aquela hora para...

— Ah, mas faz sentido, sim — replicou o policial. — É o pai dele, o sr. Hardecker, que está criando problema, tentando achar um crime onde não existe. Foi suicídio causado por instabilidade mental. É só isso. E é tudo o que o inquérito do legista vai descobrir. Até agora não achamos nada que ponha isso em dúvida. O próprio Hardecker pai não identificou nenhum de vocês como alguém que tivesse visto ou conhecido o filho, ou a ele próprio, antes das seis da tarde da última segunda-feira. O revólver era do rapaz, e ele tinha porte de arma. Estava armado ao entrar no elevador. Estava debaixo do corpo dele quando o levantamos. As únicas digitais que obtivemos eram dele. O legista disse que a ferida era de tiro bem próximo, com marcas de queima de pólvora.

— Do jeito como estávamos todos apertados lá embaixo, qualquer tiro seria bem próximo — tentou objetar Mackenzie.

O policial rejeitou o comentário.

— O teste com nitrato mostrou que foram os dedos dele que apertaram o gatilho. Nós não fizemos o teste com mais ninguém, mas como só houve um tiro disparado por essa arma e nenhuma outra foi encontrada, não faz diferença. E a bala era dessa arma mesmo, segundo o pessoal da balística. Ele era um jovem problemático e nervoso. Ficou histérico lá embaixo, entrou em choque, e, quando não aguentou mais, pediu pra sair. E o pai agora diz que ele era feliz, que tinha uma esposa linda, que estavam esperando um filho, que tinha a vida inteira pela frente.

— Bom, tudo bem — objetou MacKenzie, tímido –, mas por que ele faria isso quando já estavam furando o teto do elevador? Mais alguns minutos e eles teriam chegado até nós. Por que não antes? Isso não parece lógico. E para falar a verdade, a voz dele parecia calma, sem medo, enquanto estávamos esperando.

O detetive se levantou, como se a discussão tivesse acabado, mas dignou-se a esclarecer enquanto se dirigia até a porta:

— As pessoas não perdem o controle assim imediatamente; só depois de ficar lá embaixo vinte minutos, meia hora, é que ele não aguentou mais. Quando você o ouviu falar, ele devia estar tentando se acalmar, se fazer de forte, essas coisas. Qualquer psiquiatra pode confirmar o que um barulho extremo pode fazer com os nervos de alguém que já está sob forte tensão. O barulho dos maçaricos foi o empurrão que faltava; foi por isso que ele agiu, porque já não conseguia pensar direito. E quanto a ter uma mulher e um filho vindo, isso só faria com que ele perdesse a cabeça mais rápido. Um homem sem vínculos nem responsabilidades sempre mantém o sangue--frio em emergências.

— Isso é novidade para mim, mas talvez você tenha razão. Eu só entendo de filtros de água.

— Faz parte do meu trabalho ter razão sobre esses assuntos. Boa noite, sr. Mackenzie.

A voz ao telefone disse:

— Sr. MacKenzie? É o sr. Stephen MacKenzie que esteve em um acidente de elevador em agosto do ano passado? Os jornais informaram...

— Sim, sou eu mesmo.

— Bom, gostaria de convidá-lo para jantar em minha casa no próximo sábado, às sete em ponto.

Mackenzie franziu o cenho, encarando-se no espelho.

— Não é melhor você se apresentar primeiro?

— Perdão — disse a voz. — Achei que tivesse. Já estou fazendo isso há uma hora, e está começando a soar repetitivo. Aqui quem fala é Harold Hardecker, eu sou o presidente da Companhia Hardecker de Importação e Exportação.

— Bom, não estou lembrando bem, sr. Hardecker — disse MacKenzie. — O senhor era um dos homens que estava no elevador comigo?

— Não. Meu filho estava. Ele faleceu ali.

— Ah — disse Mackenzie, lembrando-se. Um homem com bigode branco aparado, em meio à multidão, interpelando os policiais que passavam apressados...

— Posso contar com sua presença às sete no sábado que vem, sr. MacKenzie? Eu fico na Park Avenue.

— Francamente — disse McKenzie, que era uma alma simples pouco dada à hipocrisia —, não vejo motivo. Acho que nunca falamos um com o outro. Por que o senhor me escolheu?

Hardecker explicou pacientemente, até com boa vontade:

— Eu não o escolhi, sr. MacKenzie. Já entrei em contato com os outros que estavam no elevador naquela noite com meu filho, e todos concordaram em comparecer. Não quero revelar o que tenho em mente antes do tempo; é para isso que estou dando o jantar. Mas devo mencionar que meu filho morreu sem deixar testamento. Sua pobre esposa faleceu em trabalho de parto na manhã do dia seguinte. Os espólios de meu filho passaram para mim, e sou um velho solitário, sem amigos ou parentes, e já tenho tanto dinheiro que não sei o que fazer com ele. Me ocorreu reunir cinco desconhecidos, as pessoas que partilharam uma situação perigosa com meu filho, que estiveram com ele em seus últimos momentos de vida. — A voz pausou, insinuante, para dar tempo de a ficha cair. Então continuou: — Se o senhor comparecer ao jantar em minha casa no sábado à noite, irá ouvir um anúncio de considerável importância. É de seu próprio interesse estar presente quando eu fizer esse anúncio.

MacKenzie pensou em seu salário de vendedor de filtros de água e o considerou totalmente insatisfatório, como já tinha considerado não uma, mas várias vezes.

— Tudo bem — concordou ele, depois de refletir um pouco.

Às seis da tarde de sábado ele conversava com a esposa.

— Não dá para acreditar. Esse cara não está bom da cabeça, para fazer uma coisa dessas. Cinco pessoas que ele nunca viu mais gordas, que não se conhecem. Será que não é uma pegadinha?

— Bom, se você acha isso, por que aceitou o convite? — respondeu a esposa, escovando seu paletó azul-escuro.

— Estou curioso para descobrir do que se trata. Quero saber qual é a piada.

A curiosidade é um dos traços humanos mais poderosos. É quase irresistível. A expectativa de obter algo de graça também não é de se desprezar. MacKenzie era um bom homem, mas ainda era um homem, não uma imagem em um vitral.

Na porta de casa a esposa lhe disse, com alguma apreensão:

— Steve, sei que você sabe se cuidar e tudo mais, mas se achar que a coisa está meio esquisita, se ninguém mais aparecer... enfim... não vá ficar lá sozinho.

Ele riu. Já tinha se decidido e até gastado mentalmente a fortuna que viria.

— Você faz eu me sentir como uma daquelas vítimas inocentes nos filmes antigos, que eram convidadas pra uma grande festa e quando chegavam era um jantar só para dois, elas e o vilão. Não se preocupe, benzinho, se não tiver mais pessoas lá, eu dou meia-volta e saio rapidinho.

O prédio tinha endereço na Park Avenue, mas na verdade situava-se numa de suas ruas transversais exclusivas. Um supercondomínio, com apenas um apartamento por andar.

— Sr. Harold Hardecker? — perguntou o sr. MacKenzie, no saguão. — Stephen MacKenzie.

Viu o porteiro puxar uma listinha com cinco nomes, quatro dos quais já tinham sido riscados a lápis, e então riscar o último.

— Pode subir, sr. MacKenzie. Terceiro andar.

Um mordomo abriu a porta única de entrada para o elevador, cumprimentou-o pelo nome e apanhou seu chapéu. Bastava uma olhada para o luxo do local para restaurar a confiança de qualquer um. Pessoas que viviam daquela maneira eram perfeitamente capazes de receber cinco estranhos para jantar, dividir o espólio do filho morto entre eles e considerar tudo como o capricho daquela noite. O senso de proporção se altera ao ultrapassar determinada faixa de rendimento anual.

Ele se lembrou de Hardecker imediatamente ao vê-lo vindo em sua direção pela galeria central que dividia o lugar como uma pista de boliche. E foram precisos uns três minutos e meio para se encontrarem. O homem tinha envelhecido bastante em comparação com a fotografia mental que MacKenzie tinha dele, da cena do acidente. Ele andava ligeiramente encurvado, tinha a cintura bem magra, e seu sofrimento era visível. Mas seu bigode branco continuava aparado e afiado como sempre, e ele usava um dos novos colarinhos moles virados por baixo do paletó, que lhe conferia uma aparência juvenil apesar da brancura quase cegante do cabelo espesso, cortado rente como o de um prussiano.

Hardecker estendeu a mão e disse, com o misto perfeito de dignidade e hospitalidade:

— Como vai, sr. MacKenzie? Prazer em conhecê-lo. Venha cumprimentar os outros e tomar alguma coisa.

Não havia mulheres na sala de estar, apenas os quatro homens sentados, relaxando. Nada da costumeira sensação de rigidez ou formalidade; uma das vantagens de reuniões masculinas, não por culpa das mulheres, mas pelo fato de os homens sempre ficarem um pouco mais formais na presença delas.

Kenshaw, o sujeito de aparência acadêmica, ainda tinha uma cicatriz embranquecida visível sob o olho, no lugar em que seus óculos tinham se quebrado. Lambert, o que parecia um querubim, abandonara o negócio de canetas-tinteiro luminosas — foi o que confidenciou às pressas a MacKenzie, sem ter sido perguntado, e agora estava no negócio de cintas modeladoras para mulheres. Chega de engenhocas mecânicas. Ou, como ele disse, irretorquível:

— Elas têm que ter um sutiã, essas coisas, não é? Mas caneta-tinteiro tanto faz.

O sujeito durão foi apresentado como Prendergast, sem revelar sua ocupação. Megaffin, o cobrador, já não era cobrador.

— Agora sou eu quem manda cobrar, e as contas são minhas — explicou ele, girando um anel com um diamante sintético no dedo mínimo.

MacKenzie pediu um scotch, e quando já tinha se misturado aos outros, o mordomo apareceu na porta, quase como se estivesse cronometrando suas ações por um buraco na porta. O mordomo apenas olhou para dentro e depois se afastou.

— Então vamos passar para os negócios, cavalheiros? — sorriu Hardecker. MacKenzie percebeu que ele tinha a agradável habilidade de fazer a pessoa se sentir em casa sem exagerar ou parecer intrometido. O que é bem mais difícil do que parece.

Não havia flores, velas ou amenidades decorativas desse tipo na mesa posta para seis. Apenas boa comida para homens.

— Sentem-se onde preferirem, mas eu ficarei na cabeceira — declarou Hardecker.

Lambert e Kenshaw ficaram de um lado, e Prendergast e Megaffin do outro. MacKenzie ficou ao pé da mesa. Era óbvio que, seja qual fosse o anúncio, o anfitrião decidira fazê-lo no final do jantar, como era apropriado.

O mordomo fechara as portas deslizantes do recinto e ficara do lado de fora. Um outro empregado os servia. Era um jantar de solteiros, simples, maravilhosamente preparado, sem acessórios delicados ou frívolos para distrair — saladas, legumes, essas coisas. Cada prato tinha seu próprio vinho. E no final, nada de doces enjoativos — queijo roquefort e café com a chama azul de um Courvoisier bruxuleando em cada copo. Foi uma obra-prima. E todos, ao final, relaxavam nas cadeiras, em uma névoa de sonhos dourados. Eles esperavam ganhar dinheiro pelo qual não teriam que trabalhar, talvez mais dinheiro do que jamais tiveram na vida. Não era um mundo tão ruim, afinal.

Uma coisa tinha chamado a atenção de MacKenzie, mas, como ele nunca tinha sido servido em residências antes, apenas em restaurantes, não sabia dizer se era algo incomum ou normal. Havia um caro bufê de mogno ao longo da parede da sala de jantar, mas o garçom não servira nem trinchara os pratos ali, trazendo cada porção separadamente, sempre individualmente, inclusive o assado. Também o café e os vinhos foram servidos em outra parte, e os copos e taças tinham sido trazidos já cheios. Aquilo deu bastante trabalho ao garçom e deixou o jantar bem mais lento, mas, se era assim que as coisas funcionavam na casa de Hardecker, que fosse.

Quando já estavam apreciando os cigarros e charutos, com a mesa já esvaziada de tudo menos as xícaras de café, mais um prato foi trazido.

Era um cálice de prata, grande como uma tigela com haste, contendo uma substância espessa e amarelada parecida com maionese. O garçom a colocou no exato centro da mesa, chegando a calcular de vista a distância dos dois lados, e da cabeceira ao pé da mesa, reajustando a posição da taça. Então removeu a tampa da taça, e colunas de vapor subiram devagar. Todos encaravam o objeto com interesse.

— Está bem misturado? — ouviram Hardecker perguntar.

— Sim, senhor — respondeu o garçom.

— Isso é tudo, não entre mais aqui.

O homem saiu pela porta da copa uma última vez, e ela se fechou com um leve clique atrás dele.

Alguém — Megaffin — perguntou, preguiçosamente:

— O que é que tem aí dentro? — Evidente que ele ainda queria mais algum acepipe.

— Ah, tem algumas coisas — respondeu Hardecker, despreocupado —, clara de ovo, mostarda, e outros ingredientes bem misturados.

MacKenzie, tentando fazer graça, disse:

— Parece um antídoto.

— É um antídoto — respondeu Hardecker, olhando fixo para ele da ponta da mesa. Ele devia ter apertado um botão de chamada ou algo do tipo sob a mesa, pois o mordomo abriu as portas deslizantes e ficou na passagem, sem entrar.

Hardecker não virou a cabeça para falar com ele.

— Você está com a arma? Fique de frente para a porta e não deixe ninguém sair. Se alguém tentar, já sabe.

As portas deslizaram novamente, fechando-se e escondendo o mordomo, mas MacKenzie, voltado para aquele lado, ainda pôde ver um objeto metálico em sua mão.

A tensão aumentava lentamente; a mudança fora abrupta demais, e eles estavam imersos na sensação de conforto suave após a refeição, e nas nuvens com a fortuna iminente. Além disso, nem todos ali tinham a mesma prontidão mental, sobretudo Megaffin, que passara a noite inteira em um plano da existência tão transcendente que se via incapaz de distinguir ameaça de hospitalidade, mesmo quando uma arma entrou na história.

A tensão se espalhou a partir do rosto de Hardecker — que ia empalidecendo, tornando-se sombrio e sem remorso. Dali a tensão partiu para

MacKenzie e Lambert, apossou-se deles, empalideceu-os também. O restante do grupo sucumbiu a ela aos poucos, um a um, até que se fez completo silêncio na mesa.

Hardecker falou. Não alto ou com raiva, mas com uma voz de aço, impiedosa.

— Cavalheiros, há um assassino entre nós.

Os cinco inspiraram profundamente, produzindo um som de "Ffff!" ao redor da mesa. Não pelo choque da declaração em si, mas pela ameaça de retaliação implícita que pressentiram ali. E, ainda mais, pela suspeita insidiosa de que essa retaliação já tinha sido infligida.

Ninguém disse nada.

Os olhos duros e implacáveis de Hardecker dardejaram de um rosto a outro. Ele fumava um longo charuto da espessura de um cigarro. Ele o apontava para a frente, para cada um dos convidados, com um gesto sutil, como um dedo agourento e escurecido.

— Cavalheiros, um de vocês matou meu filho. — Uma pausa. — Em 30 de agosto de 1936. — Outra pausa. — E ainda não pagou por isso.

As palavras eram como pedras caindo em um fundo poço de água transparente, e as ondas em círculos concêntricos causavam um calafrio de medo.

MacKenzie disse, com cautela:

— O senhor está se colocando acima das autoridades? O legista confirmou que foi um suicídio por instabilidade emocional. Que autoridade tem o senhor para...

Hardecker o interrompeu, ríspido feito uma chicotada:

— Isto não é uma discussão. É... — Uma longa pausa, e então, baixo, mas audível: — É uma execução.

Houve outro longo silêncio sufocante. Cada um ali recebeu a informação à sua maneira, de acordo com seu temperamento. MacKenzie ficou apenas encarando Hardecker, apreensivo. Apreensivo, mas não assustado em demasia, sem dúvida não mais do que ficara na noite em que o elevador caiu. Kenshaw, de aparência acadêmica, tinha um olhar de reprovação, como o de um professor para um aluno bagunceiro, e a cicatriz em sua face sobressaía, pálida. Megaffin parecia suspeito, como uma pequena doninha planejando o próximo movimento. O sujeito de aparência durona parecia que ia desabar de novo a qualquer instante, a jugar por sua expressão facial trêmula. Lambert apertou o nariz logo abaixo das sobrancelhas, abaixou a mão e murmurou:

— Oi, e eu ainda desisti de ir para o clube de baralho e vim para cá!

Hardecker continuou, como se não tivesse falado nada fora do normal:

— Eu sei quem é o culpado. Sei qual de vocês é o culpado. Levou um ano para eu descobrir, mas agora sei, para além de qualquer dúvida. — Ele olhava para o charuto, observando a cinza cair aos poucos no pires à sua frente. — A polícia não quis me escutar, insistiram que foi suicídio. As provas foram insuficientes para convencê-los quando eu tentei, e a situação não deve ter mudado. — Ele ergueu os olhos. — Mas exijo justiça por terem tomado a vida de meu filho. — Pegou um relógio octogonal caro e fino do bolso do colete e o colocou na mesa. — Cavalheiros, são nove em ponto agora. Em meia hora no máximo, um de vocês estará morto. Vocês notaram que foram servidos separadamente? Um prato, apenas um prato, foi envenenado. E o veneno está atuando agora mesmo enquanto conversamos. — Ele apontou para a terrina prateada, equidistante de todos sobre a mesa. — Aí está a resposta. O antídoto. Não desejo me colocar acima da lei como carrasco. O assassino é quem vai escolher. O assassino é quem beber do cálice para salvar a própria vida e se acusar diante de todos ao fazê-lo. Ou ele não fará nada e morrerá sem se confessar, executado secretamente por algo que não pode ser provado publicamente. Em vinte e cinco minutos ele irá tombar no chão, sem vida. Aí será tarde demais.

Foi Lambert quem fez a pergunta que rondava a mente de todos.

— Mas o senhor tem certeza de que envenenou a pessoa cer...

— Não cometi erro algum, o garçom foi treinado à exaustão. Nenhum de vocês sofrerá nada, a não ser o assassino.

Lambert não pareceu obter consolo disso.

— E agora ele avisa! Que jeito ótimo de digerir a comida! — reclamou. — Por que não serviu o assassino primeiro, para o resto de nós poder comer em paz?

— Cale a boca — disse alguém, aterrorizado.

— Vinte minutos — disse Hardecker, sem entonação, como o rádio-relógio.

MacKenzie disse, friamente:

— O senhor está louco, sabia? Para fazer uma coisa dessas...

— Você já teve um filho? — Foi a resposta.

Algo pareceu estourar em Megaffin. Sua cadeira saltou para trás.

— Eu vou cair fora daqui — disse ele, brusco.

As portas se abriram alguns centímetros, silenciosas feito a água, e um cilindro de metal negro foi introduzido pela fresta.

— Aquele ali — disse Hardecker. — Pode atirar se ele não se sentar.

Megaffin se encolheu de volta na cadeira como um cachorro castigado, e tentou se proteger atrás do ombro de Prendergast, a seu lado. As portas deslizaram outra vez, se fechando.

Lambert, o que tinha um rosto de querubim, suspirou:

— O clima aqui está pior que na Casa Marrom de Munique!*

— Dezoito minutos. — Foi o comentário vindo da cabeceira da mesa.

Prendergast subitamente fez uma careta, esticou os braços sobre a mesa e escondeu a cabeça entre eles. Começou a chorar alto.

— Eu não aguento! Deixe-me sair daqui! Não fui eu!

Uma onda de repulsa varreu a mesa. Não porque ele tivera um colapso (analisou MacKenzie), mas porque o rosto de Prendergast destoava demais daquilo. Deveria ter sido Lambert, com sua fisionomia de boneca. Mas este estava tendo outros problemas. Ele tocou a têmpora, depois bateu de leve no peito.

— Uff! — murmurou. — Que azia! Ora, ele vai ver se eu não vou jogar meu advogado em cima dele quando isso acabar...

— Não é assim que se faz — disse Mackenzie, amuado. — Se você tivesse como provar para a polícia...

— É assim que eu faço — respondeu Hardecker, ríspido. — Dei ao culpado a chance de escolher. Ele não precisa morrer; ele tem uma alternativa. Quatorze minutos. Permitam-me lembrar que, quanto mais ele demorar a tomar o antídoto, mais estará comprometendo sua eficácia. Se ele demorar demais, talvez o antídoto nem funcione.

Subitamente cônscio de uma sensação pegajosa no estômago, como se um bloco de concreto tivesse se alojado nele, MacKenzie sentiu uma

---

* A Casa Marrom (Alemão: Braunes Haus) foi o nome dado à mansão antes conhecida como "Palais Barlow", em Munique, comprada pelos nazistas em 1930. Eles converteram a estrutura no quartel-general do Partido Nacional-Socialista dos Trabalhadores Alemães (Nationalsozialistische Deutsche Arbeiterpartei; NSDAP). (N. do T.)

forte ardência se espalhando. Ele sabia que podia ser um caso de indigestão nervosa, mas... Então olhou para o cálice, pensativo.

Mas todos estavam fazendo o mesmo. Prendergast reerguera a cabeça, mas sua expressão permaneceu uma carranca desconsolada de inquietação infantil. Megaffin tinha o rosto esverdeado e não parava de lamber os lábios. Kenshaw era o que exibia mais autocontrole de todos; estava sentado de braços cruzados, quieto, como se esperasse para ver qual dos outros estenderia os braços para a salvação contida no recipiente prateado.

MacKenzie agora sentia uma pulsação violenta no plexo solar, e era acossado por um desconforto agudo que era quase uma câibra. Pensar no que poderia ser aquilo fazia o suor porejar em sua testa.

Lambert avançou subitamente, e todos prenderam a respiração por um segundo. Mas sua mão desviou-se do cálice prateado e se enfiou na caixa de charutos ao lado. Ele pegou dois, colocou um no bolso e outro entre os dentes.

— Por sua conta — disse ele, ressentido, para Hardecker

Alguém soltou uma risadinha forçada por conta do alarme falso. Kenshaw tirou os óculos e os limpou com uma expressão amarga, como se estivesse decepcionado de a situação não ter se resolvido ali.

— Com essa presepada o senhor acabou com qualquer simpatia que sua causa pudesse ter — comentou MacKenzie.

— Não quero sua simpatia. — Foi a resposta feroz e fria de Hardecker. — Quero expiação. Três vidas foram tomadas de mim: meu único filho, minha nora e o filho prematuro deles. Exijo que o responsável pague por isso!

Lambert falou, para si mesmo e seu próprio benefício:

— Jennie não vai acreditar nisso quando eu contar a ela.

Prendergast agarrou a garganta e choramingou:

— Não consigo respirar! Ele me envenenou, alguém me ajude!

MacKenzie, já totalmente hostil a Hardecker, tentou acalmá-lo só por desencargo de consciência.

— Deve ser azia. Não vá cair nessa se não tiver certeza.

— “Não vá cair nessa” — foi o ingrato arremedo —; e se eu cair morto aqui, quem de vocês que vai me trazer de volta?

— Ele devia ser preso por isso — disse Kenshaw, demonstrando emoção pela primeira vez. Seus óculos tinham se embaçado, emprestando-lhe uma curiosa aparência de cego.

— Preso? — explodiu Lambert. Ele sacudiu a cabeça de um lado a outro. — Ele vai ser processado até fazer bico! Vai ter que receber benefício do governo quando eu terminar!

Hardecker olhou para ele com desprezo.

— Faltam dez minutos — disse ele. — O assassino parece preferir a maneira mais certa. Teimoso, não é? Prefere morrer a admitir.

MacKenzie segurou o assento da cadeira e sentiu as entranhas se contorcendo. Pensou: "Se o que estou sentindo é o veneno, eu arrebento a cabeça dele antes de morrer. Aí ele vai ver o resultado de sair envenenando gente inocente por aí!"

Megaffin tinha começado a praguejar contra o algoz em uma cantilena gutural e choramingas.

— *Mazzeltov!* — aprovou Lambert, aquiescendo. — Suas palavras traduzem minhas ideias perfeitamente.

— Cinco minutos. Se o antídoto não for tomado nos próximos trinta segundos, não vai mais fazer efeito.

Hardecker guardou o relógio, como se não houvesse mais necessidade de consultá-lo.

MacKenzie engasgou, afrouxou o nó da gravata e desabotoou o botão do colarinho. Uma dor sufocante e aguda acabara de perfurar seu coração.

Apenas a parte branca dos olhos de Prendergast apareciam, como se ele estivesse prestes a desmaiar ou ter um ataque.

Até Lambert parou de dar baforadas no charuto, como se aquilo agora o deixasse enjoado. Kenshaw tirou os óculos pela terceira vez em cinco minutos para limpá-los.

Um par de braços subitamente avançou, pegou o cálice de prata e o virou. O cálice ficou virado tapando o rosto de alguém, e houve um gemido oco, metálico vindo por detrás dele, infinitamente grotesco de ouvir. Tinha acontecido tão rápido que durante um minuto MacKenzie não pôde ter certeza de quem estava tomando o antídoto, embora tivesse passado tanto tempo à mesa com os outros. Teve de descobrir por um rápido processo de eliminação. Era o sujeito sentado ao lado de Lambert — Kenshaw, o de aparência acadêmica, o homem que menos se manifestara desde que a provação tinha começado! Ele dava grandes goles e todos viam seu pomo de adão subindo e descendo convulsivamente, visível na sombra abaixo da beirada inferior do cálice.

Então ele arremessou o cálice para o lado e seu rosto reapareceu. O cálice esvaziado ressoou ao bater contra a parede e caiu pesadamente no chão. Ele não conseguiu falar nada por algum tempo, e ninguém mais teve coragem de falar também. Talvez Hardecker tivesse essa coragem, mas emudeceu, e só ficou encarando o culpado confesso com olhos sem remorso.

Finalmente Kenshaw arquejou, com a face trêmula, e disse:

— Isso vai... vai funcionar, vai me salvar?

Hardecker cruzou os braços e disse aos outros, mas sem tirar os olhos de Kenshaw:

— Agora vocês sabem. Agora verão se eu estava certo ou não.

Kenshaw apertava os lados da cabeça com as mãos. Um jorro súbito de palavras brotou dele, como se ele agora achasse um alívio falar, depois da tensão insuportável pela qual passara.

— Sim, você estava certo, e eu faria tudo de novo! Estou feliz por ele ter morrido. O filho de pai rico que tinha tudo. Mas nada era suficiente pra ele, não é? Ele tinha que se exibir, mostrar como era o tal, como numa história de Horatio Alger,* só que indo de riqueza para mais riqueza! Ele não quis aceitar um emprego na sua firma, não é? Não, as pessoas iam dizer que você estava ajudando o filho. Ele foi pra onde *eu* trabalhava e pediu emprego lá. E não foi de maneira anônima, não, ele tinha que mencionar que era seu filho, para dar aquele empurrãozinho! Eles ficaram com medo de ofender você, e acharam que poderiam cobrar o favor mais tarde. Ninguém ligou de eu ter dado meus melhores anos de vida para a empresa, que eu também tinha alguém me esperando em casa, igual a ele, e que eu não tinha como ir pedir emprego em outro lugar mencionando o nome do meu paizinho influente! Eles me demitiram.

A voz dele subiu e ficou aguda.

— Sabe o que aconteceu comigo? Você sabe ou se importa com o fato de eu ter zanzado sem emprego pelas ruas, na chuva, na minha idade, procurando trabalho? Sabia que minha esposa teve de ficar de joelhos esfregando chão de escritório sujo? Sabia que eu lavei pratos, fui homem-

* Horatio Alger Jr. (1832-1899), escritor americano conhecido por histórias onde rapazes pobres prosperam na vida com muito trabalho, determinação e honestidade. (N. do T.)

-sanduíche pelas ruas, dormi em banco de praça, tudo por causa de um moleque abusado querendo brincar de Rover Boy?* Sim, eu pensei muito em acabar com ele, e daí? Você achou as cartas que eu escrevi ameaçando ele, não foi, foi assim que descobriu?

Hardecker negou com a cabeça.

— Aí ele entrou no elevador naquela noite. Ele não me viu, e nem teria sabido quem eu era se tivesse visto, mas eu o vi. Eu o conhecia. Então nós despencamos, e como eu quis que ele tivesse morrido, como eu quis! Mas ele não morreu. A ideia foi tomando conta de mim, esperando com os outros na escuridão lá embaixo. Os maçaricos começaram a zunir, e eu o agarrei. Eu ia estrangulá-lo. Mas ele se livrou e pegou a arma para se defender do que ele deve ter imaginado ser alguém enlouquecido de medo. Não foi o medo que me enlouqueceu, foi a vingança! Eu sabia o que estava fazendo!

"Eu peguei a mão dele. Não a arma, segurei a mão que segurava a arma. Eu virei o revólver para ele, apontei para o coração. Ele disse: "Elinor! Elinor!", mas isso não o salvou. Era o nome errado... Era o nome da esposa *dele*, não da minha. Apertei o dedo dele no gatilho, e a arma disparou. A polícia estava certa, em parte... tinha sido suicídio. De certa forma.

"Ele se encostou em mim, não tinha espaço ali para ele cair. Eu me joguei no chão debaixo dele para que nos encontrassem daquele jeito, e me mexi, posicionando-o por cima de mim. Ele sangrou bastante em cima de mim e aí parou de se mexer. E quando vieram me pegar, fingi que tinha desmaiado."

Hardecker disse:

— Assassino. Assassino. — Soava como gotas de água gelada. — Ele não *sabia* que tinha feito isso a você. Ah, por que não deu uma chance a ele ao menos, por que não se portou feito homem? Assassino! Assassino!

Kenshaw começou a se abaixar para pegar os óculos que deixara cair no chão quando avançara para o antídoto. Seu rosto estava na mesma altura da mesa. Ele fez uma careta e disse:

— Não importa o que eles me ouviram dizer, você nunca vai conseguir provar que fiz alguma coisa. Ninguém me viu. Só a escuridão.

---

* "The Rover Boys", série de livros infantojuvenis com jovens protagonistas traquinas e aventureiros. (N. do T.)

Houve um sussurro:

— É para lá que você vai. Para a escuridão.

A cabeça de Kenshaw sumiu de repente embaixo da mesa. O encosto vazio de sua cadeira girou de lado e caiu, batendo contra o chão.

Todos se ergueram e se debruçaram para vê-lo. Todos menos Hardecker. MacKenzie abaixou para verificar o corpo e então se levantou.

— Ele está morto. O antídoto não funcionou a tempo.

— Aquilo não era o antídoto, era o veneno — revelou Hardecker. — Ele não tinha sido envenenado até beber da taça. Ele mesmo se acusou e executou a própria sentença com o mesmo gesto. Eu não sabia qual de vocês era o culpado até ele se denunciar. Só sabia que não tinha sido meu filho a se matar, porque, vejam, o barulho dos maçaricos não tinha como afetá-lo. Ele era parcialmente surdo de nascença.

Ele empurrou sua cadeira para trás e se levantou.

— Não convoquei vocês aqui com uma promessa falsa. O espólio do meu filho será dividido igualmente entre vocês quatro. E agora estou pronto para provar do meu próprio remédio. Chamem a polícia, deixem que eles, e os promotores e os tribunais de justiça decidam se eu matei esse assassino, ou se foi a própria consciência culpada dele que o matou!

VILÃO: DOUTOR SATÃ

SEGURO CONTRA HORROR

PAUL ERNST

Paul Frederick Ernst (1900-1983) foi um colaborador frequente da revista *Weird Tales*, sobretudo com sua série sobre o Doutor Satã, "o mais estranho criminoso do mundo", cuja nêmese é o detetive do ocultismo Ascott Keane. A série foi publicada durante os anos 1930. Ernst alegava que a maioria das histórias, e seus outros contos sobrenaturais, lhe ocorriam em sonhos, de forma tão perfeitamente estruturada que pela manhã ele só precisava se levantar e transcrevê-los.

O Doutor Satã usa um manto vermelho, luvas e máscara vermelha e uma touca com chifres. Nós nunca chegamos a descobrir quem (ou o que) ele é. O Doutor Satã é ajudado por Girse, um horrendo anão simiesco, e pelo gigante sem pernas Bostiff. Keane é acompanhado por sua secretária, por quem ele é apaixonado, a bela Beatrice Dale.

A série do Doutor Satã durou apenas oito episódios. Ernst criou obras em vários gêneros, incluindo mistério e horror, e as mais notáveis delas, escritas sob o pseudônimo de Kenneth Robeson, foram protagonizadas pelo herói conhecido como o Vingador. O nome de Robeson foi usado por Lester Dent em uma longa série de revistas de *Doc Savage*, um dos pulps mais bem-sucedidos de seu tempo. Devido às vendas altíssimas das aventuras do "Homem de Bronze", o editor convenceu Ernst a escrever sobre o Vingador, o "Homem de Aço", que Ernst considerou o pior material que já escrevera, embora os fãs discordassem e suas vinte e quatro noveletas fossem republicadas depois em edição brochura.

"Seguro contra horror" foi publicada originalmente na edição de janeiro de 1936 de *Weird Tales*. Foi incluída em coletânea pela primeira vez em *The Complete Tales of Doctor Satan* (Boaton, Altus, 2013).

SEGURO CONTRA HORROR

PAUL ERNST

1

Era meio-dia. O enorme prédio do National State zumbia feito uma colmeia com a atividade de seus ocupantes. Os escritórios jorravam homens e mulheres saindo para o almoço. Os elevadores expressos caíam feito prumos de pedreiro do septuagésimo nono andar, enquanto os elevadores locais atendiam a multidão a partir do quadragésimo andar.

Na cobertura, um elevador expresso se demorava mais que o costumeiro. O ascensorista não dava atenção à lâmpada vermelha do disjuntor no andar de baixo, que avisava aos elevadores no alto que eles deviam descer o mais rápido possível. Ele agiu como se estivesse adiantado na tabela, como de fato estava.

Esse elevador, embora não fosse de todo privado, estava à disposição de Martial Varley, dono do prédio, cujos escritórios ocupavam a cobertura. Outras pessoas podiam andar nele, mas o faziam com o entendimento de que pela manhã, ao meio-dia e à tarde o elevador esperaria para levar Varley, cujo comparecimento ao escritório ocorria com regularidade de relógio. Assim, quando o elevador esperava inativo, os presentes sabiam o motivo e não davam sinais de impaciência.

Havia seis pessoas no elevador, que esperava Varley para descer. Havia uma senhora de idade, o gerente do escritório de Varley e duas secretárias; e dois executivos corpulentos que tinham participado de uma reunião com Varley e agora o aguardavam para irem almoçar.

Os seis conversavam entre si aos pares. O elevador aguardava, e o ascensorista murmurava uma canção. Ao redor deles, no grande prédio, os negócios prosaicos de pessoas prosaicas seguiam. As portas de vidro do escritório de Varley se abriram. O ascensorista posicionou-se, e os presentes pararam de falar e observaram respeitosamente o homem que se aproximava das portas do elevador.

Varley tinha sessenta anos. Seus cabelos eram cinzentos, e ele tinha um rosto rústico, mas bondoso, dominado por um nariz grande que seus inimigos chamavam de "napa". Ele usava o chapéu que o tornara famoso — um fedora azul e cinza que ele comprava aos lotes e usava, ignorando todas as outras cores, tecidos e modas.

— Perdão por fazê-los esperarem, Ed — declarou Varley para um dos executivos no elevador. — Foi um telefonema. Me prendeu por alguns minutos.

Ele entrou no elevador, acenando para os outros.

— Vamos — disse ao ascensorista.

O elevador começou a descer.

Os elevadores expressos despencavam feito prumos. Perfaziam a longa queda até o solo em questão de segundos, normalmente, e aquele não era exceção.

— Bem estranho o telefonema que eu recebi antes de sair do escritório — disse Varley aos dois homens com quem ia almoçar. — Um palhaço chamado "Doutor Satã"... — Ele parou e franziu o cenho. — O que há de errado com o elevador? — perguntou ao ascensorista.

— Não sei, senhor — respondeu o rapaz.

Ele sacudia a alavanca com força. Em geral, sendo o elevador totalmente automático, não precisava mexer nos controles do momento em que as portas da cobertura se fechavam mecanicamente até chegarem no saguão. Agora ele estava puxando e empurrando o interruptor, de "Desligado" para "Ligado".

E o elevador estava desacelerando.

O início célere passara a uma lenta descida. A descida aos poucos tornava-se mais e mais lenta. Os números dos andares que apareciam e desapareciam depressa no painel de vidro fosco agora surgiam com lentidão exasperante. Sessenta e um, sessenta, cinquenta e nove...

— Não dá para fazer ir mais rápido? — perguntou Varley. — Nunca vi um elevador tão lento. Está sem energia?

— Acho que não é isso, senhor — respondeu o ascensorista. Ele empurrou com força o controle para a posição de alta velocidade. E o elevador ficou ainda mais lento.

— Tem alguma coisa errada — sussurrou uma das secretárias para a outra. — Essa lentidão... E está ficando quente aqui!

Evidentemente Varley pensava o mesmo. Ele desabotoou o colete, tirou o chapéu e se abanou com ele.

— Não sei que diabos está acontecendo — grunhiu ele para os dois homens. — Vou ter de chamar o engenheiro para dar uma olhada. Era para esses poços terem uma ventilação decente. E se essa é a velocidade expressa... Minha nossa, que calor!

Sua testa agora porejava suor. Ele começou a ganhar um tom pálido horrendo.

Cinquenta e dois, cinquenta e um, cinquenta... os pequenos números vermelhos apareciam no indicador de vidro fosco cada vez mais lentos. O elevador levaria uns cinco minutos para descer naquela velocidade.

— Tem algo de errado comigo — arquejou Varley. — Nunca me senti assim antes.

Uma das secretárias estava a seu lado. Ela olhou para ele de súbito, estupefata de medo por alguma coisa além da compreensão normal estar acontecendo. A moça se afastou dele.

— Faça o elevador descer — arfou Varley. — Não estou... bem.

Os outros ficaram se olhando. Todos começaram a sentir o que a moça que estivera perto dele tinha sentido. Calor começava a irradiar do corpulento Varley, como se ele fosse um forno!

— Por Deus, homem! — disse um dos executivos. Ele tocou o braço de Varley e logo recolheu a mão. — Nossa! Você está ardendo em febre. Qual o problema?

Varley tentou responder, mas não conseguiu. Cambaleou até a parede do elevador e se apoiou com os braços dependurados e os lábios frouxos. Já não havia suor em seu rosto, que estava seco, febrilmente seco; e a pele rachava nas bochechas infladas, esticadas.

— Queimando! — arquejou ele. — Estou queimando!

A secretária então gritou. E o homem que tocara o braço de Varley sacudiu o ascensorista pelos ombros.

— Por tudo que é sagrado, desça o elevador! O sr. Varley está passando mal!

— Eu... Eu não consigo — suspirou o rapaz. — Tem alguma coisa errada, ele nunca fez isso antes!

Ele sacudia os controles, mas o elevador não respondia. Lento e monótono, continuava aquela descida deliberada.

Então um grito súbito irrompeu dos lábios rachados de Varley:

— *Queimando!* Alguém me ajude...

O elevador descendo lentamente tornou-se um foco de horror, dois metros quadrados de inferno sem chance de escapatória, pois não havia portas que abrissem para o poço nos andares mais altos, e o qual não podia ser acelerado pois não respondia aos controles.

Gritando com toda a força, Varley desabou no chão. E os que poderiam ter tentado ajudar se encolheram para longe, afastando-se dele o máximo possível. Pois de seu corpo agora irradiava um calor que transformava o elevador inteiro em um pequeno inferno.

— Meu Deus! — sussurrou um dos homens. — Olhem para ele... ele está mesmo queimando!

O calor do corpo de Varley intensificara-se de tal forma que os outros passageiros mal podiam suportar. Mas pior que o tormento físico era a angústia mental de testemunhar o evento que já havia uma semana semeara o caos em Nova York.

Varley parara de gritar. Ele jazia encarando o teto dourado do elevador com olhos baços, assustadores. Seu peito convulsionava no esforço de puxar fôlego. Convulsionou e então ficou imóvel.

— Ele morreu! — gritou uma das secretárias. — Morreu...

Ela foi ao chão e ficou estirada perto de Varley. A senhora de idade foi se abaixando, se ajoelhou e desabou de qualquer maneira no canto, abandonada pelos sentidos apavorados pelo choque.

Mas o horror que se apossara de Varley continuou.

— *Olhem! Olhem! Olhem!* — gritou o gerente do escritório.

Mas não era preciso repetir. Os outros já olhavam. Teriam desviado os olhos se pudessem, mas os extremos do horror têm um fascínio que escravizam a força de vontade. Em cada detalhe eram forçados a ver o que se passara.

O corpo de Varley começava a desaparecer. A forma corpulenta do homem que havia apenas alguns instantes era uma das maiores personalidades da nação parecia ter se transformado em cera, que derretia e se vaporizava.

Seu rosto era agora uma massa amorfa, e sua carne parecia derreter e escorrer. Ao fazê-lo, os membros secavam e tremiam como se ainda vivos. Secando e se contorcendo...

— *Queimando!* — sussurrou o gerente do escritório, com os olhos arregalados de horror por trás das lentes grossas. — *Derretendo... queimando tudo...*

Era tão incrível, tão irreal que parecia um sonho.

O elevador descia lenta, lentamente, como a própria marcha do tempo, que ninguém consegue apressar. O ascensorista postava-se como uma estatueta de madeira nos controles, encarando com olhos assustadiços os restos do que tinha sido Varley no chão. Os dois executivos encolheram-se juntos, levando as mãos à boca e as mordendo. O gerente do escritório arquejava, entredentes, "Olhem... Olhem... Olhem..." cada vez que respirava, como um soluço engrolado. E Varley agora era uma massa disforme sumindo no assoalho.

— Ah, meu Deus, deixe-me sair daqui! — gritou um dos executivos.

Mas não havia saída. Nenhuma porta se abria para o poço ali. Todos no elevador estavam condenados a assistir ao espetáculo que os assombraria até o dia de sua morte.

No assoalho, agora havia um chapéu fedora azul-cinza e um monte de uma substância escurecida que quase cabia nele.

Vinte e nove, vinte e oito, vinte e sete... O elevador descia com a mesma lentidão horrível, imutável.

Vinte e cinco, vinte e quatro...

E no chão, o chapéu de Varley. Aquilo era tudo.

O ascensorista foi o último a apagar. Onze, dez, os números vermelhos apareciam e desapareciam no painel de vidro. Então o corpo inerte do ascensorista se juntou aos outros vultos desacordados no chão.

O elevador chegou ao andar do saguão. As portas, mecanismos maravilhosos e suaves projetados pelo engenho humano se abriram sozinhas; e revelaram sete vultos desmaiados ao redor de um chapéu fedora azul-cinza.

Três em ponto. No palco do maior teatro da cidade, a peça *Bota pra queimar!* estava na metade do primeiro ato da matinê.

O espetáculo era uma comédia musical, centrada em um comediante famoso. Suas canções, danças e palavreado serviam de chamariz. Era apenas para vê-lo que as multidões acorriam. Ele valia milhões, era astuto, e ao mesmo tempo tão comum quanto o mais humilde espectador assistindo dos balcões; um ídolo dos palcos.

Agora ele se sentava em um banco nos bastidores, com a mão no queixo, observando emburrado o teatro de revista de vinte moças de pernas à mostra, anunciadas como as mais belas do mundo. Suas sobrancelhas negras e grossas estavam franzidas, formando um alinha reta sobre olhos que pareciam manchas de tinta atrás de óculos de palhaço, de aro de chifre. Seu corpo pequeno e rijo estava tenso.

— Sua deixa em um minuto, sr. Croy — avisou o gerente.

— Que inferno, acha que não sei? — retrucou o comediante. Então sua careta amuada desapareceu por um momento. — Desculpe.

O gerente ficou encarando. O bom humor e o bom gênio de Croy eram notórios no teatro. Ninguém jamais o vira agindo daquela maneira.

— Algo de errado?

— É, não estou muito bem, não — respondeu Croy, fazendo outra careta. — Estou sentindo como se estivesse queimando! Parece que estou com febre ou algo assim.

Ele passou um lenço na testa.

— Estou sentindo que vem encrenca por aí — acrescentou. Pegou um pé de coelho do bolso do colete e o apertou. — Encrenca da braba.

O gerente mordeu o lábio. Croy era a maior atração do espetáculo — era o próprio espetáculo.

— Tire a tarde de folga se estiver se sentindo mal. Eu boto o Charley para fazer sua parte. Na matinê não tem problema...

— Aí o pessoal vai querer esganar você — interrompeu Croy, sem falsa modéstia. — Sou eu que eles querem ver. Vou me apresentar e depois descanso...

As vinte moças deslizaram para a frente em uma última pirueta e saíram dançando na direção dos bastidores. Croy se levantou.

— Deve ser febre — murmurou, enxugando o rosto novamente. — Mas nunca me senti assim antes.

O assistente de palco irrompeu nos bastidores e correu na direção do gerente. Este já ia repreendê-lo por abandonar o posto, então viu o jornal da tarde que ele trazia.

Ele apanhou o jornal e passou a vista pelas manchetes.

— O quê? Um homem queimado vivo? Isso é loucura! Como que isso... Varley... a figura mais importante da cidade...!

Ele começou a andar na direção do comediante.

— Meu Deus, será que é a mesma coisa acontecendo aqui? *Croy! Croy! Espere!*

Mas o famoso comediante já estava no palco, catapultando-se para o centro com o tropeço ridículo, quase queda, que era sua especialidade.

O gerente, apertando o jornal, ficou nos bastidores com a expressão lívida e observou. Croy começou a dançar no ritmo da canção-tema do espetáculo. Estava terrivelmente pálido, e o gerente viu quando ele tropeçou em um passo mais difícil. Então sua voz subiu junto com a letra da música:

— Bota pra queimar, meu bem. Pode crer, vem que tem. Aperta os teus lábios nos meus... e *bota pra queimar!*

A plateia ameaçou se levantar. Croy caíra de joelhos ao tentar uma pirueta. O gerente viu que o suor que porejava em sua testa tinha sumido. Sua pele parecia seca, rachada.

Croy se levantou. A audiência se ajeitou em seus lugares novamente, se perguntando se a queda tinha sido de propósito. Croy retomou a dança e a canção. Mas sua voz mal chegava na quinta fileira:

— Bota pra queimar, Sadie. Ohhh, lady! Olhe nos meus olhos e *queime...*

Croy parou. Suas palavras terminaram em uma nota alta e aguda. Então ele deu um grito quase feminino, levou as mãos à garganta e puxou e afrouxou o colarinho e a gravata.

— Queimando! — gritou ele. — *Queimando...*

O gerente se encostou a uma coluna, trêmulo. O jornal, com a história sobre o que acontecera a Varley, caiu amarfanhado no chão.

Era a mesma coisa! A mesma coisa horrível estava acontecendo com Croy!

— Fechem as cortinas! — grunhiu ele. — Fechem as cortinas!

Agora a plateia estava mesmo se levantando, e alguns chegaram a subir nas cadeiras para ver melhor o que estava acontecendo no palco. Croy estava estirado no chão, contorcendo-se e gritando. O cenário pintado em uma cortina atrás dele chegava a se mover com o calor que emanava de seu corpo.

— Fechem as cortinas! — rugiu o gerente. — Pelo amor de Deus, vocês são surdos?

As cortinas se fecharam. O corpo em convulsões de Croy foi protegido do olhar da plateia. Ele parou de gritar quando as cortinas se fecharam, como se tivessem cortado o som feito uma grande guilhotina. Mas não tinha sido a cortina a interromper o som.

Croy estava morto. Seus membros ainda se agitavam e contorciam. Mas não eram os movimentos da vida. Era o movimento de uma folha de papel amassada que se contorce e agita ao ser consumida pelo fogo.

O gerente deu um longo suspiro. Então, com os joelhos trêmulos, ele foi até o palco.

— Senhoras e senhores — anunciou ele, tentando fazer sua voz sobressair acima do pandemônio que tomou conta do teatro. — O sr. Croy teve um ataque cardíaco. O espetáculo está cancelado. Podem pegar seu dinheiro de volta na bilheteria.

Ele correu do palco para trás das cortinas, onde moças e homens aterrorizados se aglomeravam ao redor do corpo de Croy — ou do que tinha restado dele. Ataque cardíaco! A boca do gerente se contorcera ao descrever assim o incidente.

O corpo de Croy tinha diminuído — ou melhor, *derretido* — pela metade. Seus traços eram indistinguíveis, como os traços de um busto de cera que foi ao fogo. Suas roupas fumegavam. O calor era tanto que tornava impossível ficar a um metro dele. Os grandes óculos de aro de chifre deslizaram do seu rosto. Seu corpo diminuía, diminuía...

Um assistente chegou correndo. Atrás dele vinha um homem robusto vestido de preto, usando óculos sem aro.

— Eu achei um médico — arfou o assistente. — Ele estava na plateia.

Ele parou. E o médico olhou para o local onde o corpo de Croy jazera, e então olhou para os rostos dos outros.

— Então? — perguntou ele. — Onde está Croy? Me disseram que ele estava passando muito mal.

Ninguém respondeu. Um após o outro, todos olharam para ele com o olhar dos maníacos.

— Eu perguntei onde ele está! — gritou o médico. — Me disseram que...

Ele parou, ciente por fim de que algo muito pior que uma doença comum tinha acontecido.

Os lábios do gerente se moveram. As palavras finalmente saíram.

— Croy está... *estava*... ali.

Seu dedo trêmulo indicava um ponto do palco. Então ele caiu de bruços no chão, inerte feito um morto.

E o ponto do palco que ele indicara estava vazio. Apenas um trecho enegrecido permanecia, com uma coluna de fumaça se evolando. Um trecho escurecido, com um par de óculos de palhaço com aro de chifre por cima.

2

Na sala de controle dos elevadores no prédio Northern State, um homem metido em um macacão de eletricista se debruçava sobre o grande painel de controle. Ele examinava o interruptor do controle automático do elevador em que Varley descera do escritório de cobertura pela última vez na vida — sem nunca ter chegado ao térreo!

O rosto e as mãos do homem estavam sujos de graxa. Mas um observador astuto teria notado vários detalhes a respeito do pretenso eletricista que não batiam com sua profissão.

Esse observador teria notado que o corpo do homem era esguio e musculoso como o de um bailarino; que suas mãos estavam sujas de graxa de forma quase cênica, e não exibiam calos. Que seus dedos eram os longos e fortes dedos de um grande cirurgião ou músico. Então, se ele fosse um dos poucos nova-iorquinos capazes de fazer a identificação, ele teria investigado com mais atenção os olhos duros do homem, sob sobrancelhas negras feito carvão, e observado seu nariz aristocrático, queixo firme e boca bem formada — e teria reconhecido Ascott Keane.

O administrador do prédio estava ao lado de Keane. Ele tratara Keane como um eletricista comum enquanto o engenheiro do prédio estava por perto. Agora, tratava-o com o respeito devido a um dos maiores investigadores criminais de todos os tempos.

— E então, sr. Keane? — perguntou ele.

— É como eu pensava. Um dispositivo do tipo reostato foi instalado no circuito do interruptor. Assim a descida do elevador pôde ser manipulada por quem estava controlando o dispositivo.

— Mas por que o elevador do sr. Varley desceu tão devagar? Essa lentidão teve algo a ver com sua morte?

— Não, mas com o espetáculo dessa morte! — O rosto de Keane mostrava-se sombrio, e seu queixo quadrado, tenso. — O homem que matou Varley queria ter certeza de que sua morte e dissolução seriam testemunhados lentamente e sem possibilidade de fuga, para que o terror do evento fosse amplificado ao máximo.

Ele se empertigou e foi em direção à porta.

— Você me preparou um escritório?

— Sim. Fica ao lado do meu, no sexagésimo andar. Mas você já está indo para lá?

— Sim. Por que não?

— Bom, pode haver impressões digitais aqui. Quem mexeu no painel de controle pode ter sido descuidado e deixado pistas.

Um sorriso sem alegria apareceu nos lábios firmes de Keane.

— Impressões digitais! Meu caro... Pelo visto você não conhece o Doutor Satã.

— Doutor Sat...

O administrador do prédio cerrou os punhos, empolgado.

— Então já sabe sobre o telefonema que o sr. Varley recebeu antes de morrer.

— Não, não sei nada sobre isso.

— Mas você mencionou o homem que telefonou...

— Só porque eu sei quem fez isso... Eu soube desde que ouvi falar do crime. Não baseado em provas que encontrei ou irei encontrar. Conte-me mais sobre esse telefonema.

— Não é muito. Eu nem tinha pensado nisso até você mencionar o Doutor Satã... Varley estava saindo do escritório para almoçar quando o telefone tocou. Eu estava no escritório com ele falando sobre um empréstimo e acabei ouvindo um pouco... pelo menos as palavras dele. Entendi que alguém chamado Doutor Satã estava falando com Varley sobre seguro.

— Seguro!

— Sim. Mas não entendi por que um médico estava vendendo seguro...

— O Doutor Satã não é bem um médico — interrompeu Keane, seco. — Prossiga.

— É só isso. O homem na linha chamado Doutor Satã parecia estar insistindo para que Varley fizesse algum tipo de seguro, até que Varley simplesmente desligou na cara dele. Ele se virou para mim, falou algo sobre ser incomodado por charlatães e gente louca, e então se dirigiu até o elevador.

Keane saiu da sala de controle, tendo o administrador do prédio a seu lado. Ele foi até a entrada dos elevadores.

— Sexagésimo — disse ele ao ascensorista.

No elevador, ele se tornou o humilde operário outra vez, e o administrador o tratou da forma correspondente.

— Quando terminar com a fiação defeituosa do sexagésimo, vá ao meu escritório.

Keane aquiesceu respeitosamente e desceu no sexagésimo andar.

Uma suíte — dois escritórios grandes — tinha sido reservada para ele. Havia uma porta que dava entrada vindo do vestíbulo normal, e uma entrada particular menor, que dava diretamente nos fundos dos dois escritórios.

Keane passou pela entrada particular. Uma moça, sentada a uma mesa de tampo reto, se levantou. Ela era alta, discretamente bonita, com olhos azuis escuros e cabelo em tons de cobre. Era Beatrice Dale, secretária e algo mais de Keane.

— Visitas? — perguntou Keane, quando ela lhe entregou um cartão de visitas.

Ela acenou de cabeça.

— Walter P. Kessler, um dos seis que você listou como prováveis alvos do Doutor Satã nesse novo crime.

Keane esfregava uma toalha no rosto, limpando a graxa — que não era graxa, mas sabão preto. Ele tirou o macacão de eletricista, emergindo em um terno de sarja azul de corte perfeito, completo exceto pelo paletó, que ele foi buscar em um armário próximo, vestindo-o enquanto se aproximava de sua mesa e se sentava.

— O que descobriu, Ascott? — perguntou Beatrice.

Seu rosto estava pálido, mas sua voz permanecia calma e controlada. Ela já trabalhava com Keane havia tempo suficiente e sabia enfrentar os horrores criados pelo Doutor Satã de forma calma, se não destemida.

— Na sala de controle? Nada. O elevador foi desacelerado apenas para que o fim de Varley fosse mais espetacular. E aí está a assinatura do Doutor Satã! O espetáculo! Todos os crimes dele têm essa característica.

— Mas você não descobriu mais nada sobre os planos dele?

— Eu consegui uma pista. É um esquema de seguro.

— Seguro!

Keane sorriu. Não havia alegria no sorriso. Seus sorrisos — sua alma — não conheciam mais a alegria desde que ele conhecera o Doutor Satã, e não haveria nenhuma alegria até que finalmente, de alguma forma, ele vencesse o indivíduo diabólico, já rico para além dos sonhos do cidadão mediano, que se divertia acumulando ainda mais riqueza em uma série de crimes tão estranhos quanto inumanos.

— Sim, seguro. Mande Kessler entrar, Beatrice.

A moça mordeu os lábios. Keane não lhe disse nada, e o fato de que ela morria de vontade de saber o que ele sabia era aparente em seu rosto. Mas ela obedeceu e foi até a porta do escritório.

Beatrice retornou em pouco tempo com um homem tão ansioso para entrar que estava praticamente pisando em seus calcanhares. O homem, Walter P. Kessler, retorcia e arruinava um chapéu de feltro em seus dedos desesperados, e seus olhos castanhos pareciam os de um animal aterrorizado quando ele se dirigiu à mesa de Keane.

— Keane! — Ele parou, olhou para a moça e vistoriou o escritório. — Ainda não entendendi isso direito. Sempre pensei em você como o herdeiro rico que nunca precisou trabalhar na vida e se interessa apenas por partidas de polo e primeiras edições de livros raros. Agora eu descubro que você é a única pessoa no mundo que pode me ajudar.

— Se seu problema é o Doutor Satã... e é claro que é... então eu posso ajudar — disse Keane. — Quanto ao polo e às primeiras edições, é melhor para meu trabalho de criminólogo ser conhecido como um inútil. Você terá de manter minhas atividades em sigilo.

— É claro — disse Kessler. — E se algum dia eu puder fazer qualquer coisa para recompensar sua ajuda...

Keane dispensou a oferta com um gesto.

— Conte-me sobre a proposta de seguro — disse.

— Você também lê mentes? — exclamou Kessler.

— Não. Não há tempo para explicar. Pode falar.

Kessler enfiou a mão no bolso do paletó.

— Sim, fala sobre seguro. E o responsável é um sujeito que se chama "Doutor Satã". Mas como você sabia?

Ele entregou um longo envelope a Keane.

— Isto chegou hoje de manhã pelo correio — disse ele. — E claro que eu não dei atenção. Na hora, não. Até joguei na lata de lixo. Só fui buscar de novo depois de ler os jornais da tarde e descobrir o que aconteceu com o velho Varley...

Sua voz ficou embargada e ele parou. Keane leu o papel:

Sr. Kessler: É o seu privilégio, junto com outros poucos nova-iorquinos, ser um dos primeiros escolhidos para participar de um novo tipo de seguro recentemente desenvolvido por mim. O seguro será contra uma emoção, em vez de uma ameaça tangível. A emoção é o horror. Resumindo, eu proponho segurar o sr. contra o sentimento do horror. O preço desse seguro benévolo é setecentos e cinquenta mil dólares. Se o preço não for pago, o sr. ficará sujeito a uma sensação bastante desagradável de horror com relação a algo que pode vir a lhe acontecer. Esse "algo" é a morte. Mas um novo tipo de morte: se o sr. não fizer meu seguro contra horror, o sr. irá queimar em fogo lento até ser totalmente consumido. Pode acontecer no próximo mês ou no próximo ano. Pode ser amanhã. Pode ser na privacidade dos seus aposentos, ou no meio da multidão. Leia no jornal de hoje à tarde sobre o que irá acontecer com dois dos cidadãos mais famosos da idade. Então decida se o preço que estou pedindo não é pequeno para manter afastado o horror que a leitura que recomendei instilará em seu peito.

Atenciosamente, DOUTOR SATÃ.

Keane bateu com a carta na palma da mão.

— Seguro contra horror — murmurou ele. — Até posso ver o sorriso diabólico do Doutor Satã ao inventar o termo. Posso ouvi-lo rindo enquanto "convidava" você para adquirir uma "apólice". Bom, você vai pagar?

O calafrio que perpassou Kessler fez tremer a cadeira em que sentava.

— Mas com certeza! E eu sou louco de recusar a pagar, depois de ler o que aconteceu com Varley e Croy? Queimados vivos! Reduzidos a um resíduo disforme de carne consumida... e depois a nada! Pode apostar que vou pagar!

— Então por que veio até a mim?

— Para ver se no futuro não conseguimos impedir esse Doutor Satã. Nada impede que ele resolva cobrar mais dinheiro pelo preço da minha segurança no ano que vem. Ou até no mês que vem!

— É, nada impede.

Kessler agarrou o braço da cadeira e o apertou.

— É isso. Eu tenho que pagar dessa vez, porque não ouso desafiar esse homem até que algum plano seja posto em prática contra ele. Mas quero que você o encontre antes que ele exija mais alguma coisa de mim. Eu lhe pago um milhão de dólares se você conseguir. Dois milhões...

A expressão no rosto de Keane o fez parar.

— Meu amigo — disse ele —, eu mesmo dobraria esses seus dois milhões se tivesse como ir agora e destruir aquele homem antes que ele praticasse mais atrocidades.

Ele se levantou.

— Como você foi instruído a pagar a "apólice"?

Por um momento Kessler pareceu menos dominado pelo pânico. Um vislumbre da determinação soturna que o fizera acumular sua grande fortuna apareceu em seu rosto.

— Fui instruído a pagar de um modo que talvez acabe atrapalhando nosso Doutor Satã — respondeu ele. — É para eu fazer dez cheques de setenta e cinco mil dólares, pagáveis à Companhia de Seguros Lucifex. Devo trazer os dez cheques para este prédio hoje à noite. Na parte norte do prédio, encontrarei um crânio de prata dependurado de um fio encostado à parede. Devo colocar os cheques no crânio. Ele será recolhido, e os cheques serão coletados por alguém em alguma sala do prédio.

Ele rilhou os dentes.

— Essa vai ser nossa chance, Keane! Podemos espalhar homens por todo o prédio da National State...

Keane sacudiu a cabeça.

— Em primeiro lugar, seria preciso um exército. São setenta e nove andares, Kessler. O capanga do Doutor pode estar em qualquer sala dos setenta e cinco andares do lado norte do prédio. Em segundo lugar, achar possível capturar um criminoso como o Doutor Satã de um jeito tão óbvio é como achar possível capturar uma raposa com uma rede para borboletas. Ele provavelmente estará a quilômetros deste prédio hoje à noite. E pode apostar que esse capanga, que deverá subir a caveira com os cheques, não estará posicionado de forma a ser pego pela polícia ou por detetives particulares.

O pânico de Kessler retornou com força total. Ele agarrou e apertou o braço de Keane.

— Então o que fazemos? — balbuciou ele. — O que fazemos?

— Ainda não sei — admitiu Keane. — Mas temos até esta noite para bolar um plano. Você irá ao prédio conforme as instruções, com os cheques para colocar na caveira. Até lá já terei armas para combater — e seus lábios se contorceram — a Companhia de Seguros Lucifex.

3

O prédio National State fica em um terreno inclinado, em Nova York. O primeiro andar do lado mais baixo é como uma caverna — escuro, quase sem luz nenhuma nas janelas, vinda da rua.

Perto do centro daquele mesmo lado havia uma discreta loja com uma placa que dizia "Suprimentos de Fotografia Lucian". A janela tinha uma aparência limpa, mas estranhamente opaca. Se alguém olhasse com atenção, teria notado com alguma perplexidade que, embora nada parecesse obstruir a visão, ainda assim não era possível ver do outro lado. Mas há poucos olhos realmente observadores, e de todo o modo não havia nada no estabelecimento obscuro que chamasse a atenção.

Nos fundos da loja havia uma grande sala completamente protegida da luz. Na porta havia uma placa em que se lia "Laboratório de Revelação".

Dentro da sala à prova de luz, a única iluminação vinha de duas lâmpadas vermelhas, parecidas, mas estranhamente diferentes das usadas em laboratórios de revelação. Por outro lado, as atividades na sala não tinham nada a ver com a revelação de fotos!

No canto postavam-se dois vultos que pareciam ter saído de um pesadelo. Um era um homenzinho de aparência simiesca com um rosto coberto de pelos, onde piscavam olhos brilhantes e cruéis. O outro era um gigante sem pernas que, ao se mover, balançava o grande torso em braços mais grossos que as coxas de um homem forte. Ambos observavam um terceiro vulto, ainda mais bizarro que eles.

O terceiro vulto debruçava-se sobre uma bancada. Ele era alto, magro e vestia-se do pescoço aos pés em um manto vermelho-sangue. Luvas vermelhas de borracha cobriam suas mãos. O rosto era coberto por uma máscara que ocultava sua expressão — exceto pelos olhos, que eram negros como carvões espiando pelos buracos. Uma touca apertada lhe recobria a cabeça; e da touca, numa imitação mordaz daquilo que ele fingia ser, dois chifres sobressaíam.

O Doutor Satã observava sombriamente os itens que absorviam sua atenção na bancada. Itens de aparência inocente, mas que ainda insinuavam algo de grotesco e inusitado.

Eram pequenos bonecos de vinte centímetros de altura. O brilho em suas faces assustadoramente realistas indicava serem feitas de cera. E eram tão fantasticamente bem esculpidas que um olhar rápido já identificava as pessoas reais por elas representadas.

Havia quatro bonecos vestidos de homem. E qualquer repórter ou outra pessoa familiarizada com as personalidades famosas da cidade os teria reconhecido como quatro dos megaempresários da nação. Um deles era Walter P. Kessler.

A mão enluvada do Doutor Satã abriu uma gaveta no topo da bancada. Seus dedos firmes enfiaram-se na gaveta e tiraram de lá dois objetos, colocando-os na bancada.

Agora havia seis bonecos na bancada, e os últimos dois eram um homem e uma mulher.

O boneco de homem usava um pequeno terno de sarja azul. Seu rosto tinha linhas fortes, queixo quadrado, com botões cinzentos no lugar de olhos, sob grossas sobrancelhas negras. Uma imagem de Ascott Keane.

A boneca era a imagem perfeita de uma bela moça com cabelos cor de cobre e olhos profundamente azuis. Beatrice Dale.

— Girse. — A voz do Doutor Satã era suave, quase gentil.

O homenzinho simiesco de rosto peludo adiantou-se gingando.

— A placa — disse o Doutor Satã.

Girse levou até ele uma placa de ferro espessa, que o Doutor Satã colocou na bancada.

Na placa havia duas manchas escuras, obviamente causadas pelo calor de algo que tinha queimado ali. As duas pequenas manchas eram tudo que havia sobrado de dois bonecos moldados com a aparência de Martial Varley e do comediante Croy.

O Doutor Satã colocou os dois bonecos na placa: os que se pareciam com Beatrice Dale e Ascott Keane.

— Kessler foi falar com Keane — disse o Doutor Satã, e a máscara vermelha se agitou de raiva. — Vamos cuidar de Kessler... depois que ele nos pagar hoje à noite. Mas não esperemos para cuidar de Keane e da moça.

Dois fios saídos de um soquete na parede se desenrolavam sobre a bancada. Os dedos vermelhos retorceram os fios e os prenderam a contatos presos à placa de ferro. A placa começou a aquecer.

— Keane demonstrou ser um adversário inesperadamente competente — disse o Doutor Satã — e possui conhecimentos que achei que nenhum outro homem na Terra possuísse além de mim. Vamos ver se ele consegue escapar *disto*; vamos ver se ele e sua querida secretária conseguem evitar o mesmo destino de Varley e Croy.

Pequenas ondas de calor começaram a se evolar da placa de ferro, balançando suavemente o tecido das roupas dos bonecos. Os olhos brilhantes do Doutor Satã focaram neles com intensidade. Girse e Bostiff, o gigante sem pernas, ficaram observando...

Cinquenta e nove andares acima da falsa loja de fotografia, Keane sorriu sombriamente para Beatrice Dale.

— Eu devia demiti-la.

— Mas, ora, por quê? — assustou-se ela.

— Por ser uma assistente valiosíssima e uma pessoa maravilhosa.

— Ah — murmurou Beatrice. — Entendi. Está preocupado com minha segurança?

— Estou preocupado com sua segurança — aquiesceu Keane. — O Doutor Satã vai querer matar você e a mim, querida. E...

— Já discutimos muito sobre isso — interrompeu Beatrice. — E a resposta ainda é: não. Eu me recuso a ser demitida, Ascott. Sinto muito.

Houve uma faísca nos olhos cinzentos de Keane que não tinham nada a ver com assuntos profissionais. Mas ele não expressou suas emoções. Beatrice viu seus lábios se entreabrirem, e seu coração se agitou. Já esperava alguma expressão desse tipo há muito tempo.

Mas Keane disse apenas:

— Que seja, então. Você é uma mulher corajosa. Eu não devia permitir que arriscasse a vida nessa guerra particular e letal sobre a qual ninguém mais sabe além de nós. Mas parece que não consigo fazê-la desertar, então...

— Então ficamos assim — disse Beatrice, por fim. — Já decidiu como vai atacar o Doutor Satã hoje à noite?

Keane aquiesceu de cabeça.

— Fiz meus planos assim que o localizei.

— Você sabe onde ele está? — perguntou Beatrice, fascinada.

— Sim.

— Como descobriu?

— Não descobri; deduzi. O Doutor Satã parece sempre saber onde estou. Ele deve saber que estou aqui no National State. A atitude óbvia seria que ele se escondesse do outro lado da cidade. Mas, já que isso é o que se espera, o que uma pessoa inteligente como ele faria?

Beatrice concordou de cabeça.

— Entendi. É claro! Ele viria...

— Para cá mesmo, para este prédio.

— Mas você disse a Kessler que ele estava a quilômetros daqui!

— Sim. Porque conheço o temperamento de Kessler. Se ele soubesse que o homem que o ameaçou está neste prédio, tentaria organizar uma batida policial ou algo assim. Imagine só, uma batida contra o Doutor Satã! Então menti e disse que ele estava longe daqui. — Keane suspirou. — Temo que a mentira não tenha adiantado. Posso adivinhar com certeza o que Kessler vai fazer. Vai trazer um exército armado para espalhar pelo prédio hoje à noite, apesar do que falei. Vai tentar localizar o Doutor Satã na hora da coleta dos cheques... e vai morrer.

Beatrice estremeceu.

— Queimado? Que maneira horrível de...

Ela parou.

— O que foi? — perguntou Keane sem perder tempo, ao ver a expressão angustiada que subitamente se apossou de seu rosto.

— Nada, acho que não foi nada... — respondeu Beatrice, devagar. — Acho que é só o poder da sugestão. Quando falei "queimado", senti como se de repente tivesse ficado mais quente.

Keane pulou da cadeira.

— Meu Deus! Por que não me disse logo? Eu...

Ele também parou, e seus olhos de aço se estreitaram. Suor começou a porejar de sua testa.

— É o ataque do Doutor Satã! — disse ele. — Mas eu previ que algo assim fosse acontecer. Aquela maleta ali no canto! Pegue-a e abra-a! Rápido!

Beatrice foi em direção à maleta, mas parou e apertou as faces com as mãos.

— Ascott... Eu... Eu estou queimando... Eu...

— *Pegue a maleta!*

Keane correu até a mesa e abriu a gaveta de baixo. Tirou de lá um pacote e rasgou o papel que o envolvia, exibindo alguns itens peculiares: dois pares do que pareciam ser pantufas de pano, dois pares de luvas extragrandes, dois sacos menores arredondados.

Beatrice estava tendo dificuldade com as travas da maleta. Ambos agora respiravam com esforço, arrastando os braços como se pesassem toneladas.

— Ascott... não estou aguentando... Está queimando... — arquejou a moça.

— Você precisa aguentar! Abriu a maleta? Vista a menor das roupas. Jogue a outra para mim.

As roupas em questão eram dois trajes de um material desconhecido, projetados para recobrir totalmente um corpo humano — um corpo humano nu.

Beatrice jogou a roupa maior para Keane, que estava se despindo sem cerimônia.

— Ascott... não posso trocar de roupa... aqui, na sua...

— Que se dane o recato! — gritou Keane. — Vista logo isso! Entendeu? Vá logo!

Ambos já não suavam. Seus rostos estavam secos e febris. O calor irradiava dos seus corpos em uma torrente sufocante.

Beatrice ficou diante de Keane no traje apertado de peça única que cobria seu corpo, braços e pernas.

— Calce as luvas! — gritou Keane. — E ponha esse saco na cabeça. E calce isto aqui nos pés!

— Oh, Deus!

Enfim ela fez como Keane ordenou. Da planta dos pés à cabeça ela estava coberta com o curioso tecido que o outro inventara. E a terrível sensação de queimadura foi mitigada.

Havia buracos para os olhos nos sacos que eles usavam na cabeça. Eles se encararam com os olhos arregalados pelo encontro quase fatal com a morte. Então Beatrice suspirou e estremeceu.

— Foi isso que aconteceu com Varley e Croy?

— Sim, a mesma coisa — respondeu Keane. — Pobres coitados! O Doutor Satã achou que poderia fazer o mesmo conosco. E quase conseguiu! Se estivéssemos longe desses tecidos...

— Como eles impediram o ataque do Doutor Satã? — perguntou Beatrice. — E como ele consegue atacar à distância?

— A arma dele, e o tecido que eu desenvolvi — respondeu Keane. — São bem antigos, pertencem ao período histórico dos sacerdotes que serviam aos ancestrais dos cretenses. É uma arma de feitiçaria, e junto com ela também foi criado o tecido que se usa como proteção, já prevendo que os inimigos fatalmente descobririam o segredo da arma. Essa é a origem da prática moderna do vodu, de fazer uma imagem tosca do inimigo e enfiar alfinetes nela.

Ele suspirou fundo.

— Uma pequena imagem é feita com a aparência da pessoa a ser destruída. A imagem é feita de uma substância sensível ao fogo. No caso de Croy e Varley, depois das descrições que me fizeram das mortes deles, eu diria que o material usado foi cera. A imagem então é queimada, e a pessoa nela reproduzida é reduzida a nada à medida que a imagem é destruída... *se* o feiticeiro souber os encantamentos secretos dos cretenses, como o Doutor Satã certamente sabe. Mas vou fazer mais que explicar: eu vou demonstrar! Nós vamos contra-atacar o Doutor Satã de um modo contra o qual acho que ele não terá como se preparar!

Ele foi até a maleta aberta, parecendo um ser de outro planeta nas vestes desajeitadas que ele criara após analisar a morte de Varley. Tirou da maleta um item que parecia um boneco. Era uma imagem de um homem de aparência simiesca com rosto peludo e longos braços de macaco.

— Que horror! — exclamou Beatrice. — Esse não é Girse, o assistente do Doutor?

Ascott Keane aquiesceu.

— Sim. Eu queria que fosse a imagem do próprio Doutor, mas seria inútil. Se ele conhece o método de matar à distância, também estará preparado para se proteger dele.

Beatrice encarou a imagem por alguns instantes, com perplexidade nos olhos.

— Mas... Ascott! Você não me falou que Girse morreu? Ele não foi... consumido no seu lugar daquela vez que...?

Keane aquiesceu.

— Foi, sim. E fui tolo em acreditar por um tempo que o que vi ali era o fim da história. Mas o Doutor Satã sabe tanto sobre as artes malignas ancestrais quanto eu, e conheço uma maneira de trazer uma pessoa morta de volta à vida mesmo se o corpo for destruído, contanto que eu tenha algumas partes como cabelo ou unhas cortadas. Eu esqueci que qualquer ajudante do Doutor Satã terá que ser morto duas vezes enquanto o Doutor puder praticar sua magia. Foi por isso que fiz essa imagem de Girse assim que percebi o que o Doutor estava fazendo. Há uma pequena chance de ele não ter preparado nenhuma proteção para Girse, partindo da minha crença de que Girse está fora da jogada para sempre.

— É de cera? — perguntou Beatrice, e seus olhos mostravam espanto e compreensão.

— Sim, de cera.

Ele passou a vista pelo escritório, não viu nenhuma bandeja de metal onde colocar o boneco, então puxou para trás um canto do carpete. O chão do escritório era de cimento liso. Ele depôs a imagem sobre o cimento. Beatrice observava com a mão sobre o peito. O procedimento, que parecia inconsequente por si só, tinha algo de letal que a fazia prender a respiração na garganta.

Keane passou a vista no escritório outra vez, depois se dirigiu até onde estavam as roupas que ele e Beatrice despiram às pressas.

— Desculpe — disse ele, e tirou as vestes dela junto com as suas, empilhando tudo no chão de cimento. — Precisaremos pedir que nos mandem novas roupas de alguma loja da Quinta Avenida. Eu preciso dessas agora.

Ele colocou a imagem de Girse sobre a pilha de roupa. E então encostou um fósforo aceso ao tecido...

No laboratório de revelação, o Doutor Satã grunhiu irado ao observar os dois bonecos de cera na placa de ferro incandescente. Os bonecos não estavam queimando! Desafiando todas as leis da física e, tanto quanto o Doutor sabia, da feitiçaria, as imagens de cera mostravam-se ilesas sobre o metal que deveria tê-las consumido totalmente.

— Maldito seja! — murmurou o Doutor Satã, fechando as mãos enluvadas em punhos. — Maldito seja! Ele escapou de novo! Mas como...?

Ouviu som de respiração estertorante atrás de si. Seus olhos subitamente se arregalaram, incrédulos, por trás dos buracos da máscara. Ele se virou.

Girse o encarava com olhos frenéticos e apavorados. Cada respiração saía entrecortada de sua garganta tensa de veias, como se fosse a última.

— Mestre! — implorou ele, arquejando. — Doutor Satã! Faça parar...

A pele em seu rosto e mãos, seca e febril, começou a rachar.

— *Faça parar, está queimando!* — implorou, com um grito agudo.

Mas o Doutor Satã não podia fazer nada além de cerrar os punhos e amaldiçoar baixinho, sussurrando para si mesmo:

— Eu não previ isso, Girse. Trouxe você de volta com os sais essenciais, um dos mais bem guardados segredos ocultos, e tinha certeza de que Ascott Keane jamais suspeitaria. Mas ele suspeitou, maldito seja, e estava preparado para o meu ataque...

Girse gritou mais uma vez e caiu no chão. Então seus gritos pararam; ele estava morto, e desta vez não haveria retorno; os sais essenciais só podiam ser usados para ressuscitar uma única vez. O corpo de Girse se moveu, se retorcendo em espasmos como um pedaço de papel bem enrolado se contorce e treme ao ser consumido pelo fogo.

— Keane! — sussurrou o Doutor Satã, encarando o chão, onde uma mancha descolorida era tudo o que restava do seu capanga. Seus olhos eram assustadores. — Pelo meu mestre, o diabo, ele vai pagar por isso mil vezes pior!

4

À meia-noite e meia daquela noite, um vulto solitário caminhava pelo lado norte do prédio National State. O lado norte, voltado para a rua, era onde ficava a Loja de Suprimentos de Fotografia Lucian. E estava deserto, exceto por um único homem.

O homem desacelerou o passo ao ver um objeto brilhante dependurado da parede do prédio na altura de sua cintura, alguns metros adiante. Ele cerrou os punhos, depois pegou o lenço e enxugou a testa.

O homem era Walter P. Kessler. E o branco do lenço na penumbra da rua era um sinal.

Do outro lado, quatro andares acima, em um depósito, um homem usando distintivo de detetive particular no peito observava por um binóculo enquanto Kessler aproximava-se do objeto brilhante. Ele fez um sinal com a cabeça.

Kessler tirou do bolso um envelope em branco. Dentro havia dez cheques para a Companhia de Seguros Lucifex. Ele pegou o receptáculo para os cheques com a mão esquerda.

O receptáculo era um crânio prateado de construção engenhosa, com dois terços do tamanho real. No alto dele havia uma abertura. Kessler enfiou o envelope ali dentro.

O crânio começou a subir pela parede do prédio, em direção a algum lugar ignoto no formidável penhasco formado pelos setenta e nove andares de alvenaria. Do outro lado da rua o homem com binóculos conseguiu finalmente divisar o fino fio do qual a caveira de prata se dependurava. Ele o seguiu com o olhar.

O fio saía de uma janela quase no topo do prédio. O homem pegou um telefone próximo.

Ele não chamou a telefonista. O telefone tinha uma linha direta com o prédio do outro lado. Ele simplesmente levantou o aparelho e disse, calmamente:

— Septuagésimo segundo andar, é a décima oitava janela da parede leste. *Vão logo!*

No prédio National State um homem no painel telefônico improvisado no térreo virou-se para outro.

— Septuagésimo segundo andar, décima oitava janela do lado leste. Mande todo mundo.

O segundo homem correu até o elevador noturno. Ele foi de andar em andar, abrindo a porta e sinalizando a cada parada. Em cada andar, dois homens, que estavam vigiando os corredores ao longo do lado norte, correram silenciosamente na direção dos outros elevadores locais, que tinham portas que davam para o poço em cada andar até a cobertura. Ao mesmo tempo um terceiro homem, nas escadas, sacou a arma e se preparou para proteger a passagem, raramente usada, que subia do lado do poço.

E no térreo, a 45 metros do homem no painel telefônico, uma risadinha saiu dos lábios mascarados de um vulto vestido de vermelho que se postava de pé em uma sala iluminada de vermelho.

Do outro lado da rua o homem com o binóculo pegou o telefone outra vez.

— Praga... Eles nos enganaram. Alguém pegou o dinheiro no sexagésimo terceiro andar!

As mudanças de ordens vibraram pelo grande prédio. E o vulto vestido em vermelho na sala que ficava no coração do labirinto riu outra vez — e foi em direção à bancada.

O Doutor Satã pegou um dos bonecos que restavam. Era a imagem de Kessler. Ele o colocou na placa de ferro, já aquecida pelos fios que vinham do soquete. O Doutor observou o boneco, austero.

A figura se retorceu em espasmos quando o calor derreteu seus pés de cera e então caiu sobre a placa. E na rua, longe dali, um grito pavoroso ressoou.

O Doutor Satã reclinou a cabeça como se o grito fosse música. Então, mais uma vez, sua risada sibilante vibrou no ar.

— Por desobedecer às ordens, meu caro — murmurou ele. — Mas eu sabia que você seria obstinado o bastante para tentar...

Ele parou. Por um segundo ficou rígido como se fosse uma estátua vestida de vermelho. Então, lentamente, ele se virou; e em seus olhos negros como carvão agora havia fúria — e medo.

Havia uma porta interna que dava para o laboratório, mas a porta ficava — e ainda estava — fechada. Ninguém tinha tocado nela. Nem na porta externa. E no entanto, na mesma sala em que o vulto vestido de vermelho estava, havia agora outra pessoa. Ascott Keane.

Ele se postava tão rígido quanto o próprio Doutor Satã, e seus olhos de um cinza metálico observavam seu adversário calmamente.

— Parece que estamos sozinhos — disse Keane, com cautela. — Imagino que Bostiff esteja coletando o dinheiro de Kessler. E Girse? Onde está?

Um rosnado foi a única resposta do Doutor Satã. Ele foi em direção a Keane, e suas mãos vestidas de vermelho se fecharam em punhos. Keane firmou posição. O Doutor parou.

— Como...? — perguntou ele.

— Logo *você*, perguntando isso? — respondeu Keane. — Você deve ter descoberto o segredo de transferir substância, incluindo a sua própria, de um lugar para outro apenas pelo poder do pensamento.

— Não descobri! — rugiu o Doutor Satã. — E tampouco você!

Keane deu de ombros.

— Bom, eu estou aqui.

— Você descobriu meu esconderijo e se escondeu aqui quando saí agora há pouco!

O sorriso de Keane era letal.

— Talvez. Mas talvez não. Fique com a resposta que mais lhe agrada. Tudo o que importa é que *estou* aqui...

— E aqui ficará! — cantarolou a voz suave do Doutor Satã. O medo estava desaparecendo de seus olhos, deixando apenas a fúria em seu lugar. — Você já interferiu demais nos meus planos, Keane!

Enquanto falava, ergueu a mão direita com o polegar e o indicador formando um ângulo estranho e inquietante.

— "De toda a parte para o aqui" — citou ele, baixinho. — Tenho servos mais poderosos que Girse, que você destruiu, Ascott Keane. Um deles está vindo até aqui... *para destruí-lo!*

Enquanto falava, uma estranha tensão apossou-se do ar daquela sala penumbrosa. Keane empalideceu um pouco ao notar o brilho nos olhos negros como carvão. Então olhou com surpresa para um ponto no ar à direita do Doutor Satã.

Algo acontecia ali. O ar reluzia, como se uma fogueira estivesse acesa no chão. Tremulou, tornou-se nevoento e ondulou em uma coluna sinuosa.

— "De toda parte para o aqui" — ergueu-se a voz do Doutor Satã, num triunfo final. — As antigas lendas tinham um cerne de verdade, Keane. As histórias de dragões... havia criaturas assim... *há* criaturas assim. Mas as criaturas que os antigos chamavam de "dragão" geralmente não andam pela Terra em forma visível.

A coluna enevoada e sinuosa à direita do vulto vestido de vermelho estava se materializando em uma criatura capaz de arruinar a razão de um homem.

Keane se viu diante de uma criatura bruxuleante que parecia um grande lagarto, embora fosse maior do que os lagartos conhecidos e tivesse pernas menores. Era quase como uma cobra com pernas, mas suas proporções não eram típicas: na parte mais grossa tinha sessenta centímetros de espessura, com quatro metros de comprimento. Havia marcas vestigiais de asas partindo do tronco a cerca de um metro da cabeça grande e triangular. E seus olhos não eram como os de nenhum lagarto, com vinte centímetros, brilhando feito joias malignas.

— Um dragão, Keane — murmurou o Doutor Satã. — Você viu ilustrações antigas dessas criaturas, pintadas por artistas que tiveram vislumbres delas. Esses seres só visitam a Terra quando algum necromante os conjura. Uma criatura "mítica", Keane. Mas você verá o quanto ela é "mítica" quando ela o atacar.

Um sibilar soou na sala penumbrosa. A forma serpentina estava tão materializada que já mal se podia ver através dela. E em mais alguns segundos tornou-se opaca. E pesada! O chão tremeu quando ela se moveu — na direção de Keane.

Seus grandes olhos de joia coruscavam como vidro colorido quando ela avançou, pé ante pé, na direção do homem que decidira combater o Doutor Satã até que a morte de um deles pusesse fim à sua guerra particular e letal. Mas Keane não se moveu. Ele permaneceu com os ombros firmes e os braços na lateral do corpo, encarando o vulto vestido de vermelho.

— "De toda parte para o aqui" — murmurou ele. Seus lábios estavam pálidos, mas sua voz permanecia calma. — Existe outro ditado, Doutor Satã. É um pouco diferente... "Do *além* para o aquém!"

A criatura inacreditável que o Doutor Satã evocara no meio de uma cidade que zombaria da possibilidade de sua existência subitamente interrompeu sua lenta e letal aproximação. Seu sibilar ressoou outra vez, e ela ergueu uma das garras, golpeando o ar à esquerda de Keane.

Então ela recuou um pouco, agachando-se mais no chão, e as garras e escamas raspavam o assoalho de cimento liso, barulhentas. Parecia estar vendo algo além do alcance dos olhos mortais. Mas em um instante aquilo que ela via tornou-se perceptível também para os olhos dos dois homens. E quando o Doutor Satã viu, um xingamento escapou de seus lábios mascarados.

Três vultos distorcidos, horríveis, mas familiares! Três coisas parecidas com estátuas de neblina que se tornavam menos diáfanas e mais sólidas a cada segundo!

Três homens que se contorciam como se experimentassem um sofrimento mortal, e cujos lábios se retorciam com gritos inaudíveis — que aos poucos começaram a ganhar volume, chegando aos ouvidos do Doutor e de Keane como gritos distantes e abafados.

Eram Varley e Croy e Kessler.

Um arquejo fugiu dos lábios do Doutor Satã. Ele recuou junto com a monstruosidade que tinha evocado para o plano terreno.

— "Do além para o aquém" — disse Keane. — Você matou os três, Doutor Satã. E agora eles irão matá-lo!

Varley e Croy e Kessler avançaram na direção do vulto vestido de vermelho. Ao avançar eles gritavam com a dor de terem sido queimados vivos, e suas mãos enegrecidas se estendiam com os dedos em garra na direção do Doutor. Tamanho ódio transparecia em seus olhos esgazeados e mortos que parecia jorrar em ondas na sala como um rio de sangue.

— São vultos — arquejou o Doutor Satã. — Não são reais, não podem me prejudicar de verdade...

— Você verá quanto são reais quando o atacarem — disse Keane, parafraseando o Doutor.

Os três vultos convergiram sobre o Doutor Satã, gritando. Tinham vindo da morte, e diante deles estava o homem que os enviara para o além. Seus olhos eram poços de fúria e desespero.

— Meu Deus! — murmurou o Doutor Satã, encolhendo-se. E as palavras, embora não tivessem sido ditas levianamente, pareciam duplamente blasfemas vindas dos lábios sob a máscara diabólica.

O sibilar da criatura-dragão que ele convocara era inaudível. Sua forma mal podia ser distinguida, e ela estava fugindo seja lá para qual o plano de onde tinha vindo. Já os três espectros penetravam cada vez mais no plano terreno ao avançar em direção ao corpo encolhido do Doutor Satã.

— *Meu Deus!* — gritou o Doutor. — Isso não! Não me entregue nas mãos de quem eu...

Os três saltaram. E Keane, com o rosto pálido feito a morte, encarou a cena de horror sabendo que a luta entre ele e o mal encarnado conhecido como Doutor Satã iria acabar naquela sala.

Os três saltaram, e o vulto vestido de vermelho desabou no chão...

Houve uma batida atroadora na porta, e gritos de homens do outro lado:

— Abra em nome da lei!

Keane gritou como se lâminas tivessem sido enfiadas sob suas unhas. O Doutor Satã gritou e afastou-se das três fúrias, que por sua vez fizeram esgares com a boca e puseram-se indecisos feito aves de rapina em um campo de onde caçadores irrompem sem aviso.

— Abra a porta! — gritou a voz novamente. — Nós sabemos que tem gente aí dentro!

O choque da mudança do ocultismo irreal para a vida prosaica foi como o choque de ser acordado rudemente de um sono profundo e abrir os olhos mortiços na beirada de um abismo, diante da morte. A chegada de coisas como a polícia e detetives em uma cena onde dois homens estavam evocando poderes além da capacidade de compreensão do mortal médio foi como enfiar uma barra de ferro entre os frágeis e intricados mecanismos de uma estação de transmissão de rádio.

Keane literalmente cambaleou, e então gritou:

— Pelo amor de Deus... afastem-se da porta...

— Abram ou vamos arrombar! — a voz gritando lá fora se sobrepôs à sua.

Keane praguejou e se virou. As três forças vingativas que ele evocara para destruir o Doutor Satã tinham sumido, devolvidas à não existência com o avanço do prosaico. E o Doutor Satã...

Keane viu em um vislumbre o manto vermelho rasgado, com manchas de um vermelho mais escuro no braço, quando o Doutor deslizou pela porta interna da sala e saiu para... só Deus sabia para onde. Algum esconderijo que ele preparara de antemão, sem dúvida.

E então a porta foi arrombada, e os homens que Kessler tinha teimosa e infelizmente contratado em sua luta contra o Doutor Satã entraram.

Eles foram em direção a Keane.

— Você está preso por extorsão — rugiu o líder, um homem com pescoço de touro e arma na mão. — Nós seguimos o sujeito que pegou a grana do crânio até aqui antes de perdermos a pista dele.

Keane apenas olhou para ele. E algo no seu olhar fez com que o homem, que jamais o vira antes, esmorecesse um pouco.

— Estenda as mãos que eu vou algemar você — disse ele, tentando demonstrar coragem.

Então o administrador do prédio entrou correndo.

— Você o pegou? — perguntou ele ao detetive. — Ele estava aqui? — Ele viu o homem que o detetive queria algemar e gritou: — *Keane!* O que aconteceu?

— Doutor Satã escapou — disse Keane. — Foi isso o que aconteceu. Eu o tinha bem aqui... — Ele mostrou a palma da mão e a fechou devagar. — Na palma da mão! Mas aí esse pessoal desastrado e bem-intencionado entrou na história e...

Sua voz ficou embargada. Seus ombros desabaram. Ele olhou para a porta por onde o vulto vestido de vermelho fugira. Então seu corpo se empertigou e seus olhos ficaram calmos novamente, embora estivessem sombrios, com um cansaço que era bem mais que mera fadiga física.

— Fugiu — disse ele, mais para si mesmo que para os outros na sala iluminada de vermelho. — Mas eu o encontrarei de novo. E da *próxima* vez, vou lutar com ele em um lugar onde interferências externas não poderão salvá-lo.

UM CHOQUE PARA A CONDESSA
C.S. MONTANYE

As histórias de Carleton Stevens Montanye (1892-1948) apareceram em várias revistas *pulp*, incluindo *Argosy, Top-Notch, Pep Stories, Thrilling Detective* e *Complete Stories*, e ele chegou ao ápice da carreira de escritor pulp ao vender inúmeras histórias para a revista *Black Mask*, começando na edição de maio de 1920 e seguindo até a edição de outubro de 1939.

Seu personagem mais famoso, o Capitão Valentine, estreou em *Black Mask* em 1º de setembro de 1923, com a história "A suíte do sétimo andar", e apareceu mais nove vezes em dois anos, concluindo com "Os dados do destino" na edição de julho de 1925. O anti-herói grã-fino também foi o protagonista do romance *Moons in Gold*, publicado em 1936, em que o *bon vivant* Valentine, acompanhado de Tim, seu servo chinês fantasticamente engenhoso, se encontra em Paris, de olho na coleção de opalas mais magnífica do mundo.

Entre outros personagens do autor encontramos Johnny Castle, um detetive particular; o detetive Dave McClain; a condessa d'Yls, uma antiquada ladra de joias, bela, rica, brilhante e lacônica; Monahan, um gatuno durão e não lá muito esperto; e Rider Lott, inventor do crime perfeito. Montanye também foi um dos escritores da série do Detetive Fantasma, usando o pseudônimo de Robert Wallace.

"Um choque para a condessa" apareceu pela primeira vez na edição de 15 de março de 1923 da *Black Mask*.

UM CHOQUE PARA A CONDESSA

C.S. MONTANYE

Da sacada do Chateau d'Yils, o vale de Var espraiava-se sob Gattiere, entrecortado pelas margens amplas do rio Var, que avançava sinuoso entre as paragens rochosas, saindo de seu berço nos Hautes-Alpes. As montanhas coroadas de neve franziam os cenhos, sombrias, mas no vale o calor do verão predominava — uma quietude interrompida apenas pelo canto dos pássaros e pela voz do rio.

Na passarela ensombrada do chatô, a bela condessa d'Yls observava pensativa o rio ondulante que era aquela estrada poeirenta, ondulando na distância difusa. A seu lado, um jovem alto, de bom porte, vestindo *tweed*, batia a cinza do cigarro, distraído, e mexia o gelo da fina taça que trazia na mão.

Uma ou duas vezes ele olhou de soslaio para a mulher que se reclinava tão indolente nas profundezas acolchoadas de uma cadeira de vime negra. A condessa estava particularmente adorável naquela tarde preguiçosa e morna.

Seus cabelos loiros recebiam a luz do sol que se filtrava do toldo cor de areia acima dela. Seus olhos azuis eram sonhadores e introspectivos, seus lábios vermelhos franzidos em pensamento. Mas embora estivesse perdida em devaneios, havia algo de régio e quase imperial em seu porte; um charme sutil e distinto que era só dela.

— Eu acho — disse a condessa, por fim — que logo teremos visitas.

Com um gesto casual da mão branca ela acenou para a estrada poeirenta. O homem a seu lado se inclinou um pouco para a frente. A pouco menos de um quilômetro viu um carro se aproximando pela estrada entre nuvens de poeira.

— Visitas?

A condessa inclinou a cabeça.

— É o que parece. E visitas, *mon ami*, que vieram de longe para nos ver. Veja que o carro está manchado da viagem, e parece pesado, sem dúvida por causa da bagagem. Acho que é nosso velho amigo Murgier — acrescentou ela, num tom quase traquinas.

O rosto do homem de *tweed* empalideceu mesmo estando bronzeado.

— Murgier! — exclamou ele, entredentes.

A condessa sorriu de leve.

— Mas provavelmente deve ser apenas um grupo de viajantes de Georges de Loup que saiu da estrada principal, Armand.

O homem de *tweed* destroçara o cigarro que tinha entre os dedos. Como se preso a um estranho fascínio, ele observou o carro ficando cada vez maior ao se aproximar.

— São homens! — murmurou ele, quando o carro empoeirado passou pela parede mais baixa do Chateau. — Quatro homens!

A mulher na cadeira de vime subitamente pareceu mais animada.

— *Mon Dieu!* — disse ela, baixinho. — Então é *ele* mesmo, aquele demônio!

O homem não respondeu, mas o retorcer de seus dedos traía seu nervosismo disfarçado. O rugido do motor possante se fez ouvir na entrada, já passando entre as sacadas.

Houve um interlúdio — vozes além da curva da passarela —, e por fim o mordomo apareceu como um autômato de uniforme.

— Monsieur Murgier, madame.

O homem de *tweed* conteve um gemido. A condessa se virou lentamente na cadeira.

— Pode trazer o M. Murgier para cá, Henri.

O mordomo fez uma mesura e se foi. O homem de *tweed* fechou os punhos até as unhas ferirem as palmas.

— Meu Deus!

A condessa pousou a mão tensa em seu braço.

— *Sorria!* — ordenou ela.

M. Murgier, que no momento vinha gingando pela passarela ensombrada do Chateau, era um indivíduo alto, de movimentos flexíveis, com um bigode melancólico e um rosto bastante enrugado. Um terno grande, amarfanhado e empoeirado, cobria frouxamente seu corpo esguio. Ele trazia um chapéu de palha mole na mão e era grisalho nas têmporas.

Quando se curvou sobre os dedos esguios da condessa, um brilho discreto apareceu em seus olhos austeros.

— Sou agraciada com a presença de um ilustre! — murmurou a mulher. — Monsieur, que honra! Posso apresentá-lo ao marquês de Remec?

Ela introduziu o visitante ao homem de *tweed*, que se curvou, rígido. De além da curva da passarela, vinha o rumor abafado das vozes dos outros passageiros do carro.

— Aceita um licor, M'sieur? — perguntou a condessa. — Um charuto?

O visitante meneou com a cabeça e olhou a paisagem pacífica do vale do Var.

— Não, obrigado. Meu tempo é curto. Minha jornada foi longa, e devo partir para Paris muito em breve. Você — explicou ele, cortês — e o marquês deverão se preparar o mais rápido possível. São meus convidados para a jornada de retorno!

A palidez do homem de *tweed* chegou até seus lábios. Seu olhar assustado mirou a condessa. A mulher tinha se recostado novamente na cadeira de vime negra, e unira as pontas dos dedos.

— Acompanhá-lo a Paris? — ronronou ela. — Está falando sério?

O rosto enrugado do M. Murgier tornou-se inflexível como um busto de cobre!

— Bastante sério — respondeu ele. — Vocês dois estão presos... pelo roubo das pérolas Valois!

Por uma semana Paris estivera debaixo de chuva intermitente. A garoa fria e enregelante do começo da primavera. Por causa do clima, os cafés e teatros estavam cheios, táxis e carruagens de praça tinham constante demanda, os ônibus andavam lotados, e as praças encharcadas estavam desertas dos frequentadores habituais.

De Montmartre ao Montparnasse, nuvens cinzentas deslizavam, escondendo a face relutante do sol de dia, e as pontas de faca afiadas da lua à noite.

A chuva fina constante tamborilava nas janelas do *boudoir* da condessa d'Yls em sua casa, na metade da Rue de Première Coquille. Lá dentro, tudo era confortável, aquecido e acolhedor. Carvão queimava em uma lareira adornada em filigranas de metal. A luz de um abajur de chão, próximo à mesa de *toilette* onde uma pequena criada pairava perto da condessa como uma mamãe-pombo, difundia um brilho difuso e suave.

O murmúrio da noite parisiense parecia vir de longe, um som mais discreto na sinfonia da chuva.

— A madame vai usar as joias?

A condessa se virou e ergueu os olhos azuis.

— Apenas os anéis, Marie, por favor.

A criada trouxe a caixa de joias, colocou-a perto da patroa e, indo até o guarda-roupas, selecionou uma luxuosa capa Kolinsky, que dobrou no braço. A condessa colocou os anéis, um a um — diamantes azuis-claros em engastes de platina, um anel curioso de feitio egípcio e um rubi solitário que ardia feito uma pequena esfera de fogo carmesim.

Quando este último anel já brilhava em seu dedo alvo, ela fechou a tampa da caixa, levantou-se e se virou para o espelho *cheval* às suas costas.

O espelho refletia a perfeição completa de seus encantos, todo o fascínio de seu vestido de gala tauxiado de lantejoulas, o lustro cremoso de seus braços, ombros e pescoço de contralto, nus e empoados. Ali parada, com a luz suave brincando em seus cabelos, ela estava radiante, incomparável, uma Diana reencarnada cujas vestes tinham sido criadas pelas agulhas mais hábeis da Rue de la Paix.

— Acho — disse a condessa — que os que vão aos eventos da moda para ver e imitar terão muito com que se ocupar na próxima manhã. É um vestido especial, não é, Marie?

— É lindo! — concordou a criada.

Com uma risadinha a condessa apanhou a capa Kolinsky.

— Agora devo descer e encontrar o marquês. Pobrezinho, já faz uma hora... ou mais... que o deixei esfriando os ânimos. Dizem, Marie, que o suspense aumenta a apreciação das coisas, mas também não podemos esgotar a paciência de um cavalheiro. A mulher inteligente de verdade sabe que não pode exagerar. Entende?

— Perfeitamente, madame — respondeu a criada.

A condessa saiu e foi até a escadaria. Ela desceu com passo leve os degraus emudecidos pelo peso da cascata de carpete que os recobria. Murais acompanhavam seu progresso até o andar de baixo, tapeçarias rebrilhavam com fios de fogo, e o próprio ar parecia sonolento com o peso do luxo sibarita.

Cantarolando um trecho de uma *chansonette* de bulevar, a condessa foi na direção da sala de estar à direita do saguão de entrada do primeiro andar. O aroma de fumaça de cigarro chegou até ela. Ao cruzar a entrada, o marquês de Remec estava de pé, um indivíduo de porte belo, imaculadamente arrumado em roupas de gala de corte impecável.

— Perdoe-me, Armand — pediu a condessa. — Maria estava toda atrapalhada hoje, cheia de dedos. Achei que nunca fosse terminar de me arrumar.

O marquês levou os dedos dela aos lábios.

— Você está linda! — disse ele, suavemente. — Ah, querida, será que nunca dirá a palavra que me tornará o homem mais feliz de toda a França? Por dois anos nós temos trabalhado juntos, ombro a ombro, lado a lado... por dois anos você tem sido uma estrela para mim, voltara para a Terra, bela além de qualquer descrição possível. Dois anos de...

A condessa o interrompeu com um suspiro.

— De emoções e perigos, Armand! De planos e estratagemas, pilhagens e riqueza! Eu acho, *mon ami* — disse ela, séria —, que, se tivermos sucesso hoje à noite, eu me casarei com você antes do final de abril. Mas espere ainda um pouco, me entenda. Será um segredo. Ainda serei a condessa d'Yls, e você continuará sendo o marquês de Remec para todo o mundo, menos para mim. Assim, meu amigo, se algum desastre acontecer a um de nós, não arrastaremos o outro junto. Entendeu?

Ela se sentou ao lado do marquês, encarando-o com ardor.

— Mas *hoje à noite?* — disse ele, numa voz embargada. — A missão de Valois é o trabalho mais duro que já encaramos! Hoje à noite precisaremos de toda a nossa astúcia e inteligência!

A condessa ergueu as sobrancelhas.

— É mesmo?

O marquês achegou-se a ela.

— Não é apenas — explicou ele, depressa — o M. Murgier da Sûreté* que devemos considerar, a informação de que ele vem nos perseguindo desastradamente há meses; devemos considerar também o Lobo! Faz apenas uma hora, em alguma espelunca do outro lado do rio, François ouviu um boato de que o Lobo vai sair do covil hoje à noite *para roubar*

---

* Termo usado para se referir à polícia. (N. do T.)

as pérolas de Valois! Você entende? Precisaremos enfrentar dois inimigos: a rede de Murgier e as presas do criminoso que espreita entre as brigadas apaches do rio. E é justo essa missão que você escolhe para coroar o sonho que tanto almejo!

A condessa d'Yls tocou a mão do outro com seus belos dedos.

— A ameaça de Murgier e a presença da matilha do Lobo o desanimam? — perguntou ela, com leveza. — Você, o destemido! Você, o herói de tantas aventuras emocionantes! Armand, você... você me aborrece.

De Remec se levantou.

— Mas isso é diferente! — gritou ele. — Para mim o que está em jogo é algo mais precioso que ouro ou joias: é a sua promessa! Eu... Eu fico nervoso...

A condessa riu do melodrama.

— Você é tão bobo! Nós não vamos falhar. Vamos roubar essas famosas pérolas bem debaixo do nariz dos que querem nos frustrar e destruir. *Voilà!* Eu nem me apercebo da existência deles. Mas, vamos, está ficando tarde. Não é melhor começarmos?

Ele olhou para o relógio.

— Sim. François está esperando na limusine...

Quando estavam lado a lado no carro aberto, que avançara rugindo, a condessa olhou para as janelas velozes e tremeu.

— Logo será o final da primavera — disse ela, calmamente. — Logo teremos o privilégio de descansar nossos olhos exaustos da vida na cidade admirando o vale do Var. Quero abrir o chatô em seis semanas, *mon ami*. Vai parecer o paraíso depois desse inverno tristonho e de tanta chuva!

O carro seguiu rumo ao oeste, depois ao sul. Paris projetava um reflexo chamativo contra o teto de nuvens carregadas, reluzente em sua busca noturna por prazeres. A condessa observava distraída o fluxo do tráfego. Seus pensamentos eram como rolos de seda sendo lentamente revertidos em um tear. Ela se lembrava do passado — da pequena pilha de joias no *boudoir* do retiro em Trouville, cenário da festa daquele final de semana, dela própria deslizando nas trevas para obter as joias; do marquês aparecendo com o mesmo objetivo e do seu encontro surpresa; do pacto que fizeram e dos projetos ousados e triunfantes que tinham planejado e executado juntos.

Os lábios rubros da condessa insinuaram um sorriso.

Tudo fora tão fácil, emocionante e simples. É verdade que o temido Murgier, representante da lei, os perseguira implacavelmente, mas sempre conseguiam levar a melhor sobre ele, sempre riam em segredo diante de seu embaraço, regozijando-se nos espólios.

Agora, esta noite seria a vez das pérolas de Valois — o famoso colar que a dona encomendara a especialistas, em Amsterdã. No dia seguinte a madame de Valois estaria lamentando sua perda, e o colar... o colar estaria seguindo para algum porto estrangeiro, seguro na posse do agente que cuidava de todas as transações financeiras do casal.

"O Lobo!", pensou a condessa.

Certamente não haveria nada a temer do gigante fora da lei apache — um homem cuja inteligência estava na ponta de uma faca, na corda de um garrote, no porrete do salteador. Como poderia o Lobo realizar algo que requeria cérebro e *finesse*? Apenas a chance de Murgier descobrir uma pista cuidadosamente ocultada apresentava algum perigo...

— Você está quieta — observou o marquês.

— Estou pensando — respondeu a condessa d'Yls, sonhadora.

Mais uma dúzia de ruas e o carro chegou à Rue de la Saint Vigne, parando diante de um toldo listrado que ia da porta ao meio-fio diante da residência parisiense da madame de Valois. As janelas do prédio projetavam bastante luz, e o som de música vinha do alto. Localizada no meio de um pequeno parque escuro, a casa parecia um item de cenário pintado em um palco.

Um porteiro pegou a maçaneta de prata da porta da limusine com a mão enluvada e a abriu. O marquês de Remec ajudou a condessa a sair. Protegidos contra a chuva sob o toldo, eles subiram os degraus da frente e entraram na casa.

— Você — instruiu a condessa, cautelosa — vai ficar de olho em Murgier, e eu cuido dos filhotes do Lobo! Se acontecer algo inesperado, nós nos encontramos amanhã no porão do Café dos Três Amigos. François já foi instruído?

— Ele vai deixar o motor ligado na esquina —, sussurrou o marquês. E então, apertando sua mão, ele disse: — Coragem, minha cara, e um brinde ao sucesso!

Para a condessa d'Yls, parecia que toda a riqueza e beleza da cidade estava no salão de baile onde tinham entrado juntos.

Sob o clarão dos candelabros de cristal a Moda dançava com a Prosperidade. Por toda a parte as joias faiscavam, olhos e lábios sorriam uns aos outros. Perfumes eram como os aromas da Arábia na brisa quente do deserto. A conversa se mesclava ao trinado sincopado da orquestra no terraço — o arrastar de pés e o farfalhar de sedas e cetins preenchia a sala com uma estranha dissonância.

Separando-se do marquês, a condessa, cumprimentando os que a saudavam com uma palavra amiga, um sorriso ou uma mesura, perdeu-se imediatamente no turbilhão. Os ajudantes de Murgier ela deixou para que de Remec cuidasse. Tinha decidido primeiro identificar a presença da Madame de Valois e das pérolas — após o que ela procuraria o Lobo ou seus agentes na multidão.

Depois de algumas manobras a condessa descobriu a localização da Madame de Valois. Ela dançava com um senador de barbas grisalhas. Era um estorvo grande e vestido com exagero, de cujo pescoço gordo o famoso colar de pérolas sacudia a cada passo. A condessa observou a mulher passar deslizando e depois passou a procurar as pegadas do Lobo.

Ela circulou entre os convidados, ignorando os conhecidos, perscrutando ansiosamente os rostos e aparência dos que ela não conhecia. Uma hora se passou até ela acreditar que tinha descoberto o homem que procurava. Tratava-se de um jovem imberbe metido em uma roupa de gala amarfanhada, que se demorava, sozinho, no *foyer* pegado ao canto sul do salão.

Observando, a condessa tocou o cotovelo de uma conhecida, indicando o jovem discretamente, e fez uma pergunta.

— Aquele — informou a amiga — é o M. Fernier. Ele é um jovem compositor do Quartier Latin. A Madame de Valois o convidou para que ele pudesse ouvir a orquestra tocar uma de suas próprias composições de dança. Ele parece um tanto melancólico, não acha?

— Do Quartier Latin — disse a condessa, para si mesma, quando se viu sozinha outra vez. — Vou continuar observando o senhor, M. Fernier!

Alguns minutos depois o marquês de Remec se aproximou.

— Três agentes de Murgier na festa! — sussurrou ao passar por ela. — As portas estão protegidas. Tome cuidado, minha cara!

Mais sessenta minutos se passaram.

Foi à meia-noite em ponto que a condessa viu o tal estudante do Quartier Latin fazer seu primeiro movimento. O jovem apanhou um bilhete do bolso e o entregou a um criado, dando-lhe uma breve instrução. O criado passou entre os convivas e entregou a mensagem à Madame de Valois. Ela se desculpou aos que estavam próximos, abriu o bilhete, leu, e depois de vários minutos começou a se mover devagar na direção das portas do salão. A condessa, nervosa, apertou os lábios. Uma olhada por cima do ombro lhe mostrou que Fernier saíra do *foyer*.

Que brincadeira era aquela?

Um minuto ou dois após a Madame de Valois desaparecer pelas portas do salão, a condessa os alcançou. Ela olhou a tempo de ver a mulher passando pelo salão de entrada e desaparecendo entre as cortinas da sala de recepção mais além. Não havia mais ninguém ali. Certamente estava na trilha certa e, cada vez mais expectante, a condessa esperou até que as cortinas parassem de se mover, então foi depressa na direção delas.

O barulho metálico de ferrolhos sendo puxados, um som de arrastar e então uma corrente de ar frio e úmido informaram à condessa que, sem dúvida, as altas janelas à francesa da sala de recepção, que davam para uma sacada sobre um dos lados do parque, tinham sido escancaradas. Ela abriu as cortinas cuidadosamente e olhou.

O cômodo estava às escuras — a Madame de Valois era uma silhueta corpulenta na beirada da sacada —, e vozes se misturavam abafadas.

Com pés silenciosos a condessa escolheu um caminho discreto pela sala. Perto das janelas abertas recolheu-se até um ninho de sombras, inclinou-se um pouco para a frente e concentrou-se para ouvir.

Ouviu a pergunta perplexa da Madame de Valois:

— Mas por que me pediu para vir aqui? Quem é você? Qual era o segredo mencionado naquele bilhete?

Uma pausa, e então o tom sedoso da voz de um jovem:

— Mil perdões, madame. Este foi o único jeito, dadas as circunstâncias. Meu segredo é um aviso: pessoas inescrupulosas estão aqui hoje, e querem roubar a senhora!

— Você quer dizer...? — gaguejou a Madame de Valois.

— Falo das suas pérolas!

Mais uma pausa — aqui a mulher deve ter se agitado na sacada, e o homem continuou:

— Madame, permita que me apresente. É provável que a sra. já tenha ouvido falar de mim. Paris me conhece como o Lobo! A madame não fará escândalo nem vai se mexer... meu revólver está apontado, carregado, e meu dedo está no gatilho! Vou tomar conta de suas pérolas e garantir que ninguém as leve. A madame faça o favor de retirar o colar imediatamente!

Ao engasgo de decepção da Madame de Valois seguiu-se uma gostosa risada. Depois, alguns sons inexplicáveis e as palavras:

— Obrigado. *Adieu!*

E então a mulher cambaleou entre as cortinas abertas, uma montanha trêmula de carne atarantada, fazendo estranhos sons de choro baixinho.

A Madame de Valois mal tinha chegado ao meio da sala de recepção e a condessa já estava na sacada, saltando sobre o balaústre. Um vislumbre mostrou o vulto sombrio do Lobo correndo na direção dos portões no fim do parque, que dava para a avenida mais além.

Com toda a velocidade de que dispunha a condessa correu para a outra porta na parede que dava para a rua, à direita da casa. A porta estava destrancada. Ela a abriu e saiu para o pavimento úmido, indo na direção da avenida, correndo a toda enquanto seus dedos buscavam e apertavam o pequeno revólver que ela escondera sob as dobras de seu vestido de gala.

Ela chegou aos portões no canto norte do parque ao mesmo tempo que pegadas soaram do outro lado deles. Os portões se abriram devagar, permitindo que um homem barbudo e atarracado passasse. A condessa recuou e esperou até que ele se virasse para fechar os portões atrás de si.

Então deu dois passos diante e enfiou o cano da arma em suas costas.

— É melhor não se mexer, M. Lobo — disse, com doçura. — Fique assim mesmo como está, e pegarei as pérolas sem incomodá-lo.

Ela podia sentir as costas do homem tremendo contra o revólver.

— Você morrerá por isso! — jurou o Lobo.

A condessa encontrou o lustroso colar da Madame de Valois enrodilhado dentro de um bolso do Lobo e o enfiou apressadamente no corpete.

— É possível — concordou, amistosa. — Mas agora não é hora para discutir isso. Preste atenção no que digo. Se você se mexer antes de dois minutos eu vou atirar sem pensar duas vezes! Continue com o rosto voltado para os... portões... e...

Baixando a mão que segurava a arma, a condessa correu para a esquina da parede, onde a avenida cruzava a rua lateral, e correu sobre o asfalto liso na direção de François e da limusine que a aguardava. Ciente por alto do crescente tumulto na casa, a condessa se surpreendeu com o estampido súbito de um revólver, o assobio de uma bala passando perto dela e o grito rouco do Lobo:

— Polícia! Polícia! Ladrões! Lá vai ela! Naquele carro!

Pausando apenas para disparar duas vezes contra o apache que berrava, a condessa, ciente de que um carro avançava pela rua em sua direção, entrou na limusine.

— Rápido! — gritou, sem fôlego. — Vamos embora, François!

Feito um puro-sangue ansioso, o carro avançou na direção do entroncamento da avenida mais adiante. A condessa apoiou o rosto na janela traseira. O outro carro estava cinco quilômetros atrás. Tinha faróis claros, amarelados — era um carro da polícia —, um dos veículos da Sûreté.

— Atravesse o rio! — instruiu a condessa, pelo painel dianteiro de vidro aberto da limusine. — Vamos nos livrar deles do outro lado do Sena!

A limusine atravessou a ponte sobre o rio pintado de cores noturnas, passando por cafés e chegando a um distrito de depósitos silenciosos e esquálidos. A condessa olhou para trás mais duas vezes. Os faróis pálidos e amarelos o seguiam feito uma nêmese.

— Dobre a próxima esquina e desacelere — ordenou a condessa. — Assim que eu sair, acelere e parta para o interior.

A limusine disparou quase em duas rodas para dentro da passagem escura de uma rua lateral pavimentada por pedras. Os freios chiaram quando o carro parou por um minuto, e então disparou outra vez. Escondendo-se atrás de uma pilha de barris na frente de um dos depósitos, a condessa riu ao ver o segundo carro passar a toda.

— O poderoso Murgier — zombou ela. — Que amador!

Ainda rindo um pouco, ela saiu de detrás dos barris — estacando, rija, e então recuando apressada outra vez. Uma motocicleta aparecera na rua deserta, e um homem desceu dela.

A condessa apertava com os dedos nervosos as pérolas da Madame de Valois, e soube que era o Lobo antes mesmo de sua voz calma chegar até ela.

— *Mademoiselle* — disse o apache. — Sei que está aí. Vi o brilho do seu vestido antes de se esconder atrás dos barris. Você não tem como escapar. *Entregue o colar!*

* * *

— O roubo das pérolas de Valois? — disse a condessa d'Yls, suavemente. — O Monsieur certamente está brincando!

Murgier, na passarela ensombrada do chatô, tocou as pontas de seu bigode desconsolado.

Ele disse, quase com cansaço:

— Não adianta fingir surpresa ou indignação. Há quatro dias prendemos o Lobo... e ele fez uma confissão completa...

A calma ensolarada da passarela foi interrompida pelo grito rouco da condessa d'Yls. Ela se ergueu subitamente, e seus olhos azuis eram como estrelas frias e incandescentes.

— Sim, seu demônio! — disse ela, alterada. — Sim, M. Ferret, nós pegamos as pérolas... *eu* peguei as pérolas! O Lobo não ficou com elas! Ninguém vai ficar! Eu as escondi bem! Pode me levar... pode levar a nós dois e nos prender, você nunca encontrará o colar... ninguém jamais encontrará!

Murgier estalou os dedos duas vezes. Os homens que tinham vindo pela estrada poeirenta no carro com marcas de viagem aproximaram-se, dobrando a curva da passarela. A condessa riu, insolente, para o homem que a encarava.

— De certa forma — disse ele, suavemente —, sua declaração é verdadeira. Ninguém jamais recuperará as pérolas de Valois. Vou lhe dizer uma coisa. Quando o Lobo apareceu naquela noite no depósito, você escondeu o colar dele, jogando-o em um dos barris abertos. Não foi isso? Você marcou o barril para identificá-lo mais tarde. Quando você despistou o Lobo, seu agente começou a procurar o barril. Ele tinha sido guardado no depósito... houve algumas dificuldades... até agora seu agente não conseguiu localizar as pérolas. Mas você ainda tem esperança. Madame condessa, é meu dever acabar com as esperanças da sra. e... — ele acenou na direção de Remec — de seu marido. Houve um detalhe que a sra. ignorou: o conteúdo do barril...

A condessa arquejou espantada e inclinou-se para diante, como se desejasse adivinhar o significado daquelas palavras.

— O conteúdo?

Murgier sorriu.

— O barril — explicou ele — estava cheio até a metade de vinagre. As pérolas se desintegraram, pela corrosão! Puf! Agora vamos embora.

UM MILIONÁRIO DESMAZELADO
CHRISTOPHER B. BOOTH

Como era o caso de muitos escritores de revistas *pulp* dos anos 1920 e 1930, Christopher Belvard Booth (1889-1950) era prolífico, produzindo dez histórias de mistério assinadas com seu próprio nome entre 1925 e 1929, e mais oito romances policiais entre 1924 e 1935 sob o pseudônimo de John Jay Chichester. Aproximadamente cinquenta contos policiais, publicados na *Detective Story Magazine* de Street & Smith, também apareceram nos anos 1920 e 1930. Booth escreveu ainda algumas histórias de faroeste, cinco das quais viraram filme. Depois dessa avalanche de ficção, Booth parece ter desaparecido, e nenhuma obra atribuída a ele apareceu nos anos 1940, nem depois. Booth, nascido em Centralia, Missouri, também trabalhou como jornalista para o *Chicago Daily News*, e mais tarde teve o próprio jornal.

O sr. Clackworthy aparece em duas coletâneas de contos: *Sr. Clackworthy* (1926) e *Sr. Clackworthy, Vigarista* (1927); em ambas, ele se aproveita de vítimas que merecem ser enganadas: banqueiros avarentos, acionistas corruptos e gente do tipo. Os leitores torciam pelo trapaceiro mesmo que ele, como muitos outros trapaceiros da época, não fossem nenhum Robin Hood (pois ficavam com o dinheiro que roubavam). Clackworthy foi descrito pelo seu editor como um "vigarista de gênio, de fala suave, grandiloquente, criador de planos engenhosos para destruir corruptos mais inescrupulosos que ele". Seu parceiro, James Early, é um capanga durão tão conhecido da polícia de Chicago que recebeu o apelido de "Pássaro Madrugador".

"Um milionário desmazelado" foi originalmente publicado na *Detective Story Magazine*. Ele foi reunido em coletânea em *Sr. Clackworthy, Vigarista* (Nova York, Chelsea House, 1927).

UM MILIONÁRIO DESMAZELADO

CHRISTOPHER B. BOOTH

O genial coletor de "dinheiro fácil", o nosso sr. Amos Clackworthy, estava novamente com fluxo de caixa. E já era tempo. Por oito meses de prejuízo ele vira seus melhores planos naufragarem, suas falcatruas mais engenhosas darem em nada, e a bancarrota o espreitava.

Quando parecia que a maré de má sorte levaria seu último dólar, junto com sua luxuosa moradia na Sheridan Road, onde ele vivera por mais de três anos no luxo e no conforto, sua sorte mudara. Mesmo sem capital de giro — a ostentação de riqueza que inspira confiança e já atraíra tantas vítimas endinheiradas —, ele conseguira desfalcar um certo sr. MacDowell (um escocês astuto, ainda por cima) em sonoros vinte mil dólares.

Não era uma grande soma para alguém que se acostumara ao ritmo de gastos de um milionário, mas sem dúvida salvara o sr. Clackworthy da humilhação da auditoria de falência, e os ricos adornos do seu apartamento do martelo do leiloeiro. O futuro imediato estava seguro.

O sr. Clackworthy usava smoking e sentava-se ao lado da mesa de jacarandá da biblioteca, com os cotovelos descansando nos braços de uma cadeira de encosto alto e as pontas dos dedos esguios se tocando de leve. Em seu rosto havia uma expressão pensativa enquanto ele olhava para a parede, onde havia um pequeno quadro pendurado.

Do outro lado da sala estava James Early, o amigo e principal ajudante do sr. Clackworthy, que em embaraçosas épocas passadas fora apelidado de "Pássaro Madrugador", quando seus movimentos foram alvo de pronunciado e problemático interesse por parte da polícia. Este ocupava seu lugar favorito junto à janela que dava para a Sheridan Road e a procissão sem fim de veículos motorizados.

O comportamento pensativo do mestre vigarista, sua abstração meditativa, causavam em James a emoção da expectativa. Talvez, ele dizia a si mesmo, esperançoso, um novo plano estivesse sendo criado. Com ou sem fluxo de caixa, o Pássaro Madrugador só estava feliz quando se envolviam em uma das fascinantes aventuras que ele chamava de "fazer a rapa na grana".

Alguns minutos se passaram em silêncio; o sr. Clackworthy reacendeu o charuto que tinha se apagado, exalou uma nuvem densa de fumaça azul e apanhou uma revista da mesa. Os ombros magros do Pássaro Madrugador desceram em um suspiro, e um grunhido de decepção lhe escapou dos lábios.

— Algo parece perturbar sua tranquilidade, James — murmurou o mestre vigarista, e um certo brilho se insinuou em seus olhos.

— Minha tranquilidade, é? — grunhiu o Pássaro Madrugador. — Bom, eu não sou lá muito forte aqui no tutano, sou até meio lerdo das ideias, mas sei umas coisas.

— Eu jamais ignoraria palavras de sabedoria, James — riu o sr. Clackworthy. — Por favor, continue, mas antes deixe-me assegurá-lo de que não quis insinuar nada sobre seu intelecto.

— Sim, eu entendi, chefe — grunhiu o Pássaro Madrugador —, mas vou alugar seu ouvido do mesmo jeito. Quando vejo o senhor sentado aí, parecendo um médium recebendo espírito, eu penso: "O chefe está preparando alguma coisa; o chefe vai pôr as asinhas para fora já, já." E aí eu olho e vejo o senhor aí lendo essas coisas de revista. Hum, ficar lendo essas besteiras não vai ajudar a gente a levantar um troco, não!

O sr. Clackworthy riu enquanto cofiava a ponta do cavanhaque.

— Evidentemente — disse ele — você observou meu comportamento pensativo enquanto eu ficava aqui sentado olhando para aquele pequeno quadro ali. Eu estava me perguntando que preço ele alcançaria em um leilão.

— Uns cinco contos — arriscou o Pássaro Madrugador, que depreciava a arte tanto quanto a leitura.

— Ora, vamos, James — admoestou o mestre vigarista. — Você esquece que esta pintura é um Hulbert. Não falei que paguei 2.500 dólares por ela?

— Ô, chefe, para que perder tempo falando de vigarista de quinta? A gente acabou de sair de uma maré de azar e as coisas estão começando a ficar boas de novo. Não vai ficando tranquilo só porque a gente pôs a mão em vinte mil contos daquele escocês pateta, não. Sei que já teve época quando uma nota de cem parecia uma dinheirama que não acabava mais, mas do jeito que o senhor vive esses vinte mil não vão durar para sempre. Hum, na época que o senhor só se dava bem, até cinquentinha o senhor não achava grande coisa.

A atitude do sr. Clackworthy tornou-se mais austera, e ele aquiesceu perante as observações do seu comparsa sobre a insegurança de saldos bancários tratados irresponsavelmente.

— James, você está certo. Houve épocas em que tínhamos vinte ou trinta mil em caixa, que arriscávamos de uma só vez e perdíamos sem nem dar falta. Mais de uma vez eu vi nossa fortuna chegar perto de um quarto de milhão.

"No entanto, meu amigo, enquanto eu estava aqui sentado especulando sobre quanto aquele quadro valeria em um leilão, tive a compreensão de que nós realmente escapamos por pouco do desastre, e do quão importante é..."

— A gente sair e tosquiar mais um carneiro — completou o Pássaro Madrugador, com um sorriso deleitado. Ele se inclinou para a frente na cadeira em atitude de atenção concentrada. — Pode ligar aí o toca-discos, chefe, que eu quero ouvir minha música preferida: "Vamos fisgar uns trouxas." Pode falar, chefe, quem, quando e como, pode falar tudo dessa nova aventura.

— O plano até agora, James — respondeu o sr. Clackworthy —, infelizmente ainda está numa fase preliminar, mas...

— Fase preli o quê? — interrompeu o outro. — Usa umas palavras mais simples aí para eu poder entender, chefe. O senhor sabe que o pai dos burros não me reconheceu até hoje.

— Quis dizer que o plano ainda não está definido, que ainda é pouco mais que uma ideia inicial e falta decidir os detalhes. A próxima vítima em nossa lista ainda é desconhecida. O modo como vamos agir também ainda está meio obscuro, mas, quanto ao "quando", eu posso responder. Imediatamente, James, imediatamente. E também, caro amigo, posso responder quanto ao "onde". Logo partiremos para um spa bastante popular entre os ricos, que vão para lá deixar as doenças que os afligem. É uma boa regra, ao se buscar riqueza, ir para onde a riqueza está. E é uma conclusão óbvia que vamos encontrar essa riqueza de sobra em Boiling Springs.

O Pássaro Madrugador enrugou a testa curta e olhou para o mestre vigarista com uma expressão de dúvida e questionamento.

— Espera aí, chefe — interrompeu ele, incrédulo —, o senhor vai pegar o trem para essa Boiling Springs sem saber quem a gente vai aliviar, nem como vamos fazer isso?

Uma vez que o sr. Clackworthy costumava preparar seus planos nos mais mínimos detalhes, esse modo de proceder era surpreendente.

O mestre vigarista sorriu com brandura.

— Quando vamos pescar, James, não temos como saber que tipo de peixe vamos pescar, mas quando pescamos em um riacho onde há muitos peixes, usando boa isca e tendo um pouco de paciência, há uma boa chance de que o anzol vai acabar fisgando alguma coisa.

— Mas qual a isca? — quis saber o Pássaro Madrugador. — O senhor não acabou de dizer que não sabe como vamos...

A questão foi interrompida no meio, pois o sr. Clackworthy pegou a revista da mesa e começou a virar as páginas.

— James, vi aqui um artigo que chamou minha atenção; de certa forma, é uma biografia. O biografado não é ninguém menos que o sr. Rufus Gilbanks.

Um clarão de alegria atravessou o rosto de Pássaro Madrugador.

— Eita, chefe! O milionário do petróleo! — exclamou ele, ficando de pé com um salto. — O senhor está falando então que o Gilbanks está se refestelando em Boilin' Springs e que a gente vai dar um pulinho lá e catar o equivalente a alguns barrizinhos de ouro líquido. Pode nos levar até ele, chefia!

— Não tão rápido, James. Não falei que Rufus Gilbanks ia contribuir para a reabilitação de nossa fortuna. De fato, não é nisso que estou pensando. Acalme-se e permita-me ler alguns trechos desse artigo bastante interessante.

"Em primeiro lugar, o sr. Gilbanks é descrito como o 'homem silencioso e misterioso do cenário petrolífero norte-americano'. Tem uma origem obscura e mantém essa obscuridade tanto quanto pode. Ele detesta publicidade e ser o centro das atenções; nunca posou para uma fotografia. Exceto por algum instantâneo de má qualidade aqui e ali, o público curioso só pode especular sobre a aparência do sr. Rufus Gilbanks, um dos homens mais ricos do país. Ele nunca dá entrevistas, e se move em um manto de mistério. Permita-me ler uma descrição verbal desse homem."

— Lá vem historinha — grunhiu o Pássaro Madrugador.

O sr. Clackworthy voltou-se para a revista e leu:

— "Rufus Gilbanks é um homem alto e usa barba, que parece servir para esconder suas feições do olhar curioso do público. Podemos dizer que ele teria uma aparência distinta, não fosse por seu descuido no vestir, que lhe dá uma aparência quase desmazelada. Suas roupas não são de alfaiate, mas de lojas baratas, têm corte ruim e colam-se ao corpo, amarfanhadas. Seus colarinhos nunca servem direito e geralmente andam encardidos. Ele não usa joias, exceto por uma pesada corrente de relógio atravessada no colete, e preso a essa corrente há um dólar de prata gasto com a data de 1867, que dizem ser o primeiro dólar que o multimilionário do petróleo ganhou."

O mestre vigarista depôs a revista e sorriu; o sorriso tornou-se bastante amplo e uma gargalhada farta chegou aos ouvidos do Pássaro Madrugador, que se esforçou para compreender a graça.

— Chefe — reclamou ele —, não entendi... não entendi foi nada.

A mão do sr. Clackworthy moveu-se até seu bolso e retirou dali um antigo dólar de prata. Ele o jogou no ar com um piparote, e a moeda descreveu um breve arco através da sala. O Pássaro Madrugador pegou a moeda e viu que a data de 1867 estava gravada nela.

— É... É o dólar do Gilbanks? — arquejou ele. — Está falando que arranjou alguém para afanar a moeda do homem?

— Não é o dólar do sr. Gilbanks, James, mas um igual ao do sr. Gilbanks. Se acha que é fácil achar uma moeda dessas, tente. Eu consegui de um receptador, e me custou cinquenta dólares.

— É para dar sorte? — perguntou o Pássaro Madrugador, sem conseguir pensar em nenhuma outra explicação.

— Espero que sim, James, e tenho um palpite de que essa moeda vai nos trazer bastante sorte se for usada junto com outros itens. Uma corrente de relógio com pesados elos de ouro, alguns colarinhos grandes demais para mim e uns dois ternos de segunda mão que jamais tenham visto um ferro de passar roupa. A barba eu já tenho.

Os olhos do Pássaro Madrugador se arregalaram, e seu rosto assumiu uma expressão de apreensão extrema.

— Cacetada, chefe! — exclamou ele, num sussurro rouco. — Está falando que vai lá para Boilin' Springs falar para os ricaços que... que o senhor é o Rufus Gilbanks? Vira essa boca para lá, chefe! Isso aí são cinco anos de cana se pegarem a gente.

— Eu não vou falar nada disso para ninguém — redarguiu o sr. Clackworthy, severo. — Eu vou negar. Vou negar veementemente, repetidamente. — Ele fez uma pausa e então riu. — Sabe, James, a mente humana é bem peculiar. Se você negar alguma coisa um número suficiente de vezes, acabará convencendo as pessoas de que aquilo deve ser verdade. É baseado nesse fato da psicologia que estou preparando nossos planos para tosquiar nossa próxima vítima. Chame Nogo até aqui, e faremos um drinque pelo sucesso de nossa nova aventura.

VIGARISTA: VIVIAN LEGRAND

A AVENTURA DA LUA VODU
EUGENE THOMAS

Embora as grandes revistas *pulp* dos anos 1920 e 1930 fossem famosas pela ficção que publicavam, uma das mais bem-sucedidas revistas de mistério, a *Detective Fiction Weekly*, costumava publicar duas ou três histórias de crimes baseadas em fatos reais em cada número. Uma das séries mais populares era protagonizada por uma espiã chamada Vivian Legrand, que não era identificada como uma heroína.

Bela, inteligente e cheia de recursos, ela também era mentirosa, chantagista, ladra e assassina do próprio pai. Suas aventuras, que eram relatadas por Eugene Thomas (1894-?), passaram a aparecer com tanta regularidade que começaram a surgir dúvidas quanto à sua veracidade — e por bons motivos. Sem se desculpar, a revista *DFW* continuou publicando histórias sobre a mulher chamada "Dama do Inferno", mas agora reconhecendo que era tudo ficção. Seriam algumas das histórias verdadeiras? Existiu realmente uma mulher chamada Vivian Legrand? Não há provas confiáveis disso, mas apenas os mais crédulos aceitariam a ideia de que todas as histórias publicadas como verdadeiras tinham alguma origem na realidade.

Thomas, autor de cinco romances, criou outro personagem de uma série, Chu-Seng, um vilão típico dentro do gênero do "Perigo Amarelo". Ele é um chinês surdo-mudo com habilidades paranormais, aliado aos japoneses em suas atividades de espionagem contra os Estados Unidos em *Death Rides the Dragon* (1932), *The Dancing Dead* (1933) e *Yellow Magic* (1934). É combatido por Bob Nicholson, um agente americano, Lai Chung, um príncipe mongol, e uma equipe de lamas que combate os poderes de Chu-Seng com magia branca.

"A aventura da Lua Vodu" foi publicada originalmente na edição de 1º de fevereiro de 1936 de *Detective Fiction Weekly*.

A AVENTURA DA LUA VODU

EUGENE THOMAS

CAPÍTULO I

Facínoras de férias

A Dama do Inferno estava no convés superior do pequeno barco a vapor que fazia o itinerário entre as ilhas e que, naquele momento, se aproximava da costa do Haiti. Sua coroa de cabelos ruivos flamejantes esvoaçava, e seu vestido branco colava-se ao corpo por conta da forte ventania.

Com a ajuda de Adrian Wylie, seu companheiro de crimes, ela havia acabado de executar um dos golpes mais incríveis de sua carreira, e agora ambos estavam aproveitando as férias. A Dama do Inferno insistira nesse particular antes de partir de Havana.

— Nada vai nos fazer misturar negócios com prazer — dissera. — Nem mesmo se toparmos com um cofre de banco escancarado.

Agora, no segundo dia desde que tinham partido de Havana, o sol acabara de surgir sobre as bolhas azuladas e românticas no horizonte — as montanhas do Haiti —, e ela ainda não conseguira identificar a origem do vago sentimento de inquietação, uma leve apreensão que vinha crescendo em seu íntimo desde que o barco passara entre Castillo del Morro e sua contraparte menor do outro lado do porto de Havana.

Ninguém no pequeno barco imaginava que ela era a notória Dama do Inferno, cuja fama alcançava até as Índias Ocidentais. E, se tivessem imaginado, teria parecido incrível que aquela bela e graciosa mulher tivesse iniciado a carreira envenenando o próprio pai; que tivesse escapado de uma prisão turca — a única ocasião em sua vida em que a as redes da lei a apanharam —, que tivesse assaltado o Orient Express, uma proeza que ocupara por bastante tempo os jornais do mundo, embora sua participação ali nunca tivesse sido divulgada.

O ousado golpe em Havana que acrescentara uma grande soma à conta bancária conjunta dela e de Adrian Wylie, seu chefe de pessoal, não chegara ao conhecimento da polícia cubana. E, embora os policias de meia dúzia de países europeus a conhecessem bem e imprecassem quando seu nome era mencionado, não havia um único crime que pudesse ser imputado a ela, pois seus rastros eram cobertos de forma engenhosa, e seus golpes eram planejados com astúcia.

Ela se virou e começou a andar para lá e para cá no convés. Mais de um passageiro se voltou para olhar para ela passando com um ondular gracioso de movimentos, um porte delicado e esguio que insinuava músculos perfeitos e uma agilidade felina.

Um ruído a fez se virar quando um passageiro apareceu atrás dela e a acompanhou.

— Boa noite, sra. Legrand — disse ele em um inglês quase sem sotaque. — Acordou cedo.

— Eu estava ansiosa para ver o Haiti — respondeu Vivian, sorrindo. — As montanhas aqui são lindas.

— São lindas mesmo. Eu vivo aqui, mas nunca me canso de vê-las surgindo no horizonte. — Então acrescentou: — Atracaremos em algumas horas. Está vendo aquele penhasco? — Apontou para uma massa cor de ametista que se projetava mar adentro. — É o Cabo de São Feral. O porto fica logo depois dele.

Havia na pessoa de Carlos Benedetti uma impressão de poder, perfeitamente controlado, que ficou bastante evidente para Vivian Legrand quando o observou por um breve instante, apertando um pouco os olhos. Seu rosto era pálido beirando o insalubre, o nariz, levemente recurvo; os olhos negros eram alertas e penetrantes, sob o cabelo negro e liso penteado para trás, cortado bem curto. Ele tinha o jeito de alguém para com quem o mundo tinha sido bondoso, e que por isso demonstrava segurança de si mesmo e certa afabilidade.

Mas por trás dessa segurança — dessa afabilidade — a Dama do Inferno pressentiu algo estranho à fachada que ele apresentava ao mundo, algo que a deixou cautelosa.

— Nós vamos atracar? Achei que chegaríamos à costa em barcos menores.

— Usei a palavra de forma incorreta — admitiu ele. — Eu devia ter dito apenas que "chegaríamos". O Cabo de São Feral não é moderno o bastante para ter um cais do tamanho deste navio, embora não seja um navio tão grande. — Ele hesitou por um instante. — Presumo que não esteja familiarizada com o lugar.

— Não — confirmou Vivian. — É minha primeira visita ao Haiti.

O olhar oblíquo do homem começou a incomodá-la. Não que ela não estivesse acostumada aos olhares audaciosos que os homens lançam às mulheres bonitas. Mas aquilo era diferente. Se ele fosse mais sábio, teria percebido um aviso na fagulha austera que faiscou nas profundezas dos olhos verdes da mulher.

Mas Benedetti apenas continuou falando, suave:

— Para nós, que conhecemos a ilha, não há muitas formas de entretenimento; mas, para um estranho, pode ser interessante. Se quiser, posso servir de guia enquanto você estiver aqui.

Era uma cortesia comum e casual, oferecida por um estranho que era nativo do local. Vivian agradeceu e ficou observando com um olhar calculista enquanto ele fazia uma mesura e se afastava. Ele era elegante, bem arrumado e obviamente rico. Seu panamá imaculado era do tipo que normalmente não se encontra nem no Equador, local onde são feitos. Um chapéu de tão alta qualidade e sedoso que geralmente é reservado para ser dado de presente a pessoas em altas posições. E o terno branco que ele usava não tinha vindo de um alfaiate comum.

Era feito de seda branca grossa — seda ponjê, que no Oriente é vendida pelo peso em ouro, literalmente.

Adrian Wylie encontrou Vivian no convés. Em poucas palavras ela o informou do convite e da intuição que tivera.

Wylie aquiesceu de leve.

— Isso explica uma coisa que me deixou com a pulga atrás da orelha. Na noite de ontem o comissário-chefe passou uma hora insistindo em me pagar bebidas no salão de fumo, e ficou perguntando sobre nós, assim como quem não quer nada. E bem uns cinco minutos depois de nos despedirmos eu o vi conversando animado com Benedetti na porta de seu escritório. Claro que esse sujeito viria atrás de você hoje cedo, depois da conversa com o comissário.

Benedetti, como sabiam pela fofoca do navio, era um dono de plantação de cana-de-açúcar extremamente rico, proprietário de toda uma ilha extremamente fértil chamada Ile de Feral, não muito longe do cais do Cabo de São Feral. O Comitê Açucareiro Central Haitiano (na verdade, o cartel do açúcar, como afirmavam os boatos) tentara tirá-lo dos negócios e falhara miseravelmente. Mesmo em meio a uma guerra de preços, ele conseguira vender mais barato que o cartel e ainda obtivera algum lucro. Depois, recebeu uma oferta impressionante para vender a ilha, mas recusou. A oferta ainda estava de pé, segundo ela soube, e assim que ele quisesse vender o cartel do açúcar compraria.

Um singelo sorriso se formou nos lábios de Vivian. Ela suspeitava que Benedetti estava acostumado a ter suas vontades satisfeitas quando se tratava de mulheres. E a Dama do Inferno tinha plena noção de seu poder de atração feminino.

Mas nem mesmo a Dama do Inferno, astuta como era, poderia ter adivinhado os motivos sinistros por trás dos avanços de Benedetti.

CAPÍTULO II

Aviso de perigo

O som abafado de tambores em algum lugar distante; uma batida ritmada e regular, como se um coração gigante, o coração do Haiti Negro estivesse batendo na quietude da lua clara, pairando sobre a pequena cidade do Cabo de São Feral enquanto a Dama do Inferno, Wylie e Benedetti percorriam as ruas banhadas de sol.

O calor que pairava sobre eles como algo tangível parecia se intensificar e cristalizar com a batida monótona dos tambores solitários.

A Dama do Inferno se virou para Benedetti para perguntar uma coisa, e a luz do sol filtrada pelas árvores que se debruçavam sobre a estrada refletia em seus cabelos, transformando-os em uma aura de fogo que emoldurava seu belo rosto.

— São tambores vodu — disse ele. — A noite da Lua Vodu está se aproximando. Os tambores vão soar até o clímax da Dança da Cobra. Eles estão batendo tambor por toda a ilha, até em Porto Príncipe. Os fiéis na catedral podem ouvir os tambores das colinas fora da cidade ressoando durante a missa. Então, quase como se fossem silenciados pela mão de um gigante, todos param de bater ao mesmo tempo... O clímax da Dança da Cobra.

Vivian lançou outro olhar de soslaio para as pessoas dos lados da estrada enquanto o carro avançava. Vodu. Para ela era algo saído de um livro, algo um pouco inquietante demais para se envolver na vida real. E parecia difícil crer que aqueles rostos felizes e sorridentes eram os rostos das mesmas pessoas que tinham corrido enlouquecidas pelas ruas de Porto Príncipe (como contava a história), rasgando o presidente Guillaume Sam em pedaços sangrentos enquanto ele ainda vivia.

Benedetti adivinhou seus pensamentos.

— Você não viveu aqui, sra. Legrand — disse ele, calmamente. — Não tem como entender a posição que o vodu ocupa na vida dessas pessoas, o jugo que o vodu exerce sobre elas. E você não está familiarizada com o efeito de certos ritmos sobre o sistema nervoso. Eles fazem coisas estranhas com os negros, e ainda mais estranhas com os brancos.

Ele se inclinou para a frente e disse algumas palavras em francês *creole* para o motorista — palavras que Vivian Legrand, embora fosse fluente em francês, mal pôde compreender. O carro parou diante de uma estrutura comprida e tortuosa, de *coquina* branca resplandecente, meio escondida atrás de arbustos de hibisco carmesim.

— Trouxe-os aqui para almoçar — disse ele. — Seria insuportavelmente quente no navio, e na cidade não temos um hotel onde vocês aceitariam comer, mesmo se pudessem. Eu mantenho esta pequena casa aqui, para ter um local confortável onde ficar quando a necessidade ou os negócios me obrigam a ficar na cidade. Tomei a liberdade de presumir que o dr. Wylie e você almoçariam comigo.

Vivian olhou ao redor com curiosidade enquanto o anfitrião abria o pequeno portão e os conduzia pelo jardim florido que cercava a casa.

Das paredes de pedra angulares e caiadas da antiga casa, quase sufocadas por rosas, seus olhos foram para a mesa posta debaixo de uma árvore ilangue-ilangue florida no centro do gramado bem aparado. Uma velha estava ao lado da mesa, uma senhora de aparência antiquíssima com traços de sangue branco, uma dessas pessoas de origem incrivelmente remota que apenas as raças primitivas podem produzir. Seu rosto era uma rede de pequenas rugas entrecruzadas, e sua pele de pergaminho tinha o tom e a aparência de couro baço tão comuns nos negros mais anciãos.

A mulher se virou devagar enquanto o trio se aproximava, e sua atenção se fixou em Vivian. Em seus olhos amarelos e frios havia uma expressão de quase medo. Algo como um terror à espreita coleava nas profundezas daqueles olhos alertas, deixando-os com aparência dura, quase vítrea.

E então, quando Benedetti e Wylie passaram por ela, a velha negra fez um gesto inconfundível para que Vivian parasse, e sua voz, reduzida a um sussurro sibilante, chegou aos ouvidos da Dama do Inferno:

— Não fique aqui. Você não pode ficar aqui.

Havia um horror definido em seus olhos, e também medo, quando seu olhar foi de Vivian para Benedetti. E embora sua voz mal fosse audível, também era possível discernir medo no tom que ela empregara.

Seu rosto estava impassível quando ela deu as costas. Apenas seus olhos pareciam vivos. Eram como pedaços frios de esmeralda, e sem vida. A Dama do Inferno abominava o desconhecido. Em toda sua carreira criminosa, o enigma não solucionado, a personalidade não compreendida, a situação misteriosa, sempre inflamaram sua imaginação. Ela refletiria sobre aquilo como um cachorro obcecado por um osso.

E sua mente atirou-se sobre o problema com tenacidade incansável, trabalhando veloz, com precisão cirúrgica. Sua intuição estava certa, afinal. A sensação de perigo, de desassossego, de apreensão que a acossara desde que a costa do Haiti aparecera sobre a linha do horizonte não estava errada. Ela agora sabia, para além de qualquer dúvida, que o perigo pairava sobre ela como um abutre.

Vivian concluiu que o medo que detectara nos olhos da velha negra fosse o de ser surpreendida avisando a branca recém-chegada. Mas qual seria o perigo a que ela se referia, e por que aquela senhora, que nunca a vira antes, se arriscaria para avisá-la?

O almoço estava no final quando um longo apito soou do navio a vapor.

— É o aviso — disse Benedetti — de que o navio vai zarpar em uma hora.

Então virou-se para Vivian.

— Minhas rosas são tão belas que tomei a liberdade de pedir a Lucilla que cortasse um ramalhete para você levar para o navio como lembrança.

Havia um aviso inconfundível nos olhos baços da velha negra quando Vivian esticou os braços para receber o buquê de pálidas rosas amarelas que Lucilla trouxe; não apenas um aviso, mas o mesmo medo e terror que os assombraram antes. Instintivamente Vivian se empertigou e olhou ao redor, sentindo os nervos tensos. O perigo, seja qual fosse, estava pronto para enlaçá-la? Mas a cena parecia tão calma...

— Que lindas! — exclamou, e se perguntou se seria sua imaginação que fazia a velha parecer relutante em separar-se delas. Então ela deu um pequeno grito de dor ao receber as flores de Lucilla. — Como tantas outras coisas lindas, estas aqui também têm espinhos — comentou, entristecida, olhando as longas ramas espinhentas, ainda úmidas da água em que tinham estado.

— Isso é verdade — disse Benedetti, e parecia haver uma expressão de alívio em seus olhos. — Nossas rosas haitianas são lindas, mas têm os espinhos mais longos e afiados de todas as rosas que eu conheço.

— Não é melhor irmos embora? — perguntou Vivian, olhando o relógio. O manto de calor tremulante que recobria todas as coisas parecia ter borrado sua visão, e ela teve de olhar bem de perto para o relógio incrustado de joias para discernir a hora. — É um longo caminho até o navio.

— Ainda há bastante tempo — tranquilizou-a Benedetti. — Era para o apito tocar uma hora antes da partida, mas geralmente tocam duas horas antes. — Então proferiu uma pequena exclamação de preocupação. — Mas você está doente! — comentou, e Vivian balançou um pouco, tonta.

— É só o calor — disse ela. — Ainda não me acostumei.

As flores que ela segurava caíram sobre a mesa, e dali para o chão. As flores amarelas de longos caules não davam nenhum indício de que, desde que a mensagem de Benedetti chegara à velha negra até pouco antes de serem entregues a Vivian, suas ramas e espinhos tinham estado mergulhadas em um fluido espumoso preparado pela própria Lucilla.

— É melhor você entrar um pouco. Precisa descansar — disse Benedetti, brusco. — Eu devia ter antecipado que você não estaria acostumada ao calor. Pode ser perigoso se voltar para o navio nesse sol sem descansar antes.

Wylie, com uma expressão de preocupação, pegou Vivian pelo braço e a ajudou a se firmar de pé. Ainda então, com sua visão borrada e uma letargia avassaladora tomando conta de seu corpo, a Dama do Inferno não percebeu que tinha sido drogada. Foi só quando chegou à soleira da porta do quarto para onde estava sendo conduzida que a verdade irrompeu em seus sentidos amortecidos com a força de um relâmpago.

Empilhada cuidadosamente contra as paredes caiadas do quarto estava sua bagagem, que ela deixara na cabine do navio!

Sentindo-se cada vez mais entontecida, apoiando-se à porta, ela se virou... a tempo de ver um porrete curto e pesado descer com força atordoante na cabeça de Wylie. E enquanto seu companheiro desabava no chão de pedra, as trevas dominaram sua mente.

CAPÍTULO III

Vivian Legrand prisioneira

O crepúsculo descera com rapidez tropical antes de Vivian acordar. Enrolada em fibra de palha de coco, ela não retornou à consciência durante a jornada da casa onde tinha sido drogada até a lancha de Benedetti, nem durante a viagem de lá até a casa dele, na Ille de Feral.

Agora, a raiva se irradiava de seus olhos verdes enquanto o encarava, postada em uma das pontas da mesa de jantar. Na sala penumbrosa, iluminada por velas, a mesa parecia flutuar em um mar de sombras cor de âmbar. Moças negras entravam e saíam, falando em tons baixos, adequados à quietude reinante, com muitas pausas e sussurros. Tudo aquilo parecia assumir para Vivian um aspecto irreal, como um sonho em que qualquer coisa pudesse acontecer.

Vivian esperou que Benedetti falasse, depois que uma moça negra e esguia puxou a cadeira para que ela sentasse. Mas ele nada disse, e então ela mesma quebrou o silêncio.

— O que espera ganhar com isso?

— Por que não experimenta a sopa? — disse ele, amargo. — Tenho certeza de que vai gostar bastante.

Ele se deteve quando uma das moças parou a seu lado e sussurrou algo na língua *creole*. Então se levantou.

— Com sua licença — disse ele. — Tem alguém lá fora com uma mensagem para mim. Não demorarei muito.

Ele desapareceu pela porta ao lado da escadaria, a porta que Vivian achava que dava para os fundos da casa.

Ela gesticulou depressa para a moça negra se aproximar e, tirando o anel de diamante do dedo, o colocou na mão da moça, fechando-a em seguida.

— Venha até meu quarto hoje à noite — sussurrou ela, tensa —, quando for seguro. Ninguém vai saber. E em Porto Príncipe ou no Cabo São Feral você pode vender esse anel por dinheiro suficiente para viver como uma *blanc* milionária pelo resto da vida.

O rosto da moça empalideceu para um tom baço, e ela olhou furtivamente da joia brilhante em sua mão para o rosto pálido da mulher que lhe presenteara. Vivian percebeu sua hesitação.

— Eu tenho mais em meu quarto — insistiu ela, desesperada. — Você pode escolher dois, três, quantos quiser... Depois que vender tudo, nenhuma moça no Haiti terá tanto dinheiro quanto você.

— Eu vou — disse a moça, sussurrando, e voltou para perto da parede. Um instante depois Benedetti retornou.

— Sinto muito por ser um mau anfitrião e tê-la deixado sozinha, ainda que por pouco tempo — disse ele.

— Por favor — retorquiu Vivian, sem deixar transparecer nada do triunfo que sentia no peito. — Chega de rodeios. Você me trouxe aqui por um motivo. Por que não me diz o que é?

Já um plano se formava em sua mente ágil. Quando a moça fosse até seu quarto naquela noite, Vivian a persuadiria a encontrar armas — a guiar Wylie e ela até um barco, para que escapassem. Mas será que Wylie ainda estava vivo?

A resposta de Benedetti interrompeu seus pensamentos.

— Não é tanto o que espero ganhar, e sim o que espero manter — disse ele, suavemente. Então pausou, e em meio ao silêncio chegaram até os ouvidos de Vivian o estranho subir e descer das notas dos tambores que a tinham seguido desde que ela chegara ao Haiti... os tambores da Lua Vodu, como Benedetti dissera. Ele se inclinou para a frente, abrupto. — Não tem problema você já ficar sabendo. Amanhã à noite, você morrerá.

— A menos que...? — arriscou Vivian. Tinha bastante certeza de que sabia do que Benedetti falava.

Benedetti calmamente colocou a colher no prato e o empurrou para o lado.

— Não há nenhuma condição.Não sei nada sobre sua vida pessoal nem sobre suas finanças. Isso não me interessa. Você pode ser muito rica ou muito pobre, isso não tem a menor importância. Você não tem nada que eu queira comprar. Só sei que você é jovem e muito bonita. — Ele a estudou com um interesse remoto, frio, e então suspirou, aparentemente com algum remorso. — É por isso que deverá morrer amanhã à noite.

Aquilo era totalmente fantástico. Vivian escutou com fascínio e surpresa, e por fim teve dificuldade de acreditar que tinha ouvido direito. Estava tão certa de que o interesse de Benedetti tinha origem em sua atração por ela que nem chegou a considerar que poderia haver algum outro motivo mais sinistro por trás do sequestro.

Seus olhos verdes apertaram-se um pouco — apenas um pouco, mas deram a impressão de uma mola de aço tensionando. Então ela disse, calmamente:

— Por que tenho que morrer?

— Porque amanhã à noite é a noite da Lua Vodu... a noite em que o Papaloi e a Mamaloi presenteiam Ogum Badagri, o Sangrento, com o Bode Sem Chifres.

— O Bode Sem Chifres? — repetiu Vivian, sem compreender. — O que é isso?

— É você — disse Benedetti, peremptório. — Amanhã à meia-noite, quando a Lua Vodu brilhar bem cheia no céu, você será oferecida em sacrifício para Ogum Badagri, o deus-cobra.

Por um instante a Dama do Inferno o encarou, sentindo um calafrio apossar-se de seu peito. Então uma expressão alerta dominou seus olhos, que ela tratou de ocultar de imediato, e ficou apenas ouvindo com atenção.

— Está falando sério...? — perguntou ela, baixinho. Todos os seus nervos se forçavam para captar aquele som novamente, o zumbido de um motor de avião que tinha chegado bem fraco a seus ouvidos. E que agora ficava mais alto. — Você está tentando me assustar, me armar alguma cilada. Vai ver que não me assusto nem sou enganada assim tão fácil.

O som do avião estava mais alto agora. Ela lançou um olhar furtivo na direção de Benedetti. Será que a ajuda estava chegando? Será que os planos de Benedetti tinham dado errado, e já havia pessoas procurando por eles?

— Estou falando bem sério — respondeu Benedetti. — Esse é o segredo do meu sucesso na luta contra o cartel do açúcar, o motivo de meus trabalhadores não me abandonarem, de eu conseguir manufaturar açúcar a um custo que o cartel não tem como atingir, e ainda com lucro. Uma vez por ano eu apresento ao Papaloi e Mamaloi, o grão-sacerdote e sacerdotisa do vodu, um sacrifício humano... um homem ou mulher brancos... E em troca, eles, que são os guardiões da grande cobra, cuidam para que meus trabalhadores não me abandonem e fiquem contentes com o pagamento mais baixo do Haiti.

Ele não resistiu e sorriu.

— Relaxe, sra. Legrand. O avião que você ouviu não vai pousar aqui. É o avião dos correios marítimos que sobrevoa a ilha toda noite, entre as onze e meia e a meia-noite.

Vivian olhou para ele com uma expressão vazia.

— Avião? — perguntou ela, hesitante. — Ah, sim, é um avião, não é? Sinceramente, só notei o som agora que você falou.

Ela agira tão bem que o outro nem percebeu. Vivian pegou a fina faca de frutas prateada sobre a mesa, girando-a para que seu reflexo batesse em seus dedos, uma farpa metálica de luz. Ela o encarou com olhos que se tornaram escuros e misteriosos e se inclinou um pouco para a frente. A voz que usou era bastante suave, com um tom pungente.

— Parece que você vive sozinho aqui — disse ela, lançando um olhar cálido. — Não se sente... sozinho?

Havia um mundo insinuado, uma promessa e um convite, em seus lábios suculentos.

Ele a encarou e apertou os lábios.

— Nem adianta tentar. Você é bela, uma das mulheres mais belas que já vi, mas nem dez beldades como você valem a perda da minha plantação. Não, minha cara, seu charme é inútil.

— Mas você não teria coragem — argumentou ela. — Uma mulher não pode simplesmente desaparecer de um navio a vapor sem que um inquérito seja aberto. Aqui não é o Haiti de vinte anos atrás. Os americanos controlam tudo... Eles são a polícia.

Benedetti sacudiu a cabeça.

— Não alimente falsas esperanças. Você enviou um bilhete ao comissário-chefe do navio, dizendo que tinha encontrado amigos no Cabo de São Feral e que ia ficar por aqui mesmo. O próprio mensageiro que levou seu bilhete retirou sua bagagem e a do seu companheiro no navio. A essa altura ele já esqueceu a sua existência. Não há nada que ligue você a mim, e se um inquérito for aberto, eles concluirão simplesmente que você deixou a ilha, ou foi assassinada por um caco* errante. E se algum haitiano souber de algo sobre o seu desaparecimento, além do fato de os segredos do vodu não serem jamais discutidos, há ainda um ditado na ilha que diz: "*Z affaires negres, pas z'z affaires blancs.*" Você vai descobrir que os assuntos dos negros não são os assuntos dos brancos. E, além disso — sua voz não trazia nenhuma entonação —, quase não sobra nenhuma... "prova"... quando o grande deus-cobra verde termina o sacrifício.

— E o meu companheiro, o dr. Wylie? O que você fez com ele? — perguntou Vivian, controlando-se. Uma faísca brilhou em seus olhos verdes apertados por um instante, apagando-se em seguida.

— Ele está bem seguro — assegurou Benedetti. — Por enquanto. Ele também será sacrificado a Ogum Badagri.

Ele falou de um modo implacável e sincero, sem disfarces, mas sem crueldade ou malícia.

— Você é bem seguro de si — disse Vivian, com suavidade, e se Wylie estivesse presente teria reconhecido o significado daquele tom; a ameaça da faísca por trás daqueles olhos verdes. Já vira aquele tom duro nos olhos dela antes. Mas Benedetti, mesmo se tivesse visto, não teria como saber que era como o chocalhar de aviso de uma cascavel antes do bote.

Com um gesto ágil ela arremessou a faca de mesa prateada contra o peito de Benedetti. Sua mira era letal, pois poucas pessoas sabiam arremessar uma faca com a habilidade e a precisão da Dama do Inferno.

Mas Benedetti percebera a luz das velas refletidas do metal da faca um segundo antes do arremesso. Sua mente ágil percebeu a intenção de Vivian, e ele se jogou para o lado bem a tempo. A faca acertou o encosto alto da cadeira onde ele estava e ficou lá, vibrando.

— Sua tola — limitou-se a dizer. Indo até as janelas à francesa, ele as abriu completamente, deixando que o luar adentrasse a sala. O som dos

* Termo que denomina os guerrilheiros haitianos que se opunham à ocupação norte-americana entre 1915 e 1934. (N. do T.)

tambores ficou mais alto, um ritmo bárbaro batendo no mesmo ritmo que a pulsação de Vivian. — Olhe só para isso. — E estendeu um dos braços.

A um canto da varanda, que tomava toda a fachada da casa, havia um haitiano vestido em algodão, segurando um facão de noventa centímetros. Mais além, na beira da praia, outro homem se encostava ao tronco de um coqueiro, e o brilho da lua sobre o aço revelou que também ele estava armado com um facão.

— Ainda que tivesse me matado — disse ele, sereno –, isso não a ajudaria em nada. Você não tem como escapar da ilha. Não há barcos aqui. Até a lancha em que veio já partiu e só volta depois da cerimônia. Se tentar sair a nado, saiba que as águas estão infestadas de tubarões.

Já passava da meia-noite quando Vivian subiu para seu quarto. Benedetti a levou até a porta.

— Vou trancá-la — avisou. — Na verdade nem seria preciso. Você não tem como escapar. Não haveria nenhuma possibilidade de conseguir isso. Mas é uma precaução que sempre tomo com minhas... hóspedes... anuais.

Então tirou do bolso o anel de diamante que Vivian dera à jovem criada negra.

— Como vê — disse ele, sorrindo –, é inútil tentar subornar meus criados. O medo que eles têm do vodu é mais forte que sua cobiça por dinheiro.

Com uma mesura leve ele fechou a porta, deixando Vivian a encarar os painéis em branco com uma sensação angustiante no peito. Ela era uma prisioneira em uma prisão sem paredes, mas o mar que rodeava a ilha era uma barreira tão eficaz quanto muralhas de pedra e barras de ferro. Em vez de um guarda, Vivian tinha dezenas — talvez centenas —, pois percebera que cada trabalhador na ilha era um guarda em potencial, alerta para impedir qualquer tentativa de fuga. Não tentou se enganar pensando que os nativos ignoravam sua presença ou o destino para o qual fora designada.

Ficou imaginando o que fizera com que a velha negra — a criada de Benedetti — arriscasse a vida para alertá-la, ainda no Cabo de São Feral.

Obviamente a velha conhecia o propósito de Benedetti em levar Vivian até a ilha, já que ela mesma preparara os caules de rosas embebidos no sedativo. Ainda foi preciso muito tempo, e aconteceu por acidente, mas Vivian por fim descobriu que, para os haitianos, o desejo de vingança podia transcender até o medo do vodu, e que foi para vingar o que considerava uma injustiça que a velha a alertara.

Vivian voltou a se concentrar em sua situação. Acreditava saber onde Wylie estava encarcerado. Ao descer para a sala de jantar, vira uma das criadas negras com uma bandeja. E vira por qual porta a moça tinha passado. Aquele devia ser o quarto em que Wylie estava preso, a menos que houvesse outros prisioneiros na casa.

Ela deu um sorriso sombrio ao considerar a ideia de estar presa no quarto. Se Benedetti soubesse quanto ferrolhos — sobretudo um antiquado como o do seu quarto — eram inúteis para manterem-na presa... Abrindo a valisel, apanhou um espelho de mão com cabo comprido. Desatarraxando o cabo, ela removeu do interior oco uma longa vareta fina de aço. Vivian começou a forçar a vareta no espaço estreito entre a porta e a jamba. A vareta roçou o metal. Ela forcejou a vareta para cima e para baixo, pressionando lentamente para dentro. Aos poucos o ferrolho foi sendo forçado para trás, e a ponta da vareta atravessou para fora. Vivian girou a maçaneta e logo estava inspecionando o corredor.

As trevas pairavam diante de seus olhos. Era como se uma cortina de textura impenetrável se dependurasse à frente. Vivian não conhecia a planta daquela casa grande e tortuosa, mas sabia que o quarto onde a moça entrara com a bandeja era a última do seu lado do corredor, e com cautela seguiu naquela direção, atenta para qualquer som que pudesse denunciar a presença de outra pessoa.

Sua mão seguindo rente à parede tocou uma porta — a quinta pela qual ela passara. Era a porta que procurava. Gentilmente experimentou a maçaneta. Estava trancada. Alguns minutos de trabalho com a vareta fina de metal e a porta abriu para dentro quase sem produzir som. Ainda assim sua presença foi detectada pelos ouvidos aguçados de Wylie.

— Quem é? — perguntou ele.

— Shhh — sussurrou Vivian; e, fechando a porta, disparou até a cadeira onde ele se sentava, perto da janela.

Em sussurros tensos ela lhe contou a conversa que tivera com Benedetti e o destino que os aguardava.

— Temos de fugir hoje à noite — completou ela. — É nossa única chance. Tem de haver alguma maneira. Talvez possamos construir uma jangada. Pelo menos, temos que tentar.

CAPÍTULO IV

A primeira vítima

Tendo Wylie a seu lado, ela foi até a porta e olhou com cautela para fora. Com bastante prática, a Dama do Inferno há muito adquirira a habilidade *chatoyant* — o "olho de gato" —, que lhe permitia espreitar e ver no escuro, mas ali no corredor as trevas eram intensas demais, com uma qualidade tangível que amortecia os sentidos. A escuridão total quase podia ser tocada, quase fluida, como uma névoa. Vivian prosseguiu pelo corredor com segurança felina, passando os dedos delicados sobre os objetos que surgiam em seu caminho com um toque leve o suficiente para acariciar as asas de uma borboleta. A casa era um mar de silêncio, e em suas ondas o menor ruído fazia longas e altas jornadas.

A audição de Vivian, afiada pelo suspense, percebia o menor movimento dos degraus polidos da escadaria cedendo sob seu peso como um barulho terrível. Descendo pé ante pé em lentidão quase infinita, eles avançaram sem grandes transtornos. Cada degrau vencido era uma conquista longa e desesperada, envolvendo um cálculo exato de gasto de energia muscular, com os músculos sempre alertas.

Quando chegaram ao fim da escadaria, o clangor do relógio próximo preparando-se para badalar um quarto de hora ressoou na sala de jantar, onde se encontravam. Aquilo atingiu os nervos tensos de Vivian como uma violência abominável — como várias batidas de martelo nas inúmeras pontas esgarçadas de seus nervos. A ela pareceu que estava sendo pressionada contra a madeira do chão, esmagada sob uma pressão imensa e veloz como um relâmpago.

Depois do que pareceu uma eternidade eles chegaram ao outro lado da sala de jantar. Manipulando com cuidado a tranca da porta, Vivian conseguiu fazê-la ceder. A porta se moveu lenta e silenciosa. Um fio brilhante de luar apareceu. Vivian inspirou bem fundo.

No espaço aberto da varanda diante da casa, havia um haitiano alerta e vigilante, armado com um facão.

A fuga por ali era impossível. Sem armas, eles estavam indefesos diante da ameaça representada pelos noventa centímetros de aço reluzente, mesmo se conseguissem atravessar o espaço iluminado entre a varanda e o guarda sem serem vistos.

— Os fundos da casa — sussurrou Vivian, de forma quase imperceptível.

Sabia que a porta da cozinha ficava ao lado da escadaria pela qual tinham descido. Ela observara esse detalhe enquanto conversava com Benedetti durante o jantar. Primeiro localizou a escadaria em meio às trevas, então encontrou a porta que buscava e a abriu. Uma passagem se abriu diante deles, parcamente iluminada por um feixe prateado que se derramava por uma porta semiaberta no final do aposento.

Eles atravessaram a passagem em silêncio e com cuidado espiaram pela porta entreaberta. Outra decepção.

Era uma sala pequena, com uma parede coberta de prateleiras, caixas e sacos empilhados bem alto do outro lado e com uma única janela a meia altura, através da qual a luz do luar entrava. Um depósito.

Vivian estendeu a mão e pegou Wylie pelo braço, puxando-o para dentro do quartinho e fechando a porta.

— Pode haver armas aqui — disse ela. Mas estava enganada. O mais perto disso que encontraram foi uma faca de cozinha quebrada, usada provavelmente para abrir os sacos de estopa recostados junto à parede.

Não substituía muito bem uma arma, mas Vivian a apanhou com gratidão. E então ela arquejou, de súbito. Sua mão, explorando a prateleira, tocara algo úmido e grudento que não se soltava, mesmo sacudindo. Primeiro Vivian pensou que poderia ser um monstruoso inseto tropical. Parecia vivo de tão persistente, resistindo às sacudidas de Vivian para se soltar.

Então Wylie acendeu o isqueiro, e a chama fraca iluminou um pedaço comprido de papel pega-moscas grudado à mão da outra. Havia uma pilha desse papel na prateleira. Apesar da tensão experimentada, ela quase riu pensando na sensação amedrontadora que aquilo causara no escuro.

Usando a fraca chama do isqueiro de Wylie, os dois procuraram novamente por algo que pudesse ajudá-los a escapar. Sacos de farinha. Sacos de batatas. Barris com rabos e focinhos de porco em salmoura — evidentemente, a comida dos trabalhadores. Uma caixa pela metade de *"bacale"*, bacalhau seco, um artigo essencial da dieta nas Índias Ocidentais, e uma lata de tinta fosforescente. Mas nada que pudesse ajudá-los.

Subindo em uma caixa, Vivian espiou pela janela, então voltou-se para Wylie com empolgação na voz.

— Podemos sair por aqui — sussurrou ela. — Tem um galho de árvore quase encostando na janela, e a árvore é cercada de arbustos.

— Tem alguém à vista? — perguntou Wylie.

— Ninguém — disse Vivian, e arrebentou a tranca da janela com a lâmina da faca quebrada.

A tranca arrebentou com um barulho alto que soou como trovão no silêncio. Ignorando o barulho, Vivian passou pela janela e pulou, agarrando-se a um galho da árvore. Wylie a seguiu, e no instante seguinte eles estavam no chão, em meio aos densos arbustos.

— Vamos ter que ficar à sombra — disse ela, enquanto eles avançavam lenta e silenciosamente em meio aos arbustos; apenas um ocasional farfalhar de folhas anunciava sua passagem. — Assim que chegarmos a um espaço aberto seremos detectados se houver algum vigia.

Mesmo entre os arbustos, a luz forte da lua iluminava o chão ao redor deles. Ouvia-se um fraco bater de tambor em meio à luz bruxuleante, roçando de leve a membrana escura da noite quando eles seguiram por um caminho bem delineado que levava até a praia.

Uma abertura súbita na trilha, um clarão de luar, e eles se viram em um trecho de areia branca com os quebra-mares espumando mais adiante.

— Ali — disse Vivian, mantendo a voz baixa. — Aquela pilha de madeira. Vamos fazer uma balsa. Arraste-a para a beira da água que eu vou buscar uns cipós para amarrar tudo.

Eles trabalharam febrilmente: Wylie arrastava os troncos para a posição certa e os amarrava bem juntos e firmes com os cipós que Vivian cortava da floresta próxima, até que a embarcação de aparência incongruente começou a flutuar para cima e para baixo nas ondas próximas à praia. Improvisada, desajeitada, mas flutuava, e era um modo de escapar, o único modo disponível.

Vivian voltou de uma última viagem até a selva próxima, arrastando três varas de bambu atrás de si.

— Podemos usar essas duas para empurrar a balsa, até chegarmos às aguas profundas — sugeriu ela. — A outra nós podemos fazer de mastro e amarrar meu vestido para servir de vela.

Nesse momento, do caminho que tinham deixado para trás, veio o som de vozes. Vivian deu uma olhadela para a selva às suas costas e pulou na balsa. Wylie a seguiu. A balsa afundou e meneou, mas aguentou o peso dos dois. As vozes se aproximaram. Desesperada, Vivian posicionou a vara de bambu contra o fundo arenoso e empurrou. Wylie a imitou. A balsa desajeitada foi se afastando da praia — um metro, dois metros —, e então meia dúzia de homens saiu pela clareira da floresta e correu pela areia, entrando na água rasa e cercando a pequena embarcação, com os facões erguidos e reluzindo em ameaça.

Vivian não viu Benedetti quando retornaram à casa com seus algozes naquela noite; ele tampouco estava presente quando ela acordou na manhã seguinte, depois de uma noite gasta em especulações e planos inúteis, então desceu até a sala de jantar.

Uma moça negra lhes serviu café da manhã. Luz do sol dourada derramava-se pelas amplas janelas francesas, através das quais eles viam a praia e a enseada verdejante. Em nenhum lugar viam indícios do destino que lhes esperava. Mas ambos sabiam, e esse conhecimento era visível em seus olhos, nas poucas palavras secas que trocavam, e as asas da Morte já lançavam sua sombra sobre eles.

O sol estava bem alto quando saíram para a varanda. Deveriam ouvir os golpes dos facões no canavial e as risadas baixas e preguiçosas dos trabalhadores. Mas tudo estava em silêncio, e a calmaria tinha um significado sinistro.

Conforme o dia avançava, Wylie foi perdendo toda a esperança — e Vivian, embora jamais admitisse a derrota, pelo menos reconhecia não ver solução para sair daquele impasse. Benedetti, agora ela via, não cometera nenhum erro ao lhe dizer que a fuga era impossível.

O dia avançou, e Benedetti ainda não tinha aparecido. Vivian perguntou a uma das criadas onde ele estava e recebeu uma resposta numa mistura estranha de francês *creole* que nada significou para ela. Mais tarde, os dois tentaram caminhar até a Central Açucareira, cujas chaminés erguiam-se do outro lado do canavial, mas um dos nativos sempre presentes foi se intrometendo em seu caminho, com o facão bem à mostra. Pelo canto do olho, Vivian divisou outros nativos, alertas, prontos, nos limites da selva. Seus algozes não estavam se arriscando.

Do lado mais distante da clareira Vivian distinguiu um espaço aberto na selva onde uma trilha terminava. Homens iam e vinham dessa trilha continuamente, e ela presumiu que o caminho levava até o local onde deveriam morrer naquela noite.

Benedetti só apareceu depois do jantar, e a tragédia o acompanhava.

Vivian e Wylie estavam na varanda ampla, caminhando de um lado para o outro. Alguma coisa — um sexto sentido — alertou Vivian do perigo, mesmo antes de ela ouvir os passos leves como os de um felino atrás de si. Ela tentou se virar, mas já tarde demais. Alguém pulou sobre ela, e um braço forte apertou sua garganta enquanto outra mão tapava sua boca. Ela sentiu um joelho contra suas costas e forcejou para se libertar enquanto via outras mãos apossando-se de Wylie; ela viu o rosto de Benedetti, duro feito pedra. No mesmo instante alguma coisa recobriu sua cabeça e lançou o mundo em trevas.

Ela não sabia dizer quanto tempo ficou ali imóvel na varanda. Então algo foi dito rapidamente em *creole* na voz de Benedetti, e a mão que a sufocava foi removida.

Ela olhou de relance os arredores. O local estava deserto exceto por ela, Benedetti e um nativo alto ao lado dos degraus da varanda com o sempre evidente facão à mostra. Obviamente um guarda.

O homem interpretou o olhar que ela deu.

— Seu companheiro se foi. Você jamais o verá de novo — disse ele, e sua voz era indiferente. Era como se estivesse falando de algum objeto trivial que tivesse desaparecido. Ele voltou para a sala de jantar, que a luz das velas iluminava com suavidade. Vivian o seguiu. A casa parecia curiosamente parada, como se toda a vida tivesse sido expulsa exceto por eles dois.

— Se foi... Você diz... — Ela não conseguia terminar a sentença.

Benedetti aquiesceu, escolheu um cigarro de uma caixa sobre uma mesinha lateral e o acendeu em uma das velas.

— Ele será o primeiro sacrifício a Ogum Badagri. Quando o grande deus-cobra verde terminar com ele, virão buscar você. Você será o clímax da cerimônia — disse ele, brutalmente.

— Então quer dizer que você... um branco... vai deixar mesmo que essas pessoas nos sacrifiquem? — perguntou ela. Sabia, antes mesmo de dizer aquilo, que qualquer súplica seria inútil, mas sua mente agitava-se, frenética, buscando maneiras de adiar a morte iminente.

— O que significam a sua vida e a do seu companheiro para mim? Nada. Não valem nem a cinza do meu cigarro, ainda mais porque a morte de vocês vai manter minha plantação por mais um ano. Recusei quase meio milhão de dólares do cartel do açúcar pela minha ilha. Acha mesmo que eu deixaria algo insignificante feito a sua vida me fazer perdê-la?

CAPÍTULO V

Morte vodu

Vivian não respondeu. Seus olhos vistoriaram a sala, embora cada item ali já tivesse sido catalogado indelevelmente em suas retinas. Uma mosca pousara na beirada do papel pega-mosca no centro da mesinha de mogno. O inseto puxava, zumbindo, mas o papel grudento não o largava.

— Você pode se confortar com o pensamento — continuou Benedetti —, se houver algum conforto nisso, de que vocês não são os primeiros. Uma dançarina do cabaré de Porto Príncipe, uma espanhola de Santo Domingo...

Ele não estava se gabando. Apenas ponderava em voz alta, fumando e contando a Vivian sobre as vítimas que pagaram com a vida por seu controle da plantação de açúcar. Os olhos dela estavam fixos na débil criatura que se contorcia no papel grudento. Também eles estavam presos feito aquela mosca, e a menos que ela pudesse fazer algo imediatamente — e ela ponderava o fato friamente —, seria o seu fim.

De chofre ela se curvou para a frente. Sua pose era rígida, e havia uma rigidez também em seus olhos. Suas mãos tensionaram como molas. Era difícil manter a compostura à medida que o plano começava a tomar forma em sua mente.

Ela sorriu bem de leve. O ar parecia subitamente elétrico, permeado com a promessa de perigo. Benedetti também sentiu e olhou para ela, desconfiado. A Dama do Inferno sabia que tinha uma chance em mil de sobreviver. Mas, se o plano funcionasse, ela poderia salvar sua vida e a de Wylie, e Benedetti pagaria pelo que tencionara fazer — um preço alto como ele jamais imaginara.

Estendendo uma das mãos, ela moveu a vela à sua frente para iluminar mais o rosto de Benedetti que o seu. Sua voz ao falar era calma, quase meditativa. Mas seus olhos contavam uma história bem diferente.

— Quanto tempo de vida eu tenho? — perguntou ela.

O homem olhou para o relógio.

— Mais ou menos duas horas. — Sua voz era tão calma que ele podia estar estimando o horário de partida de um navio. — Pouco mais, pouco menos... Meus trabalhadores não são muito pontuais. Quando os tambores pararem, eles virão buscá-la. E quando os tambores recomeçarem... você estará lá com eles.

Ela se ergueu, inclinando-se um pouco sobre a mesa.

— Se vou morrer — disse, histérica —, quero morrer bonita. — Então acrescentou, explicando: — Minha maquiagem está em meu quarto.

Mas ele se levantou também, alerta e desconfiado.

— Você não vai sair da minha frente. Não posso permitir. O sacrifício para Ogum Badagri deve estar vivo, não pode ser um cadáver.

Seus olhos negros não pareciam reconhecer que estavam diante de uma mulher tão bonita. Vivian pressentiu acertadamente que, para ele, ela era apenas uma mulher que poderia tentar estragar seus planos. Mas ela entendeu a insinuação.

— Não vou me envenenar — disse ela. — Você pode vir comigo e assistir, se quiser.

Ela deu uns dois passos e tateou às cegas, buscando apoio na mesa. Instintivamente ele estendeu a mão para sustentá-la.

Era o momento para o qual tinha se preparado, o instante que vinha esperando. Benedetti cometeu o erro fatal que muitos outros homens cometeram com a Dama do Inferno — ele a subestimou como adversária.

Como uma cobra dando bote, sua mão foi até a mesa e pegou um dos pesados castiçais. Antes que Benedetti pudesse reagir ou mesmo perceber sua intenção, o metal pesado atingiu sua cabeça com força estonteante. Ele desabou no chão sem um ruído.

Deixando-o onde ele caiu, Vivian correu até a porta e espiou para fora. O negro gigante de guarda nos degraus da varanda nada ouviu. Ainda estava parado ali, sem perceber o drama que se desenrolava na sala de jantar.

Ela voltou às pressas para a sala, e seus dedos esguios vasculharam as gavetas do armário de mogno insculpido encostado à parede até encontrar o que buscava: uma faca pesada e afiada. Ela a sopesou na mão, avaliando, e decidiu que serviria.

O homem ainda estava no mesmo lugar quando ela espiou pela porta outra vez. Ele nem chegou a ver a lâmina fina voando, arremessada pela mão de Vivian, que aprendera com o melhor atirador de facas de Xangai. A lâmina o acertou, afundando na base da garganta como se fosse manteiga. Ele caiu sem produzir nenhum som.

Agora Vivian precisava agir rápido se quisesse escapar e salvar Wylie. Ela amarrou e amordaçou Benedetti, encostando-o contra o armário para que saísse do caminho. Mas primeiro pegou o revólver do seu bolso.

Andou pela casa preparando seu plano: primeiro foi até o teto de zinco, depois até a fachada. Quando por fim ficou satisfeita com o que tinha feito, pegou uma lanterna do armário e fugiu pela trilha na selva que ela sabia levar ao local do sacrifício.

Uma borrasca tropical se erguia do mar acima da pequena enseada. Uma nuvem escura iluminada pela lua surgia no horizonte. Vivian a olhou, ansiosa. Então entrou na selva.

As frondes das palmeiras permaneciam imóveis sob o céu enluarado. A atmosfera, enquanto ela prosseguia, parecia saturada de mistério, o orvalho caía, filetes de luar esverdeado entre os troncos das árvores; o canto dos pássaros noturnos, um tamborilar no mistério sombrio do teto de árvores mais adiante, o bater de tambores que nunca cessava... Do ritmo oco e familiar dos tambores começou a emergir um fiapo de melodia real — um subir e descer de notas exótico —, uma tentativa de ataque na (por assim dizer) escala cromática da batida. Uma tentativa de abandonar a África. Era mesmo uma noite de abandono, uma noite de traição, de deixar cair as cascas protetoras e chegar ao âmago das coisas.

Em determinado momento ela estacou, sentindo um vazio súbito no peito ao divisar o que achou ser um homem na trilha. Mas era apenas um crânio pintado em uma estaca de bambu enfiado no chão — uma *ouanga* vodu. Então ela prosseguiu. Evidentemente, não havia guardas posicionados ali. Todos os habitantes da ilha estavam envolvidos na cerimônia de um jeito ou de outro, e por enquanto não havia necessidade de guardas.

A rápida sequência de eventos oprimira os nervos de Vivian, e o atroar dos tambores — pesados, enlouquecedores, ininterruptos — não ajudava em nada. A jornada pela selva era desagradável e irritava os nervos como a proximidade da execução.

Um brilho rubro chegou até ela pelas árvores, parecendo se espalhar cada vez mais até incluir o mundo ao seu redor em sua malignidade. Os tambores, com o estranho subir e descer das notas que parecia impossível de obter com as peles esticadas, assaltava os sentidos, batendo até que o ar pareceu repleto de sons que vinham da terra, do céu, da floresta, dominando o fluxo do sangue com estranhos estremecimentos.

Ela não formulara nenhum plano para salvar Wylie. Não tinha como, até chegar ao local e ver o que teria de enfrentar. Tinha a arma que pegara de Benedetti, mas usar seis balas contra uma horda de negros enlouquecidos pelo bater de tambores... seria apenas o último recurso.

Então ela se viu na beirada de uma clareira que parecia afundada nas profundezas de um mar translúcido de chamas opalescentes.

Algo ancestral acontecia na clareira banhada em carmesim. Algo antigo e sombrio, enterrado tão profundamente sob as sutilezas da civilização que a maioria das pessoas passa pela vida sem se dar conta de sua existência; algo que crescia e florescia sob a loucura crua dos altos tambores.

Tochas de fibra de coqueiro embebidas em óleo de palmeira, brilhando avermelhadas em meio às trevas da noite, iluminavam o espaço à frente de Vivian como em um palco. As luzes bruxuleantes teciam estranhas sombras malva e escarlate, e as árvores altas, alinhadas na clareira mais adiante, pareciam abrigar multidões, sombras mais escuras contra o brilho das tochas.

Dois tambores enormes com peles esticadas, que atroavam ao receber as pancadas das mãos de dois negros, postavam-se de um lado. Uma, duas dezenas de vultos negros dançavam, homens e mulheres, girando no centro da clareira com movimentos graciosos e obscenos — gestos animais idênticos às danças dos seus ancestrais, centenas de anos antes, em Moko ou no Congo.

Nesse momento avistou Wylie. Ele estava amarrado a um poste no centro da clareira, e os dançarinos passavam dançando ao seu redor. Atrás postava-se uma mulher que Vivian soube instintivamente ser a Mamaloi, a sacerdotisa de quem Benedetti tinha falado.

De vez em quando a sacerdotisa produzia um som que parecia agitar os dançarinos — espicaçando a multidão de testemunhas que murmurava baixinho e lentamente até o frenesi; um som como Vivian jamais ouvira antes, e que esperava jamais ouvir de novo. Quando a sacerdotisa se calou, o som pareceu perdurar, incrivelmente agudo, como uma emoção sombria nas sombras. Era chocante, enervante, saindo daquele vulto magro e velho.

Seus olhos passaram do vulto envelhecido para a linha do céu acima das árvores. A nuvem negra, que antes parecia não ser maior que sua mão fechada no horizonte, agora estava visível entre os galhos das árvores. E quando Vivian olhou para a nuvem, um faiscar fraco de relâmpago a perpassou.

Então, como se obedecendo ao sinal de um maestro, mais tochas se acenderam nas margens da clareira, e em meio à luz a Dama do Inferno viu meia dúzia de homens cambaleando para a frente, carregando uma grande jaula de bambu. Na jaula havia uma grande cobra: uma jiboia, talvez, ou píton — embora ela se lembrasse de que nenhum dos dois tipos de cobra era nativo do Haiti.

CAPÍTULO VI

Vodu do homem branco

Eles colocaram a jaula no centro da clareira, e Vivian notou que a estrutura tinha uma pequena porta, posicionada de forma a ficar de frente para Wylie, amarrado no poste. O significado daquilo a atingiu como um sopro de vento gélido. Se ela falhasse, também seria amarrada ali. Mentalmente, viu a pequena porta se abrindo, a grande cabeça triangular da cobra avançando devagar...

Ela se abaixou às pressas e, pegando mancheias do mofo negro das folhas do solo, esfregou a substância no rosto, braços, pescoço e ombros. Rasgou um pedaço do vestido e improvisou um turbante para esconder seus cabelos flamejantes. Então esfregou mais terra no vestido branco.

Assim, com saltos rápidos, ela chegou ao perímetro externo dos dançarinos, e o caos de pernas e braços dançando a envolveu e engoliu como uma onda rebentando na praia engole um grão de areia.

Foi um gesto louco, desesperado.

Ela sabia que, normalmente, seu disfarce grosseiro não enganaria os nativos. O negro haitiano parece ter a habilidade de pressentir a presença de um *blanc* pelo olfato, como um animal sente a presença de outro. Mas, à luz bruxuleante das velas, a crueza do disfarce não seria tão aparente, e em meio à incessante loucura dos tambores que soavam como o sombrio eco de algo renascido, ela esperava que sua presença de forasteira passasse despercebida por tempo suficiente para que ela executasse seu plano.

Lentamente ela avançou pela massa espasmódica de vultos dançantes em direção ao centro. Sabia que seu tempo era curto — que a cerimônia inicial estava chegando ao clímax. Quando alcançou o círculo interno de dançarinos, viu a velha Mamaloi se juntando à dança enquanto os outros mantinham uma distância respeitosa dela. Monótona e enlouquecedoramente, a sacerdotisa se contorcia, se virava e sacudia, segurando acima da cabeça uma galinha, que cacarejava em protesto. Mais e mais rápido ela avançou e, enquanto todos os olhos se voltavam para o vulto que girava, Vivian chegou até Wylie.

Um corte preciso com a faca que ela trouxera sob o vestido libertou as mãos dele.

— Fique parado... Não deixe que vejam que você se soltou — sussurrou ela. Outro golpe, e as amarras que prendiam suas pernas ao poste se libertaram.

Vivian dançava ao redor de Wylie com movimentos graciosos, imitando o movimento dos negros ao redor, e sua voz chegou até ele em sussurros interrompidos, desesperados:

— Sinal... Você vai reconhecer... Não se mova antes disso... Árvore morta na margem da clareira... É o caminho... Vou esperar lá... Única chance...

Então ela sumiu, abrindo caminho em meio aos vultos negros que dançavam como almas mortas retornadas do inferno sob o brilho maligno das tochas. Então um berro alto soou quando a Mamaloi pegou a galinha pelo pescoço e a girou e girou.

Bummm... bummm... bum... Os tambores eram como a loucura se manifestando. Um gemido subiu das testemunhas, e um calafrio percorreu Vivian.

Ela sabia, pelo que Benedetti lhe dissera, que a galinha era um prelúdio do que aconteceria a Wylie. A velha cortaria a garganta dele em seguida... deixaria sua vida escorrer aos borbotões de sangue para dentro de uma tigela, e os dançarinos seriam aspergidos com o líquido. Então a cerimônia menor começaria, enquanto o guarda da casa a conduzia para a cerimônia que terminaria com a porta da jaula da grande cobra sendo aberta...

Vivian pegou uma tocha da mão de um dos dançarinos, que nem pareceu perceber o que tinha acontecido. Apanhou uma banana de dinamite de debaixo do vestido — parte do que ela obtivera na sala usada como depósito — e levou a chama da tocha ao pavio.

O pavio começou a faiscar, e Vivian arremessou a dinamite com toda a força de que dispunha na direção da árvore debaixo da qual sentavam-se os tocadores de tambor, então fugiu para os galhos nus da árvore morta que ficava no ponto em que a trilha chegava à clareira — o local onde dissera a Wylie que o encontraria.

Vivian mal tinha chegado ao local quando um tremor titânico sacudiu a terra e um grande clarão de fogo irrompeu. Aquilo foi tão chocante, tão sinistramente inesperado para os haitianos enlouquecidos pelo soar dos tambores quanto uma cobra dando o bote. Gritos e mais gritos — longos e ásperos abrindo rasgões rubros nas trevas, seguidos por um rápido estalar de línguas, um rugido aterrorizado enquanto as testemunhas zanzavam pelo local, corpos negros se contorcendo à luz das tochas remanescentes. Uma onda negra, erguendo-se, preencheu a clareira com clamores aterrorizados. Pouco depois, o som de pés correndo, e logo Wylie chegou até ela.

— Por aqui — sussurrou ela, e o guiou pelo caminho.

Ambos sabiam que era apenas questão de tempo até que os nativos assustados recuperassem o controle e descobrissem que a vítima tinha sumido. Então eles seguiriam seu rastro imediatamente.

— Para onde estamos indo? — perguntou Wylie enquanto corria ao lado dela pela trilha tortuosa da selva.

— Para a casa.

— A casa? — Ele quase parou, surpreso. — Mas, Vivian... esse é o primeiro lugar para onde eles irão. Mesmo se você tiver encontrado armas, não conseguiremos afastá-los para sempre.

— Espere — respondeu ela. — Agora não há tempo para explicar... Mas se tudo der certo, antes de amanhecer teremos fugido da ilha, sãos e salvos...

Atrás deles um grito trêmulo subiu no ar e os dois fugitivos souberam que a fuga de Wylie fora descoberta. Era questão de alguns metros e minutos agora. Então irromperam das sombras da selva na clareira enluarada.

— Siga-me! — disse ela, apressada. — Não vá pela trilha.

E ele seguiu os passos de Vivian enquanto ela ziguezagueava na área que levava aos degraus.

— Então é isso — disse ele, e Vivian aquiesceu.

— É isso. Tome cuidado. É uma chance pequena, mas talvez funcione. É a única chance que temos.

— Mas mesmo isso — disse ele, lembrando-se de algo enquanto imitava o caminho tortuoso que Vivian fizera até os degraus da varanda — vai ser apenas temporário. Mesmo se os mantiver afastados até o amanhecer, quando chegar o dia...

— Eu sei — disse ela, um tanto impaciente. — Mas bem antes disso... — Ela se interrompeu ao ver seus perseguidores surgindo, irrompendo de sob as palmeiras bem quando um clarão de relâmpago faiscou.

— Eles chegaram — sussurrou ele. — Se seu plano não funcionar, é o nosso fim.

— Vai funcionar — respondeu Vivian, confiante.

Mas embora sua voz fosse calma e inabalável, havia ansiedade em seus olhos enquanto ela observava os vultos negros saindo da selva. Vivian sabia que a sua vida e a de Wylie estavam por um fio, na situação mais perigosa de toda sua carreira criminosa.

O Papaloi, o negro gigantesco com as linhas embranquecidas e queloides entrecruzando-se no torso musculoso, foi o primeiro a vê-los quando outro clarão de relâmpago iluminou a varanda onde estavam. Ele deu um único grito, um berro estentóreo que pareceu sacudir a casa, e avançou de um pulo na direção dos degraus. Atrás dele alguns de seus seguidores surgiram, enquanto outros seguiram na direção dos outros degraus.

O Papaloi pulou para a escada, com seus seguidores logo atrás. Seus pés aterrissaram em algo que deslizou rápido sob ele e se prendeu à solas dos seus pés. Ele perdeu o equilíbrio, caindo estatelado, e seus seguidores ficaram confusos e entraram em pânico — o pânico da mente primitiva confrontada com algo invisível, impossível de compreender.

As mãos do Papaloi gigantesco agora estavam coladas a quadrados de papel pega-mosca que ele não conseguia arrancar — o papel pega-mosca que a Dama do Inferno pegara do depósito e que a fizera passar um tempo precioso posicionando sobre os degraus e ao redor da varanda, exceto na trilha estreita e tortuosa por onde ela conduzira Wylie.

Agora um quadrado de papel pega-mosca se grudara ao rosto do Papaloi, farfalhando como algo vivo, persistente como um morcego vampiro. Havia mais em seu flanco, no ponto sobre o qual ele caíra. Ele passou a mão ali para tirá-los e só acumulou mais papel.

A Mamaloi, a velha feiticeira, também estava em apuros. Ela escorregara e, ao cair, ficou com um quadrado de papel pega-moscas grudado diante dos olhos. Ela emitia gritos agudos de angústia enquanto arranhava o rosto com mãos também cobertas pelo papel grudento. Ao redor dos dois, homens e mulheres também se contorciam, presos ao papel, gritando assustados. O ataque silencioso se materializara do nada com tamanha rapidez, e prosseguira com persistência tão devastadora, que eles não conseguiam pensar em nada, assustados.

Sem seus líderes espirituais, o terror consumia o coração dos adoradores vodu. Nos limites da varanda, negros se contorciam horrorizados, tentando se ajudar, tentando arrancar o material horrível que se grudava como milhões de pequenas bocas em sucção. Seus facões, cobertos de papel, tinham sido largados, esquecidos na confusão. As tochas tinham sido derrubadas e esquecidas, e seus esforços ocorriam no escuro, iluminados apenas pela luz da lua em meio às nuvens e pelos clarões de relâmpago. Papel pega-mosca estava grudado em seus cabelos, nos olhos, preso, agarrado, atrapalhando e enlouquecendo-os com a ideia de que algum vodu assustador, mais forte que o Papaloi ou a Mamaloi, os tinha possuído.

Um clarão de relâmpago cortou o centro da nuvem de tempestade que agora estava sobre eles. Seu brilho iluminou por um instante a figura da Dama do Inferno, de pé na beira da varanda, de braços erguidos como se convocasse a fúria do céu para se abater sobre os perseguidores. Um ribombar ensurdecedor de trovão se seguiu, e uma rajada de vento varreu a clareira.

A rajada de vento foi o toque final, a gota d'água que faltava para quebrar a força de vontade da multidão de negros que se contorciam. O vento fez as pontas soltas do papel farfalharem com força, e mais ainda, soprou e ergueu os quadrados de papel que não tinham grudado em ninguém, fazendo com que dançassem no ar.

Um uivo de medo ressoou. Os demônios daqueles *blancs*, não satisfeitos em ficar à espreita para atacá-los, agora voavam pelo ar, atacando do céu, sugando toda a força dos seus corpos.

Não adiantava lutar quando a magia do Papaloi e da Mamaloi não era suficiente para combater aqueles demônios.

Eles se arremessaram para a frente de cabeça, recobertos de papel pega-mosca dos pés à cabeça. Caíram por terra, sufocados pelo papel horrível, e imediatamente mais papel se grudou neles. As mulheres caíam e gritavam, pisoteadas, e seus gritos não eram pela dor dos pisões, mas pelo medo de serem deixadas para trás à mercê dos demônios. Os homens, cegados pelos papéis grudentos, corriam em círculos, agarrando-se a qualquer coisa com que topassem pela frente.

Então o zumbido abafado de um avião soou na distância, voando baixo por causa da tempestade. Virando-se, Vivian correu para a sala de jantar, onde Benedetti ainda estava amarrado, no chão, com olhos que a fuzilavam de ódio. Calmamente ela se sentou e escreveu algo em um dos papéis de carta dele, que encontrou sobre a mesa. Então removeu a mordaça de Benedetti.

— O perigo acabou para nós — disse ela. — Mas para você o problema está apenas começando.

— Vocês não têm como escapar — gritou ele, sádico. — Eu não sei o que você fez, mas não vai conseguir fugir da ilha. Em uma hora ou duas, mais tardar ao nascer do sol... eles vão voltar, e o que farão com você não será nada agradável.

Vivian sorriu. O avião invisível parecia estar circulando a casa agora. Ela sacudiu de leve o papel onde tinha escrito, para secar a tinta.

— O que as autoridades americanas de Porto Príncipe farão com você não também não será nada agradável — rebateu ela. — O vodu é proibido por lei. E você não só ajudou e acobertou cerimônias vodu como também obteve sacrifícios humanos para o ritual. A mocinha francesa do cabaré em Porto Príncipe, a moça de Santo Domingo... Você não devia ter se gabado disso. Pois você as assassinou, como se você mesmo tivesse enfiado a faca no coração delas, e a lei vai concordar comigo.

— Você não vai viver tempo o bastante para contar aos americanos, mesmo se eles acreditassem nessa história — zombou ele.

— Ah, vou, sim — disse ela, zombando de volta. Sua voz estava seca e afiada como uma espada nova. — Em uma hora estarei indo para o Cabo Hatien. Está ouvindo? — E ela ergueu a mão, pedindo atenção.

O avião podia ser ouvido no silêncio. Vivian abriu bem as janelas à francesa. De onde estava, Benedetti viu o avião dos correios marítimos descendo na direção das águas relativamente bem protegidas da pequena enseada.

— Em menos de dez minutos — disse ela — o avião terá taxiado até a praia, e o piloto e seu observador estarão nesta sala, perguntando se nós precisamos de ajuda. Sabe — o sorriso de Vivian agora era abertamente zombeteiro, cheio de desprezo —, você mesmo selou seu destino... colocou na minha cabeça a ideia que tive, quando mencionou que o avião passava à noite, sempre por volta do mesmo horário. Havia uma lata de tinta fosforescente no seu depósito. Eu a vi, e agora o avião está vindo com gente para verificar o que está acontecendo... e para levar você até Cabo Hatien... a menos que...

— A menos que...? — perguntou ele, ansioso.

— A menos que assine este memorando. Ele estipula que eu comprei sua plantação, que você aceitou o preço da venda, e que a transferência da quantia será feita mais tarde.

Houve um brilho calculista nos olhos de Benedetti quando ele concordou. Seu olhar foi até a porta aberta, até o ponto onde o avião já tinha pousado na superfície da enseada.

Vivian percebeu o brilho em seus olhos.

— É claro — continuou ela, suavemente — que os oficiais do avião vão assinar como testemunhas na sua presença. Então você poderá nos acompanhar de volta ao Cabo Hatien no avião, e os advogados da Central Açucareira do Haiti ficarão felizes em formatar o documento na forma jurídica adequada. Então vou vender a plantação para eles. Não vou recusar o preço que me pagarão por ela, e para o cartel não fará diferença se eu ou você formos os donos. — Ela olhou para ele por um instante. — E então, você concorda? Ou prefere ir como prisioneiro para o Cabo Hatien?

Benedetti olhou para o vulto uniformizado vindo cautelosamente pela praia. E febrilmente rabiscou a assinatura no final do memorando.

VILÃO: YUAN LI

A TIGELA DE COBRE
GEORGE FIELDING ELIOT

Mais conhecido por seus escritos militares, George Fielding Eliot (1894-1971) nasceu no Brooklyn, Nova York, mas sua família se mudou para a Austrália quando ele tinha oito anos. Ele lutou no Exército australiano nas Dardanelas em 1915, e então nas batalhas do Somme, Passchendaele, Arras e Amiens. Retornou aos Estados Unidos depois da guerra e entrou para a reserva do Exército como tenente. Estudou história militar e, depois de ler a revista *pulp War Stories*, decidiu que poderia obter um dinheiro extra escrevendo e vendeu à revista uma história sobre uma experiência de guerra, começando assim sua vida como escritor em tempo integral, embora escrevesse para as revistas *pulp* apenas esporadicamente. Obteve um emprego escrevendo para o *Infantry Journal* em 1928 e produziu os romances *The Eagles of Death* (1930) e *Federal Bullets* (1936), uma aventura do personagem G-Man. O primeiro de seus livros sobre o Exército se chamou *If War Comes* (1937), escrito com o Major Richard Ernest Dupuy, uma análise de zonas de guerra que foi bem recebida. Seu livro *The Ramparts We Watch* (1938) foi um aviso de que o exército dos EUA precisava se preparar para defender o Canadá e a América do Sul dos ataques combinados da Alemanha, Itália e Japão. Ele foi redator de assuntos militares para o *New York Herald Tribune* a partir de 1939 e trabalhou como correspondente para a CBS durante a Segunda Guerra Mundial, tornando-se colunista para o *New York Post* antes de assinar sua própria coluna em 1950.

A análise direta dos livros militares de Eliot, tidos em alta conta, não prepara o leitor para o extremismo de linguagem e tópicos, em sua ficção *pulp*, e sua história "The Yellow Peril" ("O Perigo Amarelo") é infame entre os peritos em ficção *pulp* como uma das histórias mais brutais já escritas.

"A tigela de cobre" foi publicada originalmente na edição de dezembro de 1928 de *Weird Tales*.

A TIGELA DE COBRE

GEORGE FIELDING ELIOT

Yuan Li, o mandarim, recostou-se em sua cadeira de jacarandá.

— Está escrito — disse ele, suavemente — que um bom servo é um presente dos deuses, mas um mau servo...

O homem forte e alto postado com humildade diante da figura vestida em um robe sentada na cadeira curvou-se três vezes às pressas, submisso.

Medo brilhava em seus olhos, embora ele estivesse armado e fosse considerado um soldado valente. Poderia ter partido o pequeno mandarim de rosto macio em seu joelho, no entanto...

— Peço dez mil perdões, ó beneficente — disse ele. — Eu fiz de tudo, considerando vossa honorável ordem de não matar o homem nem causar ferimentos permanentes... Eu fiz tudo o que era possível fazer. Mas...

— Mas ele não falou! — murmurou o mandarim. — E você vem até mim para relatar um fracasso? Eu não gosto de fracassos, capitão Wang!

O mandarim ficou mexendo em uma pequena faca de papel na mesa baixa à sua frente. Wang estremeceu.

— Bom. Dessa vez passa — disse o mandarim depois de um instante. Wang exalou um suspiro do mais profundo alívio, e o mandarim sorriu com suavidade por um segundo. — Ainda assim, nossa tarefa ainda deve ser completada. Nós temos o homem; ele tem a informação de que precisamos. Certamente há uma maneira. O servo falhou. Agora o mestre deverá tentar. Traga o homem até mim.

Wang se curvou bem baixo e partiu com pressa considerável.

O mandarim se sentou em silêncio por um instante, olhando para um par de pássaros canoros do outro lado da sala ampla e iluminada de sol. Eles estavam em uma gaiola de vime, pendurados perto da janela mais distante. Então ele fez um sinal curto e satisfeito com a cabeça e tocou um pequeno sino prateado em cima de sua bela mesa insculpida.

No mesmo instante um criado silencioso vestido em um robe branco entrou e postou-se com a cabeça inclinada para a frente, esperando as ordens do mestre. Yuan Li deu a ele algumas ordens rápidas e incisivas.

O servo de robe branco mal tinha saído quando Wang, capitão da guarda do mandarim, voltou ao espaçoso aposento.

— O prisioneiro, ó benevolente! — anunciou.

O mandarim fez um gesto suave com a mão esguia; Wang gritou uma ordem e adentrou a sala, entre dois guardas seminus musculosos, um homem baixo, de compleição robusta, descalço, vestindo apenas uma camisa em farrapos e calças cáqui, mas com olhos azuis destemidos olhando diretamente para Yuan Li sob a massa desalinhada de seus cabelos loiros.

Um homem branco!

— Ah! — disse Yuan Li, com seus modos serenos, conversando em francês impecável. — O excelente tenente Fournet! Ainda obstinado?

Fournet o xingou francamente, em francês e três dialetos chineses.

— Você vai pagar por isso, Yuan Li! Não pense que seus capangas imundos podem usar a tortura dos dedos e outros truques do diabo em um oficial francês e escapar ilesos!

Yuan Li brincou com a faca de papel, sorrindo.

— Você me ameaça, tenente Fournet — respondeu ele —, mas suas ameaças são como pétalas de rosa sopradas pela brisa matinal... a menos que você possa voltar ao seu posto para fazer relatório.

— Ora, vá para o inferno! — respondeu o prisioneiro. — Você nem tem como tentar algo assim... Você não ousaria me matar! Meu comandante está perfeitamente ciente dos meus movimentos. Ele virá bater à sua porta com uma companhia de legionários, se eu não aparecer amanhã no toque de despertar!

Yuan Li sorriu novamente.

— Sem dúvida... e, no entanto, ainda temos a maior parte do dia à nossa frente — disse ele. — Podemos fazer muito em uma tarde e uma noite.

Fournet xingou novamente.

— Pode me torturar, e vá para o inferno — respondeu. — Eu sei e você sabe que não ousa me matar nem me ferir de forma que eu não possa voltar ao Fort Deschamps. De resto, faça o melhor que puder, selvagem de pele amarela!

— Um desafio! — exclamou o mandarim. — Tenente Fournet, eu aceito! Olhe aqui... O que eu quero de você são informações sobre o contingente e a localização do seu posto avançado no rio Mephong. Assim...

— Assim os seus bandidos malditos, cujos assassinatos e saques mantêm você aqui no luxo, podem invadir o posto em uma noite escura e abrir a rota do rio para seus barcos — interrompeu Fournet. — Eu o conheço, Yuan Li, e conheço seus negócios... mandarim dos ladrões! O governador militar de Tongkin enviou um batalhão da Legião Estrangeira para cá para lidar com os de sua laia, e para restaurar a paz e a ordem na fronteira, não para ceder a ameaças infantis! Não é a assim que a Legião opera, e você devia saber disso. O melhor que pode fazer é enviar sua rendição, ou eu garanto que em quinze dias sua cabeça estará apodrecendo no Portão Norte de Hanói como um aviso aos outros que queiram seguir seu mau exemplo.

O sorriso do mandarim não se alterou em nenhum momento, embora ele soubesse que aquela não era uma ameaça vazia. Com escaramuçadores tonquineses ou com a infantaria colonial, ele poderia fazer algum progresso, mas os três vezes malditos legionários eram demônios das profundezas do inferno. Ele — Yuan Li, que governara como um rei no vale do Mephong, a quem metade de uma província chinesa e uma grande extensão da Tongkin Francesa pagava tributos humildemente — sentiu seu trono e seu poder cambaleando sob si. Mas restava uma esperança: mais abaixo no rio, além dos postos avançados franceses, havia barros cheios de homens, como saque de uma dúzia de vilarejos — o mais bem-sucedido grupo de ataque já enviado. Se os barcos pudessem passar, se ele pudesse reaver seus homens (seus melhores homens) e pôr as mãos nos espólios, talvez algo pudesse ser feito. Ouro, joias, jade — e embora os soldados da França fossem terríveis, havia em Hanói certos oficiais que não eram de todo indiferentes a essas coisas. Mas nas margens do Mephong, como se conhecessem suas esperanças, a Legião Estrangeira estabelecera um posto avançado — e ele precisava saber exatamente sua localização, e qual o seu contingente; pois enquanto esse posto avançado existisse, seus barcos não poderiam retornar.

E agora o tenente Fournet, oficial-geral do comandante, caíra em suas mãos. Durante toda a noite seus torturadores tinham arrazoado com o jovem normando teimoso, e não o deixaram sozinho nem por um minuto por toda a manhã. Não o tinham marcado de forma alguma, nem quebrado seus ossos, nem cortado ou machucado sua pele — mas havia maneiras!

Fournet estremeceu ao se lembrar de tudo pelo que tinha passado durante aquelas longas horas da noite e da manhã.

Para Fournet, seu dever vinha primeiro; para Yuan Li, Fournet falar era uma questão de vida ou morte. E ele tomara medidas que agora se encaminhavam para sua conclusão.

Ele não ousava usar de medidas extremas com Fournet; pois a justiça francesa ainda não tinha vinculado o mandarim Yuan Li com os bandidos do Mephong.

Talvez suspeitassem, mas não podiam provar; e o ultraje causado pela morte ou aleijamento de um oficial francês em seu palácio era mais do que Yuan Li ousava tentar. Ele caminhava sobre gelo fino naqueles dias de verão, e caminhava pesaroso.

Mas ele tinha tomado providências.

— Minha cabeça ainda está sobre meus ombros — respondeu ele a Fournet. — Não acho que vá decorar seus portões. Então você não falará?

— Certamente que não!

As palavras do tenente Fournet eram firmes como seu queixo.

— Ah, se vai. Wang!

— Magnânimo!

— Mais quatro guardas. Quero o prisioneiro bem seguro.

Wang bateu palmas.

Na mesma hora mais quatro homens seminus surgiram na sala; dois, ajoelhando-se, seguraram as pernas de Fournet. Outro abraçou a cintura do tenente com braços musculosos; o último ficou perto com um porrete na mão, como reserva em caso de... em caso de quê?

Os dois primeiros guardas ainda seguravam Fournet pelos braços.

Agora, preso por aquelas mãos fortes, ele ficou totalmente imóvel e indefeso, uma estátua viva.

Yuan Li, o mandarim, sorriu uma vez mais. Alguém que não o conhecesse confundiria o sorriso com um sinal de ternura infinita e compaixão divina.

Ele tocou a sineta que ficava a seu lado.

Na mesma hora, da porta mais distante, surgiram dois servos conduzindo um vulto recoberto por um véu — uma mulher oculta sob panos escuros.

Uma palavra de Yuan Li, e mãos ásperas arrancaram o pano, e entre os servos impassíveis apareceu uma visão adorável, uma moça mal saída da adolescência, de cabelos negros, esguia, com os grandes olhos doces de uma corça; olhos que se arregalaram subitamente quando viram o tenente Fournet.

— Lily! — exclamou Fournet, e os cinco guardas forcejaram em conjunto para segurá-lo quando o tenente tentou se libertar. — Seu demônio! Se tocar num fio de cabelo dela, pela Sagrada Virgem de Yvetot, vou incendiar seu palácio e assá-lo nas chamas! Meu Deus, Lily, como...

— É bem simples, meu caro tenente — interrompeu a voz sedosa do mandarim. — Nós sabíamos, é claro... todo criado em Tongkin Norte é um espião meu... que você nutre afeto por essa moça. E quando eu soube que você não estava cooperando sob os cuidados dos meus homens, achei melhor ir buscá-la. O bangalô do pai dela fica longe do posto avançado; de fato, fica em território chinês, e não francês, como você sabe, e a tarefa não foi difícil. E agora...

— André! André! — gritou a moça, tentando se soltar dos servos que a prendiam. — Salve-me, André! Esses animais...

— Não tenha medo, Lily — respondeu André Fournet. — Eles não ousariam machucá-la, assim como não podem me machucar. Estão blefando...

— Você pensou bem sobre isso, tenente? — perguntou o mandarim, gentil. — Claro, você é um oficial. O braço da França... um braço longo e que não perdoa... se estenderá para prender seus assassinos. Os deuses não permitam que eu faça esse braço vir atrás de mim e dos meus. Mas com essa moça... ah, aí é diferente!

— Diferente? Diferente como? Ela é cidadã francesa...

— Acho que não, meu caro tenente Fournet. Ela tem três quartos de sangue francês, é verdade; mas seu pai é metade chinês, e é súdito chinês. Ela é residente da China, e acho que você verá que a justiça francesa não se apressará em vingar a morte dela tão prontamente quanto a sua. De todo o modo, é um risco que estou disposto a correr.

O sangue de Fournet pareceu virar gelo em suas veias. O demônio sorridente tinha razão! Lily — sua alva e amada Lily, cujo único indício de sangue oriental era a curvatura excitante de seus grandes olhos — não tinha direito à proteção da bandeira tricolor.

Deus! Que situação! Trair sua bandeira, seu regimento, trair seus camaradas e entregá-los à morte... ou ver Lily ser trucidada diante de seus olhos!

— Então agora, tenente Fournet, nós nos entendemos — continuou Yuan Li, após uma breve pausa, para que todo o horror da situação penetrasse a alma do tenente. — Acho que poderá se lembrar da localização e do contingente do posto avançado... agora mesmo.

Fournet encarou o mandarim com silêncio amargo, mas as palavras deram à astuta Lily a chave da situação, que ela não compreendera logo de início.

— Não, não, André! — gritou ela. — Não diga nada. Melhor eu morrer que você virar traidor! Veja, eu estou pronta!

Fournet arremessou a cabeça para trás, e sua resolução hesitante retornou com força total.

— A coragem dela me humilha! — disse ele. — Mate-a se quiser, Yuan Li; e se a França não vingá-la, eu a vingarei. Mas não serei um traidor!

— Acho que essa não será sua palavra final, tenente — ronronou o mandarim. — Se eu fosse apenas estrangular a moça, sim... talvez. Mas primeiro ela deverá gritar por ajuda, e quando você a ouvir gritando em agonia, a mulher que você ama, então talvez se esqueça do seu nobre heroísmo!

Ele bateu palmas novamente, e outros servos silenciosos entraram no aposento. Um trazia um pequeno braseiro com carvão em brasa. Outro trazia uma pequena gaiola de arame grosso, dentro da qual algo se movia de forma horrível. Um terceiro trouxe uma tigela de cobre com alças dos lados, à qual estava presa uma faixa de aço que brilhava à luz do sol.

Os pelos da nuca de Fournet se eriçaram. Que horror sobreviria agora? Em seu íntimo, algo lhe disse que o que estava prestes a acontecer seria diabólico além do que a mente dos mortais podia conceber. Os olhos do mandarim pareceram brilhar subitamente com um fogo infernal. Seria ele um homem... ou um demônio?

Uma palavra ríspida em um dialeto de Yunnan, que Fournet desconhecia, e os servos deitaram a moça de costas no chão, toda esticada e indefesa, sobre o magnífico carpete com padrões de cauda de pavão.

Outra palavra dos lábios finos do mandarim — e os servos arrancaram com brutalidade as roupas do torso da moça. Alva e muda ela ficou sobre o esplêndido carpete, seus olhos ainda fixos em Fournet; muda, com medo de que alguma palavra sua abalasse a resolução do homem que ela amava.

Fournet forcejou furiosamente com os guardas, mas eles eram cinco homens fortes, e o tinham bem preso.

— Lembre-se, Yuan Li! — arquejou ele. — Você pagará! Maldita seja sua alma amarela...

O mandarim ignorou a ameaça.

— Continuem — disse ele aos servos. — Observe bem, *monsieur le lieutenant* Fournet, o que estamos fazendo. Primeiro, você verá que os pulsos e calcanhares da moça estão presos a estacas e a móveis pesados, posicionados de forma que ela não possa se mexer. Você se pergunta por que usamos uma corda tão forte, por que demos tantas voltas com a corda para prender os membros de uma moça tão frágil? Eu lhe asseguro, são precauções necessárias. Na agonia da tigela de cobre, já vi um velho decrépito conseguir soltar o pulso de uma corrente de ferro.

O mandarim fez uma pausa; a moça agora estava presa de forma tão apertada que não podia mover nenhum músculo do corpo.

Yuan Li observou os arranjos.

— Muito bem — aprovou ele. — Mas se ela soltar algum membro, o servo que amarrou esse membro vai ser espancado durante uma hora com varas de bambu! Agora, a tigela! Deixem-me ver.

Ele estendeu a mão esguia. Respeitosamente, um servo lhe entregou a tigela, com a faixa de aço flexível dependurada. Fournet, observando com olhos cheios de medo, viu que a faixa tinha uma tranca ajustável em várias posições. Era como uma cinta.

— Muito bem. — O mandarim acenou com a cabeça, virando o objeto nas mãos, com dedos que pareciam quase acariciá-lo. — Mas estou me adiantando... talvez o tenente e a jovem não estejam familiarizados com este pequeno instrumento. Permitam-me explicar, ou melhor, demonstrar. Coloque a tigela no lugar, Kan-su. Não, não, só a tigela por enquanto.

Outro servo, que se adiantara, voltou para seu canto. O homem chamado Kan-su pegou a tigela, se ajoelhou ao lado da moça, passou a faixa de aço sob seu corpo e colocou a tigela com a boca para baixo encostada à barriga dela, puxando a faixa de aço até que a boca da tigela afundou um pouco na carne macia. Então ele prendeu a tranca, fixando a tigela no lugar com a faixa de aço travada, presa pelas duas alças e passando ao redor da cintura da moça. Então ele se ergueu, silencioso, e cruzou os braços.

Fournet sentiu a pele se arrepiar de horror — e por todo esse temo Lily não dissera uma única palavra, embora a cinta apertada e a pressão da borda circular da tigela devessem estar machucando cruelmente.

Mas então ela falou, com coragem:

— Não ceda, André! Eu aguento! Não está... Não está doendo!

— Deus! — gritou André Fournet, ainda lutando em vão contra as mãos amarelas que o prendiam.

— Não está doendo! — o mandarim repetiu as palavras da moça. — Bom, talvez não esteja. Mas vamos remover a tigela agora. Devemos ser misericordiosos.

Ao ouvir a ordem, o servo retirou a tigela e a faixa. Um círculo vermelho cruel ficou marcado na pele alva da barriga da moça, onde a boca da tigela afundara.

— E acho que vocês ainda não entenderam, *mademoiselle* e *monsieur* — prosseguiu o mandarim. — Pois agora vamos recolocar a tigela, mas desta vez, com *isto aqui* dentro dela!

Com um movimento ágil do braço ele tomou do servo ao lado a gaiola de arame e a expôs à luz do sol.

Os olhos de Fournet e Lily se fixaram na gaiola, horrorizados. Ali dentro, agora podiam ver um grande rato cinzento — um animal repugnante, com olhinhos de pedra úmida, longos bigodes, inquieto, com pequenos dentes brancos e afiados brilhando.

— *Dieu de Dieu!* — arquejou Fournet.

Sua mente se recusava a compreender completamente todo o horror do destino que aguardava Lily. Ele só conseguia olhar para o rato inquieto... e olhar e olhar...

— Agora você entendeu, tenho certeza — sussurrou o mandarim. — O rato debaixo da tigela... observe o fundo dela, veja que há um pequeno compartimento. Nesse compartimento colocamos carvão em brasa. O cobre da tigela se aquece bem rápido... O calor é demais, o rato não consegue suportar. Ele só tem um meio de escapar: o rato morde e rasga e abre caminho pelas entranhas da moça! Agora, e quanto ao posto avançado, tenente Fournet?

— Não! Não, não! — gritou Lily. — Eles não vão fazer isso, estão tentando nos assustar... Eles são humanos. Homens não fazem uma coisa dessas. Fique calado, André, fique calado, aconteça o que acontecer. Não deixe que vençam! Não deixe que façam de você um traidor! Ah....

A um gesto do mandarim, o servo com a tigela aproximou-se novamente da moça seminua. Mas desta vez o homem com a gaiola também se aproximou. Com agilidade enfiou a mão na gaiola, evitando os dentes do rato, e apanhou a criatura que se contorcia pelo pescoço.

A tigela foi posicionada. Fournet lutou desesperadamente para se libertar — se ao menos conseguisse libertar um braço, pegar uma arma qualquer!

Lily emitiu um grito curto e engasgado.

O rato foi enfiado debaixo da tigela.

Clique! A cinta de aço foi apertada — e agora estavam empilhando carvão em brasa no fundo da tigela enquanto Lily se contorcia, presa, ao sentir o horror pateante do rato se movendo em sua pele nua, debaixo daquela tigela infernal.

Um dos servos entregou um pequeno objeto ao mandarim impassível, e Yuan Li o ergueu.

Era uma pequena chave.

— Esta chave, tenente Fournet — disse ele —, destranca a cinta de aço que prende a tigela no lugar. Ela será sua como recompensa pela informação que desejo. Não é melhor ser razoável? Logo será tarde demais para isso!

Fournet olhou para Lily. A moça estava quieta agora, tinha parado de lutar; seus olhos estavam abertos, ou ele teria pensado que ela desmaiara.

O carvão brilhava rubro no fundo da tigela de cobre. E sob a superfície insculpida da tigela, Fournet imaginou o grande rato cinzento se movendo inquieto, volteando, procurando escapar do calor cada vez mais forte, e por fim afundando os dentes na suave pele branca, mordendo, rasgando, enfiando-se desesperado...

Deus!

Seu dever, sua bandeira, seu regimento... a França! O jovem subtenente Pierre Desjardins — o jovial Pierre, e outros vinte homens, sendo surpreendidos e massacrados horrivelmente, alguns poupados para a tortura posterior, vencidos por uma torrente invencível de bandidos diabólicos, por causa de sua traição? Ele sabia, em seu coração, que não conseguiria fazer isso.

Ele tinha que ser forte; tinha que ser firme!

Se ao menos pudesse sofrer no lugar de Lily — a gentil, amável e valente Lily que jamais prejudicara ninguém...

Alto e claro um terrível grito ecoou pela sala.

André, voltando-se com horror fascinado, viu o corpo de Lily subindo em um arco sobre o carpete, quase rompendo as amarras que o prendiam.

Ele viu o que não tinha notado antes: um pequeno pedaço da borda da tigela tinha sido quebrado, e pelo buraco, sobre a alva superfície do corpo arfante da moça, um filete de sangue agora corria!

O rato estava trabalhando.

Então algo se rompeu na mente de André. Ele enlouqueceu.

Com a força concedida aos loucos, ele livrou o braço direito da mão que o segurava e enfiou o punho na cara do guarda. O homem com o porrete pulou para a frente, descuidado, e no instante seguinte André estava com sua arma, batendo em todas as direções com fúria ensandecida. Três guardas caíram, e então Wang sacou a espada e entrou na peleja.

Wang era um soldado habilidoso e bem treinado. Eles atacaram e bloquearam seus golpes e cutiladas mutuamente, aço contra madeira, até que Wang, afastando-se diante das terríveis investidas de André, obteve sucesso com sua estratégia.

Os dois guardas remanescentes, a quem ele tinha feito um sinal, junto com dois servos, atiraram-se às costas de Fournet e o derrubaram no chão, rugindo.

A moça gritou outra vez, abafando os sons duros da batalha.

Fournet a ouviu — mesmo em sua loucura ele a ouviu. E no mesmo instante, sua mão topou com uma faca na cinta de um dos servos. Ele a tomou e golpeou selvagemente para cima. Um homem berrou. O peso nas costas de Fournet diminuiu, e sangue escorreu sobre suas costas e ombros. Ele golpeou outra vez, rolou para longe do peso que o oprimia e viu um homem expirando, com a garganta cortada, enquanto outro, com as duas mãos na virilha, se contorcia em agonia silenciosa no chão.

André Fournet, apoiando-se em um joelho, pulou feito uma pantera na direção da garganta do capitão Wang.

Os dois homens caíram, rolando pelo chão. As armas de Wang retiniam e reverberavam — uma faca se ergueu, pingando sangue, e foi enfiada até o cabo.

Com um grito de triunfo André Fournet se levantou, a faca terrível na mão, a espada de Wang na outra.

Gritando, os servos remanescentes fugiram diante da figura terrível do tenente.

Sozinho, o mandarim Yuan Li encarou a vingança encarnada.

A chave!

Fournet rugiu a exigência rispidamente; seu cérebro enlouquecido só tinha espaço para um pensamento:

— A chave, demônio amarelo!

Yuan Li deu um passo para trás, aproximando-se da janela com seteiras, através da qual a brisa da tarde, com cheiro de jasmim, ainda soprava docemente.

O palácio era construído na beirada de um precipício; sob o parapeito da janela, o precipício despenhava-se por quinze metros até as pedras e baixios do rio Mephong.

Yuan Li sorriu mais uma vez, sua calma ainda imperturbável.

— Você me venceu, Fournet — disse ele —, mas eu também venci você. Desejo que aprecie sua vitória. Aqui está a chave. — Ele a ergueu na mão.

E enquanto André avançava gritando em sua direção, Yuan Li se virou, deu um passo para o parapeito da janela e sem outra palavra sumiu no espaço levando a chave consigo.

Lá embaixo ele atingiu as pedras em um horror avermelhado, e as águas do turbulento Mephong se fecharam para sempre sobre a chave da tigela de cobre.

André retornou depressa para junto de Lily. O sangue já não escorria da beirada da tigela. Lily jazia imóvel e fria...

Deus! Estava morta!

Seu coração emudecera no peito torturado.

André atacou a tigela e a faixa de aço, enlouquecido — com os dedos ensanguentados, com os dentes rachados, mas em vão.

Não conseguiu movê-los.

E Lily estava morta.

Será que estava mesmo? O que foi aquilo?

No flanco de Lily uma pulsação bateu — mais e mais forte...

Ainda havia esperança?

Fournet, enlouquecido, começou a mexer em seu corpo, em seus braços.

Será que conseguiria revivê-la? Ela não podia ter morrido. Não, não podia!

A pulsação ainda batia.... estranhamente, batia apenas em um lado, no flanco alvo e macio de Lily, sob a última costela.

Ele beijou seus lábios frios e imóveis.

Quando ergueu a cabeça, a pulsação cessara. No local, mais sangue escorria lentamente — sangue escuro das veias, um horror arroxeado se esvaindo aos borbotões.

E dali, saindo do flanco da moça, a cabeça pontuda e acinzentada do rato começou a sair, com o focinho pingando sangue, os olhos negros brilhando e encarando o louco que balbuciava e espumava acima dele.

Assim, uma hora depois, os camaradas de André Fournet o encontraram junto de sua amada Lily — o louco torturado debruçado sobre a morta torturada.

Mas o rato cinzento eles nunca encontraram.

PÓS-SEGUNDA GUERRA MUNDIAL

O GAROTO FAZ UMA ARMAÇÃO

ERLE STANLEY GARDNER

Como muitos dos personagens criados por Erle Stanley Gardner (1889-1970), Dan Seller, conhecido como o Garoto do Sapato de Couro Envernizado, trabalha nos dois lados da lei. Muito similar a outro personagem de Gardner, Sidney Zoom, Seller odeia a injustiça e se submete a grandes riscos para repará-la. Em geral, isso envolve enfrentar gângsteres poderosos e praticar atos ilegais, obrigando inevitavelmente o Garoto a eludir dois antagonistas: uma gangue de bandidos e a polícia.

O Garoto do Sapato de Couro Envernizado é um vigarista elegante, refinado, ocultando sua identidade com máscara, luvas e sapatos de couro preto envernizado. Na realidade, ele é um bon-vivant abastado que aparenta ser um novo-rico, interessando-se por uma coisa ou outra, mas é inimigo do submundo e dedica a vida a combatê-lo. A Grande Depressão foi uma época que propiciou a ascensão dos gângsteres, e o Garoto decidiu abandonar sua vida confortável para servir a um público incauto, por mais nefastos que seus métodos pudessem ser. Ele tem um guarda-costas, Bill Brakey, para ajudá-lo quando a situação fica difícil.

As histórias seguem uma fórmula, começando por Seller conversando em seu clube com outros membros. Quando descobre um exemplo particularmente notório de injustiça, deixa o clube e sua identidade de milionário ocioso para trás e veste o disfarce. Seu arqui-inimigo é o inspetor Brame, que não tem sorte em capturar o Garoto, portanto o odeia, chegando a ponto de não fazer nada quando descobre o plano de um gângster para matá-lo.

"O Garoto faz uma armação" foi publicado originalmente na edição de 28 de março de 1932 da *Detective Fiction Weekly*. O conto foi incluído pela primeira vez em uma antologia em *The Exploits of the Patent Leather Kid* (Norfolk, Virginia: Crippen & Landru, 2010).

O GAROTO FAZ UMA ARMAÇÃO

ERLE STANLEY GARDNER

Dan Seller reparou nos manequins na vitrine da joalheria, pois era determinado a notar tudo que fosse fora do comum. E aquela vitrine certamente era bastante única.

Para os não iniciados, pareceria que uma fortuna em joias estava separada das garras avarentas de um público cosmopolita apenas por uma placa de vidro.

Mas o olho de Dan Seller, cinza como aço, frio e minucioso, não era um olho inexperiente. Ele observou por cerca de dez segundos e, quando esse tempo passou, soube que a maioria das pedras eram imitações bem-feitas.

A vitrine da grande loja estava decorada para representar o interior de uma sala de estar. Havia quatro pessoas em uma mesa jogando bridge. Um rapaz bastante afeminado, vestindo um smoking da última moda, equilibrava uma xícara de chá no braço de uma cadeira.

Outra figura rígida convencional recostava-se em uma lareira, um relógio em uma mão de cera, um cigarro na outra. Em um canto, uma mulher estendia a mão dando boas-vindas para outra, ambas brilhando com joias. O efeito era impressionante para o espectador comum.

Os homens aparentemente foram colocados para realçar o contraste, visto que não ostentavam nenhuma joia além de abotoaduras convencionais, botões de punho e relógios de pulso rebuscados. Mas as mulheres usavam vestidos lindos, e as luzes da vitrine estavam voltadas para trás em uma miríade de reflexos cintilantes dos diamantes que apareciam de todos os ângulos.

A vitrine era completamente diferente das que eram expostas por outras joalherias e marcava a inauguração de uma nova política de publicidade da Hawkins & Grebe.

A vitrine atraiu uma pequena multidão. Dan Seller não tinha dúvidas de que também atrairia a atenção de bandidos. Ele guardou os dois fatos para usar no futuro e foi até o clube.

Dan Seller era um homem misterioso para seus conhecidos, e foi recebido com graus variados de cordialidade pelo pequeno grupo de membros que discutia as últimas notícias.

Pope, o explorador experiente das florestas tropicais, estava presente, fazendo um breve descanso entre expedições. Ele e Seller trocaram um aperto de mãos cordial. Gostava de Seller e não se importava que soubessem disso.

Renfore, o banqueiro, era mais conservador. Ele sabia que Seller tinha uma conta ativa de valor alto, mas nunca conseguira descobrir precisamente no que Seller investia, e isso o irritava. Ele curvou-se, mas não apertou sua mão.

Hawkins, coproprietário da joalheria, assentiu e sorriu. Ele considerava Seller um bom cliente. O inspetor Phil Brame lançou aquele olhar frio e penetrante com o qual costumava tratar todas as pessoas em quem não confiava. Ele conhecia Seller e gostava do homem, mas nunca conseguia ignorar totalmente aqueles desaparecimentos misteriosos do milionário.

Pois, para todos aqueles homens, Dan Seller era um mistério.

Ele era rico. Disso, não havia dúvidas. Era reservado, mas amigável. Era agradável. Inteligente. Aparentemente, ocioso. No entanto, isso não explicava seu caráter. O homem tinha uma forma física boa e robusta que fazia com que parecesse tão furiosamente ativo quanto Bill Pope, o explorador das selvas.

Tanto na mente quanto no corpo, ele era forte e vigoroso. Contudo, parecia não ter muito o que fazer. Ele ria da vida, entrava e saía, estava sempre interessado em pessoas e coisas, sempre informado sobre os últimos acontecimentos. Mas nunca jogava cartas, nunca mencionava ganhos ou perdas no mercado de ações, nunca reclamava das condições dos seus negócios.

E, de vez em quando, desaparecia.

Nessas ocasiões, ele sumia totalmente. Nem mesmo Riggs, seu mordomo, era capaz de dar qualquer informação sobre o paradeiro do patrão. Duas vezes, houvera questões importantes no clube que tornaram necessário entrar em contato com Dan Seller, e em ambas as ocasiões ninguém conseguira encontrá-lo. Na segunda ocasião, o próprio inspetor Phil Brame assumira a incumbência de ir atrás de Seller.

O inspetor determinara que Seller deixara o clube e seguira para um bazar de caridade, para o qual tinha um ingresso. Seller nunca aparecera no bazar. Tampouco tiveram notícias dele durante uma semana.

Depois desse tempo, ele reapareceu no clube, sorrindo, cortês e afável. Quando indagado sobre seu paradeiro, ele não deixou dúvidas de que considerava o assunto inteiramente privado.

Como Dan Seller morava no clube, onde tinha uma suíte com aposentos magníficos, suntuosamente mobiliada, suas idas e vindas eram do conhecimento de vários membros, e seus desaparecimentos misteriosos sempre despertavam comentários.

Mas Dan Seller vivia a própria vida, falava de modo interessante sobre muitos assuntos, parecia sempre familiarizado com o livro mais recente, desaprovava todas as tentativas de questionamentos sobre sua vida pessoal e, ainda assim, permanecia popular.

Que ele era de uma ótima linhagem, sem nenhuma mácula no histórico, era evidente, porque afinal de contas, fora aceito pelo clube. E a vida particular de um homem só dizia respeito a ele próprio.

Hawkins deu uma baforada no charuto após Seller se juntar ao pequeno grupo e depois continuou discutindo o assunto que evidentemente fora o tema da conversa antes da chegada de Seller.

— Meu sócio não conseguia ver, no começo — disse Hawkins, adotando a postura típica de um homem capaz de declarar "eu te disse". — Mas insisti, e ele finalmente concordou. Já ficou para trás o dia em que métodos antiquados de publicidade cobrirão os custos. Vivemos uma época de concorrência mais acirrada, de uma apreciação mais lúcida dos valores. Está na hora de uma inovação no mercado de joias. Vejam nosso caso. Desde que inauguramos aquela vitrine, vendemos exatamente 300% a mais. As pessoas param para olhar a vitrine porque ela é incomum. A mulher que para com o marido ou com o pai vê alguma coisa que lhe parece atraente. Ela quer comprar algo igual. É assim que se vende roupas. Por que não joias?

Ele fez uma pausa, aguardando uma resposta.

Não houve nenhuma.

Dan Seller fez um comentário com a voz arrastada:

— Sua observação sobre a concorrência acirrada é interessante. Como isso afeta os bandidos, inspetor?

O inspetor Brame se sobressaltou e fixou o olhar sério no homem mais jovem.

— Hein? — indagou.

— Eu estava me perguntando — disse Dan Seller — se os bandidos não estariam sentindo os efeitos da depressão e adotando métodos mais eficientes. Perguntei-me, por exemplo, se negligenciariam o desafio daquela vitrine única.

O inspetor Brame pigarreou, adotando um ar de importância.

— A polícia — disse ele — também pode se tornar mais eficiente, caso surja a necessidade.

— Não pensem nem mesmo por um minuto que não tomamos algumas precauções muito detalhadas antes de decidirmos por uma publicidade tão espetacular — comentou Howkins. — Preparamos tudo de modo que seja fisicamente impossível para um bandido entrar na nossa loja e sair com qualquer coisa!

— É mesmo? — disse Dan Seller, com uma voz arrastada que demonstrava um divertimento tolerante.

— Sim, absolutamente! — ralhou Hawkins.

Dan Seller bocejou e deu tapinhas nos lábios com quatro dedos educados.

— Impossível — disse ele — é uma palavra muito forte.

E foi embora.

Atrás dele, quatro pares de olhos o observaram com expressões variadas. Em cada par, havia certo encantamento. Em um, havia divertimento, e, em pelo menos um deles, um indício de suspeita.

O inspetor Brame era um homem durão e não respeitava as pessoas.

II

Dan Seller, com a gola do sobretudo levantada, o chapéu de feltro abaixado, saiu do clube e encarou as lufadas da noite ventosa.

Aparentemente, estava apenas caminhando.

Ele andou por quase um quilômetro, cortando o vento frio e úmido. Um táxi que passava ofereceu seus serviços. Dan Seller embarcou. Ele foi para um dos maiores e mais estilosos hotéis para uma estadia curta, no qual centenas de visitantes entravam e saíam todos os dias.

Ele pegou um quarto sob o nome de Rodney Stone, foi levado até o cômodo, entregou alguns recibos de bagagem a um funcionário do hotel. Meia-hora depois, suas malas leves e baús pequenos tinham chegado.

Para todas as aparências, Dan Seller, passando-se por Rodney Stone, era apenas um homem de negócios cujo trabalho exigia frequentes viagens. Ele tinha a postura de um viajante experiente, o tédio absoluto da vida em hotéis característico de alguém que está sempre viajando demais.

Já passava da meia-noite quando Rodney Stone deixou o quarto. Ele saiu do hotel por uma escada nos fundos e pela entrada de serviço. Entrou sorrateiramente em um apart-hotel que ficava a duas portas do seu hotel , e a transformação estava completa.

No minuto em que Dan Seller entrou no Hotel Maplewood, tornou-se uma personalidade totalmente diferente e muito bem definida. O garoto na recepção assentiu. A garota ao telefone sorriu.

Dan Seller era Dan Seller, o membro milionário do clube, um homem que não estava mais na cidade. Ele tornara-se o Garoto do Sapato de Couro Envernizado e tinha um nicho específico no submundo.

— Quanto tempo, Garoto — disse o ascensorista.

Dan Seller assentiu.

Aqui, neste novo mundo, todos o chamavam de "Garoto". Não havia nada de desrespeitoso nisso. Era uma marca de honra, um brasão de respeito. A própria voz do ascensorista era respeitosa.

— Fez boa viagem? — perguntou o homem enquanto levava o Garoto até a cobertura.

— Mais ou menos — disse Seller.

Ele pegou uma chave no bolso e, ao fazê-lo, abriu o casaco, revelando um smoking e uma camisa que brilhava com abotoaduras de diamantes. Seus sapatos eram de couro envernizado.

Entrou no apartamento. O telefone tocava enquanto ele fechava a porta. Atendeu imediatamente. A voz da garota na central telefônica chegou aos seus ouvidos.

— Garoto, eu não queria lhe dizer na frente da turma aqui embaixo, mas uma mulher vem tentando falar com você há dois dias. Ela diz que é questão de vida ou morte. Deixou um número. Disse para telefonar e chamar por Kate. O que devo fazer?

Dan Seller franziu a testa por um instante enquanto pensava.

— Ligue para mim — disse ele.

— Certo — respondeu a garota.

Houve o ruído de números sendo discados, seguidos pelo barulho de uma companhia de telefone do outro lado da linha. Depois, uma voz masculina.

— Kate está? — perguntou o Garoto, fazendo sua voz soar casual.

— Quem está falando?

— O Príncipe de Gales — respondeu o Garoto —, e não espere muito para pensar a respeito, pois estes telefonemas transatlânticos são muito caros.

Ele ouviu a voz do homem, mais distante agora.

— Kate está aqui?

Depois, uma voz de mulher, quase inaudível.

— Vou atender por ela. Sou um amigo.

O som de batidas era provocado por passos se aproximando em um chão de madeira, percebeu Seller. Depois, uma voz feminina disse:

— Alô!

A voz estava carregada de suspense e empolgação.

— É o Garoto que está falando — disse Dan Seller.

A voz da mulher chegou aos ouvidos dele baixa, vibrante, confidencial, como se ela estivesse com a boca muito próxima do telefone.

— Escute, preciso ver você. Onde, quando, como? Rápido!

Dan Seller respondeu sem hesitar:

— Vá para o Ship Café. Pegue uma sala privada. Avise ao maître que não deve ser perturbada e que se qualquer pessoa lhe perguntar o número da sala de Kate, ele deve informar o número da sala de jantar privada. Até logo.

E o Garoto desligou.

Estava levemente irritado. Sem dúvida, aquele telefonema era de suma importância para a vida da jovem que deixara seu número. Isso ficara evidente pela angústia na sua voz, pelas palavras trêmulas com as quais a mensagem fora transmitida. Mas Dan Seller não quisera perder tempo com encontros na madrugada com jovens estranhas que achavam que seus assuntos eram caso de vida ou morte. Ele estivera interessado em estudar as possibilidades da nova vitrine na Joalheria Hawkins & Grebe.

No entanto, Dan Seller, em seu novo personagem do Garoto do Sapato de Couro Envernizado, estava sempre em busca de aventura, e qualquer coisa suficientemente fora do habitual o atraía de forma irresistível.

Ele pegou um táxi para o Ship Café.

Conhecia o maître, o gerente e a maioria dos garçons. Entrou pela porta dos fundos, espreitou-se até uma sala com cortinas e tocou a campainha.

Em poucos minutos, o maître atendeu ao chamado.

— Olá, Garoto!

— Olá, Jack!

— O que posso fazer por você hoje à noite, Garoto?

— A namorada de um gângster está chegando em breve. Vai dizer o nome Kate e pedir uma sala. Quero examiná-la...

— Ela já está aqui. Chegou há dez minutos. Está na sala 19 — disse o maître.

O Garoto assobiou.

— Isso — disse ele — que é eficiência. Parece até que...

— Que o quê? — perguntou o maître, interessado.

— Que o grupo já esperava que eu fosse escolher este lugar para um encontro — reconheceu o Garoto. — Arrume outra sala para mim, Jack. Tem uma ao lado da dela?

— Não. Estão ocupadas. Darei a 16 a você.

— Certo.

— Quer que eu diga à garota que você chegou?

— Não.

— Certo, chefe. Como estão as coisas? Você esteve fora, certo?

— Foi apenas uma viagem de negócios, Jack. Vou subir. Enrole um pouco a namorada do gângster e mande um garçom para a 16.

— Certo.

Dan Seller foi para a sala 16 e fechou a cortina. Três minutos depois, um garçom reverente apareceu com um cardápio, um copo de água, facas, garfos, colheres, guardanapos e manteiga.

— Dois? — perguntou ele.

Em seguida, começou a preparar dois lugares na mesa sem esperar uma resposta.

— O pedido deve ser trazido quando eu tocar a campainha — disse Dan Seller.

— Sim, senhor.

O garçom saiu. Dan Seller pegou a água, a manteiga, os guardanapos, as facas e os garfos. Colocou um dos guardanapos sobre o braço, adotando a aparência de um garçom profissional, curvou levemente a cabeça e foi até o corredor.

Estava a apenas alguns metros da sala 19.

Ele abriu a porta e a cortina e entrou lá.

A garota sentada à mesa ergueu o olhar com o rosto corado, os olhos brilhantes, os lábios entreabertos. Ela viu a figura de um homem levemente curvado, portando facas, garfos, água e manteiga. A expressão em seu rosto logo se alterou. Ela franziu a testa.

— Já estou servida. Estou aguardando.

Dan Seller se empertigou e a fitou nos olhos.

Seus olhos eram castanhos. As pálpebras estavam um pouco avermelhadas, como se ela tivesse chorado. O rosto era jovem. O que era possível ver de sua silhueta do outro lado da mesa mostrava que era atraente. Uma perna com meia de seda despontava sobre as dobras da toalha de mesa e era uma visão generosa e agradável.

As mãos estavam à vista.

Dan Seller deixou a água e a manteiga na mesa, largou os talheres em uma pilha, fechou a porta com o calcanhar, penetrando seus olhos cinzentos e frios nos da garota.

— Mantenha as mãos onde eu possa vê-las.

Ela arfou.

O Garoto do Sapato de Couro Envernizado segurou a mesa e a moveu para o lado. A garota permaneceu imóvel, assustada, encarando-o.

Sem a proteção da mesa, a perna torneada que despontava sob a toalha ficou aparente. Ela estava sentada, a saia erguida o suficiente para que não atrapalhasse sua mão quando ela apoiasse no cabo perolado da pistola automática aninhada sob a bainha enrolada da meia de seda.

O Garoto do Sapato de Couro Envernizado olhou para a arma.

— Quer dizer que este é o jogo, hein?

Ela corou quando a proteção da mesa desapareceu, mas obedeceu ao aviso para que mantivesse as mãos erguidas.

— Não — disse ela, com a voz áspera. — Não é isso. Eu estava com a arma caso...

— Caso o quê? — perguntou Dan Seller.

— Caso algo acontecesse.

— Bem — disse Seller. — Aconteceu.

E ele se inclinou para a frente e pegou a arma.

— Agora — continuou — você pode baixar as mãos.

Ela ajeitou a barra da saia e ergueu os olhos.

— Você é o Garoto?

— Sou — respondeu Seller. — Qual é a situação?

Ela deu de ombros.

— Agora, nada, mas vão me levar para dar uma volta de carro e serei morta. Fui enviada para armar uma cilada para você. Eu não queria. Eles me deram a opção entre apontar a arma para você ou ser responsabilizada por um crime. Eu deveria trazer você até aqui. Agora, o trabalho está terminado e eles vão me eliminar.

Dan Seller puxou uma cadeira e se sentou.

— Quem vai fazer isso?

— Beppo, o Grego, é claro. Ele está com raiva de você por causa do trabalho em Carmichael. Ele e sua gangue estão atrás de você.

Dan Seller franziu a testa.

— Beppo, o Grego, está se tornando uma fonte de irritação. Sua segurança estaria garantida se você dissesse a ele exatamente onde o Garoto estará em precisamente sessenta minutos?

Ela assentiu.

— Claro. Se fosse um lugar onde pudessem matá-lo. Foi para isso que me mandaram aqui.

O Garoto do Sapato de Couro Envernizado acendeu um cigarro. Ele olhou para a ponta em brasa, pensativo. Então sorriu.

— Certo, irmã — disse ele. — Não sou o Garoto. Sou o homem enviado por ele. O Garoto não é tolo a ponto de cair em uma armadilha como esta. Mas é tolo o suficiente para confiar em mim, e guardo rancor dele por um assunto pessoal. O Garoto vai roubar a Joalheria Hawkins & Grebe daqui a exatamente sessenta minutos. Ele está trabalhando agora no local. Mas esta dica não é para a polícia. É apenas uma dica particular para Beppo, o Grego. Entendeu?

Os olhos da jovem observaram o rosto dele.

— Se isso for verdade, vai ser minha salvação.

— É verdade — disse o Garoto do Sapato de Couro Envernizado.

Ele tirou as balas da pistola automática, deslizou-a pelo chão até um canto da sala, sorriu para ela e abriu a porta.

— Diga a Beppo, o Grego, que espero receber uma parte — disse ele. — Tem algo de que preciso, um favor. Pedirei quando o Garoto for eliminado. Você pode contar a ele como foi a situação, o Garoto foi astuto. Ele me enviou aqui. Tenho contas a acertar. Vou armar para que ele esteja lá, não para a polícia pegá-lo, e sim a gangue. Adeus.

E Dan Seller bateu a porta, saiu correndo pelo corredor e desapareceu na sala de jantar 16.

Cinco segundos depois, ouviu passos rápidos passando pela porta acortinada da sua sala de jantar. Dois minutos depois, o maître informou-lhe que a mulher misteriosa do número 19 partira com muita pressa.

III

Dan Seller usou um par de alicates longos para desconectar o cabo que saía da janela gradeada. O cabo era um dos tipos mais novos de alarmes contra roubos. Certa quantidade de corrente elétrica precisa fluir regularmente para manter o alarme inativo. Se o cabo for cortado, ou se a corrente sofrer um curto-circuito em qualquer ponto, o alarme é disparado.

Dan Seller realizou uma operação muito difícil com os alicates longos e, quando terminou, a corrente fluía exatamente como antes, mas a janela gradeada não oferecia mais nenhuma resistência à entrada, exceto pelas barras de ferro que logo foram serradas. Dan passou pela abertura e saltou no chão lá dentro.

Aparentemente, o interior era o que se esperaria dos fundos de uma joalheria. Mas o Garoto Do Sapato de Couro Envernizado sabia que a ciência moderna tem armado muitas armadilhas inteligentes para os criminosos, e controlou-se de forma apropriada.

Neste jogo de equiparar sua inteligência à lei, o Garoto do Sapato de Couro Envernizado encontrava sua recreação mais fascinante. Ele apostava sua vida e sua liberdade, e gostava do jogo.

Não se atreveu a usar uma lanterna. Sabia que células delicadas de selênio estavam posicionadas estrategicamente, de modo que a mais leve alteração na quantidade de luz que as atingia alteraria a corrente elétrica que passava por um fio que, por sua vez, dispararia um alarme na sede da agência de detetives que protegia a joalheria.

O Garoto sabia que havia algum jeito de impedir que luz do amanhecer disparasse o alarme. Começou a explorar.

Ele finalmente encontrou sua pista em um canal estreito, por meio do qual raios refletidos de um sinal eletrônico eram direcionados para uma parede no outro lado da sala. O princípio era o mesmo; a única diferença era que sombras, ao invés de luz, disparavam o alarme.

O Garoto encontrou um caco de vidro esmerilado, segurou-o diante da lanterna para que houvesse um brilho uniformemente difuso de luz sem nenhum ponto agudo de iluminação brilhante. E, conforme passava diante das células de selênio, segurava o vidro esmerilado e a lanterna sem lançar nenhuma sombra perceptível ao avançar, com a luz difusa assumindo o lugar da luz refletida emitida pelo sinal.

O cofre foi um problema mais difícil. Ele fora construído de forma astuta, mas o alarme antirroubos era antiquado. O Garoto descobriu isso 15 segundos depois que começou a trabalhar no cofre, e o alarme estava completamente desativado dez segundos depois de ser encontrado.

Para a combinação do cofre, o Garoto tinha uma invenção própria. Era um dispositivo por meio do qual uma corrente elétrica era conduzida pelo mecanismo da tranca, fazendo os discos girarem lentamente. Sempre que havia a mais leve interrupção na corrente, o mais leve choque, o fato era comunicado através da corrente elétrica para os ouvidos do Garoto.

Ele levou 15 minutos para abrir o cofre e inspecionar seu conteúdo.

O Garoto do Sapato de Couro Envernizado não estava nem um pouco interessado no arranjo cintilante de joias que brilhavam lá dentro. Há muito tempo ele aprendera a conter qualquer cobiça natural que pudesse ter.

Ele procurou atenta e minuciosamente, com dedos enluvados procurando, selecionando, escolhendo. Por fim, decidiu por três coisas. Um relógio de pulso cravejado de diamantes, um colar de pérolas e um pingente de platina e diamantes com rubis vermelhos como sangue em ambos os lados.

Depois de selecionar os três itens, ele checou a hora em seu relógio de pulso.

Viu que ainda tinha tempo para o que desejava fazer.

Ele seguiu mais ousadamente para o departamento de embrulhos do grande estabelecimento. Como de costume, o lugar não era tão bem protegido quanto as joias.

O Garoto do Sapato de Couro Envernizado encontrou uma máquina de escrever e endereçou rótulos de envio para os indivíduos a quem decidira presentear. Embrulhou-os com segurança, pesou-os nas balanças que encontrara no departamento de envios e chegou até a colar selos postais nas embalagens, retirados da gaveta de selos.

Depois, rindo, Dan Seller se aproximou de uma janela nos fundos do segundo andar do prédio e inspecionou as sombras escuras do beco.

Ele descobriu que a escuridão comprometia sua visão, portanto fez mais uma solicitação no estoque da joalheria: um belo e caro par de óculos de visão noturna.

Ele focalizou os óculos, levou-os até os olhos e contemplou as sombras.

O resultado foi duplamente gratificante.

Ele via um homem agachado na bolha escura de uma sombra no canto de uma grade. O homem segurava algo nas mãos. Parecia um telescópio curto, apoiado em um tripé.

O Garoto do Sapato de Couro Envernizado riu.

Uma metralhadora estava apontada para a janela gradeada, esperando que ele aparecesse. Voltou os óculos para a outra direção, querendo saber se o outro canto revelaria mais um inimigo.

Sua busca foi recompensada.

O homem que estava parcialmente escondido atrás de um caixote de transporte estava com uma pistola automática em cada mão, e as pistolas estavam apoiadas na madeira do caixote, prontas para a ação imediata.

Sem dúvida, a gangue de Beppo, o Grego, seguira a dica que a mulher dera, confirmara que a janela gradeada da joalheria fora arrombada e se escondera.

Eles queriam o Garoto do Sapato de Couro Envernizado e queriam-no com uma perversidade profunda. Mas ele seria um prêmio ainda maior quando saísse da joalheria carregado de bens valiosos que só ele poderia obter.

Pois a habilidade impressionante do Garoto do Sapato de Couro Envernizado era muito conhecida nos círculos criminosos. Ele era um homem capaz de sair ileso de um labirinto de alarmes antirroubos que deixariam em pânico qualquer outro profissional. E conseguia abrir cofres que desafiavam os esforços dos bandidos mais minuciosos e impiedosos.

Portanto, Beppo, o Grego, conquistaria uma vitória dupla com a morte do Garoto.

Dan Seller voltou para a frente da loja, pegou os fios do alarme antirroubos diante do cofre e pressionou deliberadamente uma extremidade na outra.

Nada aconteceu, pelo que ele pode perceber.

Viu apenas as pontas expostas de dois fios entrando em contato.

Mas Dan Seller sabia que havia muita coisa acontecendo em outras partes da cidade. A empresa que vendia o seguro contra roubos e fazia a manutenção do dispositivo de proteção teria um vigia em serviço constantemente. O vigia detectaria uma luz vermelha, que piscaria no momento em que os fios entrassem em contato. E um alarme dispararia com um clamor alto.

A luz permaneceria acesa até que fosse apagada por um ajuste feito na outra extremidade do cabo.

Seller olhou para o relógio de pulso.

O vigia devia estar contactando a polícia naquele momento. Em seguida, os veículos blindados sairiam ruidosamente da delegacia mais próxima, repletos de homens sisudos, armados de escopetas com canos serrados.

Dan Seller foi até a frente da loja e espiou pela vitrine, escondendo-se atrás de uma tela decorativa.

Não havia chance de escapar. Um carro de passeio, com cortinas laterais ocultando o interior, estava estacionado na esquina. Um homem estava de pé do outro lado da rua, recostado em uma caixa de correio.

O Garoto do Sapato de Couro Envernizado riu.

Ele pegou a tela decorativa e a levantou delicadamente, apenas uma pequena fração de centímetro do chão. Depois, começou a avançar em direção à vitrine, arrastando os pés, aproximando-se cada vez mais.

Quando posicionou a tela exatamente na posição certa, largou-a no chão, se empertigou, virou-se e foi mais uma vez para os fundos da loja. Colocou seus pacotes embrulhados, endereçados e selados na tubulação de correio pneumático. Ele sabia que seriam enviados normalmente pela manhã. Enquanto isso, não havia nada incriminador com ele, exceto um equipamento elétrico.

Tecnicamente, ele violara a lei por ter arrombado e invadido a loja. Mas não tirara nada do lugar, não de forma direta. Os próprios funcionários da loja fariam isso pela manhã quando pegassem os pacotes e os levassem para o correio.

O Garoto do Sapato de Couro Envernizado olhou para o relógio de pulso, sorriu, voltou para seu esconderijo atrás da tela e esperou. Precisaria esperar menos de um minuto.

IV

Um veículo grande virou na esquina derrapando. Homens saíram dele e partiram em direção à loja. Nesse instante, o carro de passeio começou a se mover. O homem que estava matando tempo perto da caixa de correio virou-se, acenou com a mão para o carro e começou a correr na direção dele.

Um homem gritou uma ordem cortante.

O carro de passeio disparou um tiro perverso. O homem saltou atrás da caixa de correio. A pistola dele gritou. O carro acelerou ruidosamente.

No mesmo instante, o som de um tiro veio dos fundos da loja. Em seguida, um apito de polícia emitiu seu som de alerta. Uma metralhadora disparou em um ratatatá. Uma escopeta policial com cano serrado disparou duas vezes. Não houve mais sons de metralhadora.

Da frente da loja, a ação seguiu para a esquina. O policial que se abaixara atrás da caixa de correio esvaziou sua arma quando o carro guinou para fazer a curva na esquina.

Mas havia outros policiais espalhados pela calçada. E a grande viatura de polícia rugia em perseguição. O carro de turismo vomitou uma saudação mortal. Pequenas línguas de chamas perfurantes dispararam entre as frestas nas cortinas laterais do carro.

Então, uma bala da polícia atingiu o pneu traseiro esquerdo quando o carro estava no meio da curva.

Ele vacilou, balançou.

O motorista jogou seu peso no volante. Uma escopeta foi disparada, e o motorista apagou. O carro balançou, virou no meio-fio, derrapou para cima e capotou, deslizando de lado pela calçada.

Uma placa de vidro se estilhaçou. Madeira explodiu. Metal rangeu ao ser despedaçado. Depois, houve um momento de relativo silêncio.

Passos chocavam-se no asfalto.

Homens corriam na direção do carro. Pedestres fugiam gritando da cena do conflito. Homens corriam dos fundos da loja para a frente. Lanternas brilhando aqui e ali iluminaram a confusão lá dentro, o cofre aberto, seu conteúdo bagunçado.

Mas Dan Seller, disfarçado como o Garoto do Sapato de Couro Envernizado, não podia ser visto em lugar algum. Ele desaparecera como se tivesse evaporado.

Os sons da batalha continuaram pontuando o silêncio da noite. Apitos policiais soavam constantemente. Sirenes tocavam a distância, mais alto quando passavam perto. A maré da batalha varreu os becos escuros, depois silenciou.

Uma ambulância chegou com o repicar de um sino. Policiais formaram um cordão de isolamento e fizeram os curiosos recuarem para fora da zona ativa. E a multidão se aglomerou com muita rapidez. Havia pessoas de pijama e chinelo, com roupão de banho ou sobretudo por cima do pijama. Havia homens e mulheres em roupas de gala com aquele porte exageradamente digno típico das pessoas que tentam impressionar o mundo com sua sobriedade.

A multidão aumentou até um esquadrão de policiais começar a atravessá-la, dispersando as pessoas, mandando-as para casa. A ambulância levou corpos inertes de pele avermelhada. As portas e janelas quebradas da joalheria foram lacradas e protegidas. A paz e a ordem voltaram a reinar.

Dan Seller matava tempo no clube, fumando um charuto preto, observando as sombras da tarde subirem lentamente pelas paredes dos prédios do outro lado da rua.

Em torno dele, homens discutiam o roubo da joalheria. O assunto fora abordado durante toda a tarde, mas recebera um ânimo novo com a chegada do comissário Brame. O comissário discutia o caso com Hawkins, sócio majoritário da Hawkins & Grebe, e nenhum dos participantes da conversa parecia de muito bom humor.

Dan Seller conseguiu se juntar discretamente ao pequeno grupo.

— Parabéns, comissário. Você parece ter capturado uma gangue de bandidos bastante perigosa. Um registro maravilhoso, eu diria. Você sabe, passei por lá justamente quando o tiroteio estava no auge, e tive uma visão excelente até a polícia começar a dispersar a multidão. Eu disse a eles que era seu amigo, mas me mandaram embora do mesmo jeito.

O comissário olhou-o furioso.

— E foi muito apropriado que tenham feito isso! — disse ele com a voz rouca. — A interferência exagerada dos curiosos fez com que deixássemos escapar o maior bandido de todos.

— O quê?! — exclamou O Garoto do Sapato de Couro Envernizado, fingindo surpresa. — Quer dizer que alguém escapou do cordão de policiais que vocês instalaram no lugar?

— Hum — disse o comissário. — Isso não é nem metade da história. Ele simplesmente fez todos nós de trouxas. Recebemos a dica diretamente de um informante. Foi o Garoto do Sapato de Couro Envernizado quem roubou a joalheria. A gangue de Beppo não estava envolvida. Eles só estavam com raiva do Garoto e se espalharam pelo lugar, prontos para acabar com ele quando saísse com o roubo. Quando chegamos e os pegamos de surpresa, eles reagiram, naturalmente. Mas o Garoto do Sapato de Couro Envernizado escapou, e eu teria dado cinco anos da minha vida para ter colocado as mãos nele e eliminado pessoalmente aquele empecilho.

Dan Seller ergueu a sobrancelha.

— Mas, comissário, você me surpreende! O homem prestou um serviço a você. Possibilitou que cobrisse seu departamento de distinções, demonstrasse a proteção policial eficiente que está oferecendo à comunidade, e eliminou a gangue de Beppo! Ele me parece um benfeitor público. Mas como escapou?

O comissário Brame ficou enfurecido.

— Benfeitor! — gritou. — Sabe o que ele fez? Maldito! Levou alguns dos melhores itens, tudo que fora constatado como faltando, na verdade, e os enviou pelo correio para mim e minha esposa como presentes. Ele me colocou em uma situação desagradável e constrangedora. Foi um inferno explicar para minha esposa que ela precisava devolver tudo. Um relógio de pulso e um colar! Caramba! E quanto a escapar, diga-me e direi a você. Ele simplesmente evaporou!

Dan Seller franziu a testa, depois socou a palma da mão com o punho cerrado.

— Minha Nossa — disse ele, virando-se para Hawkins. — Quantos homens havia entre os manequins na sua vitrine, Hawkins?

O joalheiro grunhiu uma resposta breve:

— Quatro..

— Isso explica tudo — disse Seller. — Na primeira vez que passei pela loja, reparei na vitrine. Os policiais estavam entrando, empurrando as pessoas para o lado. Houve muita confusão. E reparei que havia cinco homens na vitrine, cinco manequins, sentados imóveis, olhando para a frente. E fiquei impressionado que houvesse cinco homens e apenas quatro mulheres. Por acaso, reparei nos sapatos do homem sentado no canto, perto da tela. Eram de couro envernizado, e...

O comissário Brame fez um barulho que parecia o som de um homem engasgando com um copo d'água.

Hawkins olhou para Dan Seller com um ar sombrio.

— Bem — ralhou ele. — Eu gostaria de recuperar aquele pingente de diamantes. Continua desaparecido.

Dan Seller sorriu.

Pois o pingente de diamantes também fora um dos pacotes enviados pelo correio. Mas aquele pacote fora endereçado diretamente para a esposa do comissário Brame.

Ele imaginou que ainda haveria mais explicações a serem dadas em breve na família do comissário.

E já era ruim o bastante daquela maneira. Brame andava de um lado para outro, chamando a atenção de vários olhares entretidos.

— Um manequim, é? Passou-se por um manequim, é? Bem debaixo do meu nariz! Quando os jornais souberem disso!... Patife maldito! Vou pegar ele um dia desses! E, quando o fizer... !

Dan Seller deu de ombros com desdém.

— Bem — disse ele —, vou dar uma caminhada no parque. Melhor ficar de olho na pressão, comissário. E, diga-se de passagem, Hawkins, você disse que era impossível que alguém roubasse sua loja. Eu falei, naquele momento, que "impossível" era uma palavra forte demais. Gostaria de ter me adiantado e feito uma aposta. Ah, bem, mais sorte da próxima vez! E, enquanto isso, os inimigos de Beppo, o Grego, devem estar rindo. Imagino que o submundo especulará um pouco... Isso não afetará o prestígio do Garoto do Sapato de Couro Envernizado. Bem, até logo, rostos rabugentos!

E ele se foi.

e, segundo, a quase impossibilidade de realizar o roubo propriamente dito (que envolvia roubar itens como uma teia de aranha, a água de uma piscina, um time de beisebol e uma serpente marinha).

"O roubo da sala vazia" foi publicado pela primeira vez na edição de setembro de 1972 da *Ellery Queen's Mystery Magazine*; foi incluído pela primeira vez em uma antologia em *The Thefts of Nick Velvet* (Nova York: Mysterious Press, 1978).

O ROUBO DO CÔMODO VAZIO

EDWARD D. HOCH

Nick Velvet estava empertigado na cadeira de encosto reto do hospital, olhando para o homem na cama diante dele. Precisava admitir que Roger Surman parecia doente, com bochechas e olhos fundos, e a pele pálida, que lhe dava a aparência de uma baleia encalhada e manchada. Ele era um homem enorme que tinha dificuldade para se mexer mesmo nas melhores condições. Agora, acamado e reclamando de dores no fígado, Nick perguntou-se se ele algum dia conseguiria sair da cama.

— Eles vão cortar esta banha pela manhã — disse ele a Nick. — Apostei com o médico que eles não têm um bisturi comprido o bastante para alcançar meu fígado.

Riu sozinho e depois pareceu cair no sono.

— Você queria me ver — disse Nick depressa, tentando chamar a atenção do doente.

— Isso mesmo. Eu queria ver você. Sempre lhe disse que se precisasse que um trabalho fosse feito, eu chamaria você. — Ele tentou erguer a cabeça. — A enfermeira está por aqui?

— Não. Estamos a sós.

— Ótimo. Agora, você cobra vinte mil... Certo?

Nick assentiu.

— Mas apenas para roubos comuns. Nada de dinheiro, joias, tesouros artísticos... Nada do tipo.

— Acredite em mim, não é nada do tipo. Acredito que seja um dos trabalhos mais incomuns que você já teve.

— O que quer que seja roubado? — perguntou Nick quando a cabeça do homem subiu e desceu outra vez.

— Primeiro, deixe-me lhe dizer onde está. Conhece meu irmão Vincent?

— O importador? Já ouvi falar dele.

— Está na casa de campo. O lugar está fechado para o inverno agora, então você não vai ter nenhum problema com guardas ou hóspedes. Há alguns alarmes nas janelas, mas nada sofisticado.

— Você quer que eu roube algo do seu irmão?

— Exatamente. Você vai encontrar em uma despensa nos fundos da casa. Ela é anexa à cozinha, mas tem a própria porta que abre para fora. Roube o que encontrar na despensa, e lhe pagarei vinte mil.

— Parece bastante simples — disse Nick. — O que exatamente vou encontrar lá?

Os olhos doentes pareceram brilhar por um instante.

— Algo que só você poderia roubar para mim, Velvet. Eu mesmo estive lá alguns dias atrás, mas os alarmes antirroubo foram demais para mim. Com toda esta gordura para carregar, e me sentindo tão mal, não consegui entrar. Eu sabia que precisava contratar um profissional, então na mesma hora pensei em você. O que quero que você roube é...

A enfermeira entrou de repente e o interrompeu.

— Calma, sr. Surman, não devemos nos cansar! A operação será às sete da manhã. — Ela virou-se para Nick. — Você deve ir agora.

— Velvet — chamou Roger Surman. — Espere. Tome uma foto dos fundos da casa. É esta porta, no final da entrada para carros. Examine-a e depois lhe direi...

Nick guardou a fotografia no bolso. A enfermeira estava impelindo-o com firmeza para fora do quarto e não havia chance de conversar mais sem que fossem entreouvidos. Nick suspirou e saiu do quarto. A missão parecia bastante fácil, mas ele ainda não sabia o que fora contratado para roubar.

De manhã, Nick dirigiu até a casa de campo de Vincent Surman. Era um dia sombrio de novembro — um dia mais para um funeral do que para uma operação —, e ele se perguntou como Surman estaria progredindo na cirurgia. Nick o conhecia de vista há dez anos, principalmente através do iate clube onde Nick e Gloria costumavam navegar nos meses de verão. Surman era rico, gordo e solitário. Sua esposa se divorciara dele há muito tempo e fora para as Índias Ocidentais com um jamaicano magro e bonito, deixando Surman com pouco na vida além do seu negócio de transportes de carga e da sua paixão por comida e bebida.

O irmão de Surman, Vincent, era o membro glamoroso da família, dono de uma casa de doze quartos na cidade, além da casa de campo. Sua esposa, Simone, era a resposta para os sonhos de todos os solteiros, e seu negócio de importação proporcionava renda suficiente para mantê-la constantemente como uma das mulheres mais bem-vestidas de Nova York. Em todos os aspectos, Vincent era a celebridade, enquanto Roger era o garoto gordo de passos pesados que ficara velho e solitário. Ainda assim, o negócio de transportes de carga de Roger não podia ser facilmente desconsiderado, não quando seus caminhões azuis e brancos eram vistos em quase todas as estradas.

Nick estacionou assim que saiu da estrada e seguiu pela entrada para carros longa e sinuosa que conduzia até a casa de campo de Vincent Surman. O lugar parecia fechado e deserto, como Roger dissera, mas, quando Nick se aproximou, viu janelas e portas cabeadas. O sistema de alarme parecia estar funcionando, mas não o deteria por muito tempo.

Seguindo as orientações de Roger e consultando a fotografia marcada, ele caminhou até o fim da entrada para carros, perto dos fundos da casa. Ali, ao lado da porta da cozinha, estava a porta da despensa que Surman indicara. Tanto a porta quanto a única janela estavam trancadas, mas naquele momento Nick estava ansioso para ver o que tinha ali — o que ele fora contratado para roubar por vinte mil dólares.

Olhou pela janela e encontrou um cômodo com cerca de sete metros de profundidade e quatro de largura, com uma porta interna que dava para a cozinha.

O cômodo, com as paredes pintadas de vermelho, teto branco e chão de madeira, estava vazio. Completamente vazio.

Não havia nada lá dentro para Nick Velvet roubar.

Nick dirigiu até chegar a um telefone público a um quilômetro e meio descendo a estrada e ligou para o hospital. Só puderam lhe informar que Roger Surman estava na sala de recuperação após a cirurgia e certamente não poderia falar com ninguém nem receber visitas pelo resto do dia.

Nick suspirou e desligou. Por um instante, ficou mordendo o lábio inferior, depois voltou para o carro. No momento, era impossível falar com Surman e obter uma pista para o enigma. Nick precisaria solucioná-lo sozinho.

Ele dirigiu de volta para a casa de campo e estacionou. Pelo que imaginava, havia apenas duas possibilidades: ou o objeto que deveria ser roubado fora removido desde que Roger o vira, alguns dias antes, ou ainda estava lá. Caso tivesse sido retirado, Nick precisaria encontrá-lo. Se ainda estivesse lá, havia somente um lugar onde poderia estar: na mesma parede em que ficava a única janela, portanto estava fora do seu campo de visão do lado de fora.

Trabalhando com cautela, Nick desativou o sistema de alarme e abriu a porta da despensa. Parou assim que entrou, deixando os olhos percorrerem cada centímetro das paredes, do chão e do teto do lugar. A parede da janela estava tão vazia quanto as outras. Não havia nem sequer buracos de pregos que indicassem que um quadro pudesse ter sido pendurado ali.

E, conforme os olhos de Nick esquadrinhavam o cômodo, ele se deu conta de outra coisa: nada, nem ninguém, estivera naquele aposento por no mínimo várias semanas — uma camada de poeira intocada cobria o chão. Nenhuma marca, nenhuma pegada. Nada.

Ainda assim, Surman dissera a Nick que estivera ali apenas alguns dias antes, tentando entrar na despensa e roubar algo que sabia que estava lá dentro — algo que, obviamente, conseguia ver pela janela.

Mas o que era?

— Por favor, mãos para cima — disse de repente uma voz atrás dele. — Estou armada.

Nick se virou lentamente, erguendo as mãos. Deparou-se com uma garota baixa de cabelo escuro com traje de montaria e botas, que segurava uma espingarda de dois canos apontada para a barriga dele. Xingou a si mesmo por não ter escutado a aproximação dela.

— Abaixe isso — disse ele rispidamente, com indignação na voz. — Não sou ladrão.

Mas a espingarda permaneceu onde estava.

— Você poderia ter me enganado — disse ela com a voz arrastada, demonstrando uma mistura de origens sulistas e da Costa Leste. — Imagino que você vai se identificar.

— Sou um corretor de imóveis. Imobiliária Nicholas... Aqui está meu cartão.

— Cuidado com as mãos!

— Mas eu já lhe disse... Não sou ladrão.

Ela suspirou e abaixou a espingarda.

— Tudo bem, mas nada de truques.

Ele entregou a ela um dos cartões de visita que carregava justamente para aquele tipo de situação.

— Você é dona desta propriedade, senhorita?

Ela enfiou o cartão no elástico da calça de montaria.

— É senhora, e meu marido é o proprietário. Sou Simone Surman.

Nick se permitiu relaxar um pouco enquanto ela colocava a espingarda embaixo do braço, apontada para longe dele.

— Mas é claro! Eu deveria ter reconhecido você das fotos nos jornais. Está sempre na lista das mais bem-vestidas.

— Estamos falando de você, sr. Nicholas, não de mim. Encontro você ao lado de uma porta aberta que deveria estar trancada, e você me diz que é um corretor. Vocês sempre carregam uma chave mestra hoje em dia?

Ele riu, recorrendo ao seu melhor charme de vendedor.

— Não, sra. Surman. Um cliente manifestou interesse por sua propriedade, portanto dirigi até aqui para dar uma olhada. Encontrei a porta aberta, desta maneira, mas pode ver que só dei um passo para dentro.

— Ainda assim é invasão de propriedade.

— Então, peço desculpas. Se eu soubesse que você estava por perto, certamente teria lhe contatado primeiro. Eu tinha entendido que a casa estava fechada para o inverno.

— Correto. Eu estava cavalgando até os estábulos e vi seu carro na estrada. Decidi investigar.

— Você sempre carrega uma espingarda?

— Estava no carro... É parte do equipamento de caça do meu marido.

— Você a maneja bem.

— Sei usá-la. — Apontou na direção da casa. — Já que está aqui, gostaria de conhecer o interior?

— Muito. Presumo que este cômodo seja uma despensa, certo?

Ela observou o interior do lugar.

— Sim. Não é usada há algum tempo. Não sei por que a porta estava aberta e destrancada. — Ela olhou para os fios do alarme, mas pareceu não perceber que tinham sido desativados. — Venha para a frente da casa.

A casa era mesmo extraordinária, totalmente mobiliada em um estilo colonial que incluía um enorme forno de tijolos na cozinha. Nick observou tudo, fazendo comentários imobiliários apropriados, e por fim eles voltaram à porta da despensa.

— O que costumava ficar aqui? — perguntou Nick — É estranho que esteja vazia quando o resto da casa é completamente mobiliado.

— Ah, lenha para o forno da cozinha, suprimentos, essas coisas. Eu disse que não era usada há algum tempo.

Nick assentiu e fez uma anotação no caderno.

— Presumo que a casa estaria à venda, se o preço fosse apropriado, não?

— Tenho certeza de que Vincent não consideraria nada abaixo de cem mil. A propriedade tem um terreno muito grande.

Conversaram mais um pouco e Simone Surman acompanhou Nick de volta ao carro. Ele prometeu que telefonaria para seu marido com uma oferta dali a alguns dias. Ao partir com o carro, viu que ela o observava. Ele não tinha dúvida de que Simone acreditara na sua história, mas também sabia que mandaria consertar o alarme no dia seguinte.

As notícias no hospital não eram boas. Roger Surman sofrera complicações pós-operatórias, e poderia demorar dias até que pudesse receber visitas. Nick deixou o lugar um pouco deprimido, com visões do seu pagamento voando como uma folha no outono.

Ele nunca fora confrontado com um problema como aquele. Contratado para roubar algo não identificado de um cômodo que provara estar completamente vazio, ele não tinha como retomar contato com seu cliente para obter mais informações. Se esperasse até que Roger estivesse fora de perigo e capaz de falar outra vez, provavelmente comprometeria todo o trabalho, pois as suspeitas de Vincent Surman e da esposa só aumentariam quando nenhuma proposta imobiliária fosse feita nos dias seguintes.

Talvez, Nick decidiu, ele devesse visitar a casa de Roger Surman. Ele poderia encontrar alguma pista sobre o que o homem gordo queria que fosse roubado. Ele dirigiu ao longo da margem do rio por vários quilômetros, até chegar a uma casa de rancho pequena mas obviamente cara, onde Roger morara sozinho nos últimos anos.

Começando pela garagem, ele arrombou facilmente a fechadura com suas ferramentas. O carro lá dentro era uma limusine último modelo com apenas alguns milhares de quilômetros rodados. Nick examinou-o e começou a trabalhar no bagageiro. Havia sempre a possibilidade, ainda que remota, de que Roger tivesse sido bem-sucedido na própria tentativa de roubo, mas, por algum motivo, não tivesse dito a verdade para Nick. Mas no bagageiro havia apenas um estepe, um macaco, um saco de fertilizante parcialmente vazio e uma lata de tinta vermelha. O interior imaculado do carro continha uma cópia do *The New York Times* da semana anterior, um pequeno aspirador de pó de mão para o estofamento e um dispositivo eletrônico cujo botão, quando pressionado, abria ou fechava o portão automático da garagem. A menos que Nick estivesse disposto a acreditar que o fertilizante tivesse sido o objeto do roubo, não havia nada no carro que o ajudasse.

Ele tentou a casa em seguida, entrando pela porta interna da garagem, e encontrou uma cozinha arrumada, com um escritório mais além. Era óbvio que Roger Surman tinha uma empregada que limpava o lugar, porque nenhum homem solteiro morando sozinho deixaria a casa tão impecável. Ele folheou rapidamente os papéis na escrivaninha, mas não encontrou nada de valor. Um extrato financeiro da Surman Travelers mostrava que fora um ano ruim para a empresa de transportes de carga. Havia várias perdas cobertas por seguradoras, e Nick perguntou-se se Roger estava recuperando parte da renda perdida por meio de solicitações falsas.

Ele explorou mais, procurando alguma menção ao irmão do homem, alguma dica do que o cômodo vazio pudesse ter contido. Havia algumas cartas, um convite de Simone Surman para jantar e, finalmente, um recibo recente de uma agência de detetives particulares de Nova York. Depois de mais uma hora procurando, Nick concluiu que o detetive particular era a única pista.

Ele dirigiu até Manhattan logo cedo no dia seguinte, estacionando em uma das rampas que saíam da Sexta Avenida. A Agência Altamont não era a ideia que Nick tinha de um típico escritório de detetive particular, com secretárias estilosas, mesas com bordas cromadas e amplas janelas fumê com vista para o Rockefeller Center. Mas Felix Altamont adequava-se ao local. Era um homem pequeno e estiloso de fala suave, que recebeu Nick em uma sala de reunião com paredes de cortiça, pois um cliente o aguardava no escritório.

— Você deve estar percebendo que sou um homem ocupado, sr. Velvet. Só posso lhe conceder alguns minutos. Trata-se de um caso?

— Sim. Acredito que tenha feito um trabalho para Roger Surman.

Altamont balançou sua cabeça calva.

— Que tipo de trabalho?

O detetive recostou-se na cadeira.

— Sabe que não posso discutir casos de clientes, sr. Velvet.

Nick olhou ao redor, para os objetos de decoração caros.

— Poderia ao menos me dizer que tipos de caso aceita? Casos de divórcio não pagam por este tipo de decoração.

— Correto. Na verdade, não aceitamos casos de divórcio. A Agência Altamont lida exclusivamente com crimes industriais... Fraudes, roubos, espionagem industrial, essas coisas.

Nick assentiu.

— Então, a investigação que conduziu para Roger Surman foi em uma dessas áreas.

Felix Altamont pareceu magoado.

— Não tenho liberdade para responder isso, sr. Velvet.

Nick pigarreou, pronto para seu blefe final.

— Acontece que estou a serviço de Roger Surman. Ele me contratou para tentar dar um fim a suas grandes perdas com seguros. A empresa está ameaçando cancelar a apólice dele.

— Então você sabe sobre os roubos. Por que me procurou com essas perguntas?

— Claro que sei sobre os roubos dos caminhões de Surman, mas, com meu patrão no hospital, achei que você pudesse me informar os detalhes.

— Surman está hospitalizado?

— Está se recuperando de uma operação no fígado. Agora, vamos encerrar esta briga e tratar de negócios. O que foi roubado dos caminhões dele?

Altamont resistiu por mais um tempo, depois suspirou e respondeu:

— Várias coisas. Um carregamento de máquinas em um mês, um carregamento de tecidos no seguinte. O roubo mais recente foi uma carga de folhas de tabaco, há três semanas.

— No sul?

— Não, aqui. Tabaco de Connecticut cultivado à sombra. Nenhuma colheita no país tem um preço tão alto por hectare. É um produto muito valioso para os ladrões.

Nick assentiu.

— Por que abandonou a investigação?

— Quem disse que a abandonei?

— Se você tivesse obtido sucesso, Surman não precisaria de mim.

O detetive particular ficou em silêncio por um instante, depois disse:

— Eu lhe falei que não tratamos de casos de divórcio.

Nick franziu a testa, depois se animou de imediato.

— A cunhada dele, Simone.

— Exatamente. Roger Surman parece determinado a culpar o irmão pelos roubos, aparentemente com o único objetivo de causar um divórcio. Ele é um homem solitário, sr. Velvet. Não lhe trará nada além de problemas.

— Vou correr o risco — disse Nick. — Obrigado pela informação.

Quando Nick chegou ao hospital no final da tarde, foi interceptado por um homem musculoso de cabelo grosso que era bastante parecido com Roger Surman.

— Você é Velvet, não é? — indagou o homem.

— Correto. E você deve ser Vincent Surman.

— Sou. Você está trabalhando para o meu irmão.

— As notícias correm rápido.

— Você esteve ontem fuçando na minha casa de campo. Minha esposa pegou você no flagra. Hoje de manhã, você esteve em Nova York, conversando com o detetive que meu irmão contratou.

— Quer dizer que Altamont está do seu lado agora.

— Todos estão do meu lado se os pago o bastante. Contrato a Agência Altamont para fazer inspeções de segurança periódicas para minha empresa de importação. Claro que ele ligou para mim assim que você saiu do escritório. A descrição que ele me deu de você correspondia à que Simone me dera.

— Espero que tenha sido elogiosa.

— Não estou de brincadeira, Velvet. Meu irmão é um homem doente, mental e fisicamente. Qualquer coisa que faça em nome dele pode muito bem colocar você na cadeia.

— É verdade — concordou Nick, com um sorriso.

— Quanto quer que ele esteja pagando a você, pago o dobro.

— Meu trabalho para ele está praticamente concluído. Assim que ele estiver bem para receber visitas, cobrarei meu pagamento.

— E qual foi seu trabalho, exatamente?

— É um assunto confidencial.

Vincent Surman comprimiu os lábios, observando Nick.

— Muito bem — disse ele, e partiu.

Nick observou-o seguir para o estacionamento do hospital. Depois, foi até o balcão de informações e pediu que chamassem o médico encarregado do caso de Roger Surman. O médico, um jovem agitado com um jaleco branco que balançava atrás dele, apareceu dez minutos depois e deu notícias encorajadoras.

— O sr. Surman passou bem a noite. Ele já superou o pior. Acho que poderá vê-lo por alguns minutos amanhã.

Nick deixou o hospital e voltou para o carro. Tudo estava dando certo agora: o dinheiro estava praticamente no banco. Ele seguiu pela estrada de campo até a casa de Vincent Surman e, desta vez, pegou a entrada para carros e contornou a propriedade, sem ser visto da estrada.

Trabalhando rápida e silenciosamente, Nick desativou o alarme e abriu outra vez a porta da despensa. Desta vez, sabia o que procurava. A caminho do hospital, ele fizera uma parada para pegar a lata de tinta vermelha do bagageiro do carro de Roger. Ele a carregava ao passar pela porta e entrar no cômodo vazio. Ficou de pé por alguns instantes, olhando para as paredes vermelhas, depois começou o trabalho.

Enquanto dirigia até a casa de campo, Nick pensara que poderia haver uma ligação entre a lata de tinta vermelha no bagageiro de Roger Surman e as paredes vermelhas do cômodo vazio. Roger fora de carro até a casa de campo alguns dias antes da operação para tentar roubar por conta própria. Se a tinta nas paredes fosse o alvo de Roger — a própria tinta —, ele poderia tê-la substituído pela tinta vermelha fresca da lata.

Nick roubara coisas estranhas em seu tempo, e remover a tinta das paredes de um cômodo lhe parecia apenas um pouco incomum. A tinta poderia cobrir diversas coisas valiosas. Certa vez ele lera sobre um quarto que fora revestido com notas de cem dólares roubadas de um banco e depois cuidadosamente coberto com papel de parede. Talvez algo parecido tivesse sido feito ali, e depois tivessem passado uma camada final de tinta vermelha.

Ele começou a raspar cuidadosamente a tinta, ansioso para ver o que havia por baixo. Mas ficou decepcionado quase de imediato. Não tinha nenhum papel de parede sob a tinta: não apareceu nada além de gesso.

Ele fez uma pausa para pensar, depois se virou para a lata que trouxera. Levantando a tampa, logo detectou seu erro. O vermelho na lata era muito mais brilhante do que o nas paredes, era de um tom completamente diferente. Ele examinou a lata com mais atenção e notou que era tinta marítima, obviamente destinada para o barco de Roger Surman. A presença dela no bagageiro de Roger fora apenas uma coincidência irritante.

Antes que Nick tivesse tempo de amaldiçoar sua falta de sorte, ele ouviu um carro chegando. Saiu da despensa, fechou a porta e quase alcançou seu carro antes que dois homens aparecessem contornando a casa. O mais próximo dos dois apontava um revólver de cano curto para o peito de Nick.

— Pare bem aí, senhor! Você vem conosco.

Nick suspirou e ergueu as mãos. Percebeu pelos olhos gélidos dos homens que eles não poderiam ser convencidos tão facilmente quanto Simone Surman.

— Tudo bem — disse ele. — Para onde?

— Para o nosso carro. Vincent Surman tem mais algumas perguntas para você.

Empurrado pela arma, Nick não ofereceu resistência. Sentou-se no banco de trás com um dos homens ao seu lado, mas o carro continuou parado. Naquele momento, o segundo homem voltou da casa.

— Ele está vindo. Disse para mantê-lo aqui.

Eles aguardaram mais vinte minutos em silêncio, até que, finalmente, o carro de Surman apareceu na entrada. Simone estava com ele, envolta por um casaco de pele para se proteger do frio da tarde de outono.

— A arma não era necessária — disse Nick, saindo do carro para cumprimentá-los.

— Achei que poderia ser — respondeu Vincent Surman. — Mandei seguirem você do hospital. Você é um ladrão, Velvet. Consegui informações a seu respeito. Roger contratou você para roubar algo de mim, não foi?

— Olhe você mesmo ao redor. Há algo faltando?

— Venha conosco... Vamos ver.

Com os dois pistoleiros por perto, Nick não tinha escolha. Seguiu Vincent e Simone até a porta da despensa.

— Foi aqui que o encontrei daquela vez — disse a mulher ao marido e, espirrando de repente, apertou mais o casaco em torno do corpo.

— Ele também estava aqui nos fundos quando o encontrei — confirmou o pistoleiro.

Vincent destrancou a porta da despensa.

As paredes os encaravam de volta, inexpressivas. Vincent Surman examinou o lugar onde a tinta fora raspada, mas não descobriu nada. Ele saiu e deu uma volta, examinando os fundos da casa.

— O que está procurando, Velvet?

— O que há para pegar? A sala está vazia.

— Talvez ele esteja atrás de algo na cozinha — sugeriu Simone.

Vincent ignorou a sugestão da esposa, relutante em deixar os fundos da casa. Por fim, após outra pausa, disse para Nick:

— Tudo bem. Vamos examinar o restante da propriedade.

Uma hora mais tarde, depois de se convencerem de que nada estava faltando, e depois dos pistoleiros revistarem minuciosamente Nick e seu carro, Vincent foi convencido de que nada fora roubado.

— Para o que é a tinta? — perguntou a Nick.

— Para o meu barco.

Vincent suspirou e deu meia-volta.

— Roger é louco. Você deve saber disso. Nada lhe deixaria mais feliz do que causar o fim do meu casamento com Simone ao me acusar de cometer algum crime. Altamont foi contratado para provar que eu estava roubando os caminhões de Roger e vendendo os produtos através do meu negócio de importações. Ele esperava que Simone brigasse comigo por causa disso e me deixasse.

Nick apontou para os pistoleiros.

— Estes dois capangas poderiam se passar por ladrões todo dia.

Um dos homens avançou na direção dele, mas Vincent gritou para que parasse. Os olhos de Simone se arregalaram, como se ela estivesse vendo os funcionários do marido pela primeira vez.

— Não precisa mandá-los parar — disse Nick.

Desta vez, o homem mais próximo pulou na direção dele, e o punho de Nick o atingiu no queixo. O segundo homem sacou de novo o revólver, mas, antes que pudesse erguê-lo, Simone agarrou seu braço.

— Simone! — gritou Vincent. — Fique fora disso!

Ela se virou para o marido, os olhos faiscando.

— Nunca soube que você usava capangas, Vincent! Talvez Roger saiba do que está falando! Talvez você realmente esteja roubando os caminhões dele para tentar arruiná-lo.

— Fique quieta!

Nick recuou, os olhos ainda fixos nos dois capangas.

— Estou indo agora — disse ele. — Vocês dois podem continuar brigando.

Ninguém tentou impedi-lo. Enquanto contornava com o carro as outras pessoas na entrada, viu Vincent Surman ainda discutindo com a esposa.

Na manhã seguinte, Roger Surman estava sentado na cama, terminando um café da manhã fraco, quando Nick entrou no quarto do hospital. Olhou para a sacola de papel que Nick carregava, depois para o rosto dele.

— Estou muito feliz em ver você, Velvet. Desculpe-me por não ter tido a oportunidade de lhe dizer o que queria que roubasse.

— Você não precisou me contar — disse Nick, com um sorriso. — Depois de dois passos em falso, descobri o que era.

— Quer dizer que conseguiu?

— Sim, consegui. Tive alguns desentendimentos com seu irmão e a esposa no meio do caminho, mas concluí o trabalho ontem à noite.

— Como você sabia? Como poderia saber?

— Conversei com seu detetive, Altamont, e descobri sobre os roubos. Quando comecei a pensar sobre o assunto... A casa de campo, a entrada que levava até a despensa... Meu raciocínio deve ter sido muito parecido com o seu. Os ladrões contratados por Vincent estavam levando os produtos dos roubos para lá e deixando-os na despensa até que fossem transferidos para os caminhões da empresa de importação.

O homem gordo mexeu-se desconfortavelmente.

— Isso mesmo. Tentei contar para Simone, mas ela me pediu provas.

— Acho que ela conseguiu agora. E acho que você também. Não foi fácil encontrar algo para roubar um cômodo vazio... Algo que valesse vinte mil dólares para você. Primeiro, considerei a despensa propriamente dita, mas você precisaria de equipamentos pesados para isso... E você me disse que havia tentado efetuar o roubo por conta própria. Isso me levou ao seu carro, e encontrei a lata de tinta no bagageiro. Depois, quase roubei a tinta das paredes para você, até que também eliminei essa possibilidade. Por fim, lembrei-me do último carregamento que foi roubado algumas semanas atrás. Eram fardos de folhas de tabaco valiosas, e com certeza esse tipo de carregamento deixaria rastros da sua presença. Ontem, na casa, Simone entrou na despensa e espirrou. Então me lembrei de outra coisa que tinha visto no seu carro.

Roger Surman assentiu.

— O pequeno aspirador de pó de mão. Eu pretendia usá-lo se conseguisse desativar os alarmes.

Nick Velvet assentiu e abriu a sacola de papel que ainda carregava.

— Usei ontem à noite... para roubar a poeira do chão daquele cômodo vazio.

VILÃO: BART TAYLOR

O CHAMARIZ
STEPHEN MARLOWE

Autor prolífico de ficção popular, especialmente de ficção científica e mistérios, Stephen Marlowe (1928-2008) era mais conhecido por sua longa série de romances sobre o aventureiro detetive particular internacional Chester Drum, começando com *The Second Longest Night* (1955) e terminando uma série de vinte sucessos com *Drum Beat — Marianne* (1968).

O personagem de Drum claramente deve muito a Mike Hammer, o detetive particular durão de Mickey Spillane. Enquanto a maioria dos casos de Hammer se passava em Nova York, o itinerante Drum se envolvia na solução de crimes em locais distantes, como Arábia Saudita, Iugoslávia, Alemanha, Índia, América do Sul e Islândia. Conhecido como Chet, ele era solteiro, tinha uma garrafa de bebida no escritório e carregava uma pistola que não tinha medo de usar.

Nascido Milton Lesser no Brooklyn, Nova York, o escritor mudou legalmente seu nome para Stephen Marlowe na década de 1950, um dos muitos pseudônimos que usou ao longo de sua longa e produtiva carreira. Outros nomes que usou foram Adam Chase, Andrew Frazer, Darius John Granger, Jason Ridgway, C.H. Thames e Stephen Wilder. Foi também um dos vários autores que escreveram os últimos romances de Ellery Queen, sendo o seu intitulado *Dead Man's Tale* (1961). Colaborou em *Double in Trouble* (1959) com o popular Richard S. Prather, quando Drum se juntou a Shell Scott, o detetive particular da série de Prather.

Marlowe foi contemplado com The Eye, o prêmio pelo conjunto da obra concedido pela Private Eye Writers of America. Também recebeu o Prix Gutenberg du Livre, um prêmio literário francês.

"O chamariz" foi publicado originalmente em *A Choice of Murders*, editado por Dorothy Salisbury Davis (Nova York: Scribner, 1958).

O CHAMARIZ

STEPHEN MARLOWE

Eddie olhava para todos os lados, espantado. A multidão chegava devagar, mas constantemente. Eles não sabiam que estavam observando um Eddie espantado. Era isso que fazia um bom chamariz, um chamariz profissional.

Claro que ele estava vestido como todos os caipiras locais. Usava um terno xadrez puído, trespassado, amarrotado e que saíra de moda há muitos anos, além de uma camisa horrível não exatamente branca com a gola aberta, sem gravata. E parecia espantado.

Ele tinha olhos grandes e fundos, com olheiras marcantes em cada lado do nariz comprido e fino. Seu lábio inferior pendia em um encantamento inocente. Ele não fazia a barba há 24 horas. Parecia exatamente como se tivesse acabado de chegar da linha de montagem da fábrica de tratores na estrada em Twin Falls: com o corpo rígido, com os ossos doídos e precisando se divertir. Impressionado, ele observava — os olhos esbugalhados e a boca aberta — Bart Taylor, o anunciante do espetáculo, que postulava, persuadia, declamava e prometia ao grupo considerável de moradores da cidade que arrastavam os pés atraídos conscientemente por seu discurso e inconscientemente pelo olhar embasbacado de Eddie.

Ele era um chamariz magnífico e sabia disso, e Bart Taylor também sabia. Não apenas as pessoas no espetáculo "Mundos Maravilhosos" sabiam; todas as pessoas das outras barracas do parque de diversões sabiam, de modo que, quando os negócios estavam devagar, às vezes eles iam apenas ver Eddie espantado, invocando a multidão com seu olhar, e sabiam, sem ter estudado psicologia, assim como Eddie sabia, que havia algo nada cientificamente magnético em um chamariz tão esplêndido quanto Eddie.

Costumavam chamar Eddie de Carneiro de Judas (cinicamente, pois os caipiras estavam sendo levados para o matadouro financeiro) e de Flautista Mágico (pois os caipiras seguiam como crianças inocentes a música silenciosa de seus olhos maravilhados e sua boca aberta). Mas tudo isso foi antes de Eddie se apaixonar por Alana, a húri do Turquestão que fazia a dança dos véus no "Mundos Maravilhosos". Alana era de Baltimore, e seu nome verdadeiro era Maggie O'Hara. Numa bela noite, quando acabara de se juntar ao parque de diversões em uma cidadezinha nos arredores de Houston, Texas, roubou o coração de Eddie de forma definitiva e para sempre. Depois daquilo, Eddie ficou tão triste, seus olhos tão cheios de anseio, que não o chamavam mais de muita coisa e não falavam muito com ele, apenas o deixavam fazer seu trabalho, que era servir de chamariz.

Desde o começo, Eddie não tinha nenhuma chance. Ele era um chamariz. Estava apaixonado por Alana, que era pálida, delicada e bela, e todos perceberam de imediato que ele estava apaixonado por ela. Em uma semana, todos os homens no parque de diversões estavam interessados em Alana, a quem ninguém chamava de Maggie. Em um mês, todos estavam apaixonados por Alana, cada um à sua própria maneira, e não porque ela os atraíra, mas porque Eddie era um chamariz. Era simples assim. Alana, no entanto, por seus próprios motivos, permanecia alheia às investidas de todos. E o mais apaixonado de todos era Bart Taylor, anunciante e proprietário do "Mundos Maravilhosos".

Agora, Bart encerrou seu papel de chamariz e Eddie subiu no palanque, parecendo tímido e indeciso, para comprar o primeiro ingresso. Bart tirou o chapéu de palha, secou o suor da testa e vendeu um ingresso para Eddie. Boa parte do grupo de caipiras que arrastavam os pés formou uma fila atrás de Eddie e também comprou ingressos. Eles sempre compravam.

Lá dentro, Eddie assistiu zelosamente ao espetáculo, viu Fawzia, a mulher gorda, desfilar com suas montanhas de pele; viu Herko, o homem forte, que na verdade fora um halterofilista; viu o truque do espelho da Garota Tartaruga, que era do Brooklyn, mas deixara de ser novidade em Coney Island e agora estava na estrada; viu o Homem Leopardo e o Engolidor de Fogo, que também podia esmagar e aparentemente engolir lâmpadas velhas e lâminas de barbear; viu Dama Misteria, emprestada pela barraca de leitura de mãos mais para o final do passeio central para ler a sorte no "Mundos Maravilhosos"; e Sligo, um artista de fugas suado, de rosto vermelho, que usava algemas falsas para fazer o que Houdini fizera com as verdadeiras.

Mas Alana não estava lá. Eddie aguardou ansiosamente pela sua apresentação da dança dos véus, que encerrava o espetáculo, mas o entretenimento da noite terminou com Sligo. Depois, as barracas e as cabines dentro da tenda enorme permaneceriam funcionando, apesar do palco central estar escuro. Os caipiras, vagando apáticos sob a lona flácida tanto porque fazia calor quanto porque sentiam que havia algo faltando no espetáculo, tinham deixado o lixo esperado (pacotes de amendoim, garrafas de refrigerante e embalagens amassadas de sanduíche) nas passagens estreitas entre as cadeiras dobráveis de madeira diante do palco.

Eddie encontrou Bart Taylor diante do seu trailer, derramando o conteúdo do saco de camurça em uma mesa e contando o faturamento.

— Dois dólares e meio — disse Bart. — Nada mau.

— Por que Alana não dançou? — perguntou Eddie.

— Vai ver ela está doente ou alguma coisa assim.

— Ela não disse nada?

— Não a vi — disse Bart Taylor, ordenando as notas e as moedas em pilhas arrumadas sobre a mesa à sua frente.

Ele vestia uma jaqueta xadrez leve e chamativa com lapelas largas e altas de um material mais fino. Uma delas estava rasgada, um pequeno pedaço recortado faltando bem abaixo do cravo vermelho murcho que sempre usava. O cravo também parecia ter perdido metade das pétalas.

— Bom, vou até o trailer dela — disse Eddie.

— Eu não faria isso.

Eddie olhou para ele, surpreso.

— E por que não?

— Porque não — disse Bart rapidamente. — Talvez ela esteja doente e dormindo, ou algo assim. Você não gostaria de incomodá-la.

— Bom, vou até lá para ver.

Havia uma pá e uma picareta sob a mesa no trailer de Bart Taylor. Eddie não as tinha visto.

— Não vá — disse Bart, levantando-se.

O sapato pesado dele fez um som rascante e alto ao encostar na pá. Ele era um homem grande, muito maior que Eddie, e, às vezes, quando o parque de diversões estava indo muito mal, sem faturar nada, todos faziam um pouco de bagunça e Bart conseguia impressionar até Herko, o Homem Forte, que fora halterofilista.

— Certo — disse Eddie, mas não estava falando sério.

Saiu, e o ar estava muito quente e carregado de umidade. Ele olhou para cima, mas não encontrou nenhuma estrela. Perguntou-se o que havia de errado com Bart Taylor para que agisse daquela maneira. Ele seguiu pelo caminho central ainda lotado até o outro grupo de trailers no lado oposto do parque de diversões, depois da galeria de tiro ao alvo, onde os caipiras locais tentavam acertar os patos, as chamas das velas e o grande gongo que balançava com munição calibre .22. Passou pela barraca de tiro ao alvo com bolas de beisebol, onde prateleiras de tranqueiras baratas aguardavam os vencedores, e pelo idiota que consertava parte da fiação do carrossel. Por algum motivo, Eddie estava com medo. Ele quase nunca suava, por mais quente que estivesse. Um chamariz pareceria obviamente entusiasmado demais caso suasse. Mas estava sentindo o suor formando gotas na sua testa e escorrendo das axilas. No entanto, não estava com calor. Sentia muito frio.

Não havia nenhuma luz nas janelas do trailer de Alana. O aviso de não perturbe pendia na maçaneta. O barulho do caminho central estava abafado e distante, exceto pelos estampidos explosivos da galeria de tiro ao alvo. Eddie bateu na porta de alumínio e chamou, em voz baixa:

— Alana? Alana, é Eddie.

Nenhuma resposta. Ele acendeu um cigarro, mas tinha gosto de palha. Seus dedos molhados descoloriam o papel. Jogou o cigarro fora e tentou abrir a porta. Não estava trancada.

Lá dentro, Eddie não via nada na escuridão. Sua mão tateou em busca do interruptor. O gerador estava fraco: a luz no teto tremulou em um amarelo–claro e emitiu um leve zumbido.

Alana estava ali. Estirada no chão, usando seus seis véus translúcidos. Sob a luz amarelada, seus membros compridos eram como ouro sob os véus. Eddie ajoelhou-se ao seu lado. Estava chorando baixinho antes mesmo de seus joelhos tocarem o chão. Os olhos de Alana estavam abertos, mas não viam nada. O rosto dela estava inchado, a língua para fora da boca. Do pescoço para baixo, era linda. Do pescoço para cima, Eddie ficava nauseado ao olhar para ela.

Fora estrangulada.

Ele deixou a cabeça cair no peito dela. O coração não batia. O corpo ainda não enrijecera.

Levantou-se e arrastou os pés pelo interior daquele pequeno trailer. Não sabia quanto tempo ficara ali. Vomitou no chão. Finalmente, voltou para o corpo. Na mão direita, Alana segurava um pedaço rasgado de tecido xadrez. Havia pétalas vermelhas de cravo espalhadas como gotas de sangue pelo piso.

— Muito bem, Eddie — disse Bart Taylor em voz baixa. — Não se mova.

Eddie virou-se devagar. Não ouvira a porta abrir. Olhou para Bart Taylor, que segurava uma pistola, apontando-a sem vacilar para Eddie.

— Você a matou — afirmou Eddie.

— Você a matou — retrucou Bart Taylor. — Minha palavra contra a sua. Sou dono deste espetáculo. Quem é você? Um zé-ninguém. Um chamariz. É minha palavra contra a sua.

— Por que fez isso?

— Ela não olhava para mim. Eu a amava. Até disse que me casaria com ela. Ela me odiava. Não suportei que me odiasse. Mas não tive a intenção de matá-la.

— O que vai fazer? — perguntou Eddie.

— O jipe está lá fora. Com ferramentas. Vamos levá-la para longe e enterrá-la.

— Eu, não — disse Eddie.

— Preciso de ajuda. Você vai me ajudar. Um chamariz. Um zé-ninguém. Todos sabem que estava apaixonado por ela. É melhor me ajudar.

— Seu paletó — disse Eddie. — O cravo. Vão saber que foi você.

— Não se a enterrarmos.

— Eu, não — repetiu Eddie.

— Está tarde. Ainda há trinta, talvez quarenta pessoas no caminho central. Precisamos arriscar agora. Parece que vai chover. Não vamos conseguir fazer isso na chuva. Vamos levá-la para o jipe agora, Eddie.

— Não — respondeu Eddie.

Ele não estava chorando, mas seus olhos estavam vermelhos.

Bart se aproximou dele. Eddie achou que ele ia se curvar sobre o corpo, mas Bart avançou com a arma na mão, raspando a mira na bochecha de Eddie, que caiu, quase atingindo o corpo de Alana.

— Levante-se — ordenou Bart — Você vai fazer isso. Juro que mato você se não fizer.

Eddie ficou sentado. Sangue na bochecha. A luz amarela zumbindo. Bart elevando-se sobre ele, gigantesco, ameaçador. Alana morta. Morta.

— De pé — disse Bart. — Antes que comece a chover.

Quando Eddie se levantou, Bart o atingiu outra vez com a pistola. Eddie teria caído de novo, mas Bart o segurou.

— Você vai fazer isso — afirmou. — Não posso fazer sozinho.

— Tudo bem — disse Eddie. — Estou enjoado. Preciso de um pouco de ar.

— Vai pegar um pouco de ar no jipe.

— Não. Por favor. Eu não conseguiria ajudar você. Deste jeito. Ar primeiro. Tudo bem?

Bart o analisou, depois assentiu.

— Vou ficar de olho em você — disse ele. — Não tente fugir. Vou pegar você. Tenho a pistola. Vou matar você se precisar.

— Não vou tentar fugir — prometeu Eddie.

Ele saiu devagar e parou diante do trailer. Respirou fundo e esperou.

Eddie olhou espantado para o veículo. Era como mágica, sempre diziam. Não tinha nada a ver com a visão, o olfato ou com qualquer um dos sentidos, de jeito nenhum. Você não olhava espantado apenas com os olhos. Não um chamariz profissional. Não o melhor. Você olhava espantado com toda a tensão minuciosa do seu corpo. E eles vinham. Os caipiras. O povo da cidade. Feito obturações de ouro e um ímã. Vinham devagar, sem saber por que tinham vindo, sem saber que poder os invocara. Vinham para olhar espantados com você. Eles vinham, com certeza. Você tem feito isso durante anos. Eles sempre vinham.

Você sentia que eles estavam vindo, pensou Eddie. Não precisava olhar. Na verdade, não deveria olhar. Apenas olhar espantado para o trailer. Pés se arrastando atrás de você. Um movimento. Sussurros. O que estou fazendo aqui? Quem é este sujeito?

Naquele momento, havia meia dúzia deles. Depois, uma dúzia. Atraídos por Eddie, o chamariz magnífico.

Havia muitos deles para Bart usar a pistola. Eles se juntaram em torno da única entrada do trailer. Esperaram ali com Eddie. Sem medo agora, mas solitário, infinitamente solitário, Eddie conduziu-os para dentro.

Encontraram Bart Taylor tentando enfiar as pétalas de cravo goela abaixo.

VIGARISTA: AUGUSTUS MANDRELL

O CONTRATO DO DR. SHERROCK

FRANK MCAULIFFE

Apesar do volume modesto da sua produção, Frank McAuliffe (1926-1986) conquistou muitos fãs devotos, quase cultuadores. Ele é autor de quatro livros excêntricos sobre Augustus Mandrell, a figura que McAuliffe insinua (com ironia) que possa ser uma pessoa real e descreve como "o assassino mais educado nos anais do crime histérico". A Mystery Writers of America concordou e premiou *For Murder I Charge More* (1971), o terceiro livro da série, com um Edgar de melhor original em 1972. Ao receber o prêmio, McAuliffe anunciou: "Senhoras e senhores, vocês têm um bom gosto impecável."

McAuliffe era um dos oito filhos de imigrantes irlandeses de Nova York, onde também se casou e teve sete filhos. Depois de se mudar para Ventura, na Califórnia, trabalhou como escritor técnico civil para a Marinha enquanto também escrevia ficção, principalmente contos, muitos dos quais foram publicados na *Ellery Queen's Mystery Magazine*.

O primeiro livro da série de Mandrell, *Of All the Bloody Cheek* (1965), foi escrito à mão enquanto McAuliffe ficava sentado em uma perua diante de uma igreja enquanto a esposa levava os filhos à missa. O segundo volume das aventuras de Mandrell foi *Rather a Vicious Gentleman* (1968), e o último, publicado muitos anos depois a partir de um manuscrito que ficara muito tempo perdido, foi o fracamente concebido *Shoot the President, Are You Mad?* (2010), a princípio rejeitado pelo editor como sendo inapropriado após o assassinato do presidente Kennedy.

A propósito, apesar de Mandrell, único proprietário e funcionário da Mandrell, Limited, ser inglês e o estilo do autor parecer com o de alguém do Reino Unido, McAuliffe nunca saiu dos Estados Unidos.

"O contrato do dr. Sherrock" foi publicado pela primeira vez em *Of All the Bloody Cheek* (Nova York: Ballantine Books, 1965).

O CONTRATO DO DR. SHERROCK

FRANK MCAULIFFE

O dr. Sherrock é lembrado pela firma Mandrell, Limited, com um sentimentalismo inequívoco. Ele nos colocou de pé, pode-se dizer assim. O que é mais do que posso dizer pelo serviço que prestou a vários pacientes seus.

Sujeito estranho, este Sherrock. Ele era médico e tinha um consultório em Liverpool. Sua casa, com persianas de aço nas janelas, ficava no bairro chique de Clairemont. Todos os dias, o médico ia de casa para o consultório no banco de trás de um Rolls-Royce trancado. O chofer do Rolls, um rapaz de ombros largos chamado Ben Nett, carregava sob o braço esquerdo uma arma muito feia fabricada na Bélgica, que continha em seu tambor sete balas com ponta de aço.

Quando o carro chegava ao prédio onde ficava o consultório do médico, era conduzido por uma rampa até uma garagem subterrânea. Ali, era estacionado em uma cabine cercada de arame, de onde Sherrock entrava diretamente em um elevador que fazia apenas duas paradas: a garagem e o consultório do médico no terceiro andar.

E este regime estranho não abrandava com a chegada de Sherrock ao consultório. Ele não atendia ninguém. Talvez tivesse sido menos seletivo no passado, aceitando pacientes puramente pelo critério da riqueza que poderia confiscar. Mas no período em que conheci o homem, ele insistia que sua anatomia tivesse sido examinada anteriormente por seu estetoscópio antes de lhe conceder o abrigo do seu consultório.

Seria presumível que fosse uma tolice financeira para um médico se isolar da comunidade. Quer dizer, qual médico sobrevive sem aquela presa essencial da profissão: o paciente? Mas não era assim. Sherrock continuava sendo o médico com a maior renda anual de Liverpool. Um feito, disseram-me, de proporções nada escassas, porque a Liverpool da época (cerca de um ano antes da guerra) era uma cidade saturada de médicos que se tornaram notoriamente dóceis por conta da inanição.

Sherrock prosperava pois ainda mantinha um núcleo fiel de pacientes antigos, na maioria seus vizinhos de Clairemont — casos que conhecia de cor — e seus filhos.

O que temos aqui, então? Um esnobe que abandonou os ideais da juventude, os princípios melancólicos da profissão? Não. Havia mais conteúdo na reclusão de Sherrock. Durante os vários meses antes de eu conhecer o homem, o médico fora exposto a uma série de aventuras estranhas, um histórico perturbador de violência que prontificou tudo, menos uma sensação de segurança.

Em 19 de junho, por exemplo, Daisy Sherrock, esposa do médico há 18 anos, encontrou uma fuga repentina do equilíbrio de sua vida. De férias no País de Gales, a mulher escorregou, pulou ou foi empurrada de um promontório sobre um leito de pedras à margem do mar da Irlanda. Apesar de ser verdade que a dama era localmente renomada pela falta de beleza, é duvidável que as acrobacias extraordinárias tenham melhorado sua condição em qualquer grau.

Em 26 de dezembro do mesmo ano (você vai perceber que estou relutante em ser específico quanto à identidade do ano em questão; devo me recusar a fazê-lo por motivos que guardarei para mim)... De todo modo, em 26 de dezembro, uma tal de srta. Sally Hickey recebeu a seguinte correspondência pelo correio: *Se você seguir em frente e fizer isso, vou seguir em frente e matar você e ele.*

Uma demonstração bastante irrelevante de uma estrutura gramatical falha, mas notável nesta situação, quando você se dá conta de que a srta. Sally Hickey estava prestes a se tornar a segunda sra. Sherrock. O médico anunciara o noivado no Natal. A srta. Hickey, uma moça magra e encantadora, conhecera, até aquele momento, apenas aquela fama inerente por sua ocupação de enfermeira no consultório do dr. Sherrock. Evidentemente, era uma mulher da área da saúde com habilidades precoces, pois era ela (e não as enfermeiras mais velhas e mais experientes) que o médico mantinha a sós com ele no consultório para os experimentos realizados tarde da noite e que constituem parte importante da vida de um médico dedicado.

Não houve mais esclarecimentos por parte do autor da carta. Talvez ele tivesse esgotado seu talento.

Então, em 13 de fevereiro (historicamente, a data de nascimento de lindas mulheres) do ano seguinte, um tiro de rifle atravessou a janela da biblioteca do dr. Sherrock. Em 19 de fevereiro, um projétil similar estilhaçou a mesma janela. Esses ultrajes balísticos chamaram a atenção do dr. Sherrock de modo bastante abrupto, pois ele estava sentado na sala nas duas ocasiões. Todas as janelas do casarão, exceto as das dependências dos criados, foram logo equipadas com persianas de aço.

Depois, em 8 de março, apenas três semanas antes do casamento, o dr. Sherrock ficou cara a cara com o agressor secreto. A caminho do escritório em seu Rolls, o médico encontrou um sedã antigo que obrigou seu veículo a sair da rua em alta velocidade. O Rolls se chocou em uma parede de pedra, que felizmente cedeu ao trabalho manual de qualidade superior, e Sherrock saiu ileso.

O médico, por conta de sua submersão na profissão, não era um homem burro. Ao sentir a determinação da animosidade do inimigo — depois que fora jogada na sua cara, na verdade —, Sherrock demonstrou um conhecimento astuto dos ingredientes básicos da sobrevivência. Ele, por exemplo, não confiou sua salvação às capacidades da polícia de Liverpool (um bando de imbecis). Preferiu seguir o caminho da impertinência ao contratar o chofer com a pistola automática, o sr. Ben Nett, mencionado anteriormente.

Na verdade, o resistente sr. Nett se tornou um companheiro tão constante do dr. Sherrock e de sua noiva nas semanas seguintes que, quando finalmente chegou o dia do casamento, direcionaram certa brincadeira bem-humorada ao jovem Nett. As bocas alcoolizadas dos convidados do casamento especularam com Ben sobre as acomodações noturnas oferecidas à noiva trêmula.

— Como vai ser, amigo? Três em uma cama? Há-há-há-há.

— Quantas armas carregadas a pobre garota vai encontrar apontadas para ela hoje à noite? Hein? Há-há...

Ah... quando os ingleses vão aprender que a dignidade é a moradora menos importante da garrafa de conhaque?

O casamento transcorreu como planejado, mas ouvi dizer que a viagem de lua de mel para a Itália foi adiada até um momento menos hostil. Ou seja, adiada até que a polícia, ou alguém, capturasse o sr. Michael Bell.

Durante todo esse tempo, suspeitavam que o responsável pelo infortúnio do dr. Sherrock fosse um tal de Michael Bell. Afinal, não fora Michael

Bell quem introduzira na morte da primeira sra. Sherrock o fascinante rumor de um possível "crime"? Não fora Michael, um imigrante atrevido de Belfast, que vagara pelos pubs de Clairemont murmurando suas conclusões sombrias e vulgares em relação "ao acidente da minha irmã, se é que podemos chamar o que aconteceu de acidente..." imediatamente depois do funeral da primeira sra. Sherrock? Sim, Michael era o irmão melancólico da matrona que desfrutara o mergulho extravagante no Mar da Irlanda. Ele era cunhado do dr. Sherrock.

Michael também fora o acompanhante frequente da srta. Sally Hickey antes do noivado com o dr. Sherrock. Fora Michael quem levara a jovem enfermeira vivaz para ver as atrações de Liverpool nas noites em que ela não estava presa nas pesquisas noturnas com o médico.

Portanto, deve ter parecido ao pobre sr. Bell que seu mundo estava desmoronando diante dos seus olhos, e todos os seus anseios terminando nas mãos do médico. A irmã se fora... A amiga se fora.

Como eu disse, o dr. Sherrock e a polícia de Liverpool suspeitavam que Michael fosse o atormentador secreto. Mas só no dia da brutalidade automobilística tiveram certeza. Sherrock jurou ter visto o rosto contorcido de Michael atrás do volante do veículo agressor. As autoridades, é claro, procuraram o sujeito com uma índole vingativa louvável. Mas o sr. Bell provou ser digno do zelo da polícia. Ele escapou, e continuava foragido dois meses depois das núpcias de Sherrock e Hickey. Muito bem, camarada.

A sra. Sherrock (*née* Hickey), pobre garota, passou a odiar Michael Bell com um fervor igual ao demonstrado por seu marido médico. A jovem órfã fizera um contrato com o deus do matrimônio e ansiava por testar os benefícios residuais do acordo — ou seja, desfrutar do seu poder aquisitivo. Mas se viu uma prisioneira na casa com persianas de aço. Presumindo que o sr. Bell fora muito sincero quando ameaçara matar Sally e o médico, a polícia de Liverpool e o próprio Sherrock insistiram que Sally permanecesse confinada.

A situação estava neste pé quando os talentos da Mandrell, Limited foram solicitados.

Apesar dos impedimentos óbvios do caso, aceitei o contrato. Minha decisão foi consideravelmente influenciada pelos indícios de falência iminente apresentados pelos meus credores. Quando depositei o adiantamento na minha conta, meu banqueiro do dia, um tal de sr. Lovejoy, comentou:

— Ah, meu coração fica feliz ao ver uma firma tão nova quanto a sua finalmente dando certo, sr. Mandrell. Por algum tempo, tive medo de que perderíamos você. Tantas solicitações de falência sendo apresentadas hoje em dia, não é mesmo? Se bem que vocês, jovens, não deveriam acreditar em tudo que leem na imprensa sobre os bancos. Com certeza não somos o bando de "solventes presunçosos" como dizem os chorões bolcheviques. Não, de forma alguma... Ah, sr. Mandrell, nosso dossiê sobre a Mandrell, Limited parece um pouco deficiente. Não consta sua atividade exata. Qual é o ramo da Mandrell, Limited?

— Bom, suponho que caça seja a melhor descrição.

— Caça? Quer dizer caça de animais de grande porte? Uga, buga, buga e tudo o mais?

— Sim, caça de animais de grande porte — confirmei.

— Meu Deus. Não parece nem um pouco amplo, confiável ou... ah... ligado à economia, se é que posso dizer isso. — (Seguido por um verdadeiro gêiser de clichês pejorativos.) — Você sabe me dizer se nosso sr. FitzHunt está ciente da estrutura corporativa da Mandrell, Limited?

Seu almofadinha de voz ensebada. Você não tem mais a Mandrell, Limited em suas garras de libras esterlinas; o empréstimo está em dia. Portanto, agora quer impor esta falsa insegurança às nossas negociações. Prender-me com o medo. De jeito nenhum, senhor. A Mandrell, Limited tem dentes agora.

— Eu ficaria grato, sr. Lovejoy — falei —, se invocasse a articulação necessária para pronunciar meu nome corretamente. É Man-DRELL. Não Man-DRILL. Uma pequena diferença, com certeza, mas que os zoólogos do mundo acharam adequado imbuir de significância.

— Ah, não tive a intenção... Bom, agora, voltemos à nossa análise do potencial de crescimento da Mandrell, Limited. Você vê...

— Tenha um bom dia, sr. Lovejoy. Vai receber meus cheques pelo correio.

Fui do meu banco — sim, "meu" banco — para um prédio sórdido em Blackpool. Para os cavalheiros eternamente suspeitos encontrados lá dentro, entreguei 19 libras. Eles, por sua vez, entregaram-me rancorosamente um tapete afegão que estavam guardando, mas era meu.

— Dezenove libras. Isso não é nem um décimo do valor desta coisa — informou um tal de sr. Grimes, da alfândega.

— Nem um quinquagésimo — corrigi-o. — Mas está vendo que está danificado aqui, os dois furos? Portanto, o valor pleno da alíquota de importação não poderia ser aplicado.

— Não se eu estivesse no comando... Veja, parecem furos de tiros!

— Sim, parecem, com certeza. Bom dia, senhor.

Naquele período da minha vida, eu era reconhecidamente um pouco maluco em relação a tapetes finos. Uma afetação, é provável, que não sobreviveu à minha maturidade. No entanto, naquela ocasião encontrei-me particularmente em dívida com o dr. Sherrock. Se não fosse pelo adiantamento do Contrato Sherrock, receio que teria sido levado a cometer algum ato desesperado para recuperar o tapete afegão da alfândega.

Estes, portanto, foram os frutos do meu trabalho. Sigamos agora para o trabalho em si. O Contrato Sherrock.

Para que você não seja induzido a um erro, permita-me destacar que não foi o dr. Sherrock quem negociou o Contrato Sherrock com a Mandrell, Limited. Isso teria sido um pouco incongruente, como você vai ver.

Minha maior preocupação, após aceitar o contrato, consistia em marcar um encontro pessoal com o médico aflito. O encontro necessariamente precisava ocorrer de modo que a agenda de Sherrock, com sua aura brilhante de segurança defensiva, não permitia.

Como primeira manobra, dirigi até Liverpool e apresentei-me no consultório de Sherrock. Com o braço apoiado em uma tipoia dramática, manchada de sangue, implorei à enfermeira na recepção por um atendimento de emergência. Através de lábios chorosos de dor, exigi que os talentos do dr. Sherrock se voltassem imediatamente para meu braço torturado. Fui informado de que um tal de dr. O'Shaughnessy, colega de Sherrock, cuidaria da minha aflição.

— O dr. Sherrock não está disponível.

— Você não está entendendo, sra. enfermeira — choraminguei. — Sou Igor Kaminski. O grande pianista. O maior desde Gaultflegal. Alguns críticos dizem que sou ainda maior que Gaultflegal. Eu? Devo permanecer neutro... Estou preso aqui, em Liverpool, esta cidade estúpida, por causa do concerto. Não vou deixar ninguém, ninguém, tocar nas minhas mãos adoráveis, exceto o dr. Sherrock.

Estendi minha pata ferida para que a enfermeira a visse. Os dedos da mão estavam tão grotescamente retorcidos que eu teria sorte se algum dia conseguisse voltar a fechar o zíper da minha calça, o que dizer de tocar piano. O dedo anular estava totalmente partido ao meio até a segunda articulação. A coleção de dígitos deformados que ela viu era, é claro, fabricação minha. Essencialmente um bloco de gesso de Paris esculpido de acordo com minhas necessidades e pintado com cuidado de um tom roxo-amarelado em toda a superfície, exceto pelas áreas com hematomas vermelhos, de onde duas unhas pendiam por um fio de cutícula. Bastante exagerado, na verdade, mas se passava por uma mão arrebentada apenas porque não havia nenhuma outra coisa que pudesse ser.

— Este dr. Sher-rook, ouvi sobre ele — falei. — Ele precisa me consertar. Preciso tocar hoje à noite.

— O dr. O'Shaughnessy vai receber você, se quiser esperar — disse a enfermeira, olhando friamente para minha aflição. — Não tratamos pacientes que não sejam ingleses, é regra. Ordens do dr. Sherrock. Mas, neste caso, como você é do ramo das artes, talvez...

Continuei mais um pouco, batendo os pés no chão do consultório do dr. O'Shaughnessy e gritando que ninguém, exceto "o próprio dr. Sher-rook", deveria examinar minha mão, mas sem sucesso. Por fim, O'Shaughnessy e outro cavalheiro de jaleco branco me receitaram muito descanso em casa e colocaram-me para fora do prédio. Seria bem-feito para você, seu porco médico, se Igor Kaminski decidisse nunca mais tocar. Como, pergunto aos senhores, vão explicar minha ausência na próxima apresentação real no Palácio de Buckingham?

Portanto, na minha primeira ação para cumprir o Contrato Sherrock, obtive pouco mais do que um respeito crescente pela fome de privacidade do bom médico. Voltei para Londres, levando comigo a mão maltratada, porém talentosa, de Igor Kaminski, e sentei-me pensativo na minha escrivaninha no pequeno escritório que arranjara perto da Bristol Square. O Contrato Sherrock era o primeiro contrato substancial na breve história da Mandrell, Limited. Precisava ser executado com um virtuosismo impressionante. A reputação da empresa não seria construída em nada menos do que isso.

Após um dia inteiro de contemplação, eu praticamente decidira que se quisesse manter meu negócio recente, e também meu tapete afegão, seria forçado a testar a paciência do chofer armado do médico, o sr. Ben Nett. Eu interceptaria Sherrock durante sua viagem diária de casa para o consultório. Então, surpresa! Antes que eu tivesse tempo de agir de acordo com essa decisão um pouco perigosa, a estratégia correta me ocorreu de repente, nas asas da boa fortuna. Ou seja, afortunadamente para mim. Um pouco constrangedor para a terceira parte envolvida, um cavalheiro chamado John Austin.

Austin era membro do Parlamento de Liverpool, do Partido dos Trabalhadores. Ele fora, segundo uma notícia impressionante do The Times, atropelado por um carro em uma rua no próprio distrito enquanto voltava para casa de um comício eleitoral. O veículo agressor — descrito por uma testemunha como um velho Bentley vermelho, se é que dá para imaginar tal coisa — partira em alta velocidade sem parar nem sequer para conferir a extensão dos ferimentos do parlamentar, os quais, ao ser levado para o hospital St. Malachy's, foram constatados como graves.

A solução, a solução perfeita para o meu dilema, servida pelos eleitores — gado cego e preguiçoso — de Liverpool!

Corri imediatamente para o norte e me apresentei no velho e cinzento St. Malachy's para me envolver no auxílio prestado ao sr. Austin. Para as autoridades do hospital, eu era um médico contratado pelo Partido dos Trabalhadores. Para os políticos no local, eu era um representante da família Austin. E, para a família, eu era membro da equipe do hospital. Tudo muito simples. A maioria das pessoas que encontrei durante meus três dias de obrigações médicas, até os membros da família do parlamentar, parecia mais preocupada com as ramificações políticas que cercavam o incidente do que com os cuidados prestados ao moribundo.

Uma teoria desagradável invadira o caso. Sussurravam com uma indignação descaradamente hipócrita que os Tories tinham cometido um atentado contra o pobre parlamentar Austin, pagando ao motorista do Bentley vermelho para destruir a oposição, um expediente muito de acordo com a tradição política de Liverpool. O jogo era muito sério lá.

Em duas ocasiões durante minha visita médica, consegui entrar desacompanhado no quarto do paciente e passar alguns minutos sozinho com ele. Depois da primeira visita, procurei o superintendente do hospital e informei a ele que seu paciente famoso recuperara a coerência por alguns segundos durante minha visita e fizera uma solicitação.

— Ele quer que um médico específico seja chamado para consultas adicionais — avisei ao superintendente. — Um tal de dr. Sherrock. Já ouvi falar de um Sherrock, mas, infelizmente, não o conheço pessoalmente.

— Conheço o dr. Sherrock — disse o superintendente. — Receio que ele não venha ao hospital. Ele vive sob... Bem, algumas pressões bastante peculiares.

Dei de ombros.

— Dá no mesmo. É evidente que o paciente confia muito nele; mas, afinal, Sherrock não passa de um médico, e só Deus sabe qual é seu grau de competência.

— O dr. Sherrock é um médico do mais alto calibre — disse-me friamente o superintendente.

Ele não gostava de mim. Não gostava do meu passo desengonçado, da minha postura barriguda e curvada, da minha gravata escolar manchada ou dos meus óculos sujos, cheios de impressões digitais. Ele não gostava particularmente da nuvem de mau hálito que pairava ao meu redor feito uma capa (na verdade, um pouco de queijo fedorento espalhado na parte superior dos braços e do pescoço). Eu não era, de forma alguma, a ideia que o superintendente tinha do médico que alguém chamaria para atender um membro do Parlamento. O que não surpreende, pois o disfarce que descrevi não era inspirado em um médico, mas em um banqueiro, meu sr. Lovejoy.

— Se o sr. Austin confia tanto no dr. Sherrock — continuou o superintendente —, eu mesmo me esforçarei ao máximo para trazer Sherrock para cá. O senhor tem tanto domínio da sua profissão a ponto de negar o efeito terapêutico que a visita possa ter?

Charlatanismo ao máximo. Nada tão ineficaz quanto a atenção médica evitaria a morte de Austin, e o superintendente sabia muito bem disso.

Não deixei o convite do dr. Sherrock apenas aos cuidados da influência do superintendente. Depois de conseguir minha segunda visita ao quarto do paciente, informei ao pessoal do Partido dos Trabalhadores e à família do moribundo que o parlamentar impressionara-me ao recobrar de forma milagrosa a consciência.

— Ele quer muito que esse tal dr. Sherrock seja trazido para cá — avisei a eles. — E vou arriscar o seguinte diagnóstico: como um humilde cientista médico, eu diria que, sem Sherrock, as chances do parlamentar dependem totalmente dos caprichos do sobrenatural. Os quais são, na melhor das hipóteses... digamos, erráticos.

Também mencionei que informara o pedido do paciente ao superintendente do hospital e que, apesar do homem ter prometido tomar uma atitude, eu tinha a impressão de ter detectado um pouco de corpo mole.

— Alguém... hum... por acaso sabe qual é afiliação política do superintendente? — perguntei, maliciosamente.

Ah, existem poucas esporas tão afiadas quanto o conhecimento repentino de que alguém está sendo feito vítima de uma conspiração. Meus ouvintes explodiram em atividade. Pobre dr. Sherrock. Ele viu seu isolamento cuidadosamente erguido ser atacado de forma abrupta por vários quadrantes notáveis. Solicitações para que abandonasse seu escudo de segurança e viajasse para St. Malachy's recaíram sobre ele vindas de pessoas que não podia ignorar, como membros do governo no nível imperial, da hierarquia médica e dos próprios vizinhos insulares em Clairemont. O dr. capitulou em doze horas.

A rotina foi quebrada. Em vez de sair do escritório e ir para casa de carro naquela noite, Sherrock foi conduzido pelo chofer até o St. Malachy's, protestando durante todo o caminho que não conhecia nem nunca tinha ouvido falar no parlamentar Austin.

— Os caminhos da ciência médica moderna são estranhos — consolou o superintendente.

Eu, é claro, tomei providências para estar disponível quando Sherrock chegasse ao hospital e concordei graciosamente em tentar despertar mais uma vez o paciente inconsciente. No entanto, insisti que apenas Sherrock e eu deveríamos estar no quarto do paciente. Concordaram com relutância.

No quarto de Austin, com a porta trancada e as persianas fechadas, levei Sherrock ao tanque de respiração onde Austin jazia, vivendo tenuamente por meio da capacidade mecânica do seu aquecedor com janelas (ou pulmão de ferro, como acredito que os americanos chamem, de forma afetuosa). O dr. Sherrock olhou para o rosto pálido do parlamentar por alguns segundos, depois disse, irritado:

— Nunca o conheci. E tampouco gostaria, posso acrescentar. Partido dos Trabalhadores, não é?

— Duvido que apresentações serão necessárias algum dia, doutor — falei, colocando a mão na minha bolsa preta. — Tenho algo aqui que o senhor deve digerir. Algo amargo, receio...

— O que...

Usei o tempo necessário para posicionar a extremidade da pistola no jaleco dele, diretamente sobre o coração. Precisão era essencial naquela situação, pois o silenciador da arma só funcionava para um tiro, na verdade, e Sherrock já estava se remexendo um pouco. O único tiro foi suficiente. Sherrock já estava morto antes que eu segurasse seu corpo e o deitasse no chão de azulejos.

Tirei as luvas, lavei as mãos (elas costumam transpirar um pouco) na pequena pia que havia ali, depois saí do quarto. Obviamente, antes de ir, desliguei da tomada na parede o plugue elétrico que garantia o funcionamento do respirador do sr. Austin.

Na sala externa, encontrei a família do parlamentar, dois oficiais do Partido dos Trabalhadores, o superintendente e alguns membros da sua equipe. Secando os olhos com um lenço manchado, choraminguei:

— Ele está se esforçando ao máximo... O dr. Sherrock... Que habilidade... As mãos dele, nenhum tremor... Pede para ser deixado a sós com o paciente até chamar vocês... O melhor médico que eu já...

Meu hálito abriu passagem pela sala lotada à medida que eu seguia pelo corredor. Parei na porta por tempo suficiente para desconcertar a exuberante viúva Austin, olhando-a doentiamente de soslaio, por nenhum motivo que consiga lembrar, exceto que é possível que eu estivesse um pouco nervoso àquela altura. Depois, deixei o St. Malachy's e Liverpool.

Recebi o restante dos meus honorários pelo Contrato Sherrock uma semana depois, no meu escritório perto da Bristol Square. O chofer do médico falecido, Ben Nett, com covinha no queixo e olhar vazio, entregou-me as notas novas de libras. Também trouxe minha cliente, a viúva Sherrock, née Hickey.

Sally estava a caminho de uma reclusão na Itália durante o luto. O sr. Nett consentira graciosamente em compartilhar seu pesar. Usavam as mesmas passagens do navio a vapor que haviam sido mantidas suspensas em função da lua de mel adiada do médico e de Sally.

Concluímos nosso negócio. Sally fez vários comentários insensatos mas bem-intencionados sobre meu tapete afegão, depois eles partiram. Após aquele dia, encontrei Sally algumas vezes com o passar dos anos, mas só vi o sr. Ben Nett mais uma única vez, na Suíça, pouco antes do seu acidente infeliz.

No dia seguinte ao pagamento dos honorários, voltei para Liverpool e liberei meu carro do esconderijo. Dirigi o veículo triste até uma loja de automóveis local e paguei para consertá-lo. Ao me virar para sair da loja, vi o gerente observando a parte da frente amassada do Bentley vermelho com um olhar apreensivo de suspeita, com a cabeça inclinada.

— Não recebemos muitos vermelhos, não mesmo — comentou ele com nervosismo. — Você disse que vai voltar para buscá-lo nesta tarde?

Fale logo, seu enrolador. O que está tentando dizer? É claro que garanti àquele idiota que voltaria. Depois, deixei-o com sua especulação insensível.

O Bentley, posso dizer, fora comprado e emplacado sob o nome Lovejoy — um gesto simbólico para o meu banqueiro. Eu nunca poderia reclamar que o veículo não foi uma perda tão impressionante quanto você possa presumir. O pessoal do Tory fora muito generoso e incluíra nos meus honorários o valor da compra do carro.

Portanto: o Contrato Sherrock. Na verdade, o Segundo Contrato Sherrock. Nunca poderei ter certeza, imagino, mas pareceu-me que, no último momento, quando meu dedo apertou o gatilho, o reconhecimento surgira na superfície dos olhos do dr. Sherrock. Ele se lembrara de mim por causa da nossa relação prévia. O assunto da primeira sra. Sherrock.

VIGARISTA: PAUL PRY

O DESTRUIDOR DE CRIMES
ERLE STANLEY GARDNER

Na década que Erle Stanley Gardner (1889-1970) escreveu para as revistas pulp (uma média de quatro mil palavras por dia), ele criou três dúzias de personagens de séries. Alguns tiveram longas carreiras com vários golpes, outros um pouco menos, como Ken Corning, um advogado durão que se transformou em Perry Mason depois de seis contos; o major Copley Brane, um "diplomata freelancer"; Bob Larkin, um aventureiro e malabarista habilidoso cuja única arma era um taco de sinuca; El Paisano, que enxergava no escuro; Sidney Zoom, um trapaceiro milionário que perambulava pelas ruas das cidades com seu feroz cão policial; e Speed Dash, a "Mosca Humana", que obtinha sua força sobre-humana esmagando uma batata crua com a mão todas as manhãs.

Paul Pry, que apareceu em 27 contos, é mais um dos protagonistas vigaristas de Gardner. Da mesma maneira que Lester Leith, também criado por Gardner, Pry fica de olho em outros ladrões e descobre como conseguir ganhos ilegais, frequentemente chamando a polícia para ajudá-lo (de forma desavisada). Ele ficou amigo de "Mugs" Magoo, um ex-policial com apenas um braço, tirando-o da sarjeta e formando uma parceria com ele, que se revela útil quando se depara com gângsteres perigosos. A vítima mais desprezada de Pry, e quem ele enfrenta em mais de uma aventura, é Big Front Gilvray, cujo nome verdadeiro é Benjamin Franklin. Pry ficou ofendido por um nome tão importante ter sido corrompido pelo gângster.

"O destruidor de crimes" foi originalmente publicado na edição de novembro de 1930 da *Gang War Magazine*; foi incluído pela primeira vez em uma antologia em *The Adventures of Paul Pry* (Nova York: Mysterious Press, 1990).

O DESTRUIDOR DE CRIMES

ERLE STANLEY GARDNER

Paul Pry matava tempo com uma tranquilidade bem-vestida em uma esquina num movimentado bairro comercial. De vez em quando, recebia olhares provocantes de mulheres que passavam. Mas os olhos de Paul Pry estavam fixos na figura encolhida de "Mugs" Magoo.

Mugs Magoo ganhara esse apelido anos antes, quando servira em uma das administrações policiais com sua memória fotográfica. Uma reforma política o obrigara a sair. Um acidente custara-lhe o braço direito na altura do ombro. A bebida fizera o resto.

Paul Pry encontrara Mugs Magoo vendendo lápis na rua, gostara dele, ouvira sua história e chegara a um acordo de trabalho benéfico para ambos. Porque Paul Pry era um oportunista no grau máximo de habilidade e eficiência. Nem mesmo o observador mais atento perceberia qualquer ligação entre o jovem esguio e sofisticado em uma esquina e a figura encolhida e aleijada do vendedor de lápis na outra. No entanto, uma corrente contínua de tráfego humano fluía entre os dois, e aquela corrente era avaliada instantaneamente por Mugs Magoo, que conhecia todas as criaturas do submundo.

Uma jovem incrivelmente bela, vestida de forma modesta, olhava atordoada para o rosnado do tráfego. Suas roupas denunciavam que vinha do campo. Seu ar nada sofisticado e inocente adequava-se muito bem ao encantamento dos olhos arregalados da sua expressão.

Mugs Magoo abaixou cerca de cinco centímetros o chapéu contendo seu estoque de lápis, e, ao ver o sinal de Mugs, Paul Pry soube que a mulher era uma alcoólatra ou batedora de carteiras.

Os olhos perspicazes dele percorreram a mulher em uma avaliação rápida, depois se fixaram de volta em Mugs Magoo, que soube que seu patrão não estava interessado.

Um homem baixo e bem-vestido passou com os ombros para trás e o queixo erguido. Seu rosto estava um pouco pálido. Seu jeito parecia confiante demais.

Mugs Magoo piscou uma vez diante dos traços do homem, depois a mão que segurava o chapéu ergueu-se e moveu-se em um semicírculo. Paul Pry interpretou que o sinal indicava que o homem era um gângster e assassino, um pistoleiro da máfia, e um dos melhores na profissão.

Mas os olhos de Paul Pry nem sequer deram uma segunda conferida no homem. Ele esperava que um petisco selecionado vagasse para sua rede.

Meia hora se passou sem qualquer troca de sinais. Mugs Magoo, agachado na parede do prédio de um banco, vendeu alguns lápis, murmurou algumas palavras de agradecimento quando moedas tilintaram em seu chapéu, avaliando os pedestres com olhos vidrados que nunca deixavam um rosto escapar.

Um sujeito magro e austero com olhos irritados e desconfiados seguiu pela calçada com passos rápidos e nervosos. Os gestos de Mugs Magoo informaram que o homem recebia subornos de uma gangue de grandes contrabandistas de rum.

Paul Pry balançou a cabeça.

Quinze minutos depois, um homem que poderia ser um banqueiro parou na esquina, quase exatamente entre Mugs Magoo e Paul Pry. Paul moveu-se de forma abrupta para ver os sinais que Mugs fazia.

O homem era levemente propenso a ser considerado gordo. Tinha cerca de 45 anos. Suas bochechas tinham sido barbeadas e massageadas até ficarem rosadas. Seus movimentos eram lentos, pesados com a dignidade de alguém que se acostumou a dar ordens. Ele não transmitia nada do nervosismo de um homem que é obrigado a garantir seu sustento através da pura força da sua personalidade. Havia ali a segurança tranquila de alguém que colhe os frutos plantados por outros. Sereno, complacente, digno, o homem grande com peito largo e colete feito sob medida observava o fluxo do trânsito com olhos que poderiam estar mais concentrados em algum grande problema financeiro do que no rush disparatado do trânsito da cidade.

Mugs Magoo assentiu, descreveu um círculo com o chapéu e depois o balançou de leve. Paul Pry tocou no próprio chapéu, girou uma vez a bengala que segurava na mão direita e deu alguns passos tranquilos na direção do meio-fio.

Interpretados apropriadamente, os sinais significavam que Mugs Magoo reconhecera aquele sujeito digno como o olheiro de uma gangue poderosa que era comandada por "Big Front" Gilvray.

E Mugs Magoo não precisara do sinal de resposta de Pry para informá-lo de que suas tarefas do dia tinham terminado. Pois era desnecessário dizer que qualquer atividade da gangue de Big Front Gilvray seria algo extremamente interessante para Paul Pry. Desde que descobrira que Gilvray era esperto demais para deixar que a polícia o incriminasse de qualquer coisa e que as iniciais B.F., renomadas no submundo com o significado Big Front, na verdade se referiam a Benjamin Franklin, Paul Pry passara a cultivar uma aversão por Gilvray.

Mugs Magoo pegou seus lápis, colocou-os no bolso volumoso, catou as poucas moedas prateadas no seu chapéu, levantou-se e foi embora.

O homem corpulento continuava de pé em uma meditação digna, os olhos fixos na porta do Banco Nacional Six Merchants & Traders. A menos que seu rosto ou corpo dissessem o contrário, ele poderia ser um banqueiro de Wall Street ponderando se seria aconselhável adquirir o controle da instituição. Com certeza nenhum detetive comum o identificaria como um gângster em busca de informações valiosas para sua gangue.

Cinco minutos se passaram. O gângster olhou para o relógio, e havia algo notável no movimento da sua mão com unhas bem cuidadas tirando o relógio do bolso do colete.

Mais dois minutos. Ouviu-se o barulho de rodas pesadas uma nota base mais grave do que os pneus que rangiam no trânsito mais leve. Um carro-forte ressoou até parar na entrada lateral do banco.

Instantaneamente, policiais especiais abriram espaço entre a porta e o carro-forte. As portas traseiras do veículo foram abertas. Dois homens com revólveres pesados despontando de coldres reluzentes ficaram em posição de sentido, atentos. Funcionários do banco empurraram dois carrinhos de mão carregados de caixas de madeira pequenas mas pesadas.

As caixas foram conferidas e jogadas dentro do carro-forte. Um dos homens armados assinou um papel. As portas de aço foram fechadas com um som metálico. Depois, ouviu-se o barulho de barras deslizando contra o aço. Os policiais especiais voltaram para o banco. O carro-forte seguiu ruidosamente pelo fluxo do tráfego, uma fortaleza sobre rodas, impenetrável.

Os homens dentro do veículo portavam submetralhadoras e estavam protegidos por aço à prova de balas. Pequenas frestas possibilitavam que disparassem em qualquer direção. Vidros à prova de balas proporcionavam uma visão dos quatro pontos cardeais. Uma escolta policial especial estaria aguardando para receber o carregamento no destino. Enquanto isso, milhares de dólares em ouro estavam sendo transportados com segurança e eficiência pelas ruas da cidade.

As laterais do carro-forte tinham um letreiro, impresso nas letras pequenas de uma empresa que lida com instituições conservadoras de maneira conservadora. Cia. de Transportes Banker's Bonded.

Paul Pry inspecionou o letreiro com olhos semicerrados, concentrado nos pensamentos. O carro-forte virou numa esquina e sumiu de vista. O gângster tirou um caderno do bolso, pegou o relógio e anotou algo, aparentemente o horário exato.

Paul Pry viu o rosto do gângster. Exibia um sorriso de satisfação.

Com uma dignidade notável, o homem foi embora caminhando, e Paul Pry o seguiu.

Ele andou por dois quarteirões e depois se aproximou do meio-fio. Quase no mesmo instante, um carro enorme e reluzente parou ao seu lado. Estava sendo dirigido por um indivíduo pequeno com a pele de um tom branco cadavérico e olhos minúsculos mas firmes. No banco de trás, havia um homem grande com olhos brilhantes tão afiados quanto rapieiras perfurantes. Sobrancelhas grossas cobriam os olhos como nuvens de chuva cobrem os primeiros clarões de relâmpagos antes de uma tempestade.

Aquele era Big Front Gilvray. Ele poderia ser um senador dos Estados Unidos, ou um grande advogado corporativo. Mas, na verdade, era um bandido, e um líder entre os bandidos. A polícia nunca atribuíra nada definitivo a Big Front Gilvray.

O homem que Paul Pry seguira entrou no carro e murmurou algo para Gilvray. Para provar o que dissera, mostrou o caderno com capa de couro onde fizera uma anotação a lápis no horário exato que o carro-forte recebera o carregamento de ouro.

A informação não foi tão satisfatória para Gilvray quanto fora para o homem que Pry seguira. Gilvray franziu a testa, e seus olhos se embaçaram por um instante enquanto ele pensava. Depois, ele balançou a cabeça lenta e judicialmente, feito um juiz que se recusa a tomar uma decisão devido à insuficiência de provas. O carro arrancou do meio-fio.

Paul Pry chamou um táxi. Em meio ao trânsito parado, ele conseguiu ficar perto do carro. Nos trechos mais vazios da avenida principal, acabava se distanciando um pouco. Mas o carro grande avançava a uma velocidade cuidadosamente calculada para permanecer dentro da lei. Big Front Gilvray não acreditava em permitir que a polícia o acusasse de nada, nem mesmo de uma pequena infração de trânsito.

No final, Paul Pry poderia ter obtido a mesma informação em um catálogo telefônico, mas pagara a um motorista de táxi sete dólares e cinco centavos para isso. Pois o automóvel grande e reluzente foi conduzido diretamente para a casa nos subúrbios onde B.F. Gilvray estava morando.

Paul Pry sabia que o endereço da casa constava no catálogo telefônico, que haveria uma placa ao lado da porta com as palavras "Benjamin F. Gilvray".

Big Front Gilvray desistira do seu apartamento na cidade e se mudara para o subúrbio. A casa ficava um pouco recuada na rua e era bastante pretensiosa. Havia uma entrada de cascalho para carros, uma garagem enorme, uma cerca viva que ficava em pé com dificuldade, algumas árvores ornamentais e um jardim bem cuidado.

Paul Pry examinou o lugar, deu de ombros e mandou o motorista de táxi levá-lo de volta para a cidade.

O apartamento de Paul Pry ficava no centro do bairro mais congestionado que ele conseguiu encontrar. Gostava da sensação de estar no meio das coisas, cercado por milhares de seres humanos. Bastava levantar a janela, e os barulhos do trânsito entravam no apartamento. Ou, se o trânsito estivesse tranquilo no momento, ele ouviria o arrastar constante de incontáveis pés caminhando pesadamente pela calçada.

Mugs Magoo estava no apartamento, uma garrafa de uísque ao lado do cotovelo, o copo pela metade na mão. Ele ergueu a cabeça com olhos vidrados quando Paul Pry entrou.

— Descobriu algo, chefe?

— Nada, Mugs. O homem que você indicou pareceu se esforçar um pouco para descobrir exatamente quando um carro-forte deixaria o Sixth Merchants & Traders National.

— Ele faria isso.

— O que quer dizer?

— Aquele cara era Sam Pringle. É um dos melhores homens de Gilvray. É formado em engenharia e bastante meticuloso. Quando aquele sujeito escreve sete, significa sete. Não significa seis e meio, ou quase sete, ou sete e um décimo. Significa sete.

Mugs Magoo bebeu o resto do uísque no copo.

Sua voz estava um pouco embargada. Seus olhos estavam úmidos sob a membrana, e ele falava com a loquacidade que reservava para ocasiões de estímulo alcoólico. Mas Paul Pry aceitava isso como parte da personalidade do sujeito. Mugs cultivara o hábito durante anos demais para abandoná-lo tranquilamente.

— O que você sabe sobre a Companhia de Transportes Bankers' Bonded? — perguntou Paul Pry.

— Uma ótima armação. Os bandidos ilegais a construíram para os bandidos legais. Precisam despachar ouro de um lado para outro de vez em quando, agora que possuem muitas filiais dos bancos, fazer pagamentos, esse tipo de coisa. Os bandidos foram com muita sede ao pote e quase mataram a galinha que estava colocando ovos de ouro. Um grupo de banqueiros se juntou e comprou alguns carros-fortes. Eles são incríveis. Não há como arrombá-los, a não ser com uma tonelada de dinamite. Depois eles afiançaram cada funcionário e fizeram uma seguradora proteger toda a carga. Agora o banco é responsável até o carregamento ser colocado no carro-forte. Depois disso, o banco não tem nada com que se preocupar. — Mugs serviu outra dose e depois prosseguiu: — Em algumas cidades, os bancos têm os próprios carros-fortes. Aqui, tudo é feito por essa empresa. Observe-os carregarem os carros-fortes. Vai ver uma fileira de policiais guardando as calçadas. Mas no minuto em que o último saco de ouro atingir o chão dos carros-fortes e o motorista assinar um recibo, o banco vai retirar seus guardas. Se houvesse um assalto no segundo seguinte, os guardas do banco apenas bocejariam. Estão cobertos por seguro, fianças e garantias. Deveriam se preocupar.

Paul Pry assentiu lentamente, pensativo.

— E por que a gangue de Gilvray estaria tão interessada no horário que os carros-fortes aparecem? Você acha que estão pensando em realizar um assalto assim que o ouro chegar à calçada? Fazendo um massacre tradicional com metralhadoras, talvez?

Mugs Magoo balançou enfaticamente a cabeça.

— Esses caras, não. Eles são técnicos. Trabalham com extrema precisão. Estou lhe dizendo: a polícia nunca conseguiu nada contra Big Front. Eles sabem muita coisa, mas não conseguem provar nada. Ele é esperto demais.

Mugs Magoo pegou o copo de uísque.

— Não fique de porre — avisou Paul Pry.

— Filho, não tem uísque suficiente no mundo para me deixar de porre.

— Muitos caras já lutaram com o velho John Barleycorn,* Mugs.

— É. Não estou lutando. Estou me preparando para a contagem quando ele me nocautear. Mas que diabo resta na vida para um cara com apenas um braço e desempregado?

— Você poderia ingressar na polícia em algum lugar.

— Não mais. Eles mantêm registros muito detalhados.

Como a conversa deixara Mugs Magoo desanimado, ele bebeu o copo inteiro em um só gole e o encheu outra vez.

Paul Pry foi até a parede norte do apartamento. Ali havia tambores, todo tipo de tambores. Enormes tambores de guerra, tambores cerimoniais nativo-americanos, caixas de bateria, tom-toms de canibais. Paul Pry selecionou seu tambor favorito como um violinista escolheria seu instrumento preferido.

Era um tambor de chuva indígena da tribo Hopi. Feito de um tronco oco de algodoeiro, madeira queimada para ter o temperamento e a ressonância adequados. Era coberto de pele e amarrado com tiras de couro cru. A baqueta era feita de zimbro, acolchoada na ponta com uma bola de tecido.

Paul Pry se sentou em uma cadeira e batucou algumas pulsações solenes do interior do instrumento.

— Escute esta nota de ressonância assombrosa, Mugs. Não desperta um instinto selvagem nas suas células de memória adormecidas? Dá para ouvir o martelar de pés descalços no chão ao som de dance rock, captar a sugestão de fogueiras trêmulas nos acampamentos, estrelas firmes no céu, corpos se retorcendo, talvez dançando com cascavéis entre os dentes.

Bum-bum-bum-bum!

---

* John Barleycorn é uma canção folclórica britânica. O personagem é uma personificação da cevada e das bebidas alcoólicas feitas a partir dela, como a cerveja e o uísque. Na canção, John Barleycorn é representado sofrendo ataques, morte e indignidades que correspondem aos diversos estágios do cultivo da cevada, como a colheita e a fabricação do malte. (N. do T.)

O tambor emitia cadências regulares de sons estranhos — sons que penetravam na corrente sanguínea e aumentavam a pulsação nos ouvidos. O rosto de Paul Pry exibiu uma expressão de deleite selvagem. Era assim que ele se preparava para a concentração intelectual.

Mas Mugs Magoo apenas bebeu o uísque e deixou que seus olhos turvos permanecessem fixos em um ponto no tapete.

Lentamente, o andamento mudou. O ribombar do tambor ficou mais sombrio. Aos poucos foi diminuindo em cadências suaves de som pulsante, depois cessou por completo. Paul Pry ficou em um estado arrebatado de concentração.

Mugs Magoo serviu outra dose.

Quinze minutos se passaram e se tornaram meia hora, então Paul Pry riu. O riso quebrou o silêncio da sala como um som de total incongruência.

Mugs Magoo ergueu uma sobrancelha.

— Pensou em algo?

— Na verdade, acho que sim, Mugs. Sabe de uma coisa? Acho que seria bom comprar um carro.

— Outro?

Outro. E acho que deveria registrá-lo no nome de B.F. Gilvray, no número 7823 da Maplewood Drive.

— Assim ele seria o dono.

— Isso mesmo.

— Mas você pagaria por ele.

— Certo outra vez. Mas eu sempre quis dar um presente a Gilvray.

E Paul Pry, sem parar de rir, levantou-se, pendurou o tambor cerimonial e pegou sua bengala, que tinha uma espada do melhor aço, seu chapéu e as luvas.

— A garrafa, Mugs, vai ter que servir para você pelo resto do dia — disse ele, indo embora.

O sr. Philip Borgley, primeiro vice-presidente do Sixth Merchants & Traders National, olhou para o sujeito elegante que sorria para ele com uma segurança muito gentil, depois consultou o pedaço de cartolina que segurava entre os dedos.

— Sr. Paul Pry, hein?

Paul continuou sorrindo.

O banqueiro se contorceu na cadeira e franziu a testa. Ele não encorajava sorrisos durante entrevistas. O grande deus do dinheiro deveria ser abordado em um espírito de reverência adequada. E Philip Borgley queria passar aos clientes a impressão de que era o padre do grande deus.

— O senhor não tem uma conta aqui? — Havia quase um tom acusatório na pergunta.

— Não — respondeu Paul Pry, e seu sorriso ficou um pouco mais acentuado.

— Ah — observou Borgley, em um tom que já estilhaçara as esperanças de muitos suplicantes diante do trono da riqueza.

Mas o sorriso de Paul Pry resistia.

— E então? — disparou o banqueiro.

— Acredito que o banco ofereça uma recompensa permanente pela recuperação de dinheiro roubado, certo?

— Certo. Caso algum seja roubado.

— Ah, sim. E por acaso o banco oferece alguma recompensa pela prevenção de crimes?

— Não, senhor. Não oferece. E devo sugerir que se foi mera curiosidade que o levou a procurar esta entrevista, é melhor encerrarmos — declarou o banqueiro Borgley, levantando-se.

Paul Pry cutucou a ponta do seu sapato confortável com a beira da bengala.

— Que interessante. O banco vai pagar para recuperar os espólios de um crime após o crime ser cometido, mas não vai fazer nada para evitar que o crime seja cometido.

O banqueiro foi para o portão de mogno que se abria na parte de mármore que revestia a parte inferior da parede do escritório.

— O motivo é simples — disse ele, de modo rude. — Recompensar a prevenção de crimes simplesmente tornaria possível que alguma gangue planejasse um crime fracassado e depois nos enviasse um representante astuto para nos censurar por não terem cometido o crime que eles próprios planejaram.

Não havia qualquer tentativa de disfarçar a suspeita em sua voz.

— Sinto muito — disse Paul Pry. — Imagino que, sob tais circunstâncias, é melhor deixar o crime ser cometido e receber uma recompensa pela recuperação.

Philip Borgley hesitou, e seus modos deixaram evidente que estava na dúvida se deveria ou não chamar a polícia.

Paul Pry inclinou-se para a frente.

— Sr. Borgley, estou prestes a fazer uma confissão.

— Ah! — disse o banqueiro com um tom de irritação e voltou para sua cadeira.

Paul Pry baixou a voz até que fosse pouco mais do que um sussurro.

— Você vai manter minha admissão em segredo?

— Não. Só aceito segredos de correntistas.

— Sinto muito — disse Paul Pry.

— Você estava prestes a fazer uma confissão?

— Sim. Vou contar a você. Mas é um segredo. Nunca admiti isto.

— E então?

— Sou um oportunista.

O banqueiro se aprumou, e seu rosto ficou sombrio.

— Por acaso você está tentando me pregar uma peça, ou está apenas tentando ser esperto?

— Nenhuma das duas coisas. Vim aqui para avisá-lo do roubo de uma quantia muito grande de dinheiro que deverá ocorrer nos próximos dias. No entanto, sou um oportunista. Eu vivo, sr. Borgley, por meio da minha inteligência, e minha informação nunca é partilhada gratuitamente.

— Entendo — disse o banqueiro, com a voz cheia de sarcasmo. — E permita-me deixar claro, sr. Pry, que este banco não lida com bandidos. É um banco bem protegido, e os guardas são instruídos a atirar para matar. Este banco está equipado com o mais moderno alarme antirroubos. Estamos protegidos por dispositivos que prefiro não discutir em detalhes. Se qualquer bandido conseguir roubar alguma parte do nosso dinheiro, ele é bem-vindo para isso. E se qualquer bandido tentar, este banco vai enviá-lo para a cadeia. Portanto, agora o senhor entende. Fui claro?

Paul Pry bocejou e se levantou.

— Eu diria que cerca de 20% seria apropriado. Digamos, duzentos dólares para cada mil que vocês perderem. Isso, é claro, pela recuperação. Eu ofereceria prevenir o crime por apenas 10%.

O banqueiro Borgley estremeceu de raiva.

— Saia daqui! — gritou.

Paul Pry sorriu enquanto passava tranquilamente pelo portão de mogno.

— Diga-se de passagem — disse ele —, estou bastante seguro de que seu temperamento o torna muito impopular. Compreendo que seus melhores amigos não vão mencionar isso. Estou mencionando porque não sou seu melhor amigo. Bom dia!

O banqueiro apertou com força um botão. Um alarme de emergência soou, e um policial veio correndo.

— Leve este cavalheiro para fora! — gritou o banqueiro.

Paul Pry fez uma mesura em agradecimento.

— Não há de quê. Muito gentil de sua parte — disse ele, com a voz arrastada.

O policial agarrou o braço de Pry logo acima do cotovelo, e o sorriso de Paul Pry desapareceu no mesmo instante. Ele se virou para o banqueiro.

— Você ordenou que eu seja expulso? Está sugerindo que este policial coloque as mãos em mim?

E algo no tom frio de Pry induziu Borgley a pensar em processos e acusações de agressão.

— Não, não — disse ele apressadamente, e o oficial tirou a mão de Paul Pry.

— O preço — começou Paul Pry — vai ser de 250 dólares para cada mil recuperados. Tenha um bom dia.

O carro-forte número três da Companhia de Transportes Bankers' Bonded deixou ruidosamente a garagem onde os carros-fortes ficavam guardados. O motorista tinha uma série de folhas de papel amareladas no bolso, uma lista com a rota dos locais nos quais deveria parar e pegar carregamentos valiosos.

Era um dia quente, e o carro-forte estava vazio. Não havia nem cinco centavos que pudessem ser roubados em todo o veículo, e os guardas, claro, desfrutavam as correntes de ar que entravam pelas janelas abertas. Mais tarde, quando o carro-forte se tornasse um baú de tesouro sobre rodas, os guardas precisariam se agachar dentro do tanque de aço quente, com as janelas fechadas, seus olhos desconfiados examinando o tráfego ao redor, a transpiração lambuzando as peles oleosas com uma gosma permanente.

Agora, tanto o motorista quanto o guarda estavam relaxados, encarando tranquilamente a vida. O trabalho tornara-se mera rotina. Para eles, o conteúdo das caixas que carregavam não significava nada mais do que o conteúdo das caixas de transporte para os motoristas dos caminhões das lojas de departamento.

Estavam a dez quarteirões da garagem, descendo a avenida na velocidade constante do movimento controlado. Em determinado momento não havia mais nenhum tráfego visível.

O carro leve que veio de repente da rua transversal e ignorou o sinal do cruzamento colidiu com o meio-fio, derrapou e chocou-se de lado com o grande carro-forte.

Houve o som de uma batida e de estilhaços. O motorista do carro-forte pisou com força no freio. Um pouco da tinta das laterais do carro de aço saíra. O veículo que se chocara neles estava destruído. O motorista pulava, gesticulando.

— Que diabo vocês querem bloqueando a rua? Vou mandar prender vocês. Vou...

O motorista do carro-forte saiu de trás do volante e saltou para a rua.

— E-e-ei — rosnou. — Como você fez isso?

O homem que dirigia o carro deu um soco com a mão esquerda com a precisão treinada de um lutador profissional. A função daquela esquerda era medir a distância e manter imóvel a mandíbula projetada para a frente do motorista do carro-forte. Foi a direita repentina que atingiu a base da mandíbula e causou o estrago.

— Ei! — gritou um guarda, surpreso, que saltou do carro-forte. — Você está errado. O que é que está tentando fazer? Sou policial e...

Ele não terminou a frase. Um carro preto e reluzente aproximou-se e parou suavemente.

— Eu vi — disse o homem que saltou do carro. — Foi culpa do carro-forte.

— Mas que diabo... — gritou o guarda, furioso.

O guarda do carro-forte parou. A arma apontada para ele era segurada por uma mão firme, e os olhos do homem que a segurava cintilavam com uma eficiência profissional.

— Entrem no carro, e sejam rápidos, vocês dois — ordenou o homem, enquanto mexia a arma para indicar os dois guardas atônitos.

Naquele momento, a porta foi aberta, e dois homens saltaram. Os guardas ficaram boquiabertos em espanto, pois os homens vestiam réplicas exatas de suas próprias roupas. Usavam as camisas verde-oliva com a insígnia da Companhia de Transportes Bankers' Bonded, os bonés idênticos com brasões, as calças com armas em coldres pendurados nos cintos, as caneleiras, os sapatos engraxados.

Eles nunca se recuperaram completamente das arfadas de surpresa, pois um golpe com um punho de macaco* os derrubou feito sacos de farinha. Homens se moveram com uma eficiência treinada, e os dois guardas inconscientes estavam dentro do automóvel reluzente antes que o primeiro da procissão de carros que se aproximava chegasse à cena do acidente.

Do pequeno aglomerado de carros, dois ou três carros pararam. Os motoristas destes carros não viram nada incomum. Os homens uniformizados e sérios de pé ao lado do carro-forte trocavam os números das placas com o motorista do carro leve destruído, que estava muito, muito manso.

O sedã reluzente com cortinas laterais fechadas deu partida. O homem manso aceitou uma carona com um motorista que passava. O carro-forte afastou-se ruidosamente, e só o carro roubado foi deixado ao lado do meio-fio para marcar o primeiro passo do plano eficiente de Big Front Gilvray.

Depois disso, tudo transcorreu com tranquilidade. O Sixth Merchant & Traders National tinha alguns carregamentos bem pesados de ouro para despachar, e telefonara solicitando o carro-forte em um horário específico.

O motorista chegou na hora marcada. A porta lateral foi aberta, e policiais especiais patrulhavam a calçada. Pedestres olharam boquiabertos para as caixas pesadas sendo colocadas com um baque alto no chão do carro-forte. Os policiais especiais observavam os rostos dos pedestres com vigilância. O motorista do carro-forte bocejou enquanto assinava o recibo pelo número específico de caixas.

O banco era bastante casual quanto ao procedimento. Os motoristas estavam afiançados, e o conteúdo do carro-forte assegurado. O carregamento fora transferido em segurança para as mãos da Companhia de Transportes Bankers' Bonded. Não havia com que se preocupar. Era mera rotina.

O guarda bateu a porta com força. O motorista se arrastou para trás do volante, e o carro-forte voltou para o trânsito.

---

* Arma de defesa pessoal constituída por uma corda com um nó na extremidade que serve como peso.Recebe esse nome por parecer uma pata ou um punho cerrado. O nó punho de macaco tem origem náutica e, posteriormente, passou a ser utilizado como uma espécie de porrete. (N. do T.)

Na próxima vez que o carro-forte foi visto, estava abandonado em um bairro residencial. Os moradores tinham reparado em caixas sendo transferidas para um caminhão de entregas. Não podiam dar muitas informações adicionais. Os homens que fizeram a transferência usavam uniformes convencionais, e os moradores não tinham ficado muito curiosos, pelo menos a princípio.

Os guardas capturados foram libertados duas horas depois. Estavam grogues, aterrorizados, furiosos, e suas cabeças doíam. Conseguiram dar apenas descrições vagas dos homens que haviam planejado a captura do carro-forte, e a polícia sabia que aqueles homens, por não estarem mascarados, eram bandidos vindos de outro lugar especialmente para aquele trabalho.

A polícia estava em um impasse, mas hesitou em admitir isso. Fizeram um grande alarde ao recolher impressões digitais do carro-forte, mas poderiam muito bem ter economizado esse tempo.

Philip Borgley relatou no mesmo instante a entrevista com Paul Pry e insistiu que ele devia ser um dos ladrões. A polícia riu. Já tinham cruzado o caminho de Paul Pry anteriormente. O jovem era o que dizia ser: um oportunista. Solucionara vários crimes, e em todos os casos recebera uma recompensa. A soma das recompensas totalizava uma renda considerável.

Mas a polícia investigara Paul Pry de vários ângulos. Os métodos dele eram cheios de mistério. Sua técnica era desconcertante. Mas não estava associado com nenhum criminoso.

Todos esses fatores atraíram a atenção dos diretores do banco, que estavam em reunião, para Paul Pry.

Naquele momento, o conselho do banco proferiu sua opinião. A Companhia de Transportes Bankers' Bonded não era responsável pela perda. Nunca enviara um carro-forte ao banco, nunca assinara o recebimento do carregamento. O roubo do carro-forte fora efetuado antes da sua chegada ao banco. Portanto, o banco entregara voluntariamente seu carregamento de ouro para dois bandidos.

Os diretores logo anunciaram uma recompensa pela recuperação do ouro roubado. Mas ouro é difícil de identificar e fácil de dividir. Parecia muito provável que o banco estava prestes a fazer um registro enorme em tinta vermelha em seus livros de contas.

Paul Pry soube da recompensa meia hora depois de ter sido anunciada. Ele ligou para o banco a fim de verificar a informação, depois foi andando tranquilamente até o estacionamento que ficava perto da esquina do seu apartamento.

Ele tinha informação suficiente para transmitir à polícia e obter um mandado de busca para a residência de Benjamin F. Gilvray, para, sem dúvida, recuperar o ouro perdido. Mas Paul Pry não tinha nenhuma intenção de matar o ganso que colocava seus ovos de ouro. Big Front Gilvray proporcionara indiretamente a Paul Pry uma renda muito boa durante os últimos meses.

No estacionamento, Paul Pry entregou um bilhete, e lhe trouxeram um automóvel novo e reluzente. Estava registrado no nome de Benjamin F. Gilvray, Maplewood Drive, número 7823, se bem que essa informação seria um grande choque para Benjamin F. Gilvray.

Paul Pry dirigiu o carro novo até um ponto muito afastado do trânsito, estacionou-o e trocou-o por um conversível vermelho registrado em seu nome. Ele dirigiu o conversível até um ponto a cerca de um quarteirão e meio da casa de número 7823 da Maplewood Drive e parou lá. Depois, chamou um táxi e voltou para onde estacionara o automóvel novo que registrara no nome do arquigângster.

Em uma rua secundária deserta, Pry parou o carro, abriu a caixa de ferramentas e pegou um martelo grande. Com a ferramenta, iniciou as operações no lado esquerdo do para-choque.

Quando terminou, o carro ficou com uma aparência impressionante. O estado novo e reluzente do acabamento de fábrica estava maculado por um para-lama dianteiro esquerdo tão danificado quanto um pedaço de papel-alumínio jogado fora. A tinta estava lascada. O para-lama fora friccionado em um poste telefônico e estava amassado em vários lugares.

Àquela altura, era começo da noite, e Paul Pry dirigiu alegremente seu carro novo até a avenida.

Em uma rua secundária na qual havia um pouco de tráfego, mas ainda perigo potencial o suficiente para que houvesse um sinal de trânsito, Paul estacionou e esperou sua oportunidade.

Um guarda de trânsito estava de pé logo abaixo da caixa de controle do sinal de trânsito na esquina sudoeste, observando atentamente os veículos que passavam. Estava ali para prender infratores, seguindo a teoria de que o valor que receberia pelas multas mais do que compensaria seu salário.

Quando Paul Pry considerou o momento oportuno, afastou o carro do meio-fio. A rua estava deserta até onde conseguia ver, nas duas direções. O sinal de trânsito estava contra ele.

O resto foi absurdamente simples.

Com a estupidez perplexa de um motorista inexperiente, ele dirigiu lentamente até o meio do cruzamento e só parou depois que o apito do guarda soou o terceiro chamado imperativo.

O carro parara em tal posição que Paul tinha uma visão livre de ambos os lados das duas ruas. Ele estava, na verdade, quase exatamente no centro do cruzamento.

O guarda de trânsito deu passos decididos e furiosos até o lado esquerdo do seu carro, reparou devidamente no para-lama amassado e no acabamento novo. A voz dele tinha aquele tom de cansaço paciente que as mães usam com crianças sapecas depois que as travessuras se tornaram um hábito.

— Suponho que você seja cego e não enxergue, e também surdo e não escute. Pois não sabia que havia um sinal de trânsito, nem me ouviu gritando para que parasse.

Paul Pry se aprumou com dignidade.

— Por que — começou ele, lenta e distintamente — você não vai para o inferno? Sou B.F. Gilvray, Benjamin Franklin Gilvray.

O guarda, com os ouvidos na expectativa de desculpas humildes e parcialmente inclinado a ser caridoso com o motorista de um carro novo, recuou como se tivesse levado um golpe. Seu rosto ficou sombrio, e seu sarcasmo paciente desapareceu.

— Seu vagabundo de meia-tigela! Se continuar falando comigo desta maneira, vou socar seu nariz com tanta força que vai sair pelo outro lado da sua cabeça. Com quem diabo você pensa que está falando?

Ele enfiou o rosto enfurecido pela janela da porta da frente e fuzilou Paul Pry com os olhos.

Pry não respondeu nada, absolutamente nada.

Durante cinco segundos, o policial encarou Pry com uma expressão furiosa, esperando que o infrator abusasse e lhe desse uma desculpa para que ele pudesse decretar prisão sob a acusação de resistir a um policial. Mas Paul Pry permaneceu imóvel.

O policial bufou e foi para a frente do carro. Anotou o número da placa, voltou para o carro e puxou a porta dianteira esquerda para abri-la.

— Você amassou seu para-lama. Acabou de fazer isso, não foi?

— Isso, meu amigo, não é da sua conta.

A mão do guarda disparou para dentro do carro, agarrou a gola do casaco de Paul Pry, que saiu violentamente de trás do volante.

— E-e-ei, você tem muito a aprender, com certeza. Pegue sua carteira de motorista e seja rápido. Vai fazer um passeio até a delegacia. É para lá que você vai!

E, ainda segurando Paul Pry pela gola, esticou a mão livre e agarrou o documento.

Não havia trânsito em nenhuma das ruas. O cruzamento não mostrava nenhum farol se aproximando. Não havia pedestres. Paul Pry escolhera com cuidado a esquina e o momento. Abruptamente, ele passou de um cidadão passivo mas insolente nas mãos da lei para uma montanha de músculos de aço e tendões de arame.

"Pou!"

O impacto do seu punho na lateral da cabeça do policial soou como um tiro de pistola com silenciador.

O sujeito cambaleou para trás com uma expressão de fúria, surpresa e dor. Paul Pry atingiu-o com uma esquerda com o grau de precisão que caracteriza um lutador treinado.

O golpe pareceu quase sem pressa, de tão bem calculado e de tanta graciosidade com que o braço e o ombro se movimentaram. Mas o policial caiu como um saco de farinha, ainda segurando o documento na mão esquerda.

Paul Pry entrou no automóvel, engrenou-o e desceu suavemente a rua. Virou na avenida principal seguinte e dirigiu para a frente da residência de Big Front Gilvray, onde estacionou.

Em seguida, desceu a rua caminhando, sentou-se na sombra de uma cerca viva e fumou um cigarro.

A casa de Big Front Gilvray despontava como uma montanha sombria e silenciosa de escuridão. Não havia qualquer indício de luz nas janelas, nenhum som que indicasse que estivesse ocupada. A casa estava envolta em um silêncio atento. Mas era um silêncio tenso. Havia a sensação de que talvez houvesse um rosto cauteloso, encostado no vidro de uma janela no andar de cima, examinando a rua — e que outros rostos nos quatro cantos da casa poderiam estar inspecionando cautelosamente à noite.

Meia hora se passou até Paul ouvir a lamúria da sirene, o som de um gongo tocando. A rua refletiu os raios de um holofote vermelho. Os policiais tornariam aquilo uma espécie de ritual. Tinham trazido o camburão.

Paul Pry desceu a rua até onde estacionara o conversível, entrou no carro, girou a ignição e ligou o motor. Depois, desligou a ignição para ouvir melhor qualquer som que a noite tivesse a oferecer.

O camburão estacionou diante do casarão com um floreio.

— Aqui estamos, rapazes! — gritou alguém. — Olhem só o carro! É do tipo que Bill disse, e o para-lama dianteiro está amassado.

Outra voz rosnou:

— Tirem-no de lá.

Da viatura desceram figuras que se moveram com uma determinação sombria até a entrada da casa. Os degraus da frente retumbaram na noite o barulho dos seus pés autoritários, e deu para ouvir o som de cassetetes fazendo uma tatuagem nos painéis de madeira.

Mas a porta não abriu de imediato.

A casa emitiu sinais de atividade disfarçada. Depois, uma luz acendeu na varanda, e Big Front Gilvray apareceu na porta, bloqueando com o corpo o brilho tênue de um saguão iluminado.

Big Front fazia jus ao seu nome. Enfrentava a polícia com ousadia. Atrás dele havia homens armados com metralhadoras, determinados a vender suas vidas pelo preço mais alto possível; mas esses homens estavam fora de vista, escondidos onde suas armas poderiam varrer salas e escadas com o mais mortal ângulo de fogo.

Paul Pry ouviu a voz retumbante de Gilvray.

— Que diabo significa este ultraje?

O código de Gilvray era impressionar, sempre deixar o outro na defensiva.

A única resposta à pergunta foi outra pergunta, feita por um dos policiais:

— Você é Benjamin F. Gilvray, do número 7823, Maplewood Drive?

— Sou. E quero saber...

O que Big Front Gilvray queria saber foi afogado pelo som de um punho forte chocando-se contra sua pele macia. O que se seguiu foi o arrastar de pés, os baques das pancadas. Depois de um tempo, alguém disse "você está preso", e um emaranhado de pessoas se debatendo violentamente seguiu até o camburão.

Ouviu-se um sino tocar, o grito de uma sirene, o rugido de um cano de descarga, e o camburão partiu. Dentro dele, dava para ver pessoas se mexendo, suas silhuetas contrastando com um trecho iluminado da rua.

Big Front Gilvray estava resistindo à prisão, e as pessoas faziam seu trabalho.

Paul Pry ligou o motor do carro e pegou a rua secundária. Daquela posição, ele tinha a visão da entrada do beco a partir das garagens, e também da entrada de cascalho.

Luzes se acenderam dentro da casa, depois foram apagadas. Portas bateram. Houve o som de passos correndo. Um carro saiu em disparada de uma das garagens, derrapou na curva para a rua secundária e saiu rangendo pela noite. Estava cheio de homens.

Um caminhão o seguiu. Havia dois homens no banco da frente. A carga do caminhão estava coberta com lona. Não era muito volumosa.

Paul Pry seguiu o farol vermelho do caminhão.

Ele manteve-se bastante afastado, mas, com a flexibilidade do seu conversível potente, deu para controlar a situação. O caminhão não conseguiria escapar. Paul Pry dirigia com os faróis apagados e estava invisível para os ocupantes do caminhão.

A perseguição continuou por quase um quilômetro e meio, depois o caminhão entrou em um estacionamento público. Paul Pry deu a volta no quarteirão e entrou com o conversível vermelho no mesmo estacionamento.

O caminhão dos gângsteres estava parado no canto, e um atendente com olhos sonolentos apareceu com um bilhete. Ele deu um bocejo prodigioso enquanto se espreguiçava.

— É melhor eu estacionar — disse Paul Pry — A ré está agarrando um pouco.

O homem de macacão sujo bocejou de novo e enfiou um bilhete na fresta sobre as dobradiças do capô. O bilhete trazia uma sequência de números pretos sobre um fundo vermelho. Ele colocou a outra metade do bilhete, com uma duplicata do número, na mão de Paul Pry.

— Bem ao lado do caminhão? — perguntou Paul de forma casual, e não esperou pela resposta.

Dirigiu pelo corredor pouco iluminado do estacionamento, deu ré na primeira vaga livre ao lado do caminhão, desligou o motor e o farol e desceu.

Talvez seja importante notar que ele desceu do carro no lado mais próximo do caminhão e que sua mão tocou o capô do caminhão potente enquanto ele perambulava entre as vagas.

Sob a luz fraca do lugar, o atendente de olhos sonolentos não tinha ideia de que Paul Pry estava trocando quadrados de cartolina, que o bilhete vermelho que fora inserido no capô do conversível agora enfeitava o caminhão e que o bilhete do caminhão fora transferido para o conversível.

Paul Pry não pretendera jogar precisamente daquela maneira. Ele tinha certeza de que os gângsteres, assustados com a prisão de Big Front Gilvray, iam transferir a carga do tesouro, mas não contara com o movimento audacioso por meio do qual tentaram garantir a própria segurança.

Era simples. A própria simplicidade era a melhor proteção. Sentiram que a polícia poderia estar no rastro deles. Portanto, deveriam colocar a carga roubada em um lugar onde nunca seria encontrada. Que solução seria mais simples do que tratar as caixas de ouro como se fosse uma carga comum, estacionar o caminhão durante a noite e não fazer mais nada até que tivessem notícias de Gilvray?

Se a polícia tivesse provas contra Gilvray, os gângsteres poderiam pegar a carga do caminhão, transferi-la para carros velozes e sair da cidade. Se fosse um alarme falso, o ouro seria removido da casa que a princípio poderia ser revistada. Se a polícia tivesse a informação completa e soubesse qual era o quartel-general estabelecido pela gangue, uma batida surpresa não revelaria nenhuma prova incriminadora.

Paul Pry, no entanto, era um oportunista. Ele apenas pretendera confirmar que o ouro estava guardado em um único lugar para depois informar a localização do esconderijo à polícia e reivindicar a recompensa. Na atual situação, ele tinha a oportunidade de recuperar o tesouro de forma espetacular e deixar a gangue intacta — uma organização de criminosos desesperados, pronta para cometer outros crimes em cima dos quais Pry poderia capitalizar.

Dessa forma, quando Pry saiu da garagem, ele tinha um quadrado de cartolina contendo um número, e, no caminhão com a carga ilegal, havia uma duplicata do bilhete com o mesmo número.

Paul Pry riu sozinho quando saiu andando pela noite.

Ele ligou para o sargento Mahoney na central de polícia.

— Pry falando, sargento. Há uma recompensa pela recuperação do ouro roubado do Sixth Merchants & Traders National?

— Vou dizer que sim. Você não tem uma pista, tem?

— Tenho. Que tal vir até a esquina da Vermont com a Harrison? Encontro você lá com o ouro. Você leva o crédito e deixa meu nome fora disso. Depois dividimos a recompensa meio a meio.

O sargento pigarreou.

— Eu gostaria muito de fazer isso, Pry. Mas acontece que você já recebeu duas ou três recompensas recentemente. Como obtém informações com tanta facilidade?

Paul Pry riu.

— Segredo de negócios, sargento. Por quê?

— Bem, você sabe, alguém poderia alegar que você cometeu os crimes para receber as recompensas.

— Não seja tolo, sargento. Se eu tivesse corrido o risco de fazer esse roubo, não trocaria o dinheiro por uma fração do valor. Essas caixas não contêm joias. Contêm ouro e dinheiro. Eu poderia pegá-lo e gastar tudo... Se não quisesse devolvê-lo. Mas se você acha que isso pode causar problemas, podemos deixar para lá, e eu não devolvo o carregamento, assim você pode seguir em frente e trabalhar no caso à sua própria maneira.

— Não, não, Pry! Eu só estava pensando em voz alta. Você tem razão. Na esquina da Harrison com a Vermont? Chego em vinte minutos.

Paul Pry desligou o telefone, depois ligou para seu apartamento. Mugs Magoo atendeu.

— Está bêbado, Mugs?

— Não.

— Sóbrio?

— Não.

— Certo. Pegue um táxi e arrume dois macacões e um boné, e também um suéter. Pode ser um casaco de couro se não arranjar um suéter. Traga-os para mim o mais rápido possível. Você vai me encontrar em uma farmácia na Vermont, perto da rua 110. Seja rápido.

Então Paul Pry acomodou-se confortavelmente na farmácia, pegou uma revista, comprou um maço de cigarros e preparou-se para a diversão.

Mugs Magoo levou meia hora para levar as coisas. Paul Pry trocou de roupa no táxi e chegou à garagem com roupas manchadas e sujas. Um pouco de tabaco nos olhos deixou-os com uma aparência avermelhada de inflamação.

Ele estava xingando alguma coisa quando o atendente com olhos sonolentos, cochilando em uma cadeira recostada na parede do escritório, estendeu a mão mecanicamente.

— Maldito caminhão. Dá para acreditar? Mal pego no sono, e o chefe liga para dizer à minha mulher que preciso levar o carregamento hoje à noite para o armazém, arrumar um ajudante e seguir em outra viagem.

O atendente, intrigado, olhou para Paul Pry com a testa franzida.

— Foi você quem trouxe o caminhão?

Paul bocejou e entregou-lhe a cartolina vermelha.

— Aham — disse ele.

O atendente foi até o caminhão, comparou os números nos bilhetes e assentiu.

— Seu rosto me parecia familiar, mas achei que...

Ele não terminou de dizer o que pensara.

Paul Pry entrou no caminhão, girou a ignição, ligou o motor com um rugido, acendeu os faróis e dirigiu até a rua. Mugs Magoo, no táxi, com uma pistola automática na mão esquerda, protegia a traseira. O caminhão com o tesouro desceu ruidosamente a avenida.

Na esquina da Harrison, o sargento Mahoney estava estacionado em uma viatura. Ele apertou a mão de Paul Pry e correu para o carregamento coberto pela lona no caminhão. Após examiná-lo por um momento, se convenceu.

— Meu Deus, vou ser promovido por isso!

Paul Pry assentiu.

— Leve o caminhão até a central. Diga que extraiu a informação de uma fonte. Vou levar seu conversível para o meu apartamento. Você pode mandar um dos seus homens buscá-lo mais tarde. Aliás, deixei um conversível vermelho no Estacionamento Magby's, a cerca de um quilômetro e meio nesta rua. Perdi meu bilhete do estacionamento. Eu gostaria que você mandasse uma patrulha e dissesse ao funcionário de lá que é um carro roubado. Pode deixá-lo na frente do meu apartamento depois que pegar seu carro.

O sargento Mahoney observou Paul Pry com olhos franzidos em minúsculas frestas cintilantes.

— Você trocou os bilhetes e roubou este caminhão, meu filho?

Paul Pry balançou a cabeça.

— Não posso responder a esta pergunta.

— Está com medo de algo? Você teria proteção policial se cometesse um roubo técnico de um caminhão de gângsteres.

Pry riu.

— Não. Tenho um motivo mais pessoal para isso.

— Que é?

— Que não quero matar o ganso que coloca meus ovos de ouro.

O sargento Mahoney assoviou baixinho.

— Ovos de ouro, com certeza! Mas você está brincando com dinamite, meu filho. Vai parar a sete palmos debaixo da terra se jogar este jogo.

— É possível — concordou Paul Pry. — Mas, afinal, é isso que torna o jogo mais interessante. E é algo exclusivamente entre mim e...

— E quem? — perguntou o policial, ansioso.

— E um cavalheiro a quem dei um carro novo de presente— disse Paul Pry. Depois deste comentário enigmático, se aproximou do conversível da polícia. — Cuide bem deste caminhão, e boa noite, sargento. Me avise quando for promovido.

O sargento estava subindo no banco do motorista do caminhão enquanto Paul Pry entrava no conversível da polícia. Pela manhã, outro carregamento de ovos de ouro seria entregue a ele — metade da recompensa oferecida pelo banco por uma perda que poderia ter sido evitada.

DOCE MÚSICA
ROBERT L. FISH

Como narra na introdução de *Kek Huuygens, Smuggler* (1976), Robert Lloyd Fish (1912-1981) morava no Rio de Janeiro, trabalhando como engenheiro civil e tentando melhorar seu talento para o golfe, quando um amigo lhe contou sobre um homem que contrabandeara legalmente — bem, quase legalmente — cinco milhões de dólares da Bélgica para os Estados Unidos. Fish já estava escrevendo paródias de Sherlock Holmes com o personagem Schlock Holmes e romances detetivescos sobre José da Silva, um detetive policial brasileiro, mas achou aquela história boa demais para ignorar, portanto passou a escrever vários contos inteligentes e um livro, *The Hochmann Miniatures* (1967), sobre Huuygens, que nasceu na Polônia, tinha um nome holandês e um passaporte americano.

Durante sua carreira, Fish escreveu mais de trinta livros, recebeu três prêmios Edgar (por *The Fugitive*, melhor primeiro romance de 1962; por *Bullit*, melhor filme de 1969, baseado em seu livro *Mute Witness*, publicado sob o pseudônimo Robert L. Pike; e por "The Moonlight Gardener", melhor conto de 1971). Foi eleito presidente da Mystery Writers of America e deixou como legado o Prêmio Memorial Robert L. Fish, patrocinado por seu espólio, que tem concedido um prêmio anual desde 1984 para o melhor primeiro conto de um autor norte-americano selecionado pela MWA.

"Doce música" foi publicado originalmente como uma história completa dentro do livro *The Hochmann Miniatures* (Nova York: New American Library, 1967). O conto foi publicado pela primeira vez em uma antologia em *Kek Huuygens, Smuggler* (Nova York: Mysterious Press, 1976).

DOCE MÚSICA

ROBERT L. FISH

O mês era setembro, o lugar era Paris, e fazia calor.

Claude Devereaux, um dos integrantes da equipe grande e sobrecarregada de inspetores da alfândega do aeroporto de Orly, levantou o chapéu de aba dura da testa suada, inclinou-se para rabiscar uma marca indecifrável com giz na mala à sua frente e depois se aprumou, perguntando-se que imbecil desenhara o uniforme que ele estava usando, e se o idiota nunca sofrera com seu grande peso em um dia quente. Assentiu desatentamente para o obrigado murmurado pelo passageiro liberado e voltou-se para o próximo cliente, aceitando automaticamente o passaporte oferecido a ele, perguntando-se se ainda teria tempo depois do seu turno para uma bière antes de ir para casa. Provavelmente não, pensou, suspirando, e voltou sua atenção para o trabalho.

Ele reparou preguiçosamente no nome no livreto verde, e estava prestes a pedir os formulários de declaração, quando se enrijeceu de repente, o calor opressivo — inclusive a cerveja — esquecido no mesmo instante. Os boletins de informação sobre aquele nome específico que estava lendo ocupavam grande parte do seu livro de instruções especiais. Seus olhos percorreram a página até chegar à foto sorridente e bastante despreocupada colada ao lado da assinatura bem-feita, depois levantaram lenta e inquisitivamente para observar a pessoa do outro lado do balcão.

Ele viu um homem que julgou ter entre 30 e 35 anos, um pouco mais alto do que a média, bem-vestido com a última e mais cara moda do boulevardier, com ombros largos que pareciam só um pouco desproporcionais em relação ao seu corpo magro e atlético. O cabelo grosso e cacheado, um pouco despenteado por causa da viagem bastante turbulenta sobre os alpes, já tinha leves toques de cinza e atribuía certo ar romântico ao rosto forte e barbeado. Sobrancelhas agitadas inclinavam-se abruptamente acima dos olhos cinzentos que, o oficial tinha dúvidas, eram muito atraentes para as mulheres. Ele se recobrou com um sobressalto; naquele momento, os olhos cinzentos começavam a dissipar sua paciência sob a inspeção ostensiva. Claude Devereaux suspeitou — com bastante propriedade — que aqueles olhos suaves poderiam se tornar muito frios e sérios se as circunstâncias exigissem. Ele se inclinou para a frente com um sorriso desconfiado, baixando a voz:

— M'sieu Huuygens...

O homem diante dele assentiu com seriedade.

— Sim?

— Receio que...

— Receia o quê? — perguntou Kek Huuygens, curioso.

O oficial deu de ombros, sorrindo com um pouco de constrangimento, apesar do brilho em seus olhos transmitir tudo, menos desorientação.

— Receio que devo lhe pedir para entrar no escritório do inspetor-chefe — disse ele de forma delicada e ergueu as palmas das mãos imediatamente, negando qualquer responsabilidade pessoal. — São as instruções que recebemos, senhor.

— Merde! Que incômodo! — Seus olhos cinzentos observaram o oficial por um instante, como que tentando julgar sua venalidade potencial. — Será que não há outra solução?

— M'sieu?

— Não, suponho que não. — A ideia foi desconsiderada com um gesto impaciente de cabeça. — É isso toda vez que passo pela alfândega francesa! Ridículo! — Deu de ombros. — Bem, se é necessário, então é necessário.

— Exatamente.

Devereaux concordou de forma educada. Que história para contar para a esposa! Ninguém menos que o próprio bandido famoso Kek Huuygens passara por sua cabine na alfândega e tentara mesmo suborná-lo! Bem, não exatamente suborná-lo, mas por um instante houvera uma expressão naqueles olhos cinzentos que com certeza indicara... O inspetor logo desconsiderou o pensamento. Se sua esposa pensasse por um momento que ele recusara um suborno, nunca mais lhe daria sossego. Seria melhor só contar para ela... Ele parou. Melhor não dizer nada, pensou amargamente, sentindo-se privado de algo, e depois percebeu que estavam falando com ele. De imediato ficou em posição de sentido.

— M'sieu?

— O escritório do inspetor-chefe? Caso esteja lembrado...

— Ah, sim. Se o m'sieu apenas puder me seguir...

— E quanto à minha bagagem?

— Sua bagagem?

Claude Devereaux olhou ao longo do balcão de madeira agora desocupado, já desperto do seu devaneio e imediatamente alerta. Os boletins de informação tinham sido muito claros em relação àquele homem! Vigie-o! Vigie-o constantemente! Observe cada movimento dele! Seus olhos voltaram desconfiados para o sujeito à sua frente.

— Está se referindo à sua maleta? Ou há mais?

— É tudo o que tenho, mas mesmo assim é minha bagagem. — De repente, Kek deu um sorriso confiante para o outro homem, disposto a deixar para trás o que acontecera, aceitando que o inspetor estava apenas fazendo seu trabalho. — Prefiro viajar com pouca bagagem, sabe. Uma escova de dentes, um par de meias limpas, uma camisa limpa... — Ele olhou com calma ao redor, como se procurasse um local seguro onde nenhum carregador descuidado pudesse pegar de forma inadvertida sua maleta e deixá-la na fila de táxis sem que fosse solicitado, ou onde alguém com intenções menos honestas não pudesse roubá-la. — Se eu puder deixá-la em algum lugar que não atrapalhe...

O oficial olhou para o teto de pé-direito alto sem se esforçar para esconder seu divertimento, depois voltou a olhar para baixo. Mas deveria haver alguma maneira de contar esta história para sua esposa, ou pelo menos para a namorada! Ela era gostosa demais! Ele balançou a cabeça compassivamente.

— Receio, M'sieu, que sua maleta deve ir com você para o escritório do inspetor-chefe. — Ele demonstrou uma falsa animação. — Na verdade, posso até carregá-la para você.

— Você é muito gentil — murmurou Huuygens e o seguiu.

Charles Dumas, inspetor-chefe da seção de Orly, ergueu os olhos da sua mesa bagunçada diante da entrada dos dois homens, recostou-se, resignado, em sua cadeira e suspirou ruidosamente. Hoje, é óbvio, ele deveria ter ficado em casa ou, melhor ainda, ido ao clube. O pequeno escritório estava um forno com o calor incomum daquela manhã; o pequeno ventilador zumbia em um canto sem entusiasmo ou eficiência; ele começava a sentir dor de cabeça por causa das letras miúdas que pareciam ser o único tamanho de fonte disponível no escritório de impressões, e agora aquilo! Aceitou em silêncio o passaporte proferido, indicou com o mais leve movimento de cabeça onde queria que a maleta fosse deixada e dispensou o inspetor Devereaux com o mais ínfimo arquear de sobrancelhas. Até mesmo esses esforços pareciam exauri-lo. Ele aguardou até que o inspetor decepcionado fechasse a porta com relutância para folhear as páginas do passaporte. Parou ao ver o carimbo fresco da imigração e depois ergueu o olhar com um sorriso fraco.

— M'sieu Huuygens...

Kek se sentou na única cadeira de madeira disponível para os convidados naquele escritório pequeno, balançou-a um pouco para ter certeza de que era segura, e depois examinou o rosto do outro homem. Ele se recostou, cruzando as pernas, e balançou a cabeça.

— Bom, inspetor — disse ele um pouco, com um tom de queixa na voz. — Não consigo decifrar sua expressão. Parece-me que se alguém tem motivos para ficar ofendido, sou eu. Este negócio de uma entrevista pessoal toda vez que passo pela alfândega...

— Por favor. — Uma mão rechonchuda foi erguida com cansaço, interrompendo-o. O inspetor-chefe suspirou e examinou o passaporte quase como se nunca tivesse visto um. — Quer dizer que está viajando novamente?

— É claro.

— Para a Suíça, desta vez, pelo que estou vendo. — Os olhos escuros e inescrutáveis se desviaram do livreto. — Uma viagem bem curta, não foi?

Kek reclinou a cadeira contra a parede, cruzando os braços, resignando-se ao catecismo inevitável.

— Só um final de semana.

— A negócios?

— Para evitar o calor de Paris por alguns dias, se quer saber.

— Entendo... — O inspetor-chefe suspirou outra vez. — E estou vendo também que não tem nada a declarar. Mas, até aí, você raramente tem.

A cadeira baixou com delicadeza. Em silêncio, Huuygens observou o inspetor por vários segundos, depois assentiu como se compreendesse a lógica da posição dele.

— Tudo bem — disse ele de forma cordial. — Se vocês estão sinceramente interessados em uma camisa suja e em um velho par de meias, ficarei feliz em declará-los. Qual é a taxa por uma escova de dentes usada? — Ele sorriu de repente. — Não é usada com tanta frequência quanto os anúncios recomendam, mas é usada.

— Tenho certeza de que você está tão familiarizado com a tabela de taxas quanto qualquer um do meu departamento — disse tranquilamente o inspetor Dumas, esticando o braço para pegar a maleta e puxando-a para perto. — Posso?

Sem esperar reposta, ele abriu as fivelas, pressionou a trava e começou a colocar o conteúdo em cima da mesa. Ele empurrou a roupa suja para o lado, abriu o kit de barbear e o estudou por um momento. Depois explorou melhor as profundezas da maleta.

— Ah? — A voz dele era a própria essência da polidez. — E o que seria isto?

— Exatamente o que parece — respondeu Kek, no tom usado para explicar uma verdade óbvia para uma criança. — Uma caixa de chocolates.

O inspetor-chefe virou a embalagem nas mãos, admirando o papel de embrulho estampado com o nome da loja em relevo dourado e o arranjo bastante chamativo feito com uma fita amarrada em um laço elaborado.

— Uma caixa de chocolates... — As sobrancelhas dele se ergueram com uma curiosidade exagerada. — E, por algum motivo, você acha que não deve declará-la?

Huuygens olhou para o alto, como que se divertindo em segredo.

— Minha nossa, inspetor! Uma caixa de doces que prometi fielmente como presente para uma dama, no valor de vinte francos suíços! — Ele deu de ombros de forma elaborada e se levantou com um leve sorriso. — Bem, tudo certo. É besteira, garanto a você, mas se quiser que seja declarada, farei isso. Pode me devolver meu formulário, por favor?

O mais breve sorriso cruzou os lábios do inspetor Dumas e sumiu em seguida, tão prontamente quanto surgira. Ele balançou a mão de maneira lânguida.

— Por favor, sente-se de novo, M'sieu Huuygens. Receio que esteja longe de ser tão simples assim.

Huuygens o encarou por um instante, depois afundou de volta na cadeira.

— Está tentando me dizer algo, inspetor?

O sorriso do inspetor voltou, mais largo desta vez, persistindo.

— Estou tentando lhe dizer que acredito que estou começando a ficar interessado nestes chocolates, M'sieu. — A mão dele permanecia sobre a caixa; sua voz era suave. — Se não estou enganado, M'sieu, enquanto esteve na Suíça, ontem... Para evitar o calor de Paris, como diz... Você visitou o escritório da Ankli and Company. Os comerciantes de diamantes. Certo?

A voz de Kek estava mais curiosa do que perturbada.

— E como você sabe isso?

O inspetor-chefe deu de ombros.

— Todos que visitam comerciantes de diamantes são relatados, M'sieu Huuygens. — Ele parecia um pouco decepcionado. — Eu imaginava que você soubesse.

Huuygens sorriu para ele.

— Para ser sincero, inspetor, isso nunca me ocorreu. Apenas fui lá, pois o M'sieu Ankli é um velho amigo. Temos um interesse em comum por — seu sorriso aumentou — coisas bonitas. De todo modo, foi uma visita puramente pessoal.

— Tenho certeza disso. Provavelmente — sugeriu o inspetor, com inocência —, já que estava apenas evitando o calor de Paris, você descobriu que o escritório dele tinha ar-condicionado, o que sem dúvida lhe ajudou a cumprir o propósito da sua viagem. — Ele pegou a caixa outra vez, virando-a, examinando-a com mais atenção. — Suchard, pelo que estou vendo. Ótima marca. E do famoso Bonbon Mart de Zurique também. Conheço o lugar. Excelente. — Ele ergueu os olhos, indecifrável. — Caramelos?

— Cremosos, se quer saber — disse Huuygens, e suspirou.

— Ah, é? Prefiro caramelos. Ambos, é claro, engordam igualmente. Espero que a dama se dê conta disso — acrescentou o inspetor, e começou a deslizar a fita sobre um canto da caixa.

— Agora, realmente! — Huuygens inclinou-se para a frente, erguendo a mão. — A dama em questão não tem por que temer a gordura, inspetor. Tampouco a magreza. No entanto, creio que ela preferiria receber os chocolates com o mínimo de impressões digitais, se não se importar.

— A minha opinião — disse o inspetor Dumas, parecendo sincero pela primeira vez — é que ela nunca vai ver estes chocolates.

Ele abriu o embrulho de papel-alumínio e começou a levantar a tampa da caixa.

Kek franziu a testa para ele.

— Ainda tenho a sensação de que está tentando me dizer algo.

— Estou — disse o inspetor sucintamente, deixando a tampa de lado. Ele levantou o pedaço de tecido protetor estampado que cobria o conteúdo, olhou para dentro da caixa e depois balançou a cabeça em um horror zombeteiro. — Minha nossa!

— Qual é o problema agora?

— Estou muito surpreso que uma casa com a reputação da Bonbon Mart permitiria que chocolates saíssem do estabelecimento nesta condição. — Dumas ergueu o olhar. — Está dizendo que sua amiga prefere seus chocolates sem impressões digitais? Receio que deveria ter explicado isso para o vendedor que os arrumou...

Huuygens bufou.

— Com todo o respeito, inspetor, agora você está simplesmente sendo ridículo! São chocolates, nada mais. E cremosos!— acrescentou ele, como se a designação exata pudesse, de alguma maneira, restituir a sanidade do outro homem. — E estão do jeito que a loja deixou. — Ele examinou com curiosidade o rosto do inspetor. — Como posso convencê-lo?

— Não sou eu quem precisa ser convencido — disse o inspetor-chefe. Ele continuou analisando o conteúdo da caixa por mais um tempo, assentindo para si mesmo e depois suspirando diante das fraquezas da humanidade. Então recolocou o tecido e a tampa. — Receio que seja nosso laboratório que precise ser convencido. E é para lá que estes chocolates vão. — Ela ergueu os olhos, firmes. — Juntos, devo acrescentar, com seu kit de barbear.

— Meu kit de barbear?

— Tubos, você sabe... — disse o inspetor apologeticamente. — Jarras e esse tipo de coisa...

— Você está bastante seguro, é claro — comentou Kek com um pouco de sarcasmo —, que o kit de barbear não vai parar nas mãos de um seus filhos? E os chocolates nas de sua esposa?

O inspetor Dumas sorriu para ele.

— Estes chocolates para minha esposa? Eu temeria pelos dentes dela. Os quais — acrescentou, o sorriso diminuindo um pouco — já me custaram uma fortuna.

Huuygens suspirou.

— Tenho apenas uma pergunta, inspetor. Para quem envio a conta pelo valor de um kit de barbear praticamente novo? Mais, é claro, vinte francos suíços?

— Se você quer mesmo a minha opinião — disse o inspetor, aparentando ter considerado a pergunta —, sugiro que você declare como perda de lucros. Afinal, depois que nosso laboratório concluir a investigação, o custo para o M'sieur poderá ser consideravelmente maior. — A voz dele endureceu perceptivelmente. — E devo acrescentar que seria sábio da sua parte não deixar a cidade até que nosso relatório esteja pronto.

Huuygens balançou a cabeça com impotência.

— Acho que você não tem noção da situação em que está me colocando, inspetor. Extremamente constrangedora. Como vou provar à dama que não me esqueci dela? Que comprei para ela uma caixa de chocolates, apenas para perdê-la... Se me permite dizer... Para a burocracia estúpida da alfândega francesa? — A voz dele adquiriu um tom sarcástico. — O que devo apresentar como prova? A embalagem?

— Não é má ideia — disse o inspetor-chefe em aprovação, e sorriu diante do desconforto de Huuygens. — Tem o nome da loja impresso e, se você quiser, posso até carimbar com a data como mais uma prova. — Ele conferiu a maleta para checar se não era forrada, passando os dedos pelas costuras no fundo, depois dobrou o papel enfeitado, colocando-o no espaço vazio, e enfiou a roupa suja. Ele ficou de pé, exibindo seu um metro e setenta, um sorriso totalmente apagado, a voz oficial outra vez. — E agora, M'sieur, receio que deva pedir a você para se submeter a uma revista pessoal.

Huuygens levantou-se dando de ombros, impotente. Passou a mão no cabelo já despenteado e observou o rosto do inspetor-chefe.

— Suponho que não ajude muito informá-lo que considero uma revista pessoal uma indignidade?

— Receio que não — respondeu o inspetor. — E agora, M'sieu...

— E não só uma indignidade, mas uma indignidade que se torna entediante quando é repetida toda vez que passo pela alfândega?

— Se eu puder oferecer uma solução — sugeriu o inspetor Dumas, com um breve retorno ao humor —, seria que M'sieu contivesse sua vontade de viajar. Deste modo, obviamente, todo o problema com a alfândega seria eliminado.

— Não acho graça. — Huuygens balançou a cabeça. — Admita uma coisa, inspetor. Admita que este tratamento é injusto no meu caso... Você nunca me flagrou violando a lei. Nem qualquer outra pessoa.

— Ainda não — reconheceu o inspetor em voz baixa. — Mas um dia, vamos pegá-lo. — Os olhos dele se voltaram para a caixa de chocolates e retornaram com um pouco de presunção. — Este... tratamento injusto, como você chama... é a penalidade a ser paga por se tornar famoso entre os contrabandistas como um homem que consegue repetidamente nos enganar, os pobres *crétins* da inspeção alfandegária. Ou, pelo menos, é o que ouvimos por aí...

O sorriso dele desapareceu, como que apagado por uma mão gigante. Ele adotou um tom bastante profissional, notando de repente que o tempo estava passando e que, por mais importante que M'sieu Huuygen fosse, outros contrabandistas de menor importância poderiam estar exigindo sua atenção naquele momento.

— E agora, M'sieu... Primeiro o casaco, por favor. Posso?

— Mas não o amarrote — solicitou Huuygens, e começou a tirar o casaco.

Jimmy Lewis, que se dizia o maior repórter viajante mantido em Paris por seu jornal de Nova York — uma afirmação difícil de questionar, já que era o único — recostou-se na quina de uma banca de jornal no corredor principal do aeroporto de Orly, folheando uma revista dedicada principalmente a fotografias de garotas peitudas e anúncios de clubes de solteiros. Era um rapaz magrelo, com cabelo louro e olhos surpreendentemente inocentes, considerando algumas das coisas que investigara na vida, incluindo a revista que tinha em mãos. Destacava-se na multidão apressada que passava por ele; a câmera e o casaco impermeável onipresentes pendurados no ombro eram tanto um uniforme para ele quanto o avental de açougueiro e o boné para o vendedor da banca que lançava um olhar malévolo.

Jimmy terminou de observar a última foto reveladora de mamas exageradas e ergueu os olhos preguiçosamente, bem a tempo de ver Kek Huuygens surgir na escada rolante que subia da seção da alfândega abaixo, andando com determinação até a fila de táxis. Era impossível não reconhecer aquele passo; Huuygens sempre caminhava com os ombros largos projetados para a frente, como se estivesse abrindo caminho pela multidão que impedia seu avanço. Com uma exclamação de deleite surpreso, Jimmy colocou a revista na prateleira e saiu com um trote calculado para interceptar o outro em algum ponto nos arredores do restaurante do andar de baixo. O vendedor da banca pegou a revista de volta, murmurando algo indubitavelmente gaulês e sem dúvida nada educado; ele parecia achar que as pessoas deveriam pagar pelas revistas ou pelo menos ter a decência de devolvê-las à prateleira apropriada.

Jimmy alcançou sua presa, trocou habilmente o peso do ombro e deu um sorriso cordial, olhando para baixo.

— Oi, Kek. Como vai?

Huuygens ergueu os olhos; sua expressão preocupada tornou-se um sorriso.

— Oi, Jimmy. Na verdade, já estive melhor. — Ele reparou no casaco impermeável e na câmera. — Está indo ou chegando?

— Chegando — disse Jimmy, e inclinou de leve a cabeça na direção do corredor. — Eu estava em Marselha em outra missão infrutífera. Nunca vou saber por que meu editor gosta tanto de pessoas desaparecidas. Eu poderia estar cobrindo as partidas de tênis, ou pelo menos ficando em casa com os pés no parapeito da janela. Ou na minha vizinha, uma dama lindíssima, que parece servir como ótimo descanso para os pés. — Ele sorriu. — Agora estou esperando que tragam minha bagagem ou que admitam que a perderam. — Teve uma ideia. — Que tal um drinque? Levo você para casa de carro depois, se encontrar minhas coisas.

Huuygens conferiu seu relógio e assentiu.

— Tudo bem. Seria ótimo. Preciso dar um telefonema primeiro, mas encontro você no bar.

— Muito bem. Mas vamos para o bar no andar de cima. Têm mulheres demais neste aqui.

Suas sobrancelhas agitadas se ergueram.

— E o que há de errado com as mulheres?

— Elas filam bebidas — explicou Jimmy em um tom solene, seguindo na direção da escada, sorrindo com prazer.

Huuygens não era só um velho amigo, era também uma das pessoas favoritas de Jimmy Lewis. O hábito de se esbarrarem em momentos incomuns e em locais estranhos intrigava a ambos; e, no passado, algumas das empreitadas de Kek forneceram boas matérias a ele, principalmente porque Huuygens confiava que Jimmy guardaria as informações quando ele pedisse.

Jimmy subiu dois degraus por vez, passou pela porta e encontrou uma mesa vazia protegida do corredor arqueado abaixo das cortinas drapeadas cobrindo as janelas do lugar. Ele puxou para o lado o pano pesado, olhando para baixo por um instante, depois deixou as cortinas se fecharem quando um garçom se aproximou.

Assim que Huuygens se juntou a ele, dois drinques já aguardavam na mesa. Kek colocou a maleta em uma terceira cadeira, que já acomodava a câmera e o casaco impermeável, e afundou na outra, pegando seu copo. Ergueu-o no gesto breve de um brinde e depois bebeu com entusiasmo. Havia um sorriso satisfeito em seu rosto enquanto devolvia o copo à mesa.

— Ah! Muito melhor.

Jimmy observou-o menos com compaixão do que com curiosidade.

— Os homens grandes e malvados lá embaixo, na alfândega, incomodaram o pequeno Kek novamente?

Huuygens assentiu de forma solene, mas seus olhos brilhavam.

— Incomodaram.

— Entendo. — Jimmy girou seu copo despreocupadamente, depois ergueu os olhos. — E você gostaria de contar ao Papai sobre isso?

— Ainda não — disse Kek com tranquilidade, e ergueu o copo outra vez.

Jimmy estava longe de se sentir pronto para aceitar a derrota; ele já precisara convencer Huuygens com elogios.

— Esse "ainda" quer dizer "nunca"? Ou "ainda não" como a garota em "The Young Man On The Flying Trapeze"?

— A garota em quê?

— Sempre esqueço que você não nasceu na América — disse Jimmy, balançando a cabeça. — É de uma música. A melodia é mais ou menos assim: da-dum, tum-tum, da-dum, alguma coisa, alguma coisa, e depois termina: "Mas, nossa, amigos, eu a amava, e ofereci meu nome; eu disse que perdoaria e esqueceria... Ela se mexeu e depois, sem vergonha, disse, talvez mais tarde, ainda não."

Huuygens riu.

— Uma vagabunda.

— Definitivamente — concordou Jimmy. — Sem dúvida. Sem a menor dúvida.

Ele encarou o amigo.

— E então? Qual ainda não? Talvez mais tarde ou nunca?

Huuygens refletiu.

— Talvez mais tarde, eu acho. Quando chegar a hora certa.

— Ótimo. Ou, de todo modo, melhor do que nunca. — Jimmy terminou o drinque e abriu uma fresta na cortina pesada, olhando para baixo. Seus olhos se iluminaram. — Acredito que eles finalmente decidiram entregar o tesouro. Há uma loura lá embaixo que vi no avião, e a bonitinha e adorável está cheia de bagagens. A não ser que estejam dando malas para louras bonitas, acho que eu deveria descer e pegar as minhas. — Ele deixou o copo de lado. — A menos que você queira outro?

— Não. Vou continuar bebendo em casa. Estou esperando um convidado que costuma ter sede.

— Ah. Que falta de sorte. Bem, neste caso, vou pegar minha mala e encontrar você no estacionamento. Você conhece meu carro. — Jimmy abriu um grande sorriso. — Para lhe mostrar que não estou com raiva, vou deixar você pagar os drinques. Pode declarar no imposto de renda a despesa com o táxi para casa.

— Muito obrigado — disse Kek com educação.

Ele sorriu para Jimmy e ergueu a mão para o garçom. No estacionamento, Jimmy jogou sua mala, a câmera e o casaco impermeável na traseira do seu Volkswagen maltratado e, de alguma maneira, conseguiu se espremer atrás do volante enquanto Kek entrava no outro lado e fechava a porta. Jimmy soltou a embreagem com sua exuberância de sempre e eles saíram ruidosamente pela via de acesso, juntando-se ao tráfego que seguia para a cidade. Kek manteve os calcanhares pressionados com firmeza no piso; Jimmy tinha a tendência de frear em momentos frequentes e inexplicáveis.

Ele saiu em disparada e ultrapassou um caminhão cheio de troncos de madeira, passou entre duas motos que disputavam corrida e virou-se para Kek, sorrindo com animação.

— Ei! Viu minha câmera nova?

Kek recusava-se a desviar os olhos da estrada.

— Não reparei.

— É uma beleza. Finalmente consegui uma Graphic Super Speed 45 decente dos avarentos do escritório de Nova York. Eram necessários dois carregadores para transportar o antigo monstro que eu tinha.

— Ah, é?

— É. E é uma ótima câmera também.

— Por quê? Tirou fotos boas com ela em Marselha?

— Claro. Da cidade em geral e alguns cliques dos estaleiros. — Jimmy sorriu. — Deixei um pouco de lado as atribuições idiotas para dar a entender que sei o que estou fazendo. O que normalmente é difícil.

— Por quê?

— Porque, meu amigo, fotos custam dinheiro, e meu querido editor tenta economizar. Resultado: confusão. Na metade do tempo não tenho ideia do que eles querem que eu faça. Mas, ao tirar fotos decentes, registrando "alegados" suficientes e mantendo os dedos cruzados, consigo não ser mais um na estatística de desempregados.

Kek sorriu.

— Quer dizer que seu editor se satisfaz assim facilmente?

— Meu editor? — Jimmy olhou para o outro passageiro com se estivesse bravo e seguiu pelo tráfego enquanto sua atenção era desviada. Olhou de volta para a estrada a tempo de evitar colidir com uma caminhonete. — Eu disse que conseguia evitar ser demitido. Meu querido editor não ficaria satisfeito com um furo jornalístico exclusivo com a fórmula secreta de Beaujolais de Texas.

— O que quer que isso seja.

Jimmy sorriu.

— Nos bares que eu frequento, é como chamamos a Coca-Cola. — Ele freou de repente, fez uma curva na Avenue de Neuilly e pisou no acelerador, se mexendo de acordo com o movimento do carro. — E se quiser saber o motivo deste longo discurso, vou lhe contar. Estou precisando de notícias.

Kek olhou para ele.

— E por que está me contando isso?

— Porque coisas acontecem com você, meu camarada. Ou você faz as coisas acontecerem. — Ele virou o volante sem diminuir a velocidade, seguiu por Porte Maillot, quase atropelando um senhor numa bicicleta. Jimmy decidiu ir pela Allée des Fortifications e acelerou. Voltou seu olhar para dentro do carro. — Que tal desembuchar e me contar algo que me possa ser útil?

Huuygens sorriu.

— Vou pensar.

— Espero que sim — disse Jimmy, suspirando. — Gosto de Paris e odiaria ser transferido. — Ele pensou por um instante. — Ou demitido. — Fez uma curva na Avenue du Maréchal Favolle, passou por uma perua e um carro em alta velocidade, e pisou fundo no freio, cantando pneu ao parar logo antes do apartamento de Kek. — Voilà, M'sieu.

Kek desceu do carro e pegou sua maleta, depois se debruçou na janela.

— Jimmy — disse, pensativo —, você já pensou em noticiar o trânsito perigoso de Paris?

Jimmy balançou a cabeça.

— Sei que os motoristas franceses são os piores do mundo — falou com sinceridade —, mas você nunca convenceria meu editor. Ele mora em Jersey. — Ergueu a mão. — Bom, tá, tá. E não se esqueça de que preciso de notícias.

— Não vou esquecer — prometeu Huuygens.

Ele observou Jimmy voltar para o tráfego da rua, por pouco não batendo em um táxi enfurecido, e depois se virou, sorridente, para o seu prédio.

Seu sorriso desapareceu assim que ele entrou no elevador. O ascensorista baixinho abriu a boca para cumprimentá-lo, mas ao ver sua expressão séria voltou a fechar a boca. Kek saiu do elevador ao chegar ao seu andar, destrancou a porta do apartamento e a fechou ao entrar. Largou a maleta numa cadeira e atravessou o cômodo escuro até chegar à varanda, abrindo as portas e entrando.

A vista para a Bois de Boulogne era incrível, com telhados manchados e chaminés disfarçadas na névoa brilhante no ar além da cobertura verde da mata. A brisa perfumada trouxe consigo o som impaciente e agudo das buzinas dos carros misturado com os gritos das crianças brincando e com os berros firmes das babás exasperadas. Ele olhou para baixo. Abaixo da varanda, na sombra do prédio alto, um pequeno café na calçada servia de oásis para o carrinho de bebê cansado. Os guarda-chuvas coloridos, vistos de cima, pareciam um jardim caprichosamente plantado com uma geometria despreocupada ao lado do rio de asfalto que corria ao lado.

"Paris!", pensou ele, recostando-se na barra filigranada da varanda. Um sorriso sarcástico surgiu em seus lábios. "Onde mais no mundo eu poderia desfrutar de buzinas barulhentas de automóveis ou de crianças gritando? Ou de caronas com motoristas como Jimmy Lewis? Ou da atenção pessoal de todos os inspetores alfandegários da cidade?" Fez careta diante desse pensamento. Ele olhou para o relógio e se empertigou. Anita chegaria dali a alguns minutos, e quase nunca se atrasava.

Ele voltou para o interior do apartamento, fechando delicadamente as portas da varanda, como que relutante em se separar da vida simples e descomplicada lá embaixo, e depois foi até o bar em um canto da sala elegante. Dois copos foram retirados de uma prateleira, inspecionados, e depois meticulosamente limpos com um pano: sua diarista — aquela pobre e bela alma — não considerava a limpeza parte dos afazeres dos cuidados domésticos. Ele se curvou e pegou uma bandeja de gelo da geladeira escondida atrás da pia do bar, colocou os cubos em um baldinho prateado para que estivessem à disposição e depois pegou uma garrafa de conhaque argentino para ele e gim inglês para a dama. Imagina como seus amigos ficariam chocados ao vê-lo beber conhaque argentino na França?! Ah, bem... eles simplesmente não sabiam. Tampouco sabiam das vantagens de ter amigos no ramo de importações, pensou com um sorriso, e estava prestes a pegar a garrafa de Seltzer quando a campainha tocou. Secou as mãos em uma toalha, pendurou-a de volta e foi até a porta, escancarando-a em um sinal de boas-vindas.

— Olá, Anita.

— Kek! Querido! — A moça que olhava para ele sorria com puro prazer. — Como vai?

Ela subiu nas pontas dos pés para ficar da altura dele, os lábios entreabertos, seu cabelo louro parecendo uma espiral delicada que ocultava seu belo rosto, sua figura maravilhosa se esticando. Kek abraçou-a calorosamente, segurando-a com firmeza, sentindo suas curvas generosas pressionadas contra ele, cheirando a fragrância forte do perfume dela e desfrutando plenamente o estímulo de seus sentidos. Atrás deles, no saguão, ouviu-se o suspiro romântico do ascensorista idoso espiando através da fresta na porta do elevador, um clique agudo quando as portas enfim se fecharam relutantemente, seguido pelo gemido áspero do cabo roçando a roldana quando o elevador começou a descer. Kek recuou do abraço com um grande sorriso.

— Muito bem, Anita.

Ela fez uma mesura.

— Obrigada, senhor. — Entrou muito casualmente no apartamento, abanando-se com a mão. — Mas que dia! Estou morrendo de sede! — Sua cabeça loura inclinou-se em direção à porta com curiosidade. — Amo estas boas-vindas, Kek... Eu gostaria que você gostasse delas pelo menos metade do que gosto... Mas, caramba! Quando me ligou hoje, eu não imaginava que quisesse que eu fizesse uma apresentação dessas apenas pelo bem do ascensorista.

— É porque ele é novo — explicou Kek.

— Quer dizer que deseja amansá-lo adequadamente?

Kek riu.

— Não. Porque tenho certeza de que ele está sendo pago pela polícia para ficar de olho em mim.

Voltou ao bar, ocupando-se com os drinques.

Anita se sentou em um banco do bar com um remoinho da saia que mostrou momentaneamente suas pernas longas e belas, deixou a bolsa em outro banco e depois estendeu a mão para a cigarreira. Pegou um cigarro e acendeu-o com um isqueiro minúsculo, assoprando a fumaça, e depois começou a tirar o tabaco da língua com a ponta da unha. Após realizar o ritual de sempre, olhou astutamente para ele.

— E se ele estiver sendo pago pela polícia, o que tem? Qual a necessidade de uma cena louca de amor diante dele? Por que estão atrás de você? Celibato?

Kek riu outra vez e entregou o drinque a ela. Eles brindaram, sorriram um para o outro com verdadeiro afeto, depois provaram as bebidas. Kek assentiu, apreciando o corpo forte do conhaque, e balançou a cabeça.

— Não — disse ele baixinho. — Eles estão esperando que eu receba a visita de uma dama adorável hoje, e você é esta dama.

— Maravilha! Gosto de ser sua dama adorável. Só que... — Anita bebericou seu drinque e o deixou no bar — ... seria bom se você não precisasse ser pressionado pela polícia para me pedir um beijo.

Kek sorriu.

— Eles só acham que me pressionaram. Na verdade, nem sequer acham isso.

— Seja lá o que isso signifique — disse Anita, olhando pensativamente para ele enquanto tinha outra ideia. — E por que a polícia esperava que você recebesse a visita de uma dama adorável hoje?

— Porque eu disse à alfândega que tinha trazido chocolate da Suíça para ela, e naturalmente...

Anita balançou a cabeça, desconsolada.

— Você faz cada vez menos sentido conforme fala, mas suponho que eu já deveria estar acostumada. E, de todo modo, eu perdoaria você por qualquer coisa se ganhasse chocolate. São de que tipo?

— Não são, lamento dizer — disse Kek, sentido. — Ou, caso ainda sejam, a essa altura já foram tão mutilados, beliscados, cutucados, submetidos a raios X e examinados com a eficiência do laboratório da polícia, que duvido que alguém gostaria de comê-los. — Ele sorriu e olhou para o alto. — E que Alá os deixe com os dedos grudentos por suas suspeitas maldosas!

— Amém — disse Anita com devoção, e apoiou o copo com firmeza. — E por falar em suspeitas maldosas, para quem estava trazendo o chocolate? Para qual dama adorável? Pois tenho certeza de que não era para mim.

Os olhos de Huuygens cintilaram.

— Está com ciúmes?

— Morrendo.

Os olhos violeta dela encararam seriamente os dele.

— Bem — disse Kek devagar, sua mão grande girando o copo no bar para formar círculos úmidos —, neste caso, não precisa ficar. Pois, apesar de não ter me dado conta na hora, parece que, na verdade, eu estava trazendo chocolate para um tal de inspetor Dumas. Que, acredite em mim, não é uma dama adorável.

— E por que o estava trazendo para este inspetor Dumas?

— Porque ele me revistou de forma muito agradável — explicou Kek, sério. — Hoje, ele foi ainda mais cuidadoso do que de costume. Nenhuma cócega.

— Kek Huuygens, você é impossível! — Anita balançou a cabeça, exasperada, depois levantou a mão imediatamente para conferir seu penteado. Viu a expressão que o gesto despertara nos olhos de Kek e sorriu de repente. Era um sorriso travesso que a fazia parecer ainda mais jovem do que seus 25 anos. — Bem, no mínimo, bastante improvável. Vai me dizer do que se trata tudo isso ou não?

— Venho tentando lhe dizer — disse Kek com uma paciência exagerada. — Você simplesmente se recusa a entender. Voltei hoje da Suíça, como sabe, e a alfândega me revistou, suspeitou do meu chocolate... Que eu trouxe como presente para uma dama adorável... E ficaram com ele.

— E eu sou a dama adorável para quem você o trouxe.

— Isso.

— Entendo — afirmou Anita. — Portanto, você me ligou imediatamente e pediu que eu viesse até aqui e o beijasse em público por causa do ascensorista, para que eu pudesse ouvir que meu chocolate foi pego pela alfândega. É isso?

— Em grande parte...

— Mas não inteiramente. — Anita esmagou o cigarro, terminou o drinque e deixou o copo no bar, olhando cuidadosamente para Kek. — O que mais você queria que esta dama adorável fizesse? Porque tenho certeza de que é mais do que isso.

— E é. — Kek terminou o drinque e deixou-o de lado. — Quero que faça uma entrega para mim.

— Uma entrega? Da sua viagem de hoje? — Ele assentiu, e ela franziu a testa, em dúvida. — Mas disse que revistaram você.

— Ah, e fizeram isso, pode acreditar.

— Então levaram o chocolate — disse a garota, em um tom que demonstrava que não sabia se estava decepcionada ou não. Para ela, pela história que ouvira, parecia estranho que Kek não estivesse mais desanimado. — Você parece estar encarando isso com muita tranquilidade.

— Aprende-se a ser filosófico sobre essas coisas — disse Kek, dando um leve sorriso. — Além disso, o kit de barbear era velho, e os vinte francos suíços, como o inspetor disse, podem ser declarados como perda de lucros. Ou melhor, acrescentados à minha conta de despesas, a qual, somada à minha comissão, será de dez mil dólares. Peça um cheque ao homem, por favor?

A garota o encarou.

— Mas você disse...!

— Eu disse que eles levaram o chocolate — concluiu Kek com delicadeza. — Mas deixaram o embrulho comigo. Na verdade, praticamente me obrigaram a ficar com ele. — Enfiou a mão na maleta e retirou o papel horrendo. — Entre o papel-alumínio e o invólucro externo está a última página conhecida de uma cantata específica de Bach, original, escrita pelo mestre, que vale muito dinheiro. Diga ao homem que com um pouco de calor, não muito, o alumínio e o papel vão se soltar com facilidade. Os adesivos escolhidos foram selecionados com muito cuidado; não vão prejudicar em nada o manuscrito.

A garota olhou para ele estupefata.

— Kek, você é fantástico! E o que teria acontecido se a alfândega tivesse ficado com o papel da embalagem? Ou jogado no lixo? Suponho que você teria que roubar um caminhão de lixo!

Kek sorriu com afeto para a parceira.

— Não exatamente roubar um — disse ele. — Passei bastante tempo cultivando uma amizade com o motorista que leva o lixo. Felizmente — acrescentou, dando tapinhas no papel de embrulho —, não vamos precisar dos serviços dele, pois eu gostaria muito mais de passar o tempo com você...

OS MODERNOS

VILÃO: MARTIN EHRENGRAF

A EXPERIÊNCIA DE EHRENGRAF
LAWRENCE BLOCK

Dos personagens de séries criados por Lawrence Block (1938-), talvez o menos conhecido seja Martin Ehrengraf, o advogado que aparece em apenas uma dúzia de contos mas, deixa uma impressão duradoura. Oito dos contos foram reunidos em *Ehrengraf for the Defense* (1994); os contos completos foram publicados como *Defender of the Innocent* (2014).

Ele é um homem pequeno, exigente e meticuloso, que nunca perdeu um caso, principalmente porque a maioria dos seus clientes nunca foi a julgamento. Seu mantra é: "Todos os meus clientes são inocentes. Isto é o que torna meu trabalho tão gratificante. Isso e os honorários, é claro." Ele sabe perfeitamente que poucos, se nenhum, dos seus clientes são inocentes, mas sua posição é a de que se não forem considerados culpados, são de fato inocentes.

Ehrengraf lembra muito o estilo de Randolph Mason, o personagem maravilhoso criado por Melville Davisson Post. Quando o primeiro conto de Ehrengraf foi apresentado a Frederic Dannay (metade da equipe de redação da Ellery Queen e fundador da revista homônima), ele destacou que Mason era claramente a inspiração, mas Block admitiu que nunca ouvira falar no advogado do século XIX. Ainda assim, não há como negar que os dois advogados de defesa criminal usam uma metodologia que não vê limites para proteger seus clientes.

Block é um dos mais premiados autores de mistério de todos os tempos. Uma pequena lista dos seus prêmios inclui o Grand Master Award da Mystery Writers of America, quatro Edgars, quatro prêmios Shamus, o Falcão Maltês Japonês (duas vezes) e o prêmio Nero Wolfe. Foi proclamado Grand Maître du Roman Noir na França e é ex-presidente da Mystery Writers of America e da Private Eye Writers of America.

"A Experiência de Ehrengraf" foi publicado originalmente na edição de agosto de 1978 da *Ellery Queen's Mystery Magazine*; o conto apareceu pela primeira vez em uma antologia em *The Collected Mystery Stories*, de Block (Londres: Orion, 1999).

A EXPERIÊNCIA DE EHRENGRAF

LAWRENCE BLOCK

— Inocência — disse Martin Ehrengraf. — Em resumo, esse é o problema.

— Inocência é um problema?

O pequeno advogado olhou em torno da cela da prisão, depois se virou para seu cliente.

— Com certeza — disse ele. — Se você não fosse inocente, não estaria aqui.

— Ah, é mesmo? — Grantham Beale sorriu, e por mais que ele dificilmente pudesse ser inserido em um comercial de pasta de dentes, era o primeiro sorriso que conseguia dar desde sua condenação por homicídio qualificado apenas duas semanas e quatro dias antes. — Então você está dizendo que homens inocentes vão para a prisão, enquanto os culpados ficam livres. É isso?

— Isso acontece mais do que você imagina — disse Ehrengraf, delicadamente. — Mas não, não é o que estou dizendo.

— Não?

— Não estou contrastando inocência e culpa, sr. Beale. Sei que você é inocente do assassinato. Isso quase não importa. Todos os clientes de Martin Ehrengraf são inocentes dos crimes pelos quais são acusados, e essa inocência sempre aparece no devido tempo. Na verdade, isso é mais do que uma presunção da minha parte. É a maneira pela qual ganho a vida. Cobro honorários altos, sr. Beale, mas só os cobro quando meus clientes inocentes saem com a inocência registrada publicamente. Se meu cliente vai para a prisão, não cobro absolutamente nada, nem mesmo as despesas que tive em prol dele. Portanto, meus clientes sempre são inocentes, sr. Beale, assim como você é inocente, no sentido de que não são culpados.

— Então, por que minha inocência é um problema?

— Ah, a sua inocência.

Martin Ehrengraf alisou as pontas do bigode cuidadosamente aparado. Seus lábios finos formaram um sorriso, mas o sorriso não chegou aos seus olhos escuros e profundos. Ele era, Grantham Beale reparou, um homem pequeno extremamente bem-vestido, quase um dândi. Usava um blazer verde da Universidade de Dartmouth com botões de pérola sobre uma camisa creme com gola de aba. Sua calça era de flanela, com bainhas na última moda e pregueadas, e de cor idêntica à da camisa. Sua gravata de seda era de um verde mais escuro que o do paletó e tinha um desenho em fios prateados e dourados abaixo do nó: um leão lutando contra um unicórnio. Suas abotoaduras combinavam com os botões de pérola do blazer. Seus pés aristocraticamente pequenos calçavam mocassins engraxados de couro lavrado sem costuras, sem adornos de borlas ou tranças, bastante simples e elegantes. "Quase um dândi", pensou Beale, mas, pelo que ouvira, o homem tinha a habilidade necessária para cuidar do caso. Não era só pose. Diziam que obtinha resultados.

— A sua inocência — repetiu Ehrengraf. — A sua inocência não é simplesmente a inocência que é o oposto da culpa. É a inocência que é o oposto da experiência. Você conhece Blake, sr. Beale?

— Blake?

— William Blake, o poeta. Você não o conheceria pessoalmente, é claro. Ele está morto há mais de um século. Escreveu dois conjuntos de poemas no começo da carreira, *Canções de inocência* e *Canções de experiência*. Cada poema em um livro tinha uma contraparte no outro. "Tigre, tigre, ardendo brilhante, nas florestas da noite, que mão ou olho imortal poderia enquadrar sua simetria temerosa?" Talvez este poema seja familiar para você, sr. Beale.

— Acho que o estudei na escola.

— Bem provável. Bom, você não precisa de uma aula de poesia de mim, senhor, não neste lugar deprimente. Deixe-me ir um pouco mais diretamente ao ponto. Inocência versus experiência, sr. Beale. Está sendo acusado de assassinato, senhor, e tudo o que sabe é que não o cometeu. E sendo inocente não apenas do assassinato em si, mas também no sentido que Blake atribui à palavra, você contratou um advogado competente e presumiu que as coisas seriam resolvidas rapidamente. Vivemos em uma democracia iluminada, sr. Beale, e crescemos sabendo que os tribunais existem para libertar os inocentes e punir os culpados, e que ninguém se livra de um assassinato.

— E isso tudo é besteira, é?

Grantham Beale sorriu pela segunda vez desde que ouvira o veredito do júri. No mínimo, pensou, o pequeno advogado almofadinha melhorava o ânimo de um homem.

— Eu não diria besteira — retrucou Ehrengraf. — Mas, depois de tudo, você está na prisão, e o verdadeiro assassino, não.

— Walker Murchison.

— Como?

— O verdadeiro assassino — disse Beale. — Estou na prisão, e Walker Gladstone Murchison está livre.

— Precisamente. Pois não basta ser isento de culpa, sr. Beale. Deve-se também ser capaz de convencer o júri da própria ausência de culpa. Em resumo, se você tivesse sido menos inocente e mais experiente, poderia ter tomado medidas de antemão para garantir que não estaria na situação de agora.

— E o que eu poderia ter feito?

— O que você fez, finalmente — disse Martin Ehrengraf. — Poderia ter me chamado logo.

— Albert Speldron — disse Ehrengraf. — A vítima do assassinato levou três tiros no coração à queima-roupa. A arma do crime foi uma pistola não registrada, um revólver calibre .38. Foi encontrada posteriormente no buraco do estepe do seu carro.

— A arma não era minha. Nunca a tinha visto até a polícia mostrá-la a mim.

— É claro que não — disse Ehrengraf com delicadeza. — Continuando. Albert Speldron era um agiota. No entanto, não era do tipo de brutamontes sem pescoço com voz rouca que empresta dez ou vinte dólares de cada vez para estivadores e operários de fábricas e quebra as pernas deles com tacos de beisebol se atrasarem a *per*.

— Se atrasarem o quê?

— Ah, doce inocência — disse Ehrengraf. — Abreviação para percentagem. É o termo usado pelo elemento criminoso para descrever um pagamento em aberto de juros que um devedor deve fazer para manter sua posição.

— Nunca ouvi falar — disse Beale —, mas eu pagava em dia. Eu pagava mil dólares por semana a Speldron, e isso não diminuía a dívida.

— E você tinha pegado quanto emprestado?

— Cinquenta mil dólares.

— Aparentemente, o júri considerou isso um motivo satisfatório para o assassinato.

— Bem, isso é loucura — disse Beale. — Por que eu ia querer matar Speldron? Eu não odiava o homem. Ele tinha feito um serviço para mim ao me emprestar o dinheiro. Tive a oportunidade de comprar uma coleção valiosa de selos. Esse é o meu negócio, compro e vendo selos, e tive a oportunidade de comprar uma coleção extraordinária, principalmente dos Estados Unidos e do Império Britânico, e também um lote excepcional dos Estados Germânicos, e havia ainda... Bem, antes de me empolgar, você tem algum interesse por selos?

— Só quando preciso enviar uma carta.

— Ah. Bem, era uma bela coleção, se me permite dizer isso e parar por aí. O vendedor exigia o pagamento inteiramente em dinheiro, e a transação não poderia ser registrada. Impostos, sabe.

— Sei, realmente. O sistema de impostos transforma todos nós em criminosos.

— Na verdade, não vejo isso como crime — disse Beale.

— Poucas pessoas veem. Mas prossiga, senhor.

— O que mais há para dizer? Eu precisava levantar cinquenta mil dólares sem chamar atenção para fechar a compra daquele belo lote de selos. Negociando com Speldron, pude pegar o dinheiro emprestado sem preencher um monte de formulários nem dar a ele nada além da minha palavra. Eu estava bastante confiante de que triplicaria o dinheiro depois que tivesse dividido a coleção e a vendido em lotes para vários vendedores e colecionadores. É provável que eu consiga um total de cinquenta mil dólares somente pelos selos dos Estados Unidos, e conheço um comprador que vai ficar com água na boca quando der uma olhada nos selos dos Estados Germânicos.

— Portanto, não o incomodava pagar os mil dólares por semana a Speldron.

— Nem um pouco. Calculei que venderia metade dos selos em dois meses, e a primeira coisa que faria seria pagar o principal de cinquenta mil dólares e quitar o empréstimo. Eu teria pagado oito ou dez mil dólares em juros, digamos, mas o que é isso perto de um lucro de cinquenta ou cem mil dólares? Speldron estava me fazendo um favor, e eu estava grato por isso. Ah, ele também estava fazendo um favor para si mesmo, 2% de juros por semana não o colocava na categoria de pessoas com dificuldades financeiras, mas era um bom negócio para nós dois, sem dúvida.

— Você já tinha negociado com ele?

— Talvez umas dez vezes ao longo dos anos. Peguei emprestadas quantias entre dez e setenta mil dólares. Nunca ouvi os pagamentos de juros sendo chamados de percentagem, mas sempre os paguei em dia. E ninguém nunca ameaçou quebrar minhas pernas. Fazíamos negócios juntos, Speldron e eu. E sempre funcionou muito bem para os dois lados.

— A promotoria argumentou que, ao matar Speldron, você zerou a dívida que tinha com ele. Esse certamente é um motivo que o júri pode compreender, sr. Beale. Em um mundo onde os homens são mortos rotineiramente pelo preço de uma garrafa de uísque, cinquenta mil dólares parecem justificar a morte de um homem.

— Mas eu seria louco de matá-lo por essa quantia. Não sou um mendigo. Se estivesse com dificuldade de pagar Speldron, tudo que precisaria fazer seria vender os selos.

— Suponhamos que tivesse dificuldade em vendê-los.

— Então eu poderia ter liquidado outras mercadorias do meu estoque. Poderia ter hipotecado minha casa. Bem, eu poderia ter conseguido o bastante com a casa para pagar três vezes mais a Speldron. O carro onde encontraram a arma é um Antonelli Scorpion. Só o veículo vale metade do que eu devia a Speldron.

— Realmente — disse Martin Ehrengraf. — Mas este Walker Murchison... Como ele entra na jogada?

— Ele matou Speldron.

— Como sabemos disso, sr. Beale?

Beale se levantou. Ele estava sentado em seu catre de ferro, deixando a única cadeira da cela para o advogado. De pé, alongou-se e foi até o fundo da cela. Por um momento, ficou observando um grafite na parede. Depois, virou-se e olhou para Ehrengraf.

— Speldron e Murchison eram sócios — disse ele. — Eu só lidava com Speldron porque ele era o único que negociava empréstimos sem garantia. E Murchison tinha uma seguradora da qual Speldron não participava. Seus empreendimentos conjuntos incluíam imóveis, investimentos e outras atividades nas quais grandes volumes de dinheiro circulavam rapidamente com poucos registros do que acontecia.

— Operações suspeitas — concluiu Ehrengraf.

— Na maioria. Nem sempre ilegais, não totalmente ilegais, mas, sim, gosto da sua palavra. Suspeitas.

— Então eles eram sócios, e não é inédito alguém matar o sócio. Para acabar com uma sociedade pelo meio mais direto possível, pode-se dizer. Mas por que essa sociedade? Por que Murchison mataria Speldron?

Beale deu de ombros.

— Dinheiro — sugeriu ele. — Com todo aquele dinheiro circulando, pode apostar que Murchison faturou muito com a morte de Speldron. Aposto que embolsou muito mais do que cinquenta mil dólares não declarados.

— Esse é seu único motivo para suspeitar dele?

Beale balançou a cabeça.

— A sociedade tinha uma secretária — disse ele. — Seu nome é Felicia. Jovem, cabelo comprido e preto, olhos escuros brilhantes, um corpo de pôster de revista e um rosto como o de um anúncio da Chanel. Os dois sócios estavam dormindo com ela.

— Talvez isso não fosse uma fonte de inimizade.

— Mas era. Murchison é casado com ela.

— Ah.

— Mas há uma razão importante para que eu saiba que foi Murchison quem matou Speldron. — Beale deu um passo à frente e parou diante do advogado sentado. — A arma foi encontrada no bagageiro do meu carro — disse ele. — Envolta em uma toalha imunda e enfiada no buraco do estepe. Não havia impressões digitais na arma, e ela não tinha sido registrada no meu nome, mas ali estava, no meu carro.

— O Antonelli Scorpion?

— Sim. E daí?

— Não importa.

Beale franziu a testa por um instante, depois inspirou e prosseguiu impetuosamente:

— Foi colocada lá para me incriminar.

— É o que parece.

— Ela precisaria ter sido colocada lá por alguém que soubesse que eu devia dinheiro a Speldron. Alguém com informação interna. Os dois eram sócios. Encontrei Murchison várias vezes quando fui ao escritório pagar os juros, ou a percentagem, como você diz. Por que usam esta palavra?

— Não faço ideia.

— Murchison sabia que eu devia dinheiro. E nós nunca gostamos um do outro.

— Por quê?

— Simplesmente não nos dávamos bem. O motivo não importa. E tem mais: isso não é uma tentativa desesperada de livrar minha barra. Foi Murchison quem sugeriu que eu poderia ter matado Speldron. Muitos homens deviam dinheiro a ele, e provavelmente vários estavam em uma situação financeira muito mais difícil do que a minha, mas Murchison disse à polícia que eu tivera uma discussão intensa e hostil com Speldron dois dias antes de ele ser morto!

— E você teve?

— Não! Meu Deus, nunca discuti com Speldron na vida.

— Interessante...

O pequeno advogado levou a mão ao bigode, alisando delicadamente as pontas. As unhas dele eram bem-cuidadas, reparou Grantham Beale, e será que tinha esmalte incolor nelas? Não, ele observou, não tinha. O pequeno homem poderia ser uma espécie de dândi, mas evidentemente não era vaidoso.

— Mas você se encontrou com o sr. Speldron no dia em questão?

— Sim, na verdade, encontrei. Paguei os juros e trocamos cordialidades. Não houve nada que alguém pudesse confundir com uma discussão.

— Ah.

— E, mesmo que tivesse, Murchison não saberia. Ele nem estava no escritório.

— Mais interessante ainda — disse Ehrengraf, pensativo.

— Com certeza. Mas como você pode provar que ele matou o sócio e me incriminou por isso? Você não tem como armar uma cilada para ele confessar, tem?

— Os assassinos confessam.

— Murchison, não. Você poderia tentar rastrear a arma até ele, suponho, mas a polícia tentou rastreá-la até mim e descobriu que não dava para rastreá-la de maneira alguma. Simplesmente não vejo...

— Sr. Beale?

— Sim?

— Por que não se senta, sr. Beale? Aqui, pegue esta cadeira, tenho certeza de que é mais confortável do que a beirada da cama. Posso ficar de pé um pouco. Sr. Beale, você tem um dólar?

— Não nos deixam ter dinheiro aqui.

— Então pegue este. É um dólar que estou emprestando a você. — Os olhos escuros do advogado cintilaram. — Sem juros, sr. Beale. Um empréstimo pessoal, não uma transação de negócios. Agora, senhor, por favor, me dê o dólar que acabei de lhe emprestar.

— Dar para você?

— Isso mesmo. Obrigado. Você me contratou, sr. Beale, para cuidar dos seus interesses. No dia em que estiver incondicionalmente livre desta prisão, estará me devendo noventa mil dólares em honorários. Os honorários vão incluir tudo. Qualquer despesa será coberta por mim. Caso eu não consiga sua liberdade, não me deverá nada.

— Mas...

— Isso é aceitável, senhor?

— Mas o que você vai fazer? Contratar detetives? Entrar com um recurso? Tentar reabrir o caso?

— Quando um homem se compromete a salvar sua vida, sr. Beale, você exige que ele primeiro descreva seus planos?

— Não, mas...

— Noventa mil dólares. A serem pagos somente se eu for bem-sucedido. Os termos são aceitáveis?

— Sim, mas...

— Sr. Beale, na próxima vez que nos encontrarmos, você vai estar me devendo noventa mil dólares e mais qualquer gratidão emocional que lhe ocorra naturalmente. Até lá, senhor, você me deve um dólar. — Os lábios finos curvaram-se em um sorriso sombrio. — "A minhoca cortada perdoa o arado", sr. Beale. William Blake, *O casamento do céu e do inferno*. "A minhoca cortada perdoa o arado." Pode pensar sobre isso, senhor, até nos reencontrarmos.

O segundo encontro entre Martin Ehrengraf e Grantham Beale aconteceu cinco semanas e quatro dias depois. Nesta ocasião, o advogado usava um terno azul-marinho de dois botões com listras verticais sutis. Seus sapatos eram brogues pretos muito engraxados, sua camisa era de casimira azul-clara que contrastava com a gola e os punhos brancos. Sua gravata tinha uma listra azul-royal de sete milímetros ladeada por duas listras mais finas, uma dourada e a outra de um verde bem forte, tudo em um fundo azul-escuro.

E, desta vez, o cliente de Ehrengraf também estava bem-vestido, embora seu terno xadrez e sua calça larga de flanela não se comparassem ao terno do advogado. Mas a roupa de Beale era uma grande melhora em relação ao uniforme sem corte da prisão que ele usara anteriormente, da mesma forma que seu escritório — uma sala repleta de livros, álbuns e selos dentro e fora de envelopes translúcidos, duas cadeiras de couro desgastadas e um sofá afundado que combinava com elas — e toda aquela vasta bagunça eram uma grande melhora em relação à cela espartana da prisão que fora o local do encontro anterior.

Beale, sentado atrás de sua mesa, olhava pensativo para Ehrengraf, que estava de pé, ereto, uma mão no tampo da mesa, a outra ao lado do corpo.

— Noventa mil dólares — disse Beale com firmeza. — Você deve admitir que é um pouco caro, sr. Ehrengraf.

— Nós concordamos quanto ao preço.

— Sem discussão. Nós concordamos, e acredito piamente na santidade dos acordos verbais. Mas entendi que seus honorários seriam quitados se minha liberdade fosse resultado de seus esforços.

— Você está livre hoje.

— Estou, e estarei livre amanhã, mas não consigo entender como nada disso foi um feito seu.

— Ah — disse Ehrengraf. Seu rosto expressava uma decepção infinita, uma decepção sentida não tanto em relação àquele cliente em particular, mas a toda humanidade. — Acha que não fiz nada por você.

— Eu não diria isso. Talvez você estivesse tomando providências para entrar com um recurso. Talvez tenha contratado detetives ou feito algum trabalho de detetive por conta própria. Talvez, no devido tempo, você encontraria uma maneira de me tirar da prisão, mas, enquanto isso, aconteceu algo inesperado, e seus serviços acabaram não sendo necessários.

— Aconteceu algo inesperado?

— Bem, quem poderia ter previsto? — Beale balançou a cabeça, admirado. — Pense a respeito. Murchison teve uma crise de consciência. O canalha não tinha consciência suficiente para se apresentar e admitir o que tinha feito, mas começou a se perguntar o que aconteceria caso morresse de repente e eu precisasse continuar cumprindo a sentença de prisão perpétua por um crime que ele cometera. Ele não faria nada para comprometer sua liberdade enquanto estivesse vivo, mas queria fazer reparações se e quando morresse.

— Isso mesmo.

— Portanto, ele fez uma carta — prosseguiu Beale. — Datilografou uma longa carta explicando precisamente por que queria o sócio morto e como a arma não registrada na verdade tinha sido de Speldron, antes de mais nada, e como atirara nele e depois envolvera a arma em uma toalha e a colocara no meu carro. Depois, ele inventara que eu tinha brigado com Albert Speldron, o que, obviamente, chamou a atenção da polícia para mim, e a próxima coisa que eu soube era que eu estava na prisão. Vi a carta que Murchison escreveu. A polícia me deixou vê-la. Ele relatou todos os detalhes.

— Que consideração da parte dele.

— Depois ele fez o habitual. Entregou a carta a um advogado com instruções de que fosse mantida em seu cofre e aberta somente quando ele morresse. — Beale encontrou uma pinça de selos na bagunça da mesa, usou-a para levantar um selo, franziu a testa ao olhá-lo por um instante, em seguida o colocou de volta na mesa e olhou diretamente para Martin Ehrengraf. — Você acha que ele teve uma premonição? Por Deus, Murchison era jovem, tinha boa saúde, e por que deveria prever que morreria? Talvez tenha realmente tido uma premonição.

— Duvido.

— Então com certeza é uma coincidência notável. Poucas semanas depois de entregar a carta para um advogado, Murchison perdeu o controle do carro em uma curva. Atravessou a grade de proteção, despencou uns setenta metros e explodiu com o impacto. Acredito que o homem não tenha entendido o que aconteceu com ele.

— Suspeito que esteja certo.

— Ele sempre dirigia com cautela — refletiu Beale. — Talvez tivesse bebido.

— Talvez.

— E se não tivesse tido a decência de escrever aquela carta, eu poderia estar passando o resto da vida atrás das grades.

— Que sorte a sua que as coisas aconteceram dessa maneira.

— Exatamente — disse Beale. — Portanto, apesar de ser extremamente grato pelo que você fez por mim, seja lá o que tenha sido, e apesar de não duvidar de que pudesse conquistar minha liberdade no devido tempo e de ter certeza de que não sei como conseguiria isso, no que diz respeito aos seus honorários...

— Sr. Beale.

— Sim?

— Você acredita realmente que um monstro detestável como W.G. Murchison se daria ao trabalho de providenciar sua liberdade caso morresse?

— Bem, talvez eu tenha julgado mal o homem. Talvez...

— Murchison odiava você, sr. Beale. Se descobriu que morreria, sua única fonte de satisfação seria saber que você estava na prisão por um crime que não cometeu. Eu lhe disse que você era inocente, sr. Beale, e algumas semanas na prisão não macularam ou reduziram sua inocência. Você realmente acredita que Murchison escreveu aquela carta.

— Está dizendo que ele não a escreveu?

— Ela foi datilografada em uma máquina no escritório dele — disse o advogado. — Foi usado o papel timbrado dele, e a assinatura no final muitos especialistas jurariam que é do próprio Murchison.

— Mas ele não a escreveu?

— Claro que não.

As mãos de Martin Ehrengraf se ergueram no ar diante dele. Elas poderiam estar apoiadas em uma máquina de escrever invisível, ou apenas pairando como as presas de uma ave de rapina.

Grantham Beale olhou com fascínio para as mãos do pequeno advogado.

— Você datilografou a carta — afirmou ele.

Ehrengraf deu de ombros.

— Você... Mas Murchison a deixou com um advogado!

— O advogado não era alguém que Murchison usara no passado. Evidentemente, ele escolheu um estranho nas Páginas Amarelas, até onde se pode determinar, e o contatou pelo telefone, explicando o que queria que o homem fizesse por ele. Depois enviou a carta junto com um vale postal para cobrir os honorários do advogado e uma carta de apresentação confirmando a conversa telefônica. Parece que não usou o próprio nome nas discussões com o advogado e assinou a carta de apresentação e o vale postal com um pseudônimo. A assinatura, no entanto, parece ter sido redigida com a letra dele.

Ehrengraf fez uma pausa, e sua mão direita ajeitou o nó da gravata. Esta gravata em particular, bem mais colorida do que sua escolha habitual, era da Sociedade Caedmon da Universidade de Oxford, uma organização à qual Martin Ehrengraf não pertencia. A gravata era uma lembrança de um caso anterior, e ele costumava usá-la em ocasiões particularmente felizes, momentos de triunfo pessoal.

— Murchison deixou instruções detalhadas — continuou ele. — Ia ligar para o advogado toda quinta-feira, apenas para repetir o pseudônimo que usara. Caso passasse alguma quinta-feira sem um telefonema, e se tampouco houvesse um telefonema na sexta, o advogado deveria abrir a carta e seguir as instruções. Durante quatro quintas-feiras seguidas, o advogado recebeu uma ligação, presumivelmente de Murchison.

— Presumivelmente — disse Beale, sério.

— Isso mesmo. Na terça-feira após a quarta quinta-feira, o carro de Murchison despencou de um penhasco, e ele morreu na hora. O advogado leu sobre a morte de Murchison, mas não tinha ideia de que era a identidade verdadeira do seu cliente. Então, a quinta-feira chegou e passou sem um telefonema, e quando também não houve um telefonema na sexta, o advogado abriu a carta e a entregou à polícia. — Ehrengraf esticou os dedos das mãos e deu um sorriso largo. — O resto — disse ele — você sabe tão bem quanto eu.

— Santo Deus! — exclamou Beale.

— Agora, se você acha mesmo que não fiz nada para merecer meu dinheiro...

— Vou ter que liquidar parte do meu estoque — confessou Beale. — Isso não vai ser um problema, e não deve demorar muito. Vou levar um cheque ao seu escritório daqui a uma semana. Digamos dez dias, no máximo. A menos que prefira receber em dinheiro...

— Um cheque está ótimo, sr. Beale. Desde que tenha fundos.

E ele sorriu para mostrar que estava brincando.

O sorriso deixou Beale aterrorizado.

Uma semana depois, Grantham Beale se lembrou do sorriso quando passou um cheque em cima da mesa heroicamente desorganizada de Martin Ehrengraf.

— Um cheque com fundos — disse ele. — Eu nunca daria a você um cheque sem fundos, sr. Ehrengraf. Você datilografou a carta, fez todos os telefonemas, forjou o nome falso de Murchison no vale postal e, quando surgiu a oportunidade, fez o carro despencar no penhasco com ele dentro.

— As pessoas acreditam no que quiserem — disse Ehrengraf em voz baixa.

— Tenho pensado sobre isso durante toda a semana. Murchison me incriminou por um assassinato que ele mesmo cometeu, depois pagou pelo crime e me libertou nesse processo sem saber o que estava fazendo. "A minhoca cortada perdoa o arado."

— Isso mesmo.

— O que significa que o fim justifica os meios.

— Era isso que Blake queria dizer com essa frase? Tenho me perguntado sobre isso há muito tempo.

— O fim justifica os meios. Sou inocente, e agora estou livre, e Murchison é culpado, e agora está morto. Você recebeu o dinheiro, mas está tudo bem, porque faturei bastante com aqueles selos, e obviamente não preciso pagar a dívida a Speldron, pobre homem, pois a morte dele anulou a dívida, e...

— Sr. Beale.

— Sim?

— Não sei se deveria lhe contar isso, mas creio que seja necessário. Você é mais inocente do que percebe. Você me pagou bem pelos meus serviços, como realmente concordamos que faria, e acho que talvez eu deva lhe oferecer um brinde na forma de alguma experiência para compensar sua inocência colossal. Vou começar com um conselho. Nunca, de maneira alguma, retome seu caso com Felicia Murchison.

Beale arregalou os olhos.

— Deveria ter me contado que era por isso que você e Murchison não se davam bem — disse Ehrengraf, com gentileza. — Precisei descobrir isso por conta própria. Mas não importa. O cerne da questão é que um homem não deve compartilhar o travesseiro com uma mulher que tenha tão pouca consideração por ele a ponto de incriminá-lo por assassinato. A sra. Murchison...

— Felicia me incriminou?

— É claro, sr. Beale. A sra. Murchison não tinha nada contra você. Bastava que não sentisse nada por você. Ela assassinou o sr. Speldron, veja bem, por motivos que pouco nos interessam. Depois de fazer isso, ela precisava que alguém fosse responsabilizado pelo assassinato. O marido dela não poderia ter contado à polícia sobre sua suposta discussão com Speldron. Ele não estava presente na hora. Não sabia que vocês dois tinham se encontrado, e caso se arriscasse a contar isso à polícia e por acaso você tivesse um álibi para o momento em questão, ele acabaria fazendo papel de bobo, não é mesmo? Mas a sra. Murchison sabia que você encontrara Speldron e contou ao marido que vocês discutiram, portanto ele contou isso à polícia com a maior boa-fé, e assim eles encontraram a arma do crime no seu Antonelli Scorpion. Um automóvel impressionante, diga-se de passagem, e você merece crédito por ter esse veículo, sr. Beale.

— Felicia matou Speldron.

— Isso.

— E me incriminou.

— Isso.

— Mas... Por que você incriminou Murchison?

— Você esperava que eu tentasse convencer as autoridades de que ela tinha cometido o crime? E que sofrera uma crise de consciência e deixara uma carta com um advogado? Mulheres não deixam cartas com advogados, sr. Beale, não mais do que têm consciência. Devemos utilizar o que temos em mãos.

— Mas...

— E a mulher é jovem, com cabelo comprido e preto, olhos escuros brilhantes, um corpo de pôster de revista e o rosto de um anúncio da Chanel. É também uma ótima datilógrafa e muito cooperativa em diversos aspectos que não precisamos discutir agora. Sr. Beale, gostaria de um copo d'água?

— Estou bem.

— Tenho certeza de que vai ficar bem, sr. Beale. Tenho certeza. Sr. Beale, vou fazer uma sugestão. Acho que você deveria considerar seriamente se casar e sossegar. Acho que seria muito mais feliz assim. Você é um homem inocente, sr. Beale, e já passou pela Experiência de Ehrengraf, que lhe deixou muito mais experiente do que antes, mas sua inocência não é do tipo que pode ser eliminada prontamente. Mantenha-se muito distante da viúva Murchison e de sua tribo. Não são para você. Encontre uma garota à moda antiga e leve uma vida apropriada à moda antiga. Compre e venda selos. Cultive um jardim. Crie terriers. A West Highland White pode ser uma boa raça para você, mas essa decisão é sua, claro. Sr. Beale? Tem certeza de que não quer um copo d'água?

— Estou bem.

— Perfeitamente. Vou deixar você com outro pensamento de Blake, sr. Beale. "Lírios que apodrecem cheiram pior do que ervas daninhas." Também é do *Casamento do céu e do inferno*, mais um dos que ele chama de provérbios do inferno, e talvez, algum dia, você também possa interpretá-lo para mim. Nunca tenho certeza do que Blake quer dizer, sr. Beale, mas as palavras dele soam muito bem, não acha? Inocência e experiência, sr. Beale. Esse é o segredo, não é? Inocência e experiência.

em séries televisivas e em filmes; e da tira de quadrinhos *Dick Tracy* após a aposentadoria de Chester Gould. Foi coautor de vários livros e contos com Mickey Spillane, concluindo as obras deixadas inacabadas após seu falecimento.

"A sorte de Quarry" foi publicado originalmente em *Blue Motel* (Stone Moutain, Georgia: White Wolf, 1994), e foi incluído pela primeira vez em uma antologia em *Quarry's Greatest Hits* (Unity, Maine: Five Star, 2003).

A SORTE DE QUARRY

MAX ALLAN COLLINS

Antigamente, eu ganhava a vida matando pessoas.

Agora, sentado nos meus aposentos olhando para o lago Sylvan, com sua superfície cinza-azulada levemente ondulada cheia de vida com a luz do sol, o cheiro e a visão dos pinheiros me relaxando, raramente penso naqueles anos. Com exceção das memórias ocasionais que escrevi, nunca fui muito reflexivo. O que está feito está feito. O que passou passou.

Mas, de vez em quando, alguém ou algo que vejo desperta uma memória. No verão, quando o Sylvan Lodge (do qual sou gerente há muitos anos) está cheio de hóspedes, às vezes vejo uma universitária loura bonita e penso em Linda, minha falecida esposa. Eu já havia me aposentado da profissão de assassino de aluguel, passando um tempo em um chalé à beira de um lago não muito diferente deste aqui, quando meu passado veio atrás de mim e Linda se tornou uma vítima.

Aprendi duas coisas com aquilo: o passado não é algo desconectado do presente — você não pode eliminar dívidas antigas ou velhos inimigos (enquanto que, estranhamente, pode esquecer de vez os amigos) — e não se deve ter relacionamentos duradouros.

Linda não era muito inteligente, mas era uma companhia agradável e me amava, e eu não queria provocar outra vez a morte de alguém como ela. Você sabe... de um inocente.

Afinal, quando eu estava assumindo contratos por meio do homem que conhecia como Corretor, eu eliminava os culpados. Eu não fazia ideia de que culpa aquelas pessoas tinham, mas claro que eram culpadas de algo, ou alguém não teria decidido que deveriam morrer.

Um matador contratado não é realmente um assassino. É uma arma. Alguém já decidiu que outra pessoa vai morrer antes mesmo que o matador contratado entre na jogada, muito menos em cena. Um matador contratado não é um assassino, assim como uma automática de nove milímetros ou um porrete não são. Alguém precisa pegar uma arma e usá-la.

De todo modo, este era meu raciocínio na década de 1970, quando eu era uma arma humana de aluguel. Nunca tive prazer com o trabalho, era apenas por dinheiro. E quando chegou a hora, saí fora.

Portanto, alguns anos atrás, depois da morte de Linda e de matar os filhos da puta responsáveis por isso, não me permiti ser puxado de volta para aquela profissão. Eu estava velho demais, cansado demais, e meus reflexos já não eram mais tão bons. Um amigo que encontrei por acaso precisava da minha única outra especialidade — eu gerenciava uma pequena estância em Winsconsin com Linda, e agora cuido do Sylvan Lodge.

Uma coisa que vi recentemente — algo bastante absurdo, na verdade, considerando que, no meu tempo, testemunhei os tipos mais vis de comportamento humano — despertou uma memória distante.

A piscina coberta com hidromassagem fica a uma corrida curta atravessando a rua do meu apartamento de dois cômodos no prédio principal do hotel (não sinta pena de mim: é um quarto e uma sala espaçosa com uma cozinha integrada, mais dois banheiros, uma varanda com minha vista de conto de fadas do lago). Fechamos a piscina às dez, e às vezes pego as chaves e vou dar uma nadada solitária à meia-noite.

Eu estava fazendo isso — na verdade, eu terminara de nadar e estava deixando os jatos da hidromassagem massagearem minha lombar cronicamente dolorida — quando alguém bateu nas portas de vidro.

Eram as silhuetas de um homem — corpulento — e de uma mulher — magra, bem torneada — ambas envoltas em toalhas. Isso era tudo que eu conseguia ver deles através do vidro; as luzes estavam apagadas lá fora.

Suspirando, saí da hidromassagem, enrolei-me em uma toalha, destranquei a porta de vidro e abri apenas o suficiente para lidar com aqueles dois.

— Queremos nadar! — disse o homem.

Provavelmente, tinha 55 anos, com um rosto manchado pela bebida e um topete castanho que se acomodava sobre sua cabeça redonda parecendo um esquilo adormecido.

Ao lado dele, a loura de vinte e poucos anos, com enormes olhos azuis e peitos gigantescos (a toalha, felizmente, estava enrolada em torno da cintura), estava quase atrás do homem. Ela parecia submissa. Até mesmo constrangida.

— Sr. Davis — falei com cordialidade suficiente —, já passou do horário.

— Foda-se! Você está aí dentro, não está?

— Sou o gerente. Venho de vez em quando sozinho, depois que fecha e os hóspedes já se divertiram.

Ele colocou a mão no meu peito nu.

— Bom, nós somos hóspedes, e nós também queremos nos divertir um pouco!

O hálito dele era 45% de álcool.

Afastei a mão dele, dobrando de leve seus dedos para trás no processo.

Ele estremeceu e começou a dizer algo, mas eu o interrompi:

— Sinto muito. São as regras do hotel. Peço desculpas a você e sua esposa.

Os olhos injetados arregalaram-se no seu rosto, e ele começou a dizer algo, mas parou de repente. Colocou o rabo (e a toalha) entre as pernas e segurou a garota rudemente pelo braço, dizendo:

— Vamos, querida. Não precisamos desta merda.

A loura olhou para mim e me deu um sorrisinho irritado e decepcionado. Sorri de volta para ela, tranquei a porta de vidro e voltei para a hidromassagem para me acalmar.

— Babaca — xinguei. A palavra ecoou na sala enfumaçada com pé-direito alto. — Babaca de merda! — falei mais alto, simplesmente porque podia, e o eco foi agradável.

Ele não colocara a toalha entre as pernas porque dobrei seus dedos para trás, fez isso porque eu tinha mencionado sua esposa, e nós dois sabíamos que não era a vadiazinha loura.

Isso porque (e esta é a parte absurda) ele estivera aqui mês passado — neste mesmo hotel — com outra loura muito atraente, mas que tinha cerca de 40 anos, talvez 45, e era de fato sua legítima esposa.

Alguns caras vinham com as famílias para o Sylvan Lodge; outros vinham com o que, antigamente, costumava-se chamar de amantes. Mas raramente recebíamos um filho da puta tão descarado a ponto de trazer a esposa numa semana e a amante na outra para o mesmo maldito motel, que é o que o Sylvan Lodge, vamos ser sinceros, é, só que em uma versão glorificada.

Enquanto desfrutava do jato de água na lombar, sorri e depois franzi a testa, assim que a lembrança voltou... Meu Deus, eu havia me esquecido daquilo! Você pensaria que o Sylvan Lodge, por si só, teria atiçado minha memória. Mas não fora isso que acontecera.

Apesar da memória em questão ser de um dos meus primeiros trabalhos, que era em um hotel não muito diferente deste...

Nós nos encontramos na interestadual 80, em uma parada para caminhões nos arredores das Quad Cities.* Era tarde — quase meia-noite —, uma noite quente e úmida de junho; minha camiseta preta grudava em mim. E a calça jeans também.

O Corretor escolhera uma mesa nos fundos. O restaurante não estava muito movimentado, exceto por uma área destinada aos caminhoneiros, mas tinha a aparência de um campo de guerra depois da hora de maior movimento; era um lugar de um branco ofuscante, mas não com uma aparência muito limpa, e o jukebox — gritando "I Shot the Sheriff" naquele momento — brigava com o barulho dos pratos sendo retirados das mesas.

Sentado com o Corretor havia um garoto de rosto oval e olhos brilhantes com cerca de 25 anos (na época, também era mais ou menos a minha idade) que usava uma camiseta dos Doobie Brothers e tinha um cabelo castanho na altura do ombro. Meu cabelo era curto — não em estilo militar, mas como o de um executivo.

— Quarry — disse o Corretor em seu tom barítono melodioso, e gesticulou com a mão aberta. — Que bom ver você. Sente-se.

Seu sorriso era fraco sob o bigode fino, mas seus modos eram paternais.

Ele tentava parecer casual em uma camisa Ban-Lon amarela e calça de golfe; tinha cabelo branco bem penteado e um rosto comprido que parecia tanto carnudo quanto praticamente sem traços. Era um homem de aparência sólida, bastante alto — parecia um grande empresário, o que de fato era, de certo modo. Eu presumia que ele tinha cinquenta anos, mas era apenas um palpite.

— Este é Adam — disse o Corretor.

— Como vai, cara? — perguntou Adam, que sorriu e se levantou um pouco.

---

* Região formada por cinco cidades no noroeste do estado de Illinois e no sudeste de Iowa. O centro urbano é composto por Davenport e Bettendorf, em Iowa, e por Rock Island, Moline e East Moline, no Illinois. (N. do T.)

Ele parecia um pouco nervoso, e no processo — antes mesmo que eu tivesse a oportunidade de aceitar ou não a mão que ele oferecera — derrubou um saleiro, o que o deixou ligeiramente agitado.

— Merda! — exclamou o garoto, esquecendo o aperto de mão. — Odeio esse maldito azar! — Ele jogou um pouco de sal por cima de cada ombro, depois sorriu para mim e acrescentou: — Receio que eu seja um filho da puta supersticioso.

— Bom, você sabe o que Stevie Wonder diz — falei.

Ele franziu os olhos.

— Não, o quê?

Idiota.

— Nada — respondi, me sentando.

Uma garçonete com cerca de vinte anos e um corpo bonito, uma rede no cabelo e um quilo de acne anotou meu pedido, que era uma Coca-Cola; Broker já tinha seu café, e o garoto, uma garrafa de Mountain Dew e um copo.

Quando ela foi embora, eu disse:

— Bom, Corretor. Tem algum trabalho para mim? Dirigi centenas de quilômetros com a merda da gasolina quase no fim, então é melhor que tenha, porra.

Adam ficou um pouco chocado ao ouvir falarem com o Corretor de modo tão desrespeitoso, mas o Corretor estava acostumado com meu comportamento e apenas sorriu e deu um tapa no ar com sua mão abençoadora.

— Eu não desperdiçaria seu tempo se não tivesse, Quarry. É um trabalho que vai pagar bem. Dez mil para vocês dois.

Cinco mil era muito dinheiro; três era bem normal. A moeda valia mais na época. Dava para comprar uma barra de Snickers por dez centavos. Ou 15? Esqueci.

Mas eu ainda estava um pouco irritado.

— Nós dois? — perguntei. — Adam não é meu companheiro neste trabalho, é?

— É, sim — disse o Corretor.

Ele estava com os dedos entrelaçados, como que rezando. Sua voz de barítono era tranquilizadora. Ou pretendia ser.

Adam franzia a testa, girando nervosamente um anel de caveira no mindinho da mão esquerda.

— Não gosto dessa sua atitude de merda, cara...

A maneira como ele tentou forçar um tom ameaçador em sua voz teria sido divertida se eu desse a mínima.

— Não gosto do seu cabelo de hippie de merda — falei.

— O quê?

Ele inclinou o corpo para a frente, furioso, e derrubou seu copo de água, que girou e caiu no meu lado da mesa. Ouvimos quando estilhaçou. Alguns olhares voltaram-se na nossa direção.

Os minúsculos olhos brilhantes de Adam estavam arregalados.

— Merda — disse ele.

— Sete anos de azar, seu merda — falei.

— Isso só vale para espelhos!

— Acho que vale para qualquer tipo de vidro. Não é mesmo, Corretor?

O Corretor estava franzindo um pouco a testa.

— Quarry... — Ele parecia muito decepcionado comigo.

— Esse cabelo chama a atenção — afirmei. — Se você for fazer um trabalho, precisa ser invisível, cara.

— Hoje em dia, todo mundo usa o cabelo assim — argumentou o garoto, na defensiva.

— No Greenwich Village, talvez. Mas, na América, se você quiser passar despercebido, deve se parecer com um executivo ou um universitário.

Isso o fez rir.

— Tem visto algum universitário ultimamente, seu babaca?

— Refiro-me ao tipo que pertence a uma fraternidade. Se você quer sair por aí matando pessoas, precisa parecer certinho.

Adam ficara boquiaberto, seus dentes inferiores eram tortos. Ele apontou para mim com um polegar e virou-se para observar o Corretor, indignado.

— Este cara está falando sério?

— Está, sim — disse o Corretor. — Ele também é meu melhor agente ativo.

Por "ativo", o Corretor queria dizer (em seu jargão pessoal) que eu era metade de uma equipe de assassinos que eliminavam o alvo; a metade "passiva" era o vigia, o reserva.

— E ele tem razão sobre o seu cabelo — disse o Corretor.

— Quanto a isso — falei —, parecemos bastante suspeitos neste lugar... Eu com aparência de universitário, você, com a de presidente de um country club, e júnior aqui parecendo o Mick Jagger em turnê.

Adam ficou meio perplexo, meio enfurecido.

— Pode ser que você tenha razão — reconheceu o Corretor.

— Por outro lado — falei —, as pessoas provavelmente acham que somos umas bichas esperando pela quarta amiga.

— Você é inacreditável — disse Adam, balançando a cabeleira sebenta de Beatle. — Não quero trabalhar com este filho da puta.

— Fique calmo — pediu o Corretor. — Não estou propondo uma sociedade, a menos que, por acaso, isso funcione melhor do que nossas expectativas mais ousadas.

— Tendo a concordar com Adam quanto a isso — falei. — Não fomos feitos um para o outro.

— A pergunta é: vocês foram feitos para dez mil dólares? — questionou o Corretor

Adam e eu pensamos a respeito.

— Tenho um trabalho que precisa ser realizado muito em breve — disse ele — e rapidamente. Vocês são os únicos homens disponíveis no momento. E sei que nenhum dos dois quer me decepcionar.

Metade de dez mil realmente me parecia uma boa. Eu tinha um terreno na beira de um lago em Wisconsin onde poderia construir um elegante chalé pré-fabricado, se conseguisse juntar mais alguns milhares...

— Estou dentro — afirmei —, se ele cortar o cabelo.

O Corretor olhou para Adam, que fez uma careta e assentiu.

— Vocês dois vão gostar — disse o Corretor, chegando para a frente e tirando do bolso de trás um panfleto turístico.

— Um resort? — perguntei.

— Perto de Chicago. Uma área florestal. Há um lago artificial, duas piscinas cobertas e uma ao ar livre, uma área com lojas de presentes no estilo de uma "cidade antiga", vários restaurantes, pista de boliche, quadras de tênis, passeios a cavalo...

— Se tiverem arco e flecha talvez possamos providenciar um pequeno acidente — sugeri.

Isso fez o Corretor rir.

— Você não está longe do alvo. Precisamos ou de um acidente, ou de um assalto. É uma questão de seguros.

O Corretor não nos diria mais nada: parte da função dele era proteger o cliente de nós e nós do cliente, a propósito. Ele era uma combinação entre agente e proteção; só podia nos dizer o seguinte: o alvo seria morto para que alguém pudesse receber o seguro. Era o tipo de indenização dupla que é dada em caso de mortes acidentais, e é claro que ser morto por ladrões conta nesse sentido.

— Este é o homem — disse o Corretor

Ele nos mostrou com cautela a foto de um homem magro, bonito e bronzeado de possivelmente sessenta anos com cabelo preto que devia ser pintado; usava óculos de sol pretos e roupas de tênis e estava abraçado a uma mulher de cabelo escuro com cerca de quarenta anos, bronzeada, magra e peituda, também de óculos escuros e roupas de tênis.

— Quem é a gata? — perguntou Adam.

— A esposa — disse o Corretor.

A cliente.

— A cliente? — indagou Adam.

— Eu não falei isso — disse o Corretor com irritação. — E você não deve fazer perguntas idiotas. Seu alvo é este homem... Baxter Bennedict.

— Espero que a esposa dele não se chame Bunny, de coelhinha — comentei.

O Corretor riu de novo, mas Adam não entendeu a piada.

— Quase. O nome dela é Bernice.

Gemi.

— Mais um "B" e vou matar os dois... de graça.

O Corretor pegou uma cigarreira prateada.

— Na verdade, este vai ser um dos... aspectos delicados do trabalho.

— Como assim? — perguntei.

Ele me ofereceu um cigarro e recusei; ofereceu um a Adam e ele aceitou.

— Eles vão estar de férias. Juntos no Wistful Wagon Lodge. Ela não deve ser ferida. Vocês devem aguardar e prestar atenção até poderem pegá-lo sozinho — explicou o Corretor.

— E depois fazer com que pareça um acidente — concluí.

— Ou um assalto. Isso mesmo.

O Corretor riscou um fósforo e acendeu o cigarro. Tentou acender o de Adam, que gesticulou freneticamente para que não o fizesse.

— Dois no mesmo fósforo — disse ele.

Depois pegou um isqueiro e acendeu o cigarro por conta própria.

— Dois no mesmo fósforo? — perguntei.

— Nunca ouviu falar nisso? — perguntou o garoto, com um olhar quase ensandecido. — Dois no mesmo fósforo dá azar!

— Três no mesmo fósforo dá azar — corrigi.

Adam franziu os olhos para mim.

— Você também é supersticioso?

Olhei com firmeza para o Corretor, que apenas deu de ombros.

— Preciso mijar — disse o garoto de repente, e pediu que o Corretor o deixasse sair da mesa.

De pé não era muito alto: provavelmente, um metro e setenta. Magrelo. Sua calça jeans estava esfarrapada.

Quando ficamos sozinhos, perguntei:

— O que você está fazendo me colocando para trabalhar com esse babaca idiota?

— Dê uma chance a ele. Esteve no Vietnã. Como você. Não é totalmente inexperiente.

— A maioria dos caras que conheci no Vietnã passava 24 horas por dia chapado. Não é o que estou procurando em um parceiro.

— Ele só é um pouco verde ainda. Você vai deixá-lo maduro.

— Vou congelá-lo se fizer merda. Entendeu?

O Corretor deu de ombros.

— Entendi.

Quando Adams voltou, o Corretor esperou ele se sentar na mesa e disse:

— A parte mais difícil é que vocês só têm uma brecha de quatro dias.

— Isso é ruim — falei, franzindo a testa. — Gosto de vigiar, definir um padrão...

O corretor deu de ombros outra vez.

— É uma situação diferente. Eles estão de férias. Não vão manter nenhum padrão.

— Ótimo.

O Corretor franziu a testa.

— Por que você acha que o trabalho é tão bem pago? Considere um adicional por insalubridade.

Adam riu com sarcasmo e disse:

— Qual é o problema, Quarry? Nunca correu nenhum risco, porra?

— Acho que estou prestes a correr — falei.

— Tentem não morrer — disse o Corretor.

— Bata na madeira — ordenou o garoto, batendo na mesa.

— Isso é fórmica — falei.

O Wistful Wagon Lodge estendia-se por vários metros quadrados arborizados, bem nos arredores de Wistful Vista, Illinois. Segundo o panfleto do Corretor, na década de 1940, o vilarejo ganhara o nome da cidade fictícia de Fibber McGee e Molly, com o intuito de atrair turistas. Aparentemente, uma das estrelas secundárias do programa de rádio nascera ali perto. Essa estratégia de marketing fora implantada bem a tempo de a televisão tornar o rádio ultrapassado, e o único sinal remanescente de que a pequena comunidade agrícola obtivera qualquer sucesso em explorar o mercado turístico era o próprio Wistful Wagon Lodge.

Uma estrada de paralelepípedos passava entre os chalés de madeira, e várias outras construções maiores — incluindo o hotel principal, onde ficavam os restaurantes e era feito o check-in dos hóspedes — eram estruturas igualmente rústicas, mas de madeira envelhecida cinza. Havia aglomerados de árvores por toda parte, transformando a luz quente do sol em poças frescas de sombra; placas de madeira queimada indicavam o caminho para um prédio ou uma trilha, e rodas decorativas de carroças, muitas vezes com canteiros de flores dentro e ao redor delas, ficavam espalhadas como se algum acidente pioneiro no passado tivesse sido embelezado pela natureza e pelo tempo. Claro que não era o caso: era fruto do trabalho cafona do homem.

Chegamos separadamente, Adam e eu, cada um tendo reservado um quarto com antecedência, cada um pagando em dinheiro no check-in; nada de cartões de crédito. Nós dois tínhamos chalés de madeira, não muito próximos um do outro.

Como vigia e reserva, Adam chegou cedo. O alvo e a esposa passariam um fim de semana prolongado no resort, chegando na quinta-feira e partindo na segunda. Só cheguei na manhã de sábado.

Fui ao chalé de Adam e bati na porta, mas não tive resposta. O que significava que ele estava atrás do sr. e da sra. Alvo pela propriedade. Depois de deixar minhas coisas no meu chalé, dei uma caminhada, tentando memorizar a disposição geral do lugar, conferindo o hotel propriamente dito, onde ficava cerca de metade dos quartos, além de dois restaurantes. Tudo cheirava a pinheiro, parte por causa das várias árvores, parte por causa do desinfetante que usavam lá. Wistiful Wagon era no estilo Hollywood rústico, tinha um aspecto antiquado, do uniforme de vaqueiro/vaqueira dos garçons e garçonetes no Café Wistful Chuckwagon à mobília de madeira com couro às reproduções de quadros de Remington em molduras de madeira de celeiro.

Pedi meu almoço e troquei sorrisos com uma mesa ocupada por universitárias risonhas que estavam em uma expedição exploratória de fim de semana. "Ótimo", pensei. "Se eu conseguir me conectar com uma delas hoje à noite, vou ter um ótimo disfarce."

Enquanto eu terminava de comer, minha garçonete vaqueira, uma loura de cabelo cacheado muito bonita beirando os trinta anos, disse:

— Parece que você vai se dar bem hoje à noite.

Ela estava enchendo de novo minha xícara de café.

— Com elas ou com você? — perguntei.

A mulher tinha belos olhos azul-claros e usava uma maquiagem pesada, mais no estilo da década de 1960 do que da de 1970. Usava um chapéu de caubói no estilo da década de 1950 preso sob o queixo.

— Não posso confraternizar com os hóspedes.

— E quem falou em confraternizar?

Ela deu uma risadinha, e uma ruga surgiu em seu queixo. Seu rosto era arredondado e ela era um pouco roliça, com o peito apetitosamente grande.

— Só um palpite — disse ela. — De todo modo, vai ter um baile aberto no salão do Restaurante Wagontrain. É uma banda de swing country. Você vai gostar.

— Está me convidando?

— Não — disse ela, estreitando os olhos e inclinando a cabeça, com uma expressão um pouco repreendedora. — Aquelas garotas vão estar lá, e várias outras. Você não vai ter dificuldade para encontrar o que quer.

— Aposto que vou ter.

— Por quê?

— Eu queria uma garota usando botas de caubói, como você.

— Ah, vai ter um monte de garotas com botas de caubói lá.

— Eu quis dizer, só com botas de caubói.

Ela riu e balançou a cabeça; sob o chapéu de Dale Evans, seus cachos louros quicaram nos ombros.

Ela partiu e me deixou terminar o café. Sorri um pouco mais para as universitárias, mas, quando paguei a conta, no caixa, minha vaqueira rechonchuda apareceu de novo.

— Trabalho até tarde hoje — disse ela.

— Até que horas?

— Gozo meu horário livre a partir da meia-noite — disse ela.

— Vai ser apenas a primeira vez — afirmei.

— Primeira vez de quê?

— Que você vai gozar hoje.

Ela gostou daquilo. Os tempos eram outros, naquela época. A única maneira de morrer por causa de sexo era se um marido ou namorado pegasse você no flagra. Ela disse onde eu poderia encontrá-la mais tarde.

Voltei para o meu chalé por um caminho sinuoso. Alguns grupos de garotas e garotos universitários, ainda sem pares formados, circulavam por ali; alguns casais, dos vinte aos sessenta anos, a maioria de mãos dadas, caminhavam pela propriedade ensolarada e sob as sombras das árvores exuberantes. O som de uma brisa delicada nas árvores produzia uma leve música trêmula. Não era difícil levar alguém para a cama ali.

Coloquei meu traje de banho, peguei uma toalha e fui para a piscina mais próxima, que ficava ao ar livre. Foi onde encontrei Adam.

Ele realmente se parecia com um maltrapilho de fraternidade universitária, com o cabelo mais curto, o corpo magrelo e pálido ficando vermelho. Ele estava sentado em uma espreguiçadeira, tomando uma Coca-Cola, de óculos escuros e bermuda, conversando com duas universitárias gatas de biquíni, também com óculos escuros.

— Bill? — chamei.

— Jim? — disse ele, tirando os óculos de sol para me ver melhor. Ele sorriu e estendeu a mão, levantando-se enquanto nos cumprimentávamos. — Não vejo você desde o recesso de primavera!

Tínhamos combinado que seríamos amigos antigos da escola de Peoria que tinham ido para faculdades diferentes; eu estudava na Universidade de

Iowa, ele estava em Michigan. Evitamos escolher escolas do Illinois, porque era grande a probabilidade de encontrarmos jovens de lá naquele hotel.

Adam apresentou-me às garotas — não me lembro dos nomes delas, mas uma era Veronica, peituda, de cabelo castanho; a outra, Betty, loura, sem peitos. O som de crianças brincando na água, correndo, gritando — apesar do lugar ser um refúgio para casais, também havia uma cota de famílias hospedadas — manteve a conversa ao mínimo, ainda bem. As garotas estudavam enfermagem. Nós cursávamos engenharia. Todos gostávamos de Credence Clearwater. Todos esperávamos que Nixon recebesse pena máxima. Todos iríamos para o baile à noite.

No outro lado da piscina, Baxter Bennedict estava sentado em uma espreguiçadeira sob um guarda-sol, lendo *Tubarão*. Ao final de cada página, bebericava seu martíni; a cada dez páginas, aproximadamente, chamava uma garçonete fantasiada de vaqueira com short curto para pedir mais um. A esposa dele estava nadando, seus braços morenos cortando a água como facas. Parecia metódico, um exercício de ginástica no meio de uma piscina repleta de amantes de água de várias idades.

Quando ela saiu da piscina, seu maiô de um branco intenso e chocante contrastando com sua pele queimada quase negra, revelou uma silhueta esguia, bastante alta, bunda firme, peitos grandes e arrebitados. Seu rosto bastante enrugado era a única coisa que denunciava sua idade, compensada pela bênção da beleza de uma modelo.

Ela tirou uma toca de natação branca e soltou uma cabeleira negra com pontas louras. Secando-se com a toalha, curvou-se para beijar o marido na bochecha, mas ele fez uma careta para ela. A mulher se esticou sobre a toalha de praia colorida ao lado dele, para bronzear ainda mais a pele.

— Aaaah — disse Veronica. — O que é este anel?

— É meu anel da sorte — respondeu Adam.

Aquele maldito anel de caveira! Ele fora burro o bastante para usá-lo? Sim.

— Comprou em um show do Grateful Dead, não foi, Bill? — perguntei.

— Hum, sim — confirmou ele.

— Argh — disse Betty. — Não gosto deles. Têm cabelo ensebado e são tão... drogados.

— Drogas não são tão ruins — disse Veronica, com coragem, projetando para a frente seus peitos louváveis.

— Bill e eu tivemos nossos dias de loucura na escola — comentei. — Deviam ter visto nossos cabelos... Iam até a bunda, não é mesmo, Bill?

— É.

— Mas não fazemos mais isso — falei. — Meio que deixamos para trás.

— Bom, eu não aprovo as drogas — disse Betty.

— Não a culpo — falei.

— Exceto erva, é claro — disse ela.

— É claro.

— E cocaína. Estudos científicos comprovaram que cocaína não faz mal.

— Bom, você estuda enfermagem — comentei. — Deve saber.

Marcamos encontros informais com as garotas no baile, e caminhei com "Bill" até seu chalé.

— O anel de caveira foi um toque legal — falei.

Ele franziu a testa para mim.

— Vá se foder... É meu anel da sorte.

Um jardineiro negro com um cortador de grama motorizado passou ruidosamente por nós.

— Agora estamos com problemas — afirmei.

Ele pareceu genuinamente preocupado.

— Como assim?

— Um gato preto cruzou nosso caminho.

No chalé de Adam, sentei-me no sofá marrom de imitação de couro enquanto ele se acomodou na colcha amarela áspera da cama e estendeu as mãos.

— Na verdade, eles têm uma espécie de padrão — disse ele —, de férias ou não.

Adam chegara na quarta-feira; os Bennedict tinha chegado na quinta-feira em torno das duas da tarde, que era o horário do check-in.

— Eles bebem e nadam a tarde toda — contou Adam — e vão jantar e dançar... E beber... À noite.

— E de manhã?

— Tênis. Ele só começa a beber na hora do almoço.

— Ela não bebe?

— Não tanto quanto ele. Ele é um babaca. Estamos fazendo um favor ao mundo.

— Como assim?

Ele deu de ombros. Parecia muito diferente com o cabelo curto.

— Ele é um pouco abusivo. Não grita com ela, mas só de olhar para eles dá para perceber que ele olha furioso para ela o tempo todo, é muito desagradável. Ele diz coisas que a magoam.

— Ela não o confronta?

Ele negou com a cabeça.

— São argumentos muito unilaterais. Ou ele fica sentado ignorando-a ou lança olhares perversos para ela, e parece que está dando uma bronca furiosa nela ou algo assim.

— Parece ser um cara legal.

— Depois de beber, jantar e dançar, eles vão para o bar. Nas duas noites até agora, ela foi para a cama por volta das onze e ele ficou até o bar fechar.

— Ótimo. Isso significa que está sozinho quando volta para o chalé.

Adam assentiu.

— Mas este lugar é cheio de gente.

— Não às duas da manhã. A maioria das pessoas está dormindo ou fodendo a essa hora.

— Talvez. Ele tem um relógio caro e algumas joias de ouro.

— Bom, isso é ótimo. Agora temos um motivo.

— Mas é ela quem usa as joias. — Ele assoviou. — Você tinha que ver as pedras daquela mulher.

— Bom, não estamos interessados nelas.

— E quanto às coisas que você vai roubar dele? Vai simplesmente jogá-las em algum lugar?

— Mas é claro que não! O Corretor vai providenciar para que sejam receptados. Um pouco de dinheiro adicional por nosso esforço.

Ele sorriu.

— Ótimo. Isso é dinheiro fácil. Férias remuneradas.

— Nunca pense dessa maneira... Nunca baixe a guarda.

— Sei disso — disse ele, na defensiva.

— Dá azar pensar dessa maneira — falei, e bati na madeira. Madeira de verdade.

Encontramos Betty e Veronica no baile. Fiquei com Betty, pois Adam gostava de peitos grandes como os de Veronica. Betty era uma companhia agradável, mas eu não estava dando ouvidos ao seu falatório. Estava de olho nos Bennedict, que estavam sentados em uma mesa no canto, sob uma cabeça de búfalo.

Ele era mesmo um babaca. Dava para perceber pelo modo como zombava dela e dizia frases rudes que passara uma vida inteira — ou pelo menos um casamento inteiro — fazendo-a sofrer. O ódio por ela era algo que dava tanto para ver quanto para sentir, feito vapor sobre asfalto. Ela aceitava com tranquilidade. Tão fria quanto Cher enquanto Sonny tagarelava.

Mas minha intuição dizia que geralmente ela levava aquilo mais para o lado pessoal. Naquele momento, ela devia estar calma: sabia que o filho da puta ia morrer naquele fim de semana.

— Você já foi a Lauderdale? — dizia Betty. — Fiquei tão bêbada lá...

A banda estava tocando "Crazy", e uma cantora decente fazia uma interpretação razoável de Patsy Cline. Que música maravilhosa.

— Venci um campeonato de quem bebia mais cerveja de uma só vez no Bonnie's, em 1972 — respondi.

Betty ficou impressionada.

— Você já estava na faculdade?

— Não. Mas tinha uma identidade falsa excelente.

— Caramba!

Por volta das onze, a banda fez um intervalo, e acompanhamos as garotas até seus chalés, de mãos dadas, feito namorados no ensino médio. Lampiões a gás em postes chamuscavam a noite de laranja, e uma meia-lua lançava um pouco de luz prateada sobre nós. Adam desapareceu com Veronica, contornando o chalé, então parei e olhei para Betty, que me observava animada, balançando-se infantilmente nos calcanhares. Ela cheirava a perfume e cerveja, se misturando ao aroma dos pinheiros. Era mais agradável do que parece.

Ela estava recorrendo às suas covinhas.

— Você é tão legal...

— Hum, obrigado.

— E sou uma boa avaliadora de caráter.

— Aposto que sim.

Depois ela colocou os braços em torno de mim, pressionou seu corpo magro contra o meu e enfiou a língua até metade da minha garganta.

Recuou, deu um sorriso faceiro e disse:

— Isso é tudo que vai receber hoje. Vejo você amanhã.

Como que seguindo a deixa, Veronica apareceu com o batom borrado e o casaco desalinhado.

— Boa noite, garotos — disse Veronica, e elas entraram, rindo como as universitárias que eram.

— Merda — disse Adam, fazendo uma careta. — Tudo que consegui foi ver peitos um pouquinho.

— Não foi tão ruim assim.

— Pensei que ia foder.

Dei de ombros.

— Pelo visto você se fodeu.

Saímos andando. Passamos por um chalé que estava sendo reformado; eu já tinha reparado nele. Havia uma escada apoiada na lateral, para que o telhado fosse refeito. Adam contornou a escada, mantendo certa distância. Passei debaixo dela só para vê-lo se contorcer.

Quando o alcancei, ele perguntou:

— Você vai fazer o trabalho hoje?

— Não.

— O bar fecha à meia-noite aos domingos. É quando vai fazer?

— Sim.

Ele suspirou.

— Ótimo.

Chegamos ao lugar onde um caminho seguia para o meu chalé e outro para o dele.

— Bom — disse Adam —, talvez eu tenha sorte amanhã à noite.

— Nada de mulheres em noite de trabalho. Preciso de apoio mais do que qualquer um de nós precisa de um álibi, e o mesmo vale para uma trepada fácil.

— Ah. Claro. Você tem razão. Desculpe. Boa noite.

— Boa noite, Bill.

Então voltei, peguei a garçonete vaqueira e a levei para o meu chalé. Ela tinha um pouco de maconha na bolsa, por isso fumei um pouco com ela, só para ser gentil, e pedi desculpas por não ter camisinha. Ela disse: "Não esquente, cara, eu tomo pílula." E me cavalgou com as botas de vaqueiro até meu pau dizer "Segura peão!".

Na manhã seguinte, tomei café da manhã com Adam, que parecia preocupado. Enquanto eu comia meus ovos mexidos com bacon, ele cutucava sua torrada.

— Bill — falei. — O que está havendo?

— Estou preocupado.

— Com o quê?

Estávamos sentados a uma mesa de madeira crua e tínhamos bastante privacidade, mas mesmo assim mantivemos a voz baixa. Nossa conversa, afinal de contas, não era apropriada para o café da manhã.

— Acho que você não devia matá-lo desse jeito.

— De que jeito?

Ele franziu a testa.

— Quando ele estiver voltando para o chalé depois do bar fechar.

— Ah, é? Por quê?

— Pode ser que ele não esteja bêbado o bastante. O bar fecha cedo domingo à noite, lembra?

— Caramba — falei. — O filho da puta começa a beber ao meio-dia. O que mais você quer?

— Mas pode ter gente por perto.

— À meia-noite?

— É um resort. As pessoas ficam românticas nos resorts. Passeios à meia-noite...

— Tem uma ideia melhor?

Adam assentiu.

— Faça no quarto dele. Pegue as joias da esposa, e vai ser um assalto que fugiu do controle. É entrar e sair. Moleza.

— Você enlouqueceu? E quanto à esposa?

— Ela não vai estar lá.

— Do que está falando?

Ele começou a gesticular, ansioso.

— Ela se preocupa com ele, veja bem. É meia-noite, e ela sai para procurá-lo. Enquanto ela está fora, ele volta, desaba na cama, você entra, bing bang bum.

Apenas olhei para ele.

— Por acaso você é paranormal agora? Como sabemos que ela vai fazer isso?

Ele engoliu, beliscou do garfo um pedacinho de torrada da qual pingava xarope de bordo. Deu um sorriso nervoso.

— Ela me disse — afirmou.

Estávamos caminhando agora. O sol era filtrado pelas árvores, os pássaros piavam e o som de crianças brincando pairava no ar.

— Você está completamente louco, porra? Fazer contato com a cliente?

— Quarry... Foi ela quem me contatou. Eu juro!

— Então ela é completamente louca. Caramba! — Sentei-me em um banco ao lado do canteiro de flores. — Está cancelado. Vou ligar para o Corretor. Acabou.

— Calma! Calma. Ela estava me esperando no meu chalé ontem à noite. Depois que ficamos com as universitárias, sabe? Ela estava esperando por mim, porra! E me disse que sabia quem eu era.

— Como ela sabia?

— Falou que me viu os observando. Ela sacou. Adivinhou.

— E, obviamente, você confirmou as suspeitas dela.

Ele engoliu em seco.

— É.

— Seu babaca idiota. Quem disse primeiro?

— Quem disse o quê primeiro?

— Quem mencionou "matar"? Quem mencionou "assassinato"?

A bochecha dele tremulou.

— Bom... Eu, acho. Ela ficava dizendo que sabia por que eu estava aqui. Depois disse: "Você está aqui por minha causa, eu contratei você."

— E você confirmou. Meu Deus. Vou pegar o próximo ônibus.

— Quarry! Escute... É melhor assim. É muito melhor.

— O que ela fez? Fodeu com você?

Ele empalideceu e olhou para os próprios pés.

— Ai, meu Deus — falei. — Então você se deu bem ontem à noite. Merda. Você fodeu a cliente. Disse a ela que havia dois de nós?

— Não.

— Ela nos viu juntos.

— Eu disse a ela que você é só um cara com quem fiz amizade aqui para despistar qualquer suspeita.

— Ela acreditou?

— Por que não acreditaria? Acho que devemos abandonar o plano A e seguir para o plano B. É melhor.

— E o plano B é...

— Quarry, ela vai deixar a porta destrancada. Vai esperar até que o marido volte do bar, e, quando ele estiver dormindo, ela vai destrancar a porta, sair e fingir que está procurando por ele, até que na volta vai encontrá-lo morto e perceber que suas joias desapareceram. Socorro-polícia-fui-roubada-meu-marido-foi-morto. Você entendeu.

— Ela está ajudando demais, se quer saber minha opinião.

Ele fechou a cara.

— O babaca bate nela há anos. E tem uma namorada com um terço da idade dele. Tem ameaçado se divorciar dela, e como eles assinaram um acordo pré-nupcial, ela vai ficar sem nada caso se divorciem. Que babaca.

— É uma história muito triste mesmo.

— Eu disse a você que estamos fazendo um favor ao mundo. E agora ela está nos fazendo um favor. Por que atirar a céu aberto quando podemos entrar no quarto dele e fazer isso lá? Você precisa fazer isso, Quarry. Porra, cara, são cinco mil para cada um mais uns trocados!

Pensei a respeito.

— Quarry?

Eu tinha passado muito tempo pensando.

— Certo — falei. — Diga a ela que está combinado. Vamos fazer do jeito dela.

O Bar W Bar era um salão rústico acolhedor decorado com fotos emolduradas de caubóis do cinema, de Ken Maynard a John Wayne, de Audie Murphy ao Homem Sem Nome. Em um banquinho de bar com imitação de couro, estava sentado Baxter Bennedict, um bêbado magro e bonito vestindo um casaco esportivo azul-claro de poliéster e uma camisa esportiva Ban-Lon amarelo-clara, tomando martínis e contando sua história triste para quem quisesse ouvir.

Não me sentei perto o suficiente para participar da conversa, mas conseguia ouvi-lo.

— Está me levando à falência — dizia ele. — Pode-se pensar que com 16 malditas filiais eu estaria bem de vida. Fui o primeiro cara na região de

Chicago a oferecer serviço de pintura por menos de trinta dólares: 29,95! Uma oferta boa pra cacete... Não é?

O barman — um rapaz jovem com colete de camurça, polindo um copo — assentiu compreensivamente.

— E agora esta concorrência. Está me matando. Que serviço de pintura de merda dá para conseguir por 19,99 dólares? Pode me responder? E agora aquela puta tem a audácia...

Ele começou a murmurar. O barman começou a se afastar, mas Baxter voltou a falar:

— Ela quer que eu venda! A obra da minha vida! Comecei do nada. E ela quer que eu venda! Ofereceram uma ninharia de merda. Uma ninharia...

— Última rodada, sr. Bennedict — disse o barman.

Depois ele repetiu o comunicado, mais alto dessa vez, sem o "sr. Bennedict". O lugar estava apenas parcialmente ocupado. Alguns casais. Um ou dois clientes bebendo sozinhos. O Wistful Wagon Lodge esvaziara bastante naquela tarde, até Betty e Veronica tinham ido embora. Domingo. As pessoas precisavam trabalhar no dia seguinte. Exceto, é claro, as que eram donas do próprio negócio, como Baxter.

Ou que tivessem profissões incomuns, como eu.

Esperei a figura esguia cambalear até a metade do caminho antes de fazer uma abordagem. Não havia ninguém por perto. O chalé mais próximo estava escuro.

— Sr. Bennedict — chamei.

— Sim?

Ele se virou, tentando focar os olhos turvos.

— Não pude deixar de ouvir o que disse. Acho que tenho uma solução para os seus problemas.

— É mesmo? — Ele sorriu. — E qual seria, hein?

Ele se aproximou de mim com as pernas completamente bambas.

Mostrei a ele a nove milímetros com o silenciador volumoso. Provavelmente parecia uma pistola espacial para ele.

— Merda! O que é isso, um maldito assalto?

— Acertou. Mantenha a voz baixa ou vou transformar isso em um maldito homicídio. Entendeu?

Aquilo o deixou sóbrio.

— Entendi. O que você quer?

— O que acha? Seu relógio e os anéis.

Ele sorriu com ar de superioridade e nojo, tirou o que pedi e me entregou.

— Agora seu casaco.

— Meu o quê?

— Seu casaco. Adoro poliéster.

Ele riu, bufando.

— Você está maluco, cara.

Ele tirou o casaco e entregou-o com dois dedos. Seu corpo oscilava um pouco, e o homem sorria, embriagado.

Peguei o casaco com a mão esquerda, e a nove milímetros silenciada fez tuf-tuf; três flores vermelhas, pequenas e brilhantes brotaram em sua Ban-Lon amarelo-clara. Ele estava morto antes que tivesse tempo de pensar a respeito.

Arrastei seu corpo para trás de um aglomerado de árvores e o deixei lá, com suas preocupações esquecidas.

Observei por trás de uma árvore quando Bernice Bennedict saiu do chalé do casal. Ela vestia uma blusa escura frente única e uma calça escura que quase se confundiam com sua pele quase negra de tão queimada, transformando-a em um fantasma. Ela carregava uma bolsa branca grande no ombro. Sua pele estava tão escura que a bolsa branca parecia flutuar no espaço enquanto ela andava até a recepção do hotel.

Só que parou em uma árvore, agachando-se atrás dela. Sorri para mim mesmo.

Então, usando o casaco esportivo azul-claro de poliéster, entrei no chalé pela porta que ela deixara aberta. O quarto estava completamente escuro, exceto pela pouca luz que passava através das cortinas fechadas. Rapidamente, arrumei alguns travesseiros sob os lençóis e a colcha para dar a impressão de que havia alguém na cama.

Liguei para o chalé de Adam.

— Ei, Bill — falei. — É Jim.

A voz dele estava ofegante.

— Está feito?

— Não. Fui cercado quando saí do bar por aquela garçonete com quem passei a noite ontem. Ela grudou em mim... Está no meu banheiro.

— O quê? Você está no seu quarto?

— Estou. Vi Bennedict sair do bar à meia-noite, e a esposa dele passou por nós, indo para a recepção do hotel, há poucos minutos. É sua oportunidade de pegá-lo.

— O quê? Eu? Mas eu sou o vigia, porra!

— Esta é a noite e vamos seguir com o plano C.

— Eu não sabia que havia um plano C.

— Escute aqui, seu babaca... Foi você quem quis mudar de plano. Você tem uma arma, não tem?

— Claro...

— Bom, você foi o escolhido. Vá!

E desliguei.

Fiquei na porta do banheiro, que era voltada para a cama. Não acendi nenhuma luz, embora minha mão pairasse sobre o interruptor. A nove milímetros com o silenciador pesava na minha mão. Mas eu não me importava.

Adam entrou rapidamente e não fez um trabalho muito ruim: quatro tiros com silenciador. Ele deveria ter conferido o corpo — não lhe ocorreu que acabara de matar um monte de travesseiros —, mas se houvesse alguém na cama, estaria morto.

Ele foi até a cômoda onde sabia que estariam as joias, e estava pegando a caixa de pertences quando a porta se abriu e ela entrou, o pequeno revólver já na mão.

Antes que ela pudesse disparar, acendi a luz do banheiro e disse:

— Se eu não ouvir a arma caindo no chão imediatamente, você está morta.

Ela era apenas uma silhueta escura, exceto pela bolsa branca, mas vi o brilho prateado da arma quicando no chão acarpetado.

— O quê...? — disse Adam.

Estava escuro demais para enxergar, mas obviamente ele estava tão confuso quanto assustado.

— Feche a porta e acenda a luz, moça — ordenei.

Ela obedeceu.

Era realmente uma linda mulher, ou fora um dia, olhos escuros e a boca pintada de vermelho num rosto de modelo bem delineado, mas para mim era apenas uma máscara enrugada.

— O que... — começou Adam.

Ele parecia totalmente chocado, o que fazia sentido. A arma estava na sua cintura, a caixa de joias, em suas mãos.

— Você não sabia que havia dois de nós, não é, sra. Bennedict?

Com um leve ar de desdém, ela balançou a cabeça.

— Está vendo, garoto? — falei para Adam. — Ela queria o marido morto, mas também queria o assassino morto. Mais limpo. Mais arrumado. Certo?

— Vá se foder — disse ela.

— Não gosto muito de foder com sobras, obrigado. Mas você tem uma licença para essa pequena arma de chumbinho de bolsa, não tem? A proteção perfeita para quando você esbarrar com o intruso que acabou de matar seu amado marido. Que está morto, diga-se de passagem. Alguém vai encontrá-lo pela manhã, provavelmente.

— Sua puta! — exclamou Adam.

Ele ergueu a própria arma, que era uma Browning calibre .38 com um silenciador caseiro.

— Não sabe que dá azar matar uma mulher? — perguntei.

Ela estava paralisada, um olho estremecendo.

Adam tremia. Ele engoliu em seco e assentiu.

— Certo — disse ele, baixando a arma. — Certo.

— Vá — falei para ele.

Ela deu um passo para o lado enquanto ele escapava pela porta, fechando-a ao sair.

— Obrigada — disse ela, e eu lhe dei dois tiros no peito.

Coloquei minha volumosa automática com silenciador na cintura e peguei a caixa de joias na cômoda.

— Faço minha própria sorte — falei para ela enquanto passava sobre seu corpo, mas ela não me ouviu.

Nunca mais trabalhei com Adam. Acho que ele ficou perturbado quando leu os jornais e descobriu que eu matara a mulher, no fim das contas. Talvez tenha abandonado o ramo. Ou talvez tenha acabado morto em uma vala, com seu anel da sorte de caveira ainda no dedo mindinho. O Corretor nunca me disse, e nunca me interessei o bastante para perguntar.

Agora, anos depois, passando o tempo na hidromassagem do Sylvan Lodge, relembro minhas ações e me pergunto como fui tão jovem e tão impulsivo.

Matar a mulher era compreensível. Ela havia nos enganado e teria matado nós dois sem piscar um cílio postiço.

Mas dormir com aquela garçonete vaqueira durante o trabalho. Fumar maconha. Não usar camisinha.

Eu estava realmente brincando com a sorte.

VILÃO: SR. SMITH

A SOCIEDADE
DAVID MORRELL

Nascido em Kitchener, Ontário, David Morrell (1943-) ainda era adolescente quando decidiu ser escritor. Ele foi inspirado pelos roteiros televisivos de *Route 66* escritos por Sterling Silliphant e por Philip Young (também conhecido como o autor de ficção científica Willian Tenn), o estudioso de Hemingway da Universidade Penn State, onde Morrell finalmente obteve seu bacharelado, mestrado e doutorado. Em 1970, começou a trabalhar como professor de inglês na Universidade de Iowa e escreveu seu livro de estreia, *Primeiro sangue*, dois anos depois.

A crítica descreveu *Primeiro sangue* (1972) como "o pai do romance de aventura moderno". O livro apresentou ao mundo Rambo, que se tornou um dos personagens mais famosos de todos, em grande parte por causa dos filmes estrelados por Stallone. John Rambo (o nome famoso veio de uma variedade de maçãs supostamente plantadas por Johnny Appleseed) é veterano da Guerra do Vietnã, ex-combatente boina verde perturbado e violento, treinado em sobrevivência, combate corpo a corpo e outras habilidades especiais de artes marciais; foi livremente baseado em Audie Murphy, herói da Segunda Guerra Mundial. A série cinematográfica começou com *Rambo — Programado Para Matar* (1982) e continuou com *Rambo II* — A *Missão* (1985), *Rambo III* (1988) e *Rambo IV* (2008).

Morrell emplacou vários outros best-sellers em diversos gêneros com seus romances, incluindo quatro volumes da série que começou com *A irmandade da rosa* (1984), que se tornou uma popular minissérie de TV estrelando Robert Mitchum em 1989; quatro volumes sobre o notório Thomas De Quincey, passados na metade do século XIX; thrillers internacionais que não faziam parte de nenhuma série; revistas em quadrinhos; não ficção; e ficção de horror bastante popular, em especial

Creepers (2005), que ganhou o Prêmio Bram Stoker, da Horror Writers Association. Ele também é cofundador da International Thriller Writers Association.

"A sociedade" foi publicado originalmente na edição de 27 de maio de 1981 da *Alfred Hitchcock's Mystery Magazine*.

A SOCIEDADE

DAVID MORRELL

Com certeza era a sangue-frio, mas não parecia haver outra maneira. MacKenzie passara meses considerando suas opções. Ele tentara comprar a parte do sócio, mas Dolan recusara.

Bem, não exatamente. A primeira resposta de Dolan fora rir e dizer:

— Não vou permitir que você tenha essa satisfação.

Quando MacKenzie continuou insistindo, a resposta seguinte de Dolan foi:

— Claro que vendo minha parte. Vai custar só um milhão de dólares.

Dolan poderia muito bem ter pedido dez. MacKenzie não podia levantar um milhão, nem meio milhão ou um quarto disso, e sabia que Dolan sabia disso.

Era típico. MacKenzie não podia dizer "bom dia" sem que Dolan discordasse. Se MacKenzie comprava um carro, Dolan comprava um maior e mais caro e, só para cutucar a ferida, gabava-se do grande negócio que fizera. Se MacKenzie levava a esposa e os filhos de férias para Bermudas, Dolan dizia a ele que Bermuda não era nada em comparação com Mazatlan, para onde levara a esposa e os filhos.

Os dois homens discutiam constantemente. Torciam para times de futebol americano diferentes. O gosto culinário dos dois era muito diferente — cordeiro versus carne em conserva. Quando MacKenzie começou a jogar golfe, Dolan começou a jogar tênis de repente, destacando que golfe era apenas um jogo, enquanto tênis era um bom exercício. Mas Dolan, mesmo com seu pretenso exercício, era gordo. MacKenzie, por outro lado, era magro, mas Dolan sempre tecia comentários sobre a peruca de MacKenzie.

Era impossível um escocês tentar manter um negócio com um irlandês. MacKenzie deveria ter previsto que a relação dos dois nunca daria certo.

No começo, eram empreiteiros rivais, cada um tentando fazer uma oferta melhor do que o outro para trabalhos de construção e perdendo dinheiro no processo. Portanto, formaram uma sociedade. Juntos tiveram mais sucesso do que separados. Tentando se superar mutuamente, um pensava em maneiras de obter um lucro maior, e o outro se sentia desafiado a ser duplamente esperto. Reduziam custos misturando cascalho demais com o concreto, instalando encanamentos de baixa qualidade e isolamento inferior. Mantinham livros-caixa especiais para o Tio Sam.

MacKenzie-Dolan Empreendimentos. Os dois estavam empreendendo, com certeza, mas não suportavam conversar um com o outro. Tinham tentado resolver o problema dividindo o trabalho, de modo que MacKenzie gerenciava o escritório e Dolan saía para resolver problemas.

Durante algum tempo, isso funcionou. Mas eles ainda precisavam se encontrar para tomar decisões, e, apesar de estarem se vendo menos, tinham muita tensão acumulada e se agrediam ainda mais quando estavam juntos.

Para piorar as coisas, suas esposas ficaram amigas. Com frequência as mulheres organizavam churrascos e festas à beira da piscina. Os homens tentavam não discutir nessas confraternizações. Quando isso acontecia, levavam bronca das esposas.

— Odeio aquele cara — dizia MacKenzie para a esposa depois de uma festa. — Ele me irrita no escritório e me deixou de saco cheio hoje à noite.

— Apenas me escute, Bob... Vickie Dolan é minha amiga, e não vou permitir que suas travessuras infantis acabem com nossa amizade. Vou dormir no sofá hoje.

Portanto, os dois homens se continham enquanto as esposas trocavam receitas.

A causa do grande problema foi quando Dolan começou a fazer ameaças.

— O que será que o governo faria se soubesse do seu jeito especial de manter os livros-caixa?

— E quanto ao encanamento abaixo das especificações e o cascalho a mais no concreto? — retrucou MacKenzie. — Você é responsável por isso, Dolan.

— Mas isso não é crime... O juiz apenas me multaria — respondeu Dolan. — Com a Receita Federal, o buraco é mais embaixo. Se soubessem que você têm livros-caixa diferentes, trancariam você em uma prisão onde eu nunca mais precisaria ver sua cara feia.

MacKenzie encarou Dolan e decidiu que não havia opção. Ele tentara fazer a coisa certa, mas o sócio não queria vender sua parte. Não havia nenhum outro jeito. Era autodefesa.

O homem esperava na jaula dos macacos, um sujeito alto, magro, de aparência amigável, jovem e louro. Usava um uniforme de corrida azul-claro feito sob medida e comia amendoins.

No bebedouro, curvando-se para beber, MacKenzie olhou em volta. O zoológico estava lotado. Era meio-dia de um dia de semana ensolarado, e pessoas no horário de almoço estavam sentadas em bancos comendo sanduíches ou caminhando entre as jaulas. Havia crianças, mães e velhos jogando damas. Ele ouvia uma música baixinha vindo de um realejo, conversas abafadas, falatórios estridentes e passarinhos cantando. Ficou satisfeito por ninguém estar prestando atenção nele, então secou a água da boca e se aproximou.

— Sr. Smith?

O rapaz não se virou — apenas comeu mais um amendoim —, e MacKenzie ficou com medo de ter falado com o homem errado. Afinal, o zoológico estava lotado e havia outros homens usando uniforme de corrida. Além disso, não importava o que os jornais diziam, não era fácil encontrar alguém que fizesse aquele tipo de trabalho. MacKenzie passara várias noites vagando por bares frequentados por degenerados antes de conseguir uma pista. Certa vez, alguém pensou que ele era policial e ameaçou enchê-lo de porrada. Mas notas de cem dólares acabaram compensando, e ele enfim marcara o encontro usando um telefone público. Mas o homem, aparentemente temendo uma armadilha, ou faltara ao encontro ou estava se fazendo de morto.

Quando MacKenzie se virou para se afastar, o rapaz louro se voltou para ele.

— Só um segundo, Bob — pediu.

MacKenzie piscou.

— Seu nome é Smith?

— Pode me chamar de John. — O sorriso dele era brilhante. Estendeu o pacote. — Quer um amendoim?

— Não, acho que não...

— Vamos lá, pegue um amendoim, Bob.

O rapaz gesticulou com o saco.

MacKenzie aceitou um amendoim. Comeu, mas não sentiu o sabor.

— Isso mesmo, relaxe, viva um pouco. Não se importa se eu o chamar de Bob?

— Pode me chamar do que quiser, desde que resolvamos esse assunto. Você não é exatamente o que eu esperava.

O rapaz assentiu.

— Estava contando com George Raft, mas recebeu Troy Donohue. Sei que é decepcionante. — Ele franzia a testa compassivamente. — Mas nada é o que parece hoje em dia. Você acreditaria que estudo administração? Mas, com a recessão, não arranjei um emprego na área, então estou fazendo isso.

— Quer dizer que não tem experiência?

— Fique tranquilo, Bob. Não falei isso. Posso cuidar da minha parte. Não se preocupe com nada. Está vendo os macacos? Apenas observe. — Ele jogou alguns amendoins. Todos os macacos se agitaram, disputando-os. — Está vendo... Eles são exatamente como nós, Bob. Estamos todos disputando os amendoins.

— Bem, tenho certeza de que isso é muito simbólico...

— Tudo bem, você é impaciente. Só estou tentando ser sociável. — Ele suspirou. — Ninguém se dá mais ao trabalho. E então, qual é o seu problema, Bob?

— Meu sócio.

— Ele está roubando do caixa?

— Não.

— Então, está dormindo com sua esposa?

— Não.

O rapaz assentiu.

— Compreendo.

— É mesmo?

— Claro. É muito simples. Chamo de síndrome do casamento.

— O quê?

— É como se estivesse casado com seu sócio, mas você o odeia, e ele não aceita o divórcio.

— Meu Deus, isso é incrível!

— Como disse?

— Você tem razão. É isso.

O rapaz deu de ombros e jogou um amendoim.

— Bob, já vi de tudo. Minha especialidade é a natureza humana. Então você não se importa com minha tática?

— Desde que seja...

— Um acidente. Precisamente. Lembra o meu preço quando discutimos isso pelo telefone?

— Dois mil dólares.

— Metade agora, metade depois. Trouxe o dinheiro?

— Está no meu bolso.

— Não me entregue ainda. Coloque o envelope dentro daquela lixeira. Daqui a pouco vou até lá jogar fora esse saquinho vazio. Quando for embora, pego o envelope.

— O nome dele é Patrick Dolan.

— Os detalhes estão com o dinheiro?

— Como pediu.

— Então não se preocupe. Manterei contato.

— Ei, espere um minuto. Não tenho nenhuma garantia de que...

— Chantagem? Está com medo de que eu tire dinheiro de você? Bob, estou surpreso! Isso não seria bom para os negócios!

Dolan saiu da loja de materiais de construção. A tarde estava ofuscante de tão quente. Ele secou a testa e franziu os olhos. Havia alguém em sua picape, um rapaz comendo salgadinhos de milho. Louro, bonito, usando um uniforme de corrida.

Ele atravessou o estacionamento, chegou à picape e abriu a porta com força.

— Ei, cara, essa picape é minha...

O jovem se virou. O sorriso dele era desarmante.

— Olá, Pat. Quer uns salgadinhos?

Dolan ficou boquiaberto. O suor escorria de sua testa.

— O quê?

— Pelo tanto que está suando, você precisa de sal. Coma uns salgadinhos.

A mandíbula de Dolan enrijeceu.

— Saia!

— Como disse?

— Saia antes que eu tire você daí.

O rapaz suspirou. Abrindo o zíper do agasalho, revelou o grande revólver despontando do coldre de ombro.

O estômago de Dolan se revirou. Ele ficou pálido e tropeçou para trás, boquiaberto.

— O que...

— Apenas relaxe — disse o rapaz.

— Olha, cara, só tenho vinte dólares.

— Você não está entendendo. Entre aqui e vamos conversar um pouco.

Dolan olhou ao redor, em pânico. Ninguém parecia reparar nele. Perguntou-se se deveria fugir.

— Não tente fugir, Pat.

Aliviado por não ter que tomar a decisão, Dolan entrou rapidamente na picape. Ele comeu os salgadinhos de milho que o louro ofereceu pela segunda vez, mas não sentiu o sal. Sua camisa grudava no encosto do assento. Tudo em que conseguia pensar era no objeto volumoso sob o uniforme de corrida.

— O negócio é o seguinte — disse o rapaz. — Tenho que matar você.

Dolan empinou-se com tanta força que bateu a cabeça no teto.

— O quê?

— Seu sócio me contratou. Por dois mil dólares.

— Se isso for uma piada...

— São negócios, Pat. Ele pagou mil antecipado. Quer ver?

— Mas isso é loucura!

— Eu preferia que não tivesse dito isso.

O rapaz enfiou a mão dentro do casaco.

— Não, espere um minuto! Eu não quis dizer isso!

— Só quero lhe mostrar o bilhete que seu sócio me deu. Aqui. Você vai reconhecer a letra dele.

Dolan olhou espantado para o bilhete.

— Meu nome e meu endereço!

— E sua descrição física e seus hábitos. Viu, ele quer que sua morte pareça um acidente.

Dolan finalmente aceitou que não se tratava de uma piada. Seu estômago ardeu com uma fúria repentina.

— Aquele imundo...

— Calma, Pat.

— Ele quer comprar minha parte da sociedade... Mas não vou dar essa satisfação a ele.

— Compreendo. É como se vocês dois fossem casados e você quisesse fazê-lo sofrer.

— Claro que quero fazê-lo sofrer! Eu o aturo há vinte anos! E agora ele acha que pode mandar me matar e ficar com todo o negócio? Aquele traiçoeiro, podre...

— Bob, tenho más notícias para você.

MacKenzie quase derramou seu uísque. Ele se virou. O rapaz se aproximara por trás dele sem aviso e estava comendo pipoca no bar.

— Não me diga que falhou no trabalho!

Os olhos de MacKenzie se arregalaram de horror. Ele olhou rapidamente ao redor como se esperasse ser preso.

— Bob, ainda nem tive chance de começar.

O rapaz tirou algo dos dentes.

— Meu Deus, o que aconteceu?

— Quase quebrei um dente. Alguns caroços não estouraram.

— Quero dizer com Dolan!

— Fale baixo, Bob. Sei que se referia a ele. Ninguém se importa se outra pessoa quebra um dente. Só se importam com si mesmos. Você acredita em competição?

— O quê?

— Você defende a livre-iniciativa, o que torna nosso país grandioso?

MacKenzie sentiu os joelhos enfraquecerem. Ele se agarrou no bar e assentiu de leve.

— Então, você vai entender. Quando fui encontrar seu sócio...

— Ai, meu Deus, você contou a ele!

— Bob, eu não poderia simplesmente matá-lo sem deixar que ele tivesse uma oportunidade de fazer um lance. Não seria justo.

MacKenzie começou a tremer.

— Lance? Que tipo de lance?

— Não fique agitado, Bob. Chegamos à conclusão de que ele poderia me pagar para não matá-lo. Mas você simplesmente mandaria outra pessoa. Portanto, finalmente decidimos que ele me pagaria para voltar e matar você. Ele ofereceu o dobro... Dois mil agora e dois quando você estiver enterrado.

— Ele não pode fazer isso!

— Mas fez, Bob. Não se faça de burro agora. Você deveria ter visto a cara dele. Estava furioso.

— Você aceitou o que eu ofereci! Você concordou em aceitar o meu contrato!

— Um contrato verbal não é vinculativo. De qualquer modo, você está em um mercado vendedor. O que estou vendendo vale mais agora.

— Você é um bandido!

O rapaz pareceu magoado.

— Lamento que se sinta dessa maneira.

— Não, espere. Não vá. Eu não quis dizer isso.

— Bob, você me magoou.

— Desculpe. Não sei o que estou dizendo. Toda vez que penso naquele cara...

— Compreendo, Bob. Está perdoado.

— Pat, você nunca vai adivinhar o que Bob fez.

Na grade, Dolan estremeceu. Ele estava observando os cavalos dispararem na direção da linha de chegada. Virou-se. O rapaz estava de pé ao lado dele, comendo um cachorro-quente.

— Não está dizendo que contou a ele?

— Pat, eu precisava. É justo. Ele ofereceu o dobro do nosso acordo. Quatro mil agora, quatro depois.

— E você me procurou para aumentar o preço?

— Eles estão na reta final! — gritou o locutor da pista de corrida.

— É a inflação, Pat. Isso está nos matando.

O rapaz limpou um pouco de mostarda dos lábios.

— Você acha que sou burro? — perguntou Dolan.

— Como disse, Pat?

— Se eu pagar mais, você vai procurá-lo e ele vai pagar ainda mais. Depois, você vai voltar para mim e eu vou pagar mais. Esqueça! Não vou pagar!

— Tudo bem por mim, Pat. Bom ver você.

— Espere um minuto!

— Algo errado?

— Claro que há algo errado! Você vai me matar!

— Bom, a escolha é sua.

— O vencedor é o número três, Big Trouble... — gritou o locutor.

Os cavalos passaram ruidosamente por eles, os jóqueis levantando-se para reduzir a velocidade. A poeira voava atrás.

— Mas que merda, vou te pagar — murmurou Dolan. — Mas faça o trabalho desta vez! Não consigo dormir. Ando perdendo peso. Estou com úlcera.

— Pat, a corrida terminou. Você tinha apostado?

— No número seis.

— Uma égua, Pat. Ela chegou em último. Se tivesse me perguntado, eu lhe diria para ir no número três.

— Você nunca vai adivinhar o que Pat fez, Bob.

MacKenzie ficou rígido. Dolan parou ao lado dele, olhou ao redor e suspirou, depois se sentou no banco do parque.

— Quer dizer que pensou em me matar — disse Dolan.

O rosto de MacKenzie estava esquelético.

— E você também não ficou acima dessa tentação.

Dolan deu de ombros.

— Autodefesa.

— Eu deveria ficar sentado enquanto você colocava a Receita Federal atrás de mim?

— Isso foi só uma piada.

— E que piada. Está me custando uma fortuna.

— A mim também.

— Temos um problema.

— Ando pensando... — disse Dolan. — A única solução que vejo...

— ...é que a gente mate o cara.

— É a única maneira.

— Ele vai nos levar à falência.

— Mas se pagarmos a outra pessoa para matá-lo, o novo cara também pode tentar fazer alguma gracinha.

— Vamos juntos. Dessa maneira, você não vai poder me incriminar.

— Ou vice-versa.

— Qual é o problema? Não confia em mim?

Eles estavam se encarando.

— Olá, Bob. Como vai, Pat?

O rapaz sorriu por trás dos papéis que segurava. Ele comia um taco enquanto examinava os registros.

— O que é que você quer agora? — perguntou MacKenzie.

— Ele falou que vocês estavam aqui aguardando — explicou a secretária.

— Apenas feche a porta — disse Dolan a ela.

— Ei, companheiros, seus registros são realmente uma bagunça. Essa economia no concreto. E esse isolamento abaixo das especificações. Não sei, amigos... Temos muito trabalho a fazer.

Uma gota de molho do taco caiu em um fichário.

— Nós?

— Bem, claro... Somos sócios agora.

— Somos o quê?

— Peguei o dinheiro que me deram e o investi.

— Em quê?

— Seguros. Lembra que eu disse que estava estudando administração? Bom, decidi que esse trabalho paralelo não era adequado para mim, então consultei um especialista. As coisas que um formando é forçado a fazer para conseguir um trabalho hoje em dia!

— Um especialista?

— Um assassino de aluguel. Se vocês dois decidirem mandar me matar, vão ser mortos também.

MacKenzie começou a sentir pontadas no peito. A úlcera de Dolan voltou a arder.

— Portanto, somos sócios. Aqui, até mandei fazer alguns cartões.

Ele entregou um para cada. Os cartões diziam MACKENZIE-DOLAN-SMITH. E abaixo: EMPREITEIROS.

VILÃO: JIMMY BLACKBURN

BLACKBURN COMETE UM PECADO
BRADLEY DENTON

É difícil definir Jimmy Blackburn como um vilão. Sim, ele mata pessoas com uma regularidade perturbadora, mas, até aí, elas realmente merecem. Bradley Denton (1958-) deu essencialmente carta branca para seu personagem eliminar pessoas más da face da Terra — e quem é que nunca quis fazer o mesmo? É verdade que nunca fizemos isso, mas, até aí, não somos personagens fictícios.

Denton cresceu na região rural do Kansas antes de estudar na Universidade do Kansas, conquistando um bacharelado em astronomia e um mestrado em inglês, e depois se mudou para Austin, no Texas. Praticamente todo o seu trabalho tem sido nos gêneros de fantasia e ficção científica. Até Blackburn (1993), sua única incursão em um romance de ficção criminal, tem elementos de fantasia sombria, e foi indicado ao Prêmio Bram Stoker pela Horror Writers Association. Geralmente descrito como um romance, o livro é, na verdade, uma coletânea de contos interligados. Denton admitiu que considerou a natureza do seu personagem perturbadora. "Basicamente", disse ele, "o que estou fazendo é pegando um personagem que é mais ou menos um ser humano normal, mas acaba sendo empurrado longe demais em uma direção e faz o que imagino que qualquer um de nós faria nas mesmas circunstâncias".

Apesar de não ser prolífico, com apenas oito livros publicados nos trinta anos desde *Wrack and Roll* (1986), sua primeira obra, Denton recebeu uma quantidade considerável de honrarias, incluindo a por *The Calvin Coolidge Home for Dead Comedians and A Conflagration Artist* (1994), que recebeu o Prêmio World Fantasy de melhor coletânea, e *Buddy Holly is Alive and Well on Ganymede* (1991), que ganhou o prêmio John W. Campbell Memorial de melhor romance de ficção científica.

"Blackburn comete um pecado" foi publicado pela primeira vez em *Blackburn* (Nova York: St. Martin's Press, 1993).

BLACKBURN COMETE UM PECADO

BRADLEY DENTON

O ferrolho não estava fechado, então Blackburn invadiu o apartamento com uma régua de metal de 15 centímetros. Havia um abajur aceso lá dentro. Ele examinou a sala de estar, mas não estava interessado na televisão ou no aparelho de som. Era um apartamento de segundo andar com uma escada externa, sendo assim ele não poderia levar nada grande. O videocassete era bem pequeno, mas ele decidiu não levá-lo de qualquer forma. Não tinha orgulho de ter voltado para essa vida, portanto preferia roubar apenas coisas que não tinham utilidade nem dessem prazer aos donos. Mas essa regra tendia a limitá-lo a anéis escolares e tralhas, de modo que nem sempre a respeitava.

Ele não se deu ao trabalho de olhar a cozinha. Moradores de apartamentos não tinham prataria. Ele tirou uma bolsa de lona dobrada do casaco e entrou no corredor que levava ao quarto. Quartos eram bons lugares para joias. As lojas de penhores de Houston pagavam em espécie por correntes de ouro e brincos de prata.

A porta do quarto se abriu, e um homem saiu. Blackburn ficou paralisado.

O sujeito fechou a porta ao sair. Ele era alto. Seu rosto e boa parte do seu corpo estavam ocultos pelas sombras. A mão direita dele estava vazia, mas Blackburn não conseguia ver a esquerda. Poderia estar segurando uma arma.

— O que está fazendo aqui? — perguntou o homem. Sua voz tinha um tom moderado. Ele não parecia irritado.

Blackburn estava confuso. Ele passara três dias observando o prédio, fazendo anotações sobre os moradores de cada apartamento e suas rotinas. Quem morava ali era uma mulher que trabalhava à noite no Whataburger e que saíra vinte minutos antes. Ele tinha certeza de que ela morava sozinha. O homem no fim do corredor não deveria estar ali.

— Não tenha medo — disse o cara. — Só quero saber por que está aqui.

Blackburn deu dois passos para trás. Sua Colt Python estava no coldre dentro do casaco, mas ele não poderia pegá-la sem largar a bolsa da mão direita. Em seguida, levaria dois ou três segundos para colocar a mão no lado esquerdo do casaco, abrir o fecho de velcro e sacar a pistola. Se o homem nas sombras tivesse um revólver ou uma faca, Blackburn poderia estar morto antes de conseguir atirar. Portanto, a melhor opção era ir embora, mas precisava fazer isso sem virar as costas para o homem.

— Diga-me por que está aqui — insistiu o sujeito nas sombras —, e não vou machucar você. Mas, se não ficar parado, vou machucar, sim.

Blackburn parou.

— Eu ia roubar coisas — disse ele. — Não vou mais.

— Que coisas ia roubar?

— Joias. Anéis, colares. Talvez um instrumento musical, como um trompete velho ou um violão desafinado.

— Por que desafinado? — perguntou o homem nas sombras.

— Um violão afinado está sendo usado — disse Blackburn. — Não gosto de roubar coisas que as pessoas usem.

O homem nas sombras deu uma breve risada, quase um grunhido.

— Um ladrão com um código moral — disse ele. — Mas as pessoas também usam joias, sabe?

— Elas só ficam penduradas — argumentou Blackburn. — É idiota.

— Na sua opinião.

Blackburn começou a relaxar a mão que segurava a bolsa. Ele decidira tentar sacar a Python.

— Sim — disse ele. — Na minha opinião.

— E essa é a única opinião que importa.

— É, sim.

A bolsa começou a escorregar dos dedos de Blackburn.

— Não tente pegar sua arma, músico — disse o homem nas sombras.

— Não tenho arma.

— Tem um volume sob o seu casaco. É grande, mas não tem a forma de uma automática. Imagino que seja uma .357. Uma .44 seria pesada demais.

Blackburn voltou a apertar os dedos em torno da bolsa.

— Tudo bem. Não vou pegá-la.

— Ótimo. Se o fizesse, eu teria que matar você. E seria uma pena, pois concordo com você. Sua opinião é a única que importa. A minha opinião também é a única que importa.

— Isso é uma contradição — disse Blackburn.

— Por quê? Você cria seu mundo, eu crio o meu. Contradições só existem para pessoas que não são inteligentes o bastante para fazer isso. Quando elas se deparam com alguém que é, é como matéria e antimatéria. Entende o que quero dizer?

— Sim.

— Eu sabia que entenderia — disse o homem nas sombras. — Vou me aproximar de você agora para que possamos nos ver. Vou me mexer devagar, e você não vai se mover. Certo?

— Certo.

Um cheiro de desodorante antecedeu-se ao homem enquanto ele saía das sombras. Ele tinha cabelo escuro comprido com fios grisalhos, que estava amarrado para trás. A pele dele era pálida, seus olhos, de um castanho-esverdeado. Ele usava um agasalho preto com capuz, calça de moletom preta e sapatos de corrida cinza. Sua mão esquerda segurava um pequeno saco de papel. Não havia nenhuma arma visível.

Blackburn largou a bolsa e sacou a Python. Ele engatilhou e apontou a arma para o rosto do homem, que parou.

— Você concordou que não iria se mexer — disse ele.

— Menti.

— Isso não parece consistente com um código moral.

— Criei meu próprio mundo — disse Blackburn. — Aqui isso é moral.

Ele recuou um passo.

— Você não precisa ir embora de mãos vazias — disse o homem. Ele sacudiu o saco de papel, e o conteúdo tilintou. — Está vendo, também sou ladrão. Não sei se tenho tantos princípios quanto você, mas estou disposto a dividir a mercadoria.

Blackburn vacilou. Ele olhou para o saco de papel.

— Eu estava observando este lugar. Como foi que você entrou?

— Por uma janela no banheiro. Nos fundos do prédio.

— Alguém pode ter visto a escada que você usou.

O homem balançou a cabeça.

— Escalei a parede. Há espaço suficiente entre os tijolos. — Ele virou o saco para baixo. Anéis, colares e brincos caíram no carpete. — Precisa ser meio a meio, então não trapaceie.

— Por que me deixaria ficar com qualquer coisa? — perguntou Blackburn.

O homem se ajoelhou no chão e se debruçou sobre o emaranhado de joias. O rabo de cavalo tocou seu ombro.

— Para que você não me entregue. — Ele ergueu os olhos e sorriu. — E para que, caso nos peguem, eu possa negociar a sentença delatando você.

Blackburn colocou a Python de volta no coldre.

— Vou ficar com esse anel de formatura.

O homem jogou o anel na direção dele.

— Pode me chamar de Roy-Boy.

— Não preciso chamar você de coisa alguma — retrucou Blackburn, agachando-se para pegar o anel. — Não vou ver você de novo.

— Até os melhores planos dão errado, músico.

— Não sou músico.

— No seu mundo, talvez não. No meu, você toca guitarra. Quer soar como Jimi Hendrix, mas é branco demais e não usa drogas o suficiente.

Blackburn não disse nada. Pegou o anel e três correntes de ouro, depois agarrou sua bolsa e foi embora. Atravessou a rua e se escondeu atrás de uma caçamba de lixo para observar o prédio. Queria ver se Roy-Boy também sairia dali.

Alguns minutos depois, Roy-Boy apareceu sob um poste de luz e olhou para a caçamba. Apontou o dedo da mão direita e dobrou o polegar para imitar uma pistola. Depois, foi embora.

Blackburn esperou até que Roy-Boy tivesse sumido de vista antes de percorrer os quatro quarteirões até seu Plymouth Duster. Os pelos em sua nuca se arrepiaram. Ele olhou em todas as direções, mas não encontrou ninguém. Teve a impressão de ter sentido cheiro de desodorante, mas concluiu que eram suas próprias roupas. Talvez tivesse colocado amaciante demais.

Duas noites depois, na sexta-feira, Blackburn encheu os bolsos de dinheiro e dirigiu até o The Hoot, um bar perto do campus da Universidade Rice. Seu casaco parecia leve sem a Python, que ele escondera no armário. Não ia precisar de uma arma naquela noite. Seu objetivo era seduzir uma das universitárias que conhecera no The Hoot na semana anterior, de preferência a morena magra que era flautista na banda marcial. A última vez que transara fora atrás de uma churrasqueira em um piquenique no Dia do Trabalho, e já era quase Natal. Estava com medo de não lembrar mais como era.

O The Hoot estava lotado. Cheirava a carne úmida e cerveja, e pulsava com rock 'n' roll gravado. A flautista estava lá. Blackburn aproximou-se dela e comentou que o time de futebol americano da Rice poderia ter tido mais sucesso no fim de semana anterior se tivesse usado a seção de instrumentos de sopro em vez da linha defensiva. A flautista riu. Ela se lembrava dele e o chamou de Alan, o nome que estava usando. O nome dela era Heather. Para Blackburn, parecia que pelo menos metade das mulheres de vinte anos do mundo chamava-se Heather, mas ele não disse isso à garota. Gostava dela. Tinha um bom senso de humor. Disse que fora ideia dela que a Banda Marching Owl cobrisse os uniformes com sacos de lixo pretos e deitasse no campo de futebol americano no intervalo para simular um vazamento de petróleo.

Heather bebia bastante, e Blackburn se sentiu na obrigação de acompanhá-la. Depois de meia hora, ele precisou pedir licença por alguns minutos. Quando saiu do banheiro masculino, viu que alguém ocupara seu lugar no bar e estava se inclinando na direção de Heather. Blackburn não conseguia ver a cabeça da pessoa, mas sabia que era um homem pela maneira como a calça jeans envolvia a cintura.

Heather viu Blackburn e acenou.

— Ei! — gritou ela. — Ficou tudo bem?

O homem ao lado dela ergueu a cabeça, e Blackburn viu que era Roy-Boy.

Roy-Boy sorriu enquanto Blackburn se aproximava.

— Músico — disse ele.

Seu rabo de cavalo estava molhado e brilhava sob o neon.

Heather olhou de Blackburn para Roy-Boy.

— Vocês se conhecem?

— Trabalhamos no mesmo ramo — explicou Roy-Boy.

Ele se virou no banco do bar, encostando o joelho na coxa de Heather.

Os dentes de Blackburn trincaram. O cheiro forte do desodorante de Roy-Boy se sobrepunha aos outros odores.

— É mesmo? — disse Heather. — O que vocês fazem?

— Vendemos produtos com desconto — respondeu Roy-Boy. — Somos concorrentes, na verdade.

Heather pareceu preocupada.

— Quer dizer que não se gostam?

— Nada disso — respondeu Roy-Boy. — Na verdade, podemos ajudar um ao outro.

— Estou pensando em mudar de ramo — disse Blackburn.

Mas, se parasse de roubar, teria que arrumar um emprego em outro fast-food. Era o único trabalho legal para o qual tinha qualificações. Ele já fritara hambúrgueres ou frango e recheara burritos em toda cidade na qual permanecera mais que alguns dias. Estava cansado daquilo.

— Seria uma pena se fizesse isso, Alan — disse Roy-Boy.

Blackburn olhou para Heather.

— Você disse meu nome a ele?

Ele percebeu, depois de dizer aquilo, que soara como uma acusação. A cerveja o deixara burro.

— Não — respondeu Heather, franzindo a testa. — Por que diria? Vocês se conhecem, não?

— Nunca nos apresentamos — contou Roy-Boy a ela —, mas fiquei curioso e perguntei por aí sobre ele. Você sabia que ele é guitarrista? Toca uma Telecaster canhota.

A testa franzida de Heather sumiu.

— Você toca em uma banda? — perguntou ela a Blackburn.

— Não — disse ele. — Quer dizer, não agora.

— Ele tocava em três bandas ao mesmo tempo quando morava em Austin — revelou Roy-Boy. — Até tocou com Stevie Ray algumas vezes.

Heather encarava Blackburn.

— Por que parou?

— Não dava para ganhar dinheiro — justificou ele.

Roy-Boy levantou-se do banco.

— Isso me fez lembrar uma coisa — disse ele. — Preciso colocar um trabalho em dia. — Ele deixou uma nota de cinco dólares no bar. — A próxima rodada é por minha conta.

— Ah, que gentileza — disse Heather.

— É — concordou Blackburn.

Roy-Boy deu um tapa no ombro de Blackburn.

— Fico feliz em fazer isso — disse ele. — Nós, velhos, precisamos nos manter unidos.

Ele foi até a porta.

Blackburn se imaginou obrigando Roy-Boy a comer os próprios olhos.

— Tchau, Steve! — gritou Heather. Em seguida sorriu para Blackburn. — Quantos anos você tem, aliás?

Blackburn se sentou no banco vazio. Estava quente por causa de Roy-Boy, então se levantou de novo.

— Vinte e sete — disse ele. — E você?

Ela ergueu a caneca de cerveja.

— Vinte e um, é claro. Você não acha que eu entraria em um bar se não fosse maior de idade, não é?

— Acho que não.

— Eu adoraria ouvir você tocar algum dia.

A língua de Blackburn estava com gosto de sabão.

— Estou sem guitarra agora — disse ele.

Heather deu de ombros.

— Tudo bem, então vou tocar para você. Gosta de música para flauta?

— Pode apostar que sim — disse Blackburn.

Os pelos da sua nuca se arrepiaram, e ele se virou.

Roy-Boy estava do lado de fora do bar, olhando para dentro através do aglomerado de sinais de neon na janela da frente. Apontou o dedo para Blackburn e dobrou o polegar.

— E então, quer mais uma cerveja? — perguntou Heather. — Ou gostaria de ouvir um pouco de flauta?

Blackburn se voltou para ela.

— Flauta — respondeu.

Eles se levantaram para ir embora. Roy-Boy sumira da janela. Blackburn deixou uma nota de cinco dólares no bar.

De manhã, Blackburn acordou com a bunda de Heather em sua barriga. Desde o fim do seu casamento, era raro passar uma noite inteira com alguma mulher, e ainda mais raro permitir que isso acontecesse na sua casa. Mas quando ele e Heather saíram do The Hoot, ela dissera que era proibido sexo no seu apartamento, porque a mulher com quem o dividia era uma cristã renascida. Portanto, eles decidiram adiar o recital de flauta, e Blackburn levara Heather para sua quitinete apertada nas colinas. Depois de algumas horas, adormeceram juntos.

Ele saiu da cama e foi para o banheiro. Não deu descarga, porque não queria acordar Heather. Quando voltou, viu que ela se mexera e estava dormindo de barriga para cima. Sua boca estava aberta, e havia fios de cabelo grudados em seu rosto. Ela não era linda como Dolores, mas era divertida. Blackburn não se lembrava de já ter rido na cama.

Ele se vestiu e saiu. Seu plano era trazer para Heather um café da manhã surpresa. À noite, ela lhe contara uma história sobre uma fraternidade da Rice que estava recebendo reclamações da irmandade feminina vizinha por excesso de barulho. Certa manhã, uma das mulheres da irmandade recebera uma caixa de donuts da fraternidade, acompanhada de um bilhete que dizia que os donuts eram a resposta dos homens às reclamações. As mulheres comeram os donuts no café da manhã e depois receberam outra entrega da fraternidade. Era uma foto dos 72 homens na sala de jantar, todos nus exceto pelo donuts no pênis. Heather achava a história hilária, de modo que Blackburn queria ter uma caixa de donuts esperando por ela quando acordasse.

O sol nascera, mas o ar picava a pele feito uma noite de inverno. Blackburn achava que não fazia tanto frio em Houston. Ele respirou fundo e o frio cortou sua garganta. Quando expirou, sua respiração estava branca. Ele atravessou depressa o estacionamento em direção ao seu Duster, na esperança de que o carro ligasse. As janelas estavam opacas com gelo. Blackburn não tinha um raspador de gelo, mas talvez o aquecedor servisse. Ele destrancou a porta do motorista e entrou, deixando a porta bater. O interior cheirava a desodorante.

Roy-Boy estava sentado no banco do carona. Usava novamente o uniforme preto de moletom. O capuz do casaco cobria sua cabeça, e suas mãos estavam dentro dos bolsos.

— Bom dia, músico — disse ele, espiando por baixo do capuz. — Feliz dia da lembrança de Pearl Harbor.

Blackburn ficou irritado.

— Saia — disse ele — e não chegue perto de mim outra vez. Ou não vai fazer mais nada.

— Ah, deixe disso — insistiu Roy-Boy. — Você é um cara de princípios e não fiz nada contra você. Não me mataria por olhar para você, não é mesmo?

— Você invadiu meu carro — retrucou Blackburn. — No Texas, é legal atirar em pessoas que invadem seu carro.

— Mas eu não o invadi. A porta estava destrancada.

— Não importa. Não tinha minha permissão para entrar. Então posso atirar em você.

— Mas não está com sua arma.

— Posso pegá-la.

Roy-Boy tirou as mãos do bolso do casaco. Sua mão direita segurava um revólver calibre .22.

— Pode tentar — disse ele.

Blackburn viu que a .22 era uma porcaria barata. Mas, àquela distância, poderia matá-lo tanto quanto uma .357.

— O que você quer? — perguntou ele.

— Neste instante, me aquecer — disse Roy-Boy. — Depois, quero conversar um pouco. Vamos dirigir. E aumente o aquecedor.

Blackburn colocou a chave na ignição. O Duster gemeu um pouco, mas ligou. O motor tossiu e o carro balançou.

— Parece que tem gelo na linha de combustível — disse Roy-Boy. — Coloque uma lata de anticongelante no tanque. Se conseguir encontrar uma nesta cidade. — Ele abriu a porta. — Espere aí, vou raspar as janelas.

Blackburn considerou tentar atropelá-lo, mas decidiu não fazê-lo. Uma bala poderia atravessar o para-brisa. Portanto, esperou enquanto Roy-Boy raspava. O raspador de Roy-Boy era um caco de vidro comprido e pontiagudo com a extremidade envolta em uma fita isolante branca. Roy-Boy o tirara do bolso do casaco. Estava raspando com a mão esquerda. A mão direita, com a pistola, estava no bolso. Blackburn via a ponta do cano esticando o tecido. Estava apontada para ele.

Com as janelas limpas, Roy-Boy entrou de novo e fechou a porta. Ele lambeu cristais de gelo do caco de vidro, depois o recolocou no bolso e olhou para Blackburn.

— O que está esperando? — perguntou, sacando a .22.

Blackburn pegou a rua e seguiu para a I-10. Ele ia aguardar sua oportunidade. Ela chegaria. Sempre chegava.

— E então, como foi com ela? — perguntou Roy-Boy enquanto o Duster pegava a estrada.

— Bem.

— Fico feliz. Fiquei com medo de ter estragado as coisas para você no The Hoot, então tentei consertá-las antes de ir. Acho que consegui. O que vai fazer com ela agora?

Blackburn olhou para ele.

— Como assim?

— Vai foder de novo com ela, matar, ou o quê?

— Por que eu a mataria?

— Porque você é um assassino, cara. É o que você faz, não é?

O pescoço de Blackburn ficou arrepiado.

— Por que acha isso?

Roy-Boy se aproximou dele. Quando falou, seu hálito estava quente no rosto de Blackburn:

— Os iguais se reconhecem.

Blackburn se retraiu, batendo a cabeça na janela.

Roy-Boy voltou para a posição anterior.

— Não se preocupe — disse ele. — Prometo não enfiar a língua no seu ouvido ou morder sua bochecha. — Ele apontou para fora. — Você acabou de passar por uma loja da Day-Lite Donut. Se pegar a próxima saída, pode voltar para lá.

Blackburn o encarou.

— Olho na estrada — disse Roy-Boy.

Blackburn pegou a próxima saída. Estacionou na loja de donuts, depois colocou as chaves no bolso do casaco e cerrou o punho. Duas chaves despontavam entre os nós dos seus dedos. Ele observou Roy-Boy, que sorria.

— Você quer me matar agora. Está torcendo para que eu não repare na sua mão no bolso.

— Você parece me conhecer muito bem — disse Blackburn.

— Ah, sim. Conheço você, músico. — Roy-Boy guardou a pistola no bolso do casaco, depois ergueu as mãos vazias. — Por isso também sei que, se você parar para pensar, vai decidir não me matar no final das contas. Apontei uma arma para você, mas só porque você apontou uma arma para mim na quarta-feira à noite. Acho que estamos quites.

Aquilo fazia algum sentido para Blackburn, mas só até certo ponto.

— Como sabia que eu estava indo comprar donuts?

— Bem, eu estava jogando conversa fora com Heather ontem à noite — disse Roy-Boy. — Você sabe, no The Hoot, enquanto você estava no banheiro. Ela me contou sobre a pegadinha com os donuts que uma fraternidade pregou. Além do mais, você saiu hoje de manhã com um sorriso idiota no rosto, então pensei: donuts. Serve uma dúzia com glacê?

Ele saiu do carro e entrou na loja.

Blackburn esperou. Não fazia sentido sair dali. Roy-Boy sabia onde ele morava.

O sujeito voltou com uma caixa branca de papelão.

— Comprei mais alguns — disse ele, soltando vapor ao entrar no carro. — Alguns de geleia e outros de creme. Quer um?

— Não.

Roy-Boy abriu a caixa e pegou um donut recheado. Um pouco de calda de chocolate vazou quando ele mordeu o doce. Depois apontou para a ignição do Duster.

— Não me deixe atrasar você — disse ele com a boca cheia. — Podemos conversar enquanto dirige.

— Eu gostaria de ficar sentado aqui um pouco — retrucou Blackburn. — Se não tiver problema.

— Claro — disse Roy-Boy. Ele ergueu o braço e tirou o capuz da cabeça. — Estou aquecido agora. Só achei que você gostaria de voltar para casa, para a sua .357. Por que a tirou do casaco, aliás? Estava com medo de que Heather a sentisse quando abraçasse você? Ou será que atirou nela e deixou a arma em sua mão para que parecesse um suicídio?

— Eu não mataria uma mulher.

Roy-Boy ergue as sobrancelhas.

— Como pode? Nunca se deparou com alguma que merecesse?

Blackburn pensou em Dolores.

— É uma regra minha.

Roy-Boy balançou a cabeça.

— Machista — disse ele.

— Talvez. Mas um homem precisa ter regras.

Roy-Boy enfiou na boca o resto do donut com calda de chocolate.

— É — disse ele, a voz abafada. — Se está dizendo...

— Você já matou alguma mulher? — perguntou Blackburn.

Seu punho fechou-se com mais força em torno das chaves. As janelas tinham embaçado. Ninguém poderia ver nada dentro do carro.

— Não — respondeu Roy-Boy, mastigando. Os olhos dele estavam firmes, fixos nos de Blackburn. — Na verdade, nunca matei ninguém. Mas ainda sou um assassino, porque mataria se precisasse. Se fosse ou eu ou ele. Ou ela.

— Por que acha que matei Heather?

— Não acho. Só considerei a possibilidade. Veja bem, ela tem a reputação de ferrar os caras. Delatá-los, pegar o dinheiro deles, deixar marcas de mordidas, esse tipo de merda. Achei que, se ela fizesse isso, você a apagaria. — Roy-Boy engoliu. — Mas eu não conhecia sua regra.

Blackburn não sabia se acreditava no que Roy-Boy dissera sobre Heather. Ele parecia estar dizendo a verdade, mas algumas pessoas sabiam mentir. E Heather não parecia o tipo de mulher que ferraria o amante. Por outro lado, Dolores também não parecia.

— Mais alguma sondagem antes que você decida se vai ou não me furar com as chaves do carro? — perguntou Roy-Boy.

— Só uma — disse Blackburn. — Por que está enchendo meu saco?

Roy-Boy sorriu. Havia manchas de chocolate em seus dentes.

— Estou enchendo seu saco? Não é minha intenção. Só acho que podemos ajudar um ao outro, como fizemos na quarta-feira. Fico com uma metade e você com a outra. Veja bem, se roubarmos juntos, vamos correr menos risco de termos problemas, porque nós dois estaremos de olho. E poderíamos carregar as coisas grandes. Percebe as vantagens?

— Sim.

Roy-Boy estendeu a mão.

— Então temos uma sociedade.

— Não. Percebo as vantagens, mas não me interessam.

Roy-Boy baixou a mão.

— Por que não? Porque não quer roubar "coisas que as pessoas usam"? Cara, as pessoas usam tudo. Mas não precisam de tudo. Se isso vai satisfazer seu código moral, então prometo que não vamos roubar kits de insulina ou máquinas de hemodiálise. Mas uma TV deveria valer.

— Meu código moral não tem nada a ver com isso — disse Blackburn. — O problema é que estou saindo da cidade.

Na realidade, não era mentira. Ele não estava planejando ir embora dali, mas tampouco estava planejando ficar.

Roy-Boy pareceu surpreso.

— Por quê?

— Nunca fico mais do que alguns meses em qualquer lugar. — Isso, na maioria das vezes, porque não tinha escolha, mas Roy-Boy não precisava saber. — E estou aqui desde agosto, então vou embora daqui a uma semana. Com certeza antes do Natal.

— Para onde?

— Ainda não sei.

Roy-Boy desviou o olhar e suspirou.

— Veja só como as coisas são. Mal encontro um parceiro com princípios, e o perco logo depois. — Ele abriu a porta e saiu, deixando a caixa de donuts no banco. — Ei, mas sem ressentimentos, certo?

Blackburn não disse nada.

— Você não quer mais me matar, quer? — perguntou Roy-Boy, enfiando a mão no bolso do casaco.

— Não — respondeu Blackburn.

Roy-Boy se inclinou e olhou para ele.

— Você deveria deixar o cabelo crescer e usar rabo de cavalo — sugeriu. — Todos os grandes estadistas-filósofos usavam rabo de cavalo. Thomas Jefferson, por exemplo, que filosofou sobre independência e liberdade e tinha escravos. Que mundo maravilhoso ele criou. — Roy-Boy se empertigou. — Boa viagem, músico, e aproveite os donuts. Vou comprar mais alguns para mim. Veja bem, só tenho um testículo, então preciso comer o dobro do que a maioria dos homens para produzir porra suficiente para as minhas necessidades.

Ele se virou e seguiu em direção à loja de donuts.

Blackburn se inclinou para fechar a porta, depois desembaçou o para-brisa e observou Roy-Boy entrar na loja. Ele ainda tinha a sensação de que deveria matar Roy-Boy, mas não conseguia pensar em um bom motivo. Tudo que Roy-Boy fizera fora incomodá-lo. Isso poderia ser o bastante para justificar a morte, caso tivesse custado algo a Blackburn, mas não lhe custara nada além de um pouco de tempo. E agora ele tinha uma caixa de donuts grátis, o que deixava ainda mais o comportamento de Roy-Boy em uma zona cinzenta.

Ligou o Duster. Não importava o que sentisse, não ia matar alguém por causa de um comportamento que caía em uma zona cinzenta. Ele exigia um motivo evidente. Se começasse a matar pessoas sem motivos evidentes, violaria o próprio código de ética. Já era ruim o bastante que tivesse se tornado ladrão. Um homem precisava ter regras.

A caminho de casa, ele parou em uma loja de conveniência e comprou uma lata de anticongelante, que esvaziou no tanque do Duster. Depois dirigiu até seu apartamento e levou a caixa de donuts para dentro. Heather estava no banheiro, com a porta fechada.

Quando ela saiu, Blackburn estava deitado na cama vestindo apenas um donut. Heather ficou mais duas horas, depois disse que precisava ir para casa estudar para as provas finais. Blackburn ia levá-la de carro, mas o Duster se recusou a ligar. Portanto, Heather pegou um táxi. Depois que ela se foi, Blackburn se deu conta de que não tinha nem o telefone nem o endereço dela. Poderia encontrá-la novamente no The Hoot, mas não tinha certeza de que faria isso. Tinha gostado muito dela, e sabia como aquilo poderia terminar.

Blackburn ainda estava em Houston na noite da sexta-feira seguinte, vigiando um prédio residencial de três andares em Bellaire. Ele decidira deixar a cidade até o Natal, mas precisava de dinheiro para viajar. Também decidira que precisava parar de invadir casas e apartamentos, mesmo que isso significasse voltar a trabalhar com fast-food. Se encontrasse alguns itens de valor naquela noite, seria seu último dia como ladrão.

Ele não voltara ao The Hoot para procurar por Heather, e ela não fora ao seu apartamento procurá-lo. Tudo bem. Eles tinham passado doze horas juntos, que eram doze a mais do que ele passara com a maioria das pessoas, e teve o bom senso de não piorar as coisas. Não era uma sensação boa, mas sensações boas não tinham nada a ver com bom senso.

O sol havia se posto, e luzes se acenderam em alguns apartamentos. Blackburn, sentado do outro lado da rua no Duster, anotou o número de carros no estacionamento do prédio e o número de apartamentos com luzes acesas. Comparou os números com os que registrara em outros horários desde o meio da tarde, quando começara a observar. Ele tomara cuidado — às vezes, passando de carro, outras vezes estacionando a alguns quarteirões e caminhando, e agora estava estacionado sob um poste de luz quebrado —, mas não observara aquele prédio por dois ou três dias inteiros, como costumava fazer. Ele deduzira que alguns moradores já teriam viajado para o feriado de Natal e seria fácil identificar seus apartamentos. Estava certo. Dois apartamentos no último andar permaneciam escuros, assim como três no segundo andar e um no primeiro. Dois outros apartamentos estavam com as luzes acesas desde quando ele começara a observar, e achava que não havia ninguém em casa. Ia esperar mais algumas horas para ter certeza. Poderia ligar o rádio de vez em quando para evitar o tédio.

Ele estava ouvindo uma música do ZZ Top quando os pelos de sua nuca se arrepiaram. Olhou em volta e encontrou um homem de pé sob o poste de luz diante do prédio. O sujeito usava um conjunto de moletom preto e seu cabelo estava penteado para trás em um rabo de cavalo. Ele apontava para Blackburn, dobrando o polegar. Era Roy-Boy.

Blackburn desligou o rádio. Gesticulou violentamente para Roy-Boy, tentando mandá-lo embora. Mas Roy-Boy ficou onde estava, ainda apontando. Alguém passaria de carro e repararia nele logo mais. Blackburn mudou o aceno para um gesto de "venha cá", depois abriu o zíper do casaco e enfiou a mão lá dentro. Ele abriu o fecho de velcro acima do coldre da Python.

Roy-Boy atravessou a rua correndo, seu rabo de cavalo balançando. Ele tinha enfiado as mãos no bolso do casaco, então Blackburn precisou tirar a mão de dentro do seu para deixá-lo entrar no carro. O cheiro de desodorante era ainda mais forte do que antes. Blackburn perguntou-se o que Roy-Boy estaria tentando disfarçar.

— Boa noite, músico — disse Roy-Boy. — Feliz sexta-feira 13.

— Cheguei aqui primeiro — afirmou Blackburn.

Roy-Boy negou com a cabeça.

— Estou observando este prédio desde sábado passado. Ele é meu. — Sorriu. Seus dentes ainda pareciam manchados com a calda de chocolate da semana anterior. — A menos que queira dividir. Dois dos apartamentos no último andar são alugados por universitários que viajaram no recesso de inverno. Ouvi os aparelhos de som deles e parecem caros. Provavelmente também têm videocassetes e Sony Trinitrons. Poderíamos fazer uma limpa nos dois em 15 minutos, encontrar meu receptador de manhã, e estaríamos feitos.

— Não uso receptadores — disse Blackburn. — São bandidos. E já lhe disse que não estou interessado em trabalho em equipe. Se você está planejando roubar este lugar há uma semana, pode ficar com ele. Vou embora.

Roy-Boy deu sua risada que mais parecia um grunhido.

— Você não entende, músico? Isso não vai funcionar agora. Se você for embora sem nada, vou ficar com medo de que me entregue à polícia. Portanto, para me defender, eu mesmo vou dar um telefonema quando terminar o trabalho e descrever você e seu carro. Assim, quando os policiais perguntarem aos vizinhos, alguns se lembrarão de ter visto você por aqui. E temos a mesma situação, só que inversa, se você ficar e eu for embora. Um de nós vai acabar se ferrando, ou nós dois. Sabe para onde isso nos leva?

Blackburn mantinha os olhos fixos em Roy-Boy, mas sua mão direita se arrastava de novo para dentro do casaco. Ele não queria atirar em Roy-Boy enquanto estivessem dentro do Duster, mas o faria se precisasse.

— Para onde?

— DMG — disse Roy-Boy. — Destruição Mútua Garantida.

A mão direita dele saiu do bolso do casaco com a .22. Ele apontou a arma para o rosto de Blackburn, que ficou paralisado com a mão no punho da Python.

— Vejo isto da seguinte maneira — disse Roy-Boy. — Tenho a vantagem, mas precisaria matar você instantaneamente, com um tiro, ou sofrer a retaliação. Em outras palavras, apesar de ser possível que você seja ferido fatalmente, ainda poderia me matar com sua arma superior. Portanto, nossas únicas opções são trabalharmos juntos ou sermos aniquilados. Está com vontade de ser aniquilado?

— Não — disse Blackburn. Ele entendeu o ponto de vista de Roy-Boy. — Vou trabalhar com você só desta vez, e não posso prometer mais nada. Ainda quero sair da cidade.

Roy-Boy assentiu.

— Justo. Alcançamos relações diplomáticas. Agora é a fase de desarmamento. Pegue sua pistola devagar. Pode apontá-la para mim, se quiser, mas vou ficar de olho na sua mão. Se os dedos começarem a contrair, vou disparar. DMG, entendeu?

Blackburn sacou a Python e a segurou de modo que ficasse apontada para sua virilha.

— Cuidado ou vai acabar como eu — disse Roy-Boy. — Uma maravilha com uma bola. Obviamente, a minha é do tamanho de uma laranja.

— As minhas, não. Eu gostaria de ter as duas.

— Então coloque sua arma no banco entre nós dois. Vou fazer o mesmo. Nossas mãos devem se tocar, para que saibamos se o outro não largou a arma. Isto é conhecido como fase de verificação. — Roy-Boy virou sua pistola, apontando-a para baixo. — Comece agora.

Eles se moveram tão lentamente quanto bichos-preguiça. As pistolas tilintaram uma na outra no banco de vinil. As mãos dos homens se tocaram. Blackburn esperou até sentir a mão de Roy-Boy começar a se erguer, então também levantou a mão.

— Até agora, tudo bem — disse Roy-Boy. — Onde está sua mochila?

— Debaixo do banco.

Roy-Boy estalou a língua.

— Não posso deixar você pegar nada ali. Vamos ter que encontrar um saco de supermercado ou alguma outra coisa no apartamento. Isso é aceitável para você?

— Acho que sim.

— Neste caso — disse Roy-Boy —, podemos sair do carro. Vamos abrir as portas ao mesmo tempo.

— Não podemos deixar as armas no banco —, disse Blackburn. — Alguém vai ver.

— Não, não vão ver. Quando estivermos fora do carro, tire o casaco e jogue-o aqui dentro para cobri-las. Isso também vai me dar a garantia de que não está carregando outra arma.

— O que vai me garantir que você não está?

— Ótimo ponto. Certo, enquanto você estiver tirando o casaco, vou tirar o meu também. E a calça, se quiser. Estou usando um short e uma camiseta por baixo.

Blackburn tirou as chaves da ignição.

— Tudo bem — disse ele. — Tranque a porta ao sair.

Ele e Roy-Boy abriram as portas e saíram. Blackburn tirou o casaco enquanto observava Roy-Boy tirar o dele no outro lado do carro. Era como uma dança estranha. Carros que passavam pela rua iluminavam o desempenho deles com os faróis. O rosto de Roy-Boy passou de claro para escuro e para claro de novo, depois desapareceu quando o casaco passou por sua cabeça. Mas mesmo enquanto a cabeça de Roy-Boy estava dentro do casaco, seus olhos permaneciam visíveis através da gola. Não piscaram.

Blackburn jogou o casaco no carro, cobrindo as pistolas. Roy-Boy jogou o dele em cima. Depois fecharam as portas. O Duster estremeceu.

— O que tem no bolso da sua camisa? — perguntou Roy-Boy.

— Uma caneta-lanterna.

— Certo. É uma ferramenta de trabalho, então fique com ela. Agora guarde as chaves e podemos nos encontrar no para-choque traseiro. Lá vai ser nossa Genebra.

Blackburn colocou as chaves em um bolso da calça jeans, e ele e Roy-Boy foram para trás do carro. Blackburn vestia uma camisa de manga comprida, mas sentia frio. Cruzou os braços para se aquecer. A camiseta de Roy-Boy estava cortada no meio da barriga, mas ele parecia confortável. Seus braços nus balançavam ao lado do corpo. Quando os dois se encontraram no para-choque, Roy-Boy estendeu a mão direita. Blackburn continuou de braços cruzados.

— A calça — disse ele.

Roy-Boy baixou a calça de moletom e deu uma volta para mostrar a Blackburn que estava desarmado. As pernas dele eram brancas e sem pelos. Pareciam depiladas.

— Está bem — disse Blackburn, contendo a repulsa.

Roy-Boy levantou a calça e estendeu a mão outra vez.

— Ratifique nosso tratado — disse ele —, e não vou pedir que também tire a calça. Vou acreditar que seu código moral não vai lhe permitir esconder uma segunda arma de mim. Vou deixar passar a régua no seu bolso de trás, já que também é uma ferramenta de trabalho.

Eles apertaram as mãos. A de Roy-Boy era seca e fria. Ele segurou por tempo demais. Blackburn puxou a mão para soltá-la.

Roy-Boy olhou para o prédio do outro lado da rua.

— Último andar, segunda unidade — disse ele. Era um dos apartamentos que tinham permanecido apagados. — Dois quartos. Os moradores são universitários, foram para casa para ver papai no aniversário de Jesus e deixaram todas as suas porcarias para trás.

— Primeiro as joias — disse Blackburn. — Depois ajudo você a carregar uma coisa grande, e isso é tudo. Quando eu tiver saído, não vou entrar de novo. E meu carro não está disponível para frete. Você tem um?

— Sim. O Toyota preto no estacionamento. Ontem o antigo dono foi embora em um carro com esquis no teto. Então agora é meu.

Blackburn não podia se opôr. Também já tinha roubado carros e achava que não estava na posição de jogar a primeira pedra.

Blackburn e Roy-Boy atravessaram a rua e subiram a escada que ziguezagueava pela fachada do prédio. Era quase meia-noite, mas televisões e aparelhos de som estavam ligados em alto volume em alguns dos apartamentos iluminados. Blackburn ficou satisfeito. Dois ladrões fariam mais barulho do que um, mas o som ambiente poderia encobri-los. E as cortinas de todos os apartamentos estavam fechadas, portanto nenhum morador os veria.

Eles chegaram à varanda do último andar e ao apartamento 302.

— Você é o especialista em portas — sussurrou Roy-Boy.

Blackburn testou a maçaneta. A porta dava pouco mais de um centímetro para trabalhar. Como no último roubo, a fechadura de segurança não estava trancada. Pessoas que não fechavam a fechadura de segurança estavam pedindo para serem roubadas. Ele colocou a mão no bolso de trás e pegou a régua de metal. Em poucos segundos, a porta se abriu, e Blackburn e Roy-Boy entraram.

Blackburn pegou a caneta-lanterna no bolso da camisa e a ligou. O círculo de luz branca revelou que o apartamento era bastante mobiliado. Um carpete grosso abafava os passos dos dois.

— O-oh, veja só aqui — disse Roy-Boy. — Uma Sony Trinitron. Vou lhe dizer uma coisa... Tenho ótima visão noturna, então não preciso da luz. Vou desligar o cabo da TV e dar uma volta aqui. Veja o que encontra nos outros cômodos.

Blackburn não conseguia pensar em um motivo para se opôr ao plano, então foi para a cozinha de azulejos azuis e pegou um saco de lixo preto de um rolo sob a pia. Depois, foi para o corredor, onde a lanterna revelou quatro portas, duas de cada lado. A primeira porta à direita estava aberta, e ele viu mais azulejos azuis. O banheiro. Abriu a porta oposta e descobriu um armário de roupa de cama e banho cheio de toalhas. O armário cheirava a uma loja de departamentos, então Blackburn enfiou a cabeça lá dentro e respirou fundo. Não era um cheiro que adorava, mas tirou da sua cabeça o fedor do desodorante de Roy-Boy.

Ele desceu o corredor e abriu a próxima porta à direita. Era um quarto pequeno, tão limpo quanto uma igreja. Havia uma cruz de metal na parede e bichos de pelúcia na cômoda. A janela estava aberta, e o pescoço de Blackburn arrepiou-se com o frio. Cortinas brancas inflavam-se sobre a cama estreita, que tinha uma colcha branca com uma estampa de flores rosa e azuis.

Uma caixa de joias em cima da cômoda continha apenas uma cruz prateada em uma corrente. Talvez valesse trinta dólares em uma loja de penhores, mas Blackburn não a pegou. Ele próprio abandonara Jesus ainda criança, tendo visto mais provas de pecados do que de salvação, mas não queria mexer com a devoção de outra pessoa. Não encontrou mais nada de valor no quarto, portanto voltou para o corredor. Até que parou na porta.

A janela estava aberta. Até a tela estava aberta. Mas não havia ninguém em casa.

Olhou para a porta fechada do outro lado do corredor e desligou a lanterna. Depois atravessou o corredor, largando o saco de lixo, e virou a maçaneta. Ele chegou para o lado enquanto a porta abria para dentro e sentiu cheiro de ferrugem e baunilha. Encostou-se na parede e ficou escutando por alguns segundos, mas ouvia apenas Roy-Boy revirando a sala de estar e o som grave abafado de um aparelho de som em outro apartamento.

Em seguida, olhou em torno do batente da porta. Exceto pelo quadrado cinza de uma janela com cortinas fechadas, o quarto estava escuro. Acendeu de novo a lanterna e viu as solas de dois pés descalços suspensos entre barras de madeira. Os dedos dos pés apontavam para baixo. Direcionou a lanterna e viu que as barras de madeira estavam nos pés de uma cama.

Uma mulher nua estava deitada ali de bruços, braços e pernas esticados, pulsos e tornozelos amarrados aos balaústres por fios elétricos. Cortes nas costas, nádegas e coxas sangravam. Mechas do seu cabelo castanho estavam grudadas no pescoço e nos ombros. As pernas dela se mexeram um pouco, puxando os fios, sem força.

Blackburn prendeu a respiração, depois entrou no quarto e fechou a porta. Largou a lanterna, encontrou o interruptor e acendeu a luz do teto. Ele começou a tremer. O cheiro que sentira era de sangue, sêmen e de massa adocicada. Havia uma caixa de papelão branca no chão, e donuts parcialmente comidos no chão e na cama.

Ele se aproximou e viu um pedaço comprido de vidro na cama entre os joelhos da mulher. Uma extremidade do vidro estava envolta em fita isolante branca. O vidro e a fita estavam manchados de sangue.

Nas costas da mulher, em letras vermelhas finas, havia as palavras OI MÚSICO.

Blackburn foi para o lado esquerdo da cabeceira da cama e se ajoelhou no chão. Os pulsos da mulher tinham sido amarrados, de modo que seus braços estavam erguidos. O rosto dela estava afundado no travesseiro. Mesmo de tão perto, ele não conseguia ouvir sua respiração. Mas viu as costas dela se movendo. Havia marcas de mordidas nos ombros.

Ele ergueu a cabeça da mulher e a virou em sua direção. Era o rosto de Heather. Os olhos dela se abriram e se arregalaram quando o reconheceram. Sua boca estava tapada com fita adesiva. Ele a retirou e viu que um donut fora enfiado na sua boca. Ela tentou cuspi-lo, mas não conseguiu.

Blackburn apoiou a cabeça dela no travesseiro e retirou o donut com o dedo. O cheiro era forte e doce. Seu tremor se intensificou. Ele tentou desamarrar o fio em torno do pulso esquerdo de Heather, mas seus dedos estavam desajeitados e dormentes. Ele era desprezível, imprestável, um viadinho, um covarde. O pequeno Jimmy, abaixando a calça e agarrando a borda do para-lamas. Ele ouviu a vara de fibra de vidro cortando o ar. O silvo tornou-se um grito, e ela cortou sua pele, que pegou fogo.

Então suas mãos tiveram um espasmo, e seus dedos afundaram. Não era a borda de um para-lamas, era a borda de um colchão.

Ele não era mais o pequeno Jimmy. Aprendera com a vida. Não tinha pai, mãe, irmã nem amigos. Só confiava em si mesmo. Ele via não apenas o que era, mas o que deveria ser. Ele era Blackburn.

E Blackburn sempre sabia o que fazer e como fazer.

Ele tentou desatar o fio outra vez. O pulso esquerdo de Heather se soltou, e o braço dela caiu na cama. As unhas dela arranharam o rosto de Blackburn enquanto desciam. A dor foi aguda e pura. O tremor dele parou.

— Que maldade — disse uma voz. — Mas talvez ela não tivesse a intenção.

Blackburn ergueu os olhos. A porta do quarto tinha sido aberta, e Roy-Boy estava de pé na entrada. Ele segurava uma pequena pistola prateada. Deu sua risada, seu grunhido suíno.

— Veja só o que alguém deixou atrás da TV — disse ele. — Uma semiautomática calibre .25. Quem poderia imaginar?

Blackburn se levantou.

— Isso é o que acontece quando se comete um pecado de omissão — disse ele.

Roy-Boy fez uma expressão intrigada.

— Omissão de quê?

— Da sua morte — disse Blackburn. — Eu via qual era o lugar dela no padrão do meu mundo, mas a deixei de lado, pois não entendia por que precisava estar ali. Agora vejo que o motivo era óbvio. Talvez até para você. Sabe por que eu deveria ter matado você?

— Não faço ideia — disse Roy-Boy. — Mas agora você pode compensá-la com um substituto. Eu estava cuidando dela para mim, mas quando vi você vigiando o lugar, decidi guardá-la para você. Veja bem, você precisa ter consciência da superioridade do meu mundo, e para fazer isso tem que viver nele por algum tempo. No seu mundo, você tem sua atitude de garanhão, e ela tem uma bundinha firme... Mas quando você tenta fazer merda comigo, é outra história. Sou Thomas Jefferson, e vocês são escravos.

Blackburn deu um passo na direção dele.

— Então me dê uma ordem.

— Pare — disse Roy-Boy. Ele apontou a pistola para o rosto de Blackburn. — E pegue meu raspador de gelo.

Blackburn parou. Ele estava no pé da cama, a pouco mais de um metro de Roy-Boy. Esticou o braço entre os joelhos de Heather e pegou o caco de vidro.

— Agora corte ela — disse Roy-Boy. — Onde quiser. Mas faça um corte profundo, ou vou atirar em você.

— Vai atirar em mim de qualquer jeito.

— Não, não vou. Prometo. Também sou um cara de princípios.

Blackburn segurou com ambas as mãos a extremidade do caco de vidro envolto pela fita isolante. A ponta afiada apontava para cima.

— Por que eu deveria ter matado você? — perguntou Blackburn outra vez.

— Talvez porque ameaço sua masculinidade — disse Roy-Boy. — Então enfie o vidro entre as nádegas dela. Isso deve fazer você se sentir novamente um garanhão.

Blackburn colocou a ponta do vidro sob o próprio queixo e começou a empurrar para cima. Doeu, mas como as unhas de Heather em seu rosto, a dor era pura, purificadora. Pensou outra vez na vara de fibra de vidro do pai. Não importava o quanto a odiara, ela contribuíra para sua criação. A nova dor o lembrava dessa verdade.

Roy-Boy fez uma careta.

— Não você, músico — disse ele. Deu um passo na direção de Blackburn e apontou a pistola prateada para Heather. — Ela. Apenas dê meia-volta e...

Blackburn baixou rapidamente os pulsos, projetando-os para fora, cortando seu queixo e o pulso direito de Roy-Boy, que gritou. Ele apontou a pistola de volta para Blackburn.

Mas Blackburn já estava atacando. Ele cravou os dentes no pulso cortado de Roy-Boy. Com a mão esquerda, agarrou a pistola prateada e tentou arrancá-la de Roy-Boy. Com a direita, usou o caco de vidro para cortar e perfurar o adversário. Roy-Boy tropeçou para trás. Ele gritava coisas que poderiam ter sido palavras, mas Blackburn não as ouviu. A única voz que ouvia agora era sua própria, que lhe dizia o que precisava ser feito.

Eles caíram no chão do corredor. Blackburn manteve os dentes cravados e a mão esquerda na pistola, mas se concentrou em enfiar o vidro nos olhos, no pescoço, na barriga e na virilha de Roy-Boy. O cheiro de sabão foi encoberto por odores mais fortes. Em pouco tempo, a pistola foi largada.

Blackburn girou de cima de Roy-Boy e se agachou ao lado dele. Jogou o caco de vidro na sala de estar. Depois baixou o olhar para o que restava do rosto de Roy-Boy.

— Você gostaria de achar que é mau — disse Blackburn. — Mas é só burro. Qualquer um que tenha feito isso com seriedade sabe que só há uma boa maneira de matar: um tiro na cabeça. Claro que, com os calibres menores, pode ser necessário mais de um. — Ele encostou o cano da pistola prateada na testa de Roy-Boy. — Já sabe a resposta para minha pergunta?

Uma das mãos de Roy-Boy se balançava, desorientada.

— É simples — disse Blackburn.

Ele engatilhou a pistola.

— Porque tive vontade.

Ele apertou o gatilho até esvaziar a arma.

Blackburn largou a pistola no peito de Roy-Boy e se levantou. Ficou tonto por um instante e se apoiou na parede, deixando a marca da sua mão. Ele estava imundo. Houvera muito sangue algumas outras vezes, mas nunca tanto assim. Ele queria escovar os dentes e tomar um banho. Queria se esfregar e queimar incenso até que o fedor de Roy-Boy desaparecesse.

No chão, a carcaça contorceu-se. O rabo de cavalo se soltara, e o cabelo estava espalhado feito um ventilador sobre o saco de lixo que Blackburn largara. O plástico impedia que boa parte do cabelo tocasse no carpete molhado. Blackburn pensou em escalpelá-lo, mas descartou a ideia. Não queria um troféu. Não tinha orgulho de como as coisas haviam terminado com Roy-Boy.

Ouviu um barulho no quarto e virou-se para olhar. Heather estava ajoelhada. Conseguira soltar o pulso direito e agora tentava afrouxar os fios em torno dos tornozelos. Não estava tendo sucesso. Ela se balançava, instável.

Blackburn foi até ela.

— Posso fazer isso — disse ele.

Ela olhou para ele e tentou dizer algo, ou gritar. Tudo que saiu foi um gemido.

Blackburn limpou as mãos na camisa. Não ajudou. A camisa estava molhada.

— O sangue é quase todo dele — observou.

Heather desviou os olhos enquanto Blackburn desamarrava os fios em torno dos seus calcanhares. Quando ficou livre, ele tentou ajudá-la a se levantar, mas ela se retraiu e saiu pelo outro lado da cama, tropeçando no corredor.

Blackburn pegou a colcha. O apartamento estava frio, e ele achava que Heather deveria se cobrir. Ele saiu no corredor e a viu passar por cima do corpo de Roy-Boy. Não pareceu reparar. Ele a seguiu até a cozinha e acendeu a luz. Depois colocou a colcha nos ombros dela, mas ela nem olhou para ele.

Blackburn viu que ela não era mais a Heather que dormira com ele, e sabia que era responsável por isso. Pela primeira vez na vida, ficou horrorizado consigo mesmo. Não pelo que fizera, mas pelo que fracassara em fazer. Nesse fracasso, tornara-se cúmplice de tortura e estupro. Matar nem sempre era assassinato, e roubar nem sempre era crime... Mas tortura e estupro eram, com certeza.

Heather pegou o gancho de um telefone na parede e teclou 911. Blackburn ouviu a telefonista atender, mas Heather não colocou o gancho no ouvido. Olhou para ele como que tentando decifrar por que fazia barulho.

— Deixe-me fazer isso — disse Blackburn, estendendo a mão para pegar o gancho do telefone.

Heather afastou o braço bruscamente, em seguida o golpeou no rosto com o gancho.

Os olhos dele se encheram de lágrimas. O gancho atingira seu nariz com força.

— Deixe-me falar com eles — insistiu. — Você está ferida. Precisa ir para o hospital.

Heather largou o gancho e arrancou o telefone da tomada na parede. A colcha caiu, e Blackburn viu as linhas vermelhas que os ferimentos dela tinham deixado no tecido.

Ela ergueu o telefone e golpeou a cabeça dele. Depois o golpeou de novo, de novo e de novo. O telefone tiniu e o gancho quicou, ainda pendurado no fio, fazendo um baque no chão.

Blackburn recuou em direção à geladeira e depois ficou ali parado, deixando Heather bater nele. Nunca deveria ter começado a roubar para ganhar a vida. Esse deslize moral levara ao seguinte, que por sua vez levara àquilo. Portanto, ele aceitaria o castigo. Era o único castigo que recebera que fazia sentido.

— Sinto muito — disse a Heather. Ela se tornara um borrão. — Sinto muito, sinto muito.

O telefone tiniu. Heather começou a grunhir com cada tinido, depois a gritar. Não havia palavras. Apenas a voz da sua fúria.

Blackburn ficou ouvindo e sabia que não ia passar disso. Deslizou até o chão. Os azulejos eram frios como água fria tocando sua bochecha.

Assim, o estado do Texas o prendeu, tratou seu rosto e o acusou de estupro e assassinato. Ele não questionou a acusação de estupro. A de assassinato, no entanto, não poderia aceitar. Ele matara, mas nunca cometera assassinato. Isso valia em dobro no caso de Roy-Boy.

Seu advogado nomeado pelo tribunal alegou que não era uma defesa adequada.

Investigadores de homicídios de todo o país vieram para Houston a fim de interrogar Blackburn, que só conseguiu ajudar dois deles. A maioria estava tentando encontrar serial killers de mulheres, e Blackburn não tinha nada a dizer sobre esse tipo de coisa — exceto que havia muitos babacas lá fora, e ele sabia muito bem disso, afinal, matara vários deles.

Então, o estado do Texas o acusou novamente de assassinato.

Disseram-lhe que, na noite que ele e Roy-Boy se conheceram, havia uma mulher no quarto do qual Roy-Boy saíra. Blackburn não soubera da existência dela, pois estava doente e de cama havia uma semana. Ela era irmã da outra moradora do apartamento, que trabalhava no turno da noite no Whataburger.

A mulher doente fora torturada, estuprada e assassinada.

E como Blackburn admitiu que estivera no apartamento na noite em que ela morrera, foi acusado do crime.

Blackburn ficou atônito.

— Nunca matei uma mulher — disse ele aos interrogadores.

— Mas confessou ter estuprado uma mulher — retrucou um deles.

Blackburn negou com a cabeça.

— Não. Confessei ter responsabilidade pelo estupro. E não vou permitir que usem isso como base para me culpar por outra coisa. — Ele se virou para seu advogado. — Você precisa fazer com que entendam o que quero dizer.

— E o que quer dizer? — perguntou um interrogador.

Blackburn olhou para ele.

— Um pecado é mais do que suficiente — afirmou.

VILÃO: PETER MACKLIN

O PONTO NEGRO

LOREN D. ESTLEMAN

Ao mesmo tempo versátil e prolífico, Loren D. Estleman (1952-) começou a carreira de escritor como jornalista, mas logo se voltou para a ficção e tornou-se um dos autores de mistério mais importantes que surgiram na década de 1970, enquanto também produzia romances Western de tamanha distinção que recebeu o Prêmio Owen Wilson pela Contribuição ao Longo da Vida para a Literatura Western, a maior honraria concedida pela Western Writers of America. Outros prêmios que recebeu incluem o Eye, o prêmio de realização pelo conjunto da obra da Private Eye Writers of America, da qual também recebeu quatro prêmios Shamus, uma indicação ao Edgar pela Mystery Writers of America, uma indicação ao National Book Award e quase outras vinte honrarias.

Entre os mais de setenta livros publicados, Estleman é mais conhecido por sua série sobre o detetive particular Amos Walker. Começando com *Motor City Blue* (1980), esta série recheada de ação tem sido elogiada por fãs tão variados quanto Harlan Coben, Steven Forbes, John D. MacDonald, John Lescroart e Amazing Kreshin. Os fãs são igualmente entusiásticos em relação ao detetive irônico e à descrição de Estleman de sua amada mas decadente Detroit, onde "o sonho americano empacou e começou a enferrujar na chuva". Seu segundo personagem de maior sucesso é Peter Macklin, um assassino profissional cujas vítimas são piores do que ele próprio. Os cinco romances de Macklin são *Kill Zone* (1984), *Roses Are Dead* (1985), *Any Man's Death* (1986), *Something Borrowed, Something Black* (2002) e *Little Black Dress* (2005).

"O ponto negro" foi publicado pela primeira vez na edição de março/abril de 2015 da *Ellery Queen's Mystery Magazine*, e apareceu pela primeira vez em uma antologia em *Desperate Detroit and Stories of Other Dire Places* (Blue Ash, Ohio: Tyrus Books, 2016).

O PONTO NEGRO

LOREN D. ESTLEMAN

Diziam que Leo Dorfman esquecera mais sobre a lei do que a maioria dos advogados jamais soube.

Dois dos seus clientes, atualmente servindo como hóspedes do governo federal, concordavam.

Ele tinha oitenta anos há tanto tempo quanto Peter Macklin se lembrava, um relógio parado agora semiaposentado, trabalhando na sua sala de jantar de Redford Township, vestindo um daqueles ternos de três peças que continuava usando todo dia. A sra. Dorfman, morena e enrugada em um chapéu de sol trançado, blusa sem manga e short amarelo, estava ajoelhada no jardim florido lá fora. Macklin olhou para ela da sua cadeira no lado oposto ao advogado na mesa redonda.

— Não se preocupe com Lyla — disse Dorfman. — Ela não consegue ouvir o próprio peido.

Mas Macklin manteve a voz baixa:

— Laurie vai se divorciar de mim.

— Sinto muito. Sendo um advogado criminal, não posso ajudá-lo. Mas posso recomendar ótimos advogados de divórcio.

— Vou fazer um acordo. Não posso me dar ao luxo de ter especialistas praticando arqueologia na fonte das minhas finanças.

— Sábia decisão. Você tem um valor em mente?

— Meio milhão deve servir. Mais cem mil para despesas extras.

— Você tem tudo isso?

— Não. Por esse motivo estou aqui. Preciso trabalhar.

— E quanto ao seu negócio legítimo?

— Devia ter vendido há dez anos. Ninguém vai mais a lojas de câmeras. Alguma perspectiva?

— Posso ter algo, mas você não vai gostar.

— Um nome?

— Sal Malavaggio.

Macklin não gostou.

— Eu não sabia que ele estava livre — disse ele.

— Está em uma casa de reintegração em Irish Hills. Na semana que vem, estará de volta a Detroit. Um dos caras dele telefonou. Eu disse que não tinha mais aqueles contatos. Achei que você tivesse dado o fora.

Macklin não disse nada. Nunca perdia tempo com arrependimentos.

O advogado continuou:

— O momento escolhido por você não poderia ser melhor... Se quiser o trabalho. Ele quer seis caras mortos, e logo. Sei que você gosta de fazer um trabalho preparatório, mas vai ter que correr desta vez. Acho que podemos fazê-lo pagar cem mil por cada.

— Preciso de cem mil adiantados.

— Não sei se ele vai concordar com isso.

— Vai, sim. Não é um trabalho para a Costco.

Desde que se mudara da casa em Toledo, Peter Macklin alugava uma casa em Pontiac, cinquenta quilômetros ao noroeste de Detroit. Quando voltou de Redford, ele ligou a TV para ter companhia. Alguém explodira algo no Oriente Médio. Parecia importante.

Ele não estava empolgado com o trabalho para Salvatore Malavaggio. O homem era tipicamente siciliano — sua árvore genealógica não tinha ramificações — e cumprira quinze anos por uma acusação de formação de quadrilha da qual poderia ter se livrado se tivesse entrado no programa de proteção de testemunhas; mas era um homem da velha guarda de Omerta, tão profundamente enterrado nas fundações da Máfia que limpava os dentes com um garrote.

Macklin pensara em deixar tudo aquilo para trás há muitos anos. Depois do primeiro divórcio, tornara-se independente, exigindo que clientes em potencial apresentassem declarações de imposto de renda e extratos bancários detalhando tudo o que tinham, que era o que ele cobrava para cometer assassinatos. Essa política eliminava os levianos. Era impressionante quantas pessoas estavam dispostas a fazer um voto de pobreza apenas para entregar o ponto negro* a alguém.

Até que ele conheceu Laurie, uma mulher linda e inteligente com metade da sua idade, e aposentou-se com seus investimentos legítimos; até que a verdade do seu passado finalmente emergira, o que resultou no fim daquilo.

Agora ali estava ele, com quarenta e tantos anos, divorciado, obrigado a recorrer à única habilidade que tinha para sobreviver.

Quando o pacote da FedEx chegou, ele retirou de lá um pequeno retângulo de plástico com as quinas arredondadas.

— Espere recebê-lo — dissera Dorfman. — É um telefone descartável, anônimo e impossível de rastrear. Jogue-o no rio quando terminar. O dinheiro vai ser depositado nos seguintes bancos, primeiro o adiantamento, depois um pagamento adicional para cada trabalho concluído; nove mil em cada conta, para que não sejam informados à Receita Federal. Meus 10% já estarão debitados.

Uma série de nomes e números de contas bancárias foi fornecida em seguida, todos providenciados antecipadamente para uma situação como aquela. Macklin anotara tudo.

— Não vamos mais nos encontrar pessoalmente depois de hoje. Aguarde instruções através de mensagens de texto.

Não havia espaço para discutir os honorários. Leo Dorfman era o único advogado no país que chegaria perto daquele caso. Ele tornara-o milionário muitas vezes, mas o outro lado da moeda era que Dorfman instalara uma ignição remota em seu carro para caso o explodissem.

A primeira mensagem de texto chegou dez minutos depois de Macklin terminar de carregar o telefone. Algo emitiu um zumbido, ele pressionou uma tecla e olhou para a tela. Lá havia um nome, um endereço, estatísticas

---

* O ponto negro é um recurso literário inventado por Robert Louis Stevenson para seu romance *A ilha do tesouro*. No livro, piratas são presenteados com um "ponto negro" para pronunciar oficialmente um veredito de culpado ou julgamento. Consiste em um pedaço circular de papel que era colocado na mão do acusado, com um lado pintado de preto e o outro com uma mensagem. Era uma fonte de grande temor, pois significava que o pirata seria deposto como líder — através da força, se necessário — ou até mesmo morto imediatamente. (N. do T.)

vitais e uma foto. Uma segunda mensagem de texto informou a ele que noventa mil dólares tinham sido depositados em seu nome, distribuído em dez contas distintas. Era mesmo impressionante o que a tecnologia fizera pelo crime.

Nikolai Kobolov morava em Bloomfield Village, onde uma casa com menos de 460 metros quadrados era considerada humilde. Quando o Muro de Berlim caiu e a KGB perdeu temporariamente o interesse pela máfia russa, ele emigrara para os Estados Unidos e investira suas contas bancárias suíças no ramo de seguros, vendendo para comunistas expatriados proteção dos inimigos, e de vez em quando do seu próprio pessoal, que respeitava coisas como coquetéis Molotov.

Ele vestia seu corpo com formato de bala de revólver com roupas boas feitas sob medida e, no inverno, usava um longo sobretudo com cinto e um chapéu de pele, como Omar Sharif em *Doutor Jivago*. Era parte ucraniano, descendente de cossacos.

Quando saiu de casa, viajando na traseira de uma limusine Lincoln dirigida por um chofer fardado, dois carros o seguiram, um contendo quatro homens com permissão para portar armas e proteger sua vida. Dois agentes do FBI viajavam no outro. Eram quase quatro horas, o horário marcado para sua barbeação diária. Ele gostava de ter a cabeça lisa.

A loja no centro da cidade, que dizia ser um salão, era toda de vidro brilhante, cromo e azulejos. Ele sentou-se na sua cadeira habitual enquanto os guarda-costas liam jornais na área de espera e os dois agentes do FBI aguardavam sentados no carro. Um homem que Kobolov não reconheceu cobriu-o com um pano branco bem passado. Ele usava uma jaqueta branca afivelada com botões nos ombros.

— Onde está Fred? — perguntou o cliente.

— Está doente hoje.

Ele balançou um dedo grosso para o homem.

— Nada de cortes. Vou sair com uma moça hoje à noite.

— Sim, senhor.

O barbeiro tirou uma toalha do aquecedor e enrolou-a feito um turbante em torno da cabeça de Kobolov. O russo suspirou, adormecido, como sempre, pelo calor. Ele mal estremeceu quando o picador de gelo penetrou no topo da sua coluna. Os guarda-costas continuavam lendo quando o barbeiro saiu pelos fundos.

Sanders Quotient fora escolhido pelos Detroit Lions na terceira rodada do draft da NFL, mas fora expulso da liga por conduta antiesportiva. Ele abrira um processo alegando discriminação; no entanto, a NAACP (Associação Nacional para o Progresso de Pessoas de Cor) recusara-se a se envolver no caso. Ele investira os rendimentos do contrato do primeiro ano em uma das maiores operações de tráfico de drogas do Centro-Oeste, vendendo cocaína e heroína. Parte do produto era forte demais para os clientes, que morreram de overdose.

Ele morava em uma casa original de Frank Lloyd Wright em St. Clair Shores. A área aberta e a vista desobstruída através de grandes janelas o agradavam.

Não tinha guarda-costas. Aos 35 anos, em excelente forma física, podia cuidar de si mesmo. Talvez aquilo fosse otimista demais, afinal ele tinha dois agentes da DEA vigiando sua casa em turnos de oito horas, na esperança de capturá-lo em alguma transação ilegal.

Ele acordou por volta das duas da manhã, deixando uma bela jovem na cama redonda, para abrir uma garrafa de cerveja importada. Na cozinha, ouviu um baque vindo da varanda.

A caminho da sala de recreação, ele escolheu uma Glock nove milímetros da estante de armas e foi até a porta de correr de vidro para investigar. Segurando com firmeza a arma, estendeu a mão para a fechadura. Estava aberta. Ele sempre se assegurava de que tudo estivesse bem trancado antes de se deitar.

Estava dando as costas para a porta, com a pistola na mão, quando sua cabeça explodiu.

O legista definiu a causa da morte como um golpe que amassara seu crânio, e pedaços dele estavam grudados com sangue e matéria cinzenta em um porrete, abandonado sem impressões digitais.

Zev Issachar controlava boa parte dos jogos de azar ilegais entre Chicago e a Costa Leste. Aos 72 anos, estava aposentado, mas não havia um cassino ilegal ou jogo de pôquer de valores altos não autorizado que não lhe pagassem uma taxa. Ele mudara legalmente seu nome de Howard Needleman antes de solicitar residência em Israel para evitar a prisão. Tel Aviv o rejeitara.

Ele aguardava julgamento por violação das leis de comércio interestaduais. Era uma acusação da qual conseguiria se livrar, mas ele considerava humilhante a tornozeleira eletrônica, que piorava sua artrite.

No sábado, ele embarcou em uma van do Departamento de Justiça, que seguiu da sua casa modesta em Highland Park para a sinagoga, na companhia de dois vice-delegados dos Estados Unidos. Dentro do templo, enquanto removiam suas algemas, um homem vestido como um Hassidim atirou três vezes em seu peito antes de desaparecer no meio da multidão que aguardava a abertura das portas internas. Zev morreu na hora. Os delegados perseguiram o atirador, mas encontraram apenas um casaco, um chapéu, uma peruca e uma barba falsa em uma pilha ao lado da saída de incêndio.

— Achei que tivéssemos deixado tudo isso para trás depois do Onze de Setembro.

A inspetora Deborah Stonesmith comandava a Unidade de Delitos Graves de Detroit, a qual estava ajudando a coordenar os esforços das três divisões de homicídios importantes envolvidas. Ela era uma mulher negra, alta e bonita, com cabelo avermelhado, e se vestia de forma conservadora, sempre com seus terninhos tweed. O único toque feminino em seu escritório no número 1300 da Beaubien, no Quartel General da Polícia de Detroit, era um ramo de peônias em um vaso em cima da sua mesa.

— É justamente isso. — Wes Crider, um tenente da seção de homicídios, levantou um ombro e deixou-o cair. — Esses mafiosos acham que estamos ocupados demais procurando fascistas islâmicos para nos preocuparmos com eles.

— Eles nunca ouviram falar em multitarefas? Se isso for a máfia russa atacando a máfia negra, ou a máfia judia atacando qualquer uma das outras, é uma guerra por território. Atacar todas as três torna isso algo diferente.

— Uma sinagoga, ainda por cima, um lugar de devoção. Nada mais é sagrado?

— Em contraposição a um simples assassinato? Quem mais temos?

Crider pegou um caderno com pedaços de papel rasgado despontando pelos lados em todos os ângulos, feito o livro de receitas da vovó.

— Kim Park? Identificamos todas as casas de massagem; prostituição, acompanhada por um pouco de shiatsu. Cosa Nostra coreana.

— Ele é uma possibilidade. E quanto a Sal Malavaggio? Ele é um alvo fácil naquela casa de reintegração. A segurança de lá é para manter as pessoas dentro, e não impedir que outros entrem.

— Ele é só um Mustache Pete.* Aqueles sicilianos morreram junto com as Rochas de Estimação.**

— Vamos colocar um carro na frente da casa só por precaução. Quem mais?

Folheando, folheando.

— Vittorio Bandolero é dono do melhor restaurante em Mexicantown. Traz imigrantes ilegais para dentro do país. Da última vez que seus homens acharam que estavam sendo seguidos, metralharam toda a carga.

— Próximo.

— Jebediah Colt: Jeb, o Reb, nas ruas. Máfia de Dixie, Divisão de Produtos Roubados. Faz receptação de tudo, de piercings de umbigo a conversores catalíticos.

Stonesmith sorriu.

— Já vi a ficha dele. O cérebro dele é feito de molejas congeladas. O que mais?

— Isso é tudo. Todas as máfias: russos, negros, judeus, asiáticos, mexicanos, dixies e a original da Sicília. Você sabe, se ao menos tivessem registrado o nome...

— Seriam a Microsoft.

— *Sí*, entendo. Eu também saltaria do banco do motorista de um caminhão quando um helicóptero sobrevoasse; mas poderia ter aguardado até que um holofote fosse aceso, só para ter certeza de que não era um veículo de monitoração de trânsito de alguma estação de rádio.

Vittorio Bandolero desligou e fez uma careta para o homem sentado do outro lado da mesa. Estavam na sala dos fundos do restaurante

* Mustache Pete era o nome dado aos membros da máfia siciliana que chegaram já adultos aos Estados Unidos (particularmente a Nova York), no começo do século XX. (N. do T.)

** "Pet Rocks" ("Rochas de Estimação") eram um produto colecionável que consistia em pedras da praia de Rosario, no México, que eram vendidas como bichos de estimação vivos. A moda durou cerca de seis meses, chegando ao fim no começo de 1976. (N. do T.)

em Mexicantown cujo faturamento ele informava ao governo federal por questões tributárias.

— Estou perdendo a paciência com a Imigração. Ninguém na minha equipe tem o mínimo de interesse em derrubar o governo. Só quero muchachos que saibam fritar uma tortilla e cortar um pescoço ocasionalmente. É pedir muito?

O segundo de Bandolero, um homem pequeno com cicatrizes em ambas as bochechas e cabelo preto penteado para trás nas têmporas — mais comprido do que no topo da cabeça, como os para-lamas de um Mercury 1949 — mexeu os ombros, aparando as unhas com um canivete.

— Há pessoas que devemos matar, *jefe*. Deveríamos nos encontrar com elas.

— *Dónde*?

— No Alamo, às dez horas, foi o que me disseram.

O Motel Alamo ficava na East Jefferson, de frente para o rio, um pulgueiro que alugava quartos por hora. Bandolero bateu na porta que lhe haviam indicado. Ela abriu com a pressão do seu punho. Ele entrou.

Algo se moveu rapidamente e apertou seu pescoço. Ele não conseguia colocar as mãos por baixo. Sacudiu o corpo, dobrou os cotovelos, mas não atingiu nada. Sua língua ficou pendurada para fora da boca logo antes de perder a consciência.

O primeiro policial na cena relatou um homem morto, aparentemente estrangulado até a morte com uma linha de pesca de náilon.

Deborah Stonesmith estava de pé sobre o corpo de Vittorio Bandolero, arrastado até a posição sentada e encostada na parede do quarto do motel. A linha de pesca penetrara cinco centímetros em seu pescoço.

— Chega de ser bonzinho — disse ela. — Alguém está dominando o território.

O tenente Crider disse:

— Precisamos abrir um disque-denúncia. Um exército de assassinos profissionais não pode passar despercebido por muito tempo.

— Então você acha que é um exército.

— Temos um picador de gelo, um porrete, uma pistola e um garrote. Os pesos-pesados se especializam. Ninguém usa tanta variedade.

— Um usa — disse ela, alisando a saia. — Achei que ele estivesse morto ou que tivesse se mudado... Ou esperava que sim, mas pensamento positivo nunca levou ninguém a nada além de pensar positivo.

Kim Park viera para os Estados Unidos com U$1,87 no bolso; também trouxera trezentos mil dólares em Krugerrands no fundo falso da sua mala, que pertenciam a um político de Detroit que morrera antes de receber o pagamento. Park investira esse golpe de sorte em uma rede de casas de massagem. Ele descobriu que os Estados Unidos eram realmente a Terra da Oportunidade.

As garotas eram habilidosas. De que importava se suas mãos treinadas faziam parte de seus corpos, desde que dividissem as gorjetas com a gerência? Mas um policial disfarçado encontrara disposta a testemunhar uma garota que fora vendida como escrava pelos pais. Ela acabara indo parar em várias caçambas de lixo entre Detroit e Flint; seu tronco aqui, uma perna ali, e a cabeça e as mãos só Deus sabia onde. Um homem não podia ser responsabilizado pelas más escolhas de todas as suas funcionárias.

De todo modo, Kim Park nunca ia a lugar algum sem vários policiais da delegacia fazendo anotações de onde parava e com quem falava. Agradava-lhe imaginá-los presos em seus carros enquanto ele fazia sauna em um de seus empreendimentos em Detroit.

Ele acabara de derramar uma caneca de água sobre as pedras aquecidas quando a porta se abriu, espelhando o vapor espesso. Ele sorriu, esperando uma garota coreana seminua pronta para acompanhá-lo até a mesa. Sua cabeça ainda sorria quando saiu rolando da sauna, cortada por uma faca de caça encontrada no cesto de toalhas, o cabo limpo com um pano.

Sal Malavaggio escolheu um charuto do umidor na sua mesa, farfalhou-o ao lado da orelha, colocou-o de volta na caixa e fechou a tampa.

— Lembre-me de encomendar charutos melhores. Estou mais conservado do que estes aqui.

— Já pensamos em tudo — disse Miriam Brewster. — Um colega em Key West tem uma encomenda permanente de Montecristos. Duas caixas estão a caminho.

Malavaggio, baixo e robusto, com uma cabeça brilhante de cabelo tingido de preto, escolhera Brewster por vaidade. Ela era dois centímetros mais baixa do que ele e ainda mais gorda em um terno feito sob medida. Mas revelara-se uma bênção dupla como uma das mais importantes acadêmicas constitucionais do país.

— Conte-me novamente sobre como me livrar da acusação de formação de quadrilha.

Ele acomodou-se na cadeira de couro estofado, desfrutando os confortos do lar pela primeira vez em 15 anos.

Ela sentou-se de frente para a mesa e cruzou as pernas gorduchas.

— Vai levar anos, e talvez uma ou duas mudanças na Suprema Corte, mas qualquer um pode dizer a você que é uma manobra arriscada para burlar a Declaração de Direitos. O governo não conseguiu prender seu pessoal legalmente, então burlou o sistema. De certo modo, foi uma vitória para você.

— É. Isso me trouxe conforto na prisão, enquanto aqueles animais tomavam conta de tudo. A máfia russa, a máfia negra, a máfia judia, a máfia asiática. Eles nem sequer conseguiram inventar um nome próprio. Mas vou mudar isso.

Ele olhou para seu Rolex, pegou um controle remoto da mesa e apontou-o para a nova televisão de tela plana na parede oposta. Um repórter local estava diante de uma das casas de massagem de Kim Park, tagarelando sem fôlego enquanto funcionários do necrotério empurravam pela porta um saco para cadáveres sobre uma maca.

— O problema de matar um china — disse Malavaggio — é que uma hora depois você quer matar outro.

— Não ouvi isso. — Os lábios de Brewster estavam comprimidos. — Tenha paciência, Sal, por favor. Que bem há em vencer quando você está cumprindo pena de prisão perpétua por assassinato?

— De que assassinato está falando, doutora? Eu estava conferindo a casa de reintegração quando algum *feccia* fez aquela melhoria na aparência de Jackie Chan. O mesmo lugar em que eu estava quando o russo foi morto, e o crioulo e o judeu também. Parece o início de uma piada, não é mesmo? Eles entram em um bar?

— Claro, Sal. Você está limpo.

— Limpando a casa — disse ele. — Quando eu terminar, todos vão saber que só existe uma máfia.

A Colt's Ponies vendia trailers, trailers motorizados e casas móveis em quatro filiais na região metropolitana de Detroit. O negócio proporcionava uma renda que Jebediah Colt podia declarar no imposto de renda e uma boa camuflagem: quem procuraria um trailer com transmissões roubadas em uma revendedora de trailers?

Ele declarara independência aos quatorze anos, quando fez o pai desmaiar com um martelo de carne, roubou um carro e dirigiu para o norte para montar Mustangs na Ford River Rouge. Foi demitido por roubar ferramentas e peças, mas àquela altura já guardara dinheiro suficiente para abrir o próprio negócio aos vinte anos. Ele negociava joias, moedas raras, canos de cobre e peças automobilísticas autênticas, tudo roubado.

Não tinha muitas despesas. Tudo que precisava era de um teto, de preferência com rodas; desse modo, quando recebia a dica de que uma batida seria realizada, só era necessário sair dali e se mudar para outro estacionamento. Atualmente era dono de uma frota de Mustangs com cuja produção não tivera absolutamente qualquer relação e de uma casa em Grosse Pointe, na mesma rua da própria família Ford.

— Sr. Colt? Deborah Stonesmith. Sou inspetora do Departamento de Polícia de Detroit.

A mulher negra e alta que tocara sua campainha mostrou-lhe um distintivo.

— Você tem um mandado?

— Não estou aqui para prender você. Presumo que tenha ouvido falar sobre os assassinatos recentes de membros de gangues.

Ele deu um sorriso forçado, coçando a tatuagem no bíceps esquerdo.

— Não me diga que você está aqui para me proteger?

— Temos um carro neste quarteirão, uma equipe de resposta rápida em contato via rádio e um homem em cada lado da casa. Vou pedir que fique aqui hoje à noite. Desde que este negócio começou, não se passaram mais do que duas noites entre os assassinatos. Esta é a terceira desde o de Kim Park.

O sorriso dele desapareceu.

— Aquele cafetão? Qual é a ligação dele?

— Achamos que alguém está determinado a eliminar a competição no crime organizado nesta área. Você e Salvatore Malvaggio são os únicos chefões que restam. Meu tenente está na casa de Sal em Birmingham, explicando as mesmas providências.

— Bem, estou aguardando a entrega de um Airstream na minha revendedora em Belleville, direto da fábrica. Gosto de estar presente quando algo novo chega.

— Você pode inspecionar sua muamba outra hora, Jeb. Ou isso, ou vamos enviar um carro para seguir você, para sua própria proteção, é claro.

Macklin reparou de imediato na van. O letreiro anunciava um serviço de entrega de fraldas, uma cegonha com boné e um pequeno pacote de felicidade pendurado no bico. Não havia brinquedos, nem uma bicicleta nem qualquer outra coisa no quarteirão que indicasse um morador jovem o bastante para ter crianças pequenas. Ele passou por ela de carro, localizou o veículo sem identificação contendo dois policiais à paisana tomando café da Starbucks no lado oposto da rua à casa de Clot e viu feixes de luz brilhantes rondando o terreno.

Um hipermercado ficava perto do centro da cidade, ligado a um posto de gasolina. Ele comprou uma lata de sete litros de gasolina, colocou um litro da bomba, guardou-a no porta-malas e entrou na loja. Na seção de bebidas, colocou uma garrafa de um litro de vinho barato em sua cesta. Olhando os produtos para se distrair, encontrou o CD de uma coletânea de James Brown e um som portátil barato. Comprou-os no caixa, junto com um pacote de pilhas e um isqueiro descartável da gôndola que estimulava compras por impulso.

Os banheiros ficavam no saguão. Encontrando o banheiro masculino vazio, ele desatarraxou a tampa da garrafa de vinho e derramou o conteúdo na pia. No estacionamento, abriu o porta-malas do carro, cuja tampa bloqueava a visão da câmera de segurança instalada em um poste, encheu a garrafa com gasolina, colocou a tampa de volta, envolveu a garrafa em uma camisa velha que usava como pano, enfiou o embrulho debaixo do braço por dentro do casaco, fechou o porta-malas, entrou no carro e partiu.

A três quarteirões da casa de Jebediah Colt, havia uma placa de À VENDA no jardim de uma casa de tijolos de dois andares em uma esquina. O interior estava escuro, exceto por uma luz vermelha fraca e constante.

Não havia câmeras de segurança visíveis. Ele foi até a porta da frente e tocou a campainha. Um corretor imobiliário, esperando encontrar alguém em casa. Quando ninguém atendeu depois de tocar pela segunda vez, ele pegou o som portátil de dentro do casaco, colocou-o diante da porta e o ligou, aumentando o volume até que as letras de James Brown ficassem distorcidas e incompreensíveis. Ele voltou para o carro, com pressa dessa vez, dobrou a esquina, abriu a garrafa cheia de gasolina, derramou um pouco em um pedaço que rasgara da camisa velha, enfiou o trapo no gargalo e acendeu-o com o isqueiro descartável. Quando começou a pegar fogo, ele abriu a janela do motorista e jogou a garrafa na janela mais próxima. O alarme de segurança disparou de forma estridente.

A garrafa explodiu com um *vump* e a chama se espalhou. Ele saiu em uma velocidade respeitável, ouvido o Padrinho do Soul gritando a plenos pulmões da direção da casa em chamas.

Pode ser que policiais de tocaia ignorem um incêndio doméstico, esperando que unidades locais e bombeiros cuidem do problema; mas alguém gritando nas chamas era outra história. A equipe de resposta rápida relatou pelo rádio os barulhos histéricos, e em cinco minutos Jeb "o Reb" Colt ficou sozinho.

As sirenes começaram com um grito, alto o bastante para fazê-lo saltar da frente do canal da Nascar e puxar para o lado as cortinas. Os barulhos estavam diminuindo. Ele pegou seus nunchakus na gaveta, apagou as luzes para evitar ser visto na porta e saiu na varanda.

Ele viu um brilho alaranjado a três quarteirões de distância e luzes acendendo nas casas vizinhas. Dando de ombros, segurou os nunchakus juntos em uma mão e virou-se para entrar de volta. Mas alguém surgiu entre ele e a porta. A base de uma mão subiu rapidamente, fazendo fragmentos de ossos do seu nariz penetrarem em seu cérebro.

Miriam Brewster desligou a televisão de tela plana e virou-se para Malavaggio, recostado na cadeira com as mãos gorduchas entrelaçadas sobre sua grande barriga e as pálpebras quase fechadas. Ele parecia um sapo.

— Suponho que você não saiba nada sobre isso.

— Sobre o incêndio criminoso? Provavelmente foi para enganar a seguradora. O cara não consegue pagar a hipoteca e incendeia o lugar para conseguir indenização.

— Refiro-me a Jeb Colt.

— Um caipira a mais ou a menos não significa muito para o mundo.

— Você deve ter economizado bastante antes de ir para a prisão. Seis assassinatos em dez dias, todos executados profissionalmente. Isso não é barato, nem mesmo em dias de desconto dobrado.

— Pelo menos consegui um desconto. Por que pagar por um trabalho concluído? O que ele pode confiscar?

Ela fez com que ele parasse antes de revelar qualquer detalhe.

Macklin tinha várias formas de saber quando alguém tinha entrado em sua casa quando estava fora. Quem quer que tivesse sido, policial ou assassino, tropeçara na menos sutil, esquecendo quais luzes ele deixara acesas e quais apagara. Nem precisou parar o carro. As janelas disseram tudo.

No estacionamento lotado de um cinema, ele usou o telefone descartável pela última vez e ligou para Leo Dorfman.

— Como ele sabia onde moro? — perguntou.

O advogado não perguntou a quem ele se referia.

— Nunca contei a ele, mas sua gangue se mete em muitos lugares, por que não em agências imobiliárias?

— Preciso ter estado em outro lugar quando a maioria das encomendas foi entregue.

— A maioria ou todas?

— Se fossem todas, pareceria que houve planejamento. Não posso dizer a eles que fui ao cinema para as outras.

— Certo.

A saída do estacionamento passava sobre uma ponte decorativa que levava para a estrada. Macklin jogou o telefone pela janela na pequena correnteza veloz.

Dorfman cuidaria dos policiais, caso fossem policiais. Se fosse um assassino, tudo que ele precisava fazer era eliminar a fonte de renda.

Salvatore Malavaggio cortou a ponta de um Montecristo fresco, acendeu-o com um isqueiro de platina e assoprou um anel de fumaça na direção do teto acústico do seu escritório residencial. Tinha sido uma boa primeira semana fora da prisão. O russo, o negro, o judeu, o mexicano, o china e o caipira tinham sido eliminados, deixando um vácuo que só um chefão experiente poderia preencher. Seus antigos sócios saberiam a verdade. Haveria alguma resistência, mas ele dera um golpe rápido e forte demais para não despertar medo em todos eles. Até Miriam, a mulher com mais sangue-frio que já conhecera, olhara para ele com um novo respeito depois que as fotos do fichamento policial de todos os seis rivais apareceram na matéria da televisão que noticiou os acontecimentos recentes.

Havia somente uma máfia. Nela não tinha espaço para eslavos, negros, judeus, mexicanos, chinas ou imbecis frutos de relacionamentos consanguíneos. Aqueles forasteiros só tinham ideias grandiosas quando os sicilianos ficavam descuidados e davam ordens incriminadoras diretamente a soldados de rua pouco confiáveis em vez de utilizar dispositivos de proteção. Malavaggio usara Dorfman, sem nunca ter visto aquele tal de Macklin, que era conhecido por sua reputação. A lei também saberia o que ocorrera, mas nunca conseguiria provar uma ligação, não importava o que o otário dissesse quando fosse preso.

E era assim que faziam as coisas no antigo país. Omerta era só para os iguais.

A partir de agora, se você não pudesse apontar para aquela ilha na ponta da bota e dizer o local de nascimento de cada um dos seus ancestrais, seria apenas o cara que mandamos buscar o café. Napolitano? Rá! Calabrese? Até parece! *Sola Siciliana, per sempre.*

Algo tilintou no cômodo vizinho: Miriam, largando o mais recente de só Deus sabe quantos copos da sua melhor grappa. Ele esperava que ela não estivesse se tornando uma beberrona. Ela precisava estar totalmente consciente para fazer a Suprema Corte agir e trazer de volta os dias de glória da La Cosa Nostra.

E ele economizara cem mil.

Algo se moveu na porta que conectava os cômodos.

— Doutora? Achei que tivesse ido para casa.

— Ela foi. Esperei para ter certeza de que não voltaria para pegar algo que tivesse esquecido.

Malavaggio não reconheceu o homem que entrou portando um revólver. Eles nunca tinham se encontrado pessoalmente.

VIGARISTA: LEO SKORZENY

PROBLEMAS COM CARROS
JAS. R. PETRIN

James Robert (Jim) Petrin (1947-) está entre os autores mais populares e prolíficos dos anos mais recentes a aparecer na *Alfred Hitchcock Mystery Magazine*, onde seu primeiro conto, "The Smile", foi publicado em 1985. Desde então, contribuiu com mais de setenta contos para a publicação.

Ele consegue encontrar tempo para escrever para outras revistas e antologias, para as quais produziu uma vasta gama de ficção criminal. Boa parte do seu trabalho foi publicado como audiolivros e adaptado para filmes televisivos. As histórias de Petrin foram incluídas nas listas de finalistas de diversos prêmios, e ele ganhou muitos outros, o mais notável sendo o Arthur Ellis Award (o equivalente canadense ao Edgar) de melhor Conto de Ficção Criminal em duas ocasiões.

Apesar de muitos dos seus contos serem histórias isoladas de crime e mistério, muitas vezes com um tom humorístico, um dos personagens de série mais populares de Petrin é Leo Skorzeny, conhecido pelos amigos (e por outros) como "Skig". Ele é um agiota, um homem que empresta dinheiro a juros altíssimos, tão durão que ninguém ousa deixar de pagar o que lhe deve. Há certa delicadeza nele, no entanto, que o leva a ser não necessariamente um vilão.

Nascido em Saskatchewan, no Canadá, Petrin atualmente mora com a esposa, Colleen, em Mavillette Beach, no Golfo do Maine, sudoeste da Nova Escócia.

"Problemas com carros" foi publicado o originalmente na edição de dezembro de 2007 da *Alfred Hitchcock Mystery Magazine*.

PROBLEMAS COM CARROS

JAS. R. PETRIN

— Desta vez — disse Skig — vou lhe dizer uma coisa. Tente não deixá-lo arrepiado na parte de trás, como se fosse uma antena saindo da minha cabeça.

— Seu cabelo simplesmente é assim, querido. Não posso fazer nada. Você deveria ficar feliz por ter cabelo no topo da cabeça. Alguns homens na sua idade precisam de um penteado para cobrir.

— Quando eu precisar disso, pode atirar em mim.

Todo mês, eles tinham esta conversa. Leo Skorzeny sentado em uma cadeira de espaldar reto na cozinha de Eva Kohl, enrolado em um lençol, tufos do seu cabelo duro e grisalho no chão. Eva, uma cabeleireira já aposentada há talvez 10, 12 anos, cortava com a tesoura.

— Conte-me sobre o carro novo que vai comprar — pediu Skig.

Ele se ajeitou na cadeira, tentando aliviar a dor na barriga.

Ela riu e fez um corte brincalhão no ar.

— Não vou comprar... Vou fazer um leasing. Pelo que me explicaram, sr. Skorzeny, é mais barato.

— Pagamentos menores.

— Isso mesmo.

— Mas não quer dizer que é mais barato. A longo prazo.

— Para mim, é. De verdade. O vendedor me disse que sou perfeita para um leasing. Quase não uso o carro... É principalmente para fazer compras.

— Você pechinchou o valor de venda sugerido?

— O quê?

Ela parou de cortar, intrigada.

— O preço.

— Não. Achei que tivesse explicado. Não vou comprar, vou fazer um leasing.

Skig fechou os olhos, manteve-os fechados por um segundo, depois os abriu.

— Você fez uma boa troca?

Os cortes recomeçaram.

— Meu carro antigo continua andando bem. Vão me dar dois mil dólares por ele.

— Seu carro antigo está novo. Por que não continua com ele?

— Não é tão bom assim. E estou com vontade de mudar. Enfim, já me decidi. Vou assinar os documentos hoje à tarde.

Ela passou a máquina no pescoço dele, o aço frio zumbindo em sua pele, depois lhe entregou um espelho em forma de leque. Ela segurou outro espelho atrás da cabeça dele, primeiro à esquerda, depois à direita.

— Como está?

— Perfeito — disse Leo. — Como sempre. Por isso procuro você.

— Fala a verdade. Você vem aqui porque sou barata. E moro na mesma rua que você.

Antes de ir embora, Skig pegou o nome da revendedora dela.

Ele caminhou pesadamente pela calçada, uma mão sob o casaco esportivo ondulante para conter a dor na parte inferior da barriga. Ia tirar seu carro da garagem, seguir para o consultório do charlatão e receber a má notícia que tinha certeza de que o aguardava. Todos aqueles exames na semana passada. Os charlatões gostavam de dizer como ele tinha sorte, que deveria estar morto àquela altura. Sim, claro. Quanta sorte era possível ter?

Skig morava em um posto de gasolina reformado, comprado anos antes como investimento. Ele convertera a área de escritório em alguns quartos habitáveis depois que Jeanette morreu — não conseguia ficar em casa e não sabia por quê. Ou talvez soubesse. Sentir a presença dela ainda era demais para ele, e em outros momentos era simplesmente vazia demais.

Ele atravessou o grande estacionamento de cascalho, seu jardim, tateou em busca da chave e levantou a porta da oficina, coberta de tinta e cheia de bolhas: nenhum auxílio elétrico naquela maravilha, construída antes da maldita enchente. Ele saiu de ré com o Crown Vic para o estacionamento, desceu e baixou a porta grande, trancou-a e depois se acomodou de novo atrás do volante. Seguiu pela avenida Railway a lentos cinco quilômetros abaixo do limite de velocidade, com as janelas abertas para espantar o fedor.

O Crown Vic continuava fedendo depois de cair do cais do porto uma vez, mas Skig não tinha nenhum interesse em substituí-lo. Por que se dar ao trabalho se você estava a uma missa de ser enterrado?, era o que pensava.

O relógio no painel marcava 14h15. Tempo suficiente para aquele breve assunto antes que precisasse chegar ao seu compromisso.

Ele encontrou a revendedora em Robie. Não era um estabelecimento de primeira, mas tampouco um lugar asqueroso demais. A concessionária sustentava um letreiro colossal no teto que dizia HAPPY DAN DUCHEK'S AUTO WORLD, com dois Ds esculpidos, cada um do tamanho de um piano de cauda. Outro letreiro menor dizia NÃO ESTAREMOS FELIZES ATÉ QUE VOCÊ ESTEJA!

— Certo — murmurou Skig enquanto entrava.

Ele passou devagar entre duas fileiras de carros novos reluzentes. Era maior do que parecia da rua. Havia até uma oficina de limpeza nos fundos para entusiastas de carros caros, Happy Dan atendendo a todos os gostos. Skig notou um movimento na fileira ao lado. Uma moça extremamente bonita, com roupas de escritório, gesticulando acaloradamente para um rapaz de calça frouxa que a encarava de volta com um olhar frio.

— Não discuta com ele, querida — avisou Skig, baixinho, procurando um lugar para estacionar.

Havia algo familiar no sujeito.

Ele encontrou Happy Dan no escritório do gerente. Cabelo lustroso. Um sorriso que parecia pregado no rosto. Dan acabara de desembrulhar um sanduíche de atum em cima da mesa e oferecia uma caneca de café à moça extremamente bonita que Skig vira um instante antes. Ela deveria ter entrado discretamente enquanto ele estacionava, e agora estava servindo a Dan uma dose de café puro de um Pyrex fumegante. Dan não parecia muito feliz com ela. Não havia sinal do cara com calça frouxa em lugar algum.

Quando Skig entrou no escritório, Happy Dan encontrou seu olhar, e seu rosto amigável se iluminou em traços animados.

— Boa tarde, senhor. Bem-vindo. Está na hora de um carro novo?

Então ele mostrou os dentes brancos alinhados.

— O nome é Leo Skorzeny — disse Skig com frieza. — Já ouviu falar de mim?

Happy Dan vasculhou a memória. Concentrou-se. Então algo se conectou, e seu sorriso fraquejou. Ele colocou a caneca na mesa.

— Sim, já ouvi falar de você.

— Precisamos conversar.

Em seguida, Leo olhou para a moça bonita até ela captar a dica e sair da sala, com a jarra na mão, deixando um rastro de café queimado.

Happy Dan contornou um arquivo e assumiu uma posição defensiva atrás da mesa.

— Estávamos contando histórias sobre resorts de férias — disse Happy Dan, com um toque nervoso de afabilidade. Gravata de seda. Gel no cabelo como se tivesse sido colocado com uma colher. — Compreenda, acabo de voltar de Aruba, e...

— Vim ver você porque sei que está planejando foder uma boa velhinha, a sra. Eva Kohl, que deve vir aqui mais tarde assinar alguns documentos.

— Sr. Skorzeny, nós não...

— Sente-se — ordenou Skig.

Happy Dan pareceu indeciso por um segundo, depois se sentou. Skig acomodou-se na cadeira de visitantes. Meu Deus, como sua barriga doía.

— A senhora é amiga minha. Quero que seja bem tratada.

— Sr. Skorzeny, garanto a você...

Os ombros de Skig se moveram, suas mãos grandes na mesa pesada, encurralando Happy Dan contra a parede. Dan ficou boquiaberto. Havia descrença em seu rosto.

— Não existe um vendedor de carros vivo que não foderia uma mulher como ela — disse Skig —, e você não tem uma auréola flutuando sobre a cabeça.

Ele observou Happy Dan ficar roxo.

— Eis o que você vai fazer. Vai reduzir o preço de venda sugerido pelo fabricante em 1.500... O reembolso que vai receber cobre isso... E vai dar a ela três, e não dois, pela troca, o que é mais próximo do que o carro vale. Isso dá 4.500, o que serve para diminuir em noventa pratas o pagamento mensal, e você ainda vai se dar bem. E não compense tudo isso com taxas falsas de preparação do carro, como se tivesse polido os espelhos ou algo parecido, ou vou voltar aqui para negociar mais. Está entendendo?

Gotas de suor brilharam na raiz do penteado elegante de Dan. Ele conseguiu mexer a cabeça. Skig o manteve ali por mais alguns segundos, observando o bronzeado de Aruba em busca de sinais de perfídia. Satisfeito por não encontrar nenhum, puxou a mesa de volta para trás e se levantou.

— E garanta que ela receba o seguro GAP gratuito do qual a empresa de leasing gosta que você esqueça — disse Skig, sem olhar para trás, saindo pela porta.

O estacionamento da clínica estava lotado como de costume, a sala de espera repleta de pessoas preocupadas. Mas houvera um cancelamento, e o nome de Skig logo foi chamado. Levado a uma sala do tamanho de um armário grande, ele aguardou até o charlatão entrar. Não era o charlatão habitual. Um especialista. Como a maioria dos especialistas, o sujeito tinha o charme de um patologista forense.

— Apenas me diga — pediu Skig —, ainda vou morrer?

O charlatão se debruçou sobre uma mesa de tamanho infantil, folheando rapidamente alguns gráficos de aparência arcana.

— Todos vamos morrer, sr. Skorzeny.

Patologista e filósofo. Skig cruzou os braços musculosos sobre sua barriga grande, esperando ouvir a má notícia.

Finalmente, o charlatão ergueu os olhos. Meu Deus, como era jovem. Quanto um garoto daquela idade poderia saber sobre doenças do cólon? Muito, julgando pelos cursos, diplomas e certificados emoldurados na parede. Mas Skig não ficou impressionado. Papel era papel.

— Os exames foram inconclusivos — disse o charlatão.

— O quê?

— Os exames fora inconclusivos. Vamos ter que repetir.

— Alguém fez besteira, é o que está dizendo.

— Essa atitude reativa do senhor não vai ajudar em nada.

— Vai ajudar em algo. Você acha que é agradável passar por tudo isso?

— Você está sobrecarregado.

— Não, estou subcarregado. Quando ficar sobrecarregado, você vai saber.

O charlatão não se intimidou. Isso impressionou Skig. Com um distanciamento frio, o jovem insistiu que Skig deixasse outra amostra para o laboratório. O recipiente de isopor era muito parecido com o que o grego na esquina usava para vender seus hambúrgueres de chili.

Quando Skig chegou em casa, havia companhia aguardando por ele. Um carro sem identificação com dois policiais vigilantes, estacionado no jardim, onde ficavam as bombas de gasolina. Na juventude, ele poderia ter passado direto, contornado o quarteirão e refletido sobre como lidaria com aquilo. Agora, apenas entrou e parou bem ao lado deles. O que queriam? Alguém em quem pudessem atirar? "Então me escolham", pensou Skig.

Os dois saltaram do carro lentamente e com determinação, um ar ameaçador pairando sobre eles. Algo que aprenderam na academia: como saltar do veículo com um ar ameaçador. Skig também saltou. Enquanto se empertigava, sentiu uma pontada de dor como a ponta de um saca-rolhas que tivesse engolido por acidente, e se recompôs.

Os policias eram concentrados, profissionalmente intensos. O mais velho se aproximou. Estava ficando gordo, usava um terno largo e começava a ficar grisalho em torno das orelhas. O outro, que dirigira o carro, era mais novo, alto e magro, e estava vestido como se estivesse a caminho de uma entrevista de emprego.

— Vocês estão recolhendo doações para policiais necessitados? — perguntou Leo. — Já dei no escritório.

Era o recipiente que deixara com o charlatão. Ele passou pelos policiais, balançando suas chaves, e destrancou a porta da oficina. Quando a levantou, achou que seu estômago ia explodir e derramar algum órgão importante bem ali no chão. Ele balançou.

— Sr. Skorzeny? — chamou o gordo.

— Você sabe.

— Você está bem?

— Como um produto da melhor qualidade. Bem ao lado das batatas fritas e salgadinhos de queijo.

Os policiais o observaram.

— Temos algumas perguntas. Acha que poderíamos entrar?

— Não.

O policial manteve o olhar firme. Depois, deu de ombros.

— Como quiser. — Ele pegou uma caneta e um bloco de notas no bolso, folheou algumas páginas, ergueu o olhar outra vez. — Conhece um homem chamado Dwight Keevis?

— Não.

— É proprietário de uma concessionária automobilística. Também é conhecido como Dan Duchek. Happy Dan.

— Ah, esse Dwight Keevis.

— Quer dizer que o conhece.

— Não.

O policial apertou o osso do nariz.

— Tudo bem. Vamos lidar com isso de outra maneira. Uma funcionária disse que você passou por lá para ver o sr. Keevis hoje mais cedo, sem aviso. Você não foi comprar um carro e não foi muito amigável. Gostaríamos de saber sobre o que conversaram.

— Você perguntou se eu conhecia o cara. Não conheço. — Skig examinou outra vez os policiais. Uma dupla de imbecis com aspecto obstinado. Teimosos feito mulas. Seria melhor entregar algo a eles. A verdade seria o melhor. — Estive lá por causa de um carro. Me disseram que eu deveria fazer uma troca.

Atrás do policial gordo, o magrelo se debruçou sobre a janela do Vic. Ele fez uma cara azeda.

— Pode ser uma boa ideia. Este carro está fedendo.

— Engraçado — disse Skig. — Cheirava bem até vocês aparecerem.

O rosto do policial magrelo endureceu, e o mais velho o conteve com os olhos. Depois, o mais velho se voltou para Skig.

— A funcionária alega que você ameaçou o sr. Keevis quando saiu do escritório dele hoje.

— Então é por causa disso que estão aqui? Eu disse uma palavra descortês para alguém?

Skig lembrou-se da moça extremamente bonita, seu olhar ácido em enquanto ela trotava para fora da sala.

— Bem — disse o policial. — Quer você tenha dito ou não, sr. Keevis está morto. Morreu com ferimentos a bala na emergência do Queen Elizabeth — ele olhou para o relógio — há quase duas horas.

— Não me diga.

— Digo, sim. E depois do que a funcionária disse, e considerando que você não é exatamente um estranho para nós...

— Temos uma ficha sua do tamanho das páginas amarelas — acrescentou venenosamente o policial magrelo.

— Pensamos — prosseguiu o mais velho, determinado a concluir o pensamento — que seria uma boa ideia vir até aqui e ouvir o que você tem a dizer a respeito.

— E foi o que fizeram. E respondi — disse Skig. — Agora caiam fora.

— Você não vai muito longe com essa atitude.

— Só preciso atravessar aquela porta até minha garrafa de uísque. Se quiserem me prender porque algum trapaceiro tomou um tiro que deveria ter levado há tempos, podem ir em frente. Mas meu médico pode ter algo a dizer sobre isso. E meu advogado vai acabar com vocês.

Skig entrou de volta no Vic, largou a embreagem com o carro engrenado e, sem pisar no acelerador, deixou que o movimento rápido levasse o carro velho e fedorento para dentro.

Na escuridão da cozinha, ele lavou um copo na pia, jogou um pouco de gelo dentro e o encheu de Teacher's. Ele remoeu a notícia da morte de Happy Dan. Não era tão surpreendente assim. O mais provável é que ele tentara ferrar o otário errado, só isso. O otário ficou esperto, tirou um obus de uma caixa de sapato e voltou para a concessionária, determinado a revisar os termos do acordo. O pagamento mensal alto e, é claro, mais alguma outra coisa pequena.

Skig olhou para o relógio. Solly Sweetmore estava atrasado. Se não aparecesse, Skig precisaria ir até ele e esbofeteá-lo uma ou duas vezes para chamar sua atenção.

Ele se sentou na cadeira reclinante surrada — desabou nela, para ser mais preciso. Ligou a televisão, apertou o botão que tirava o som e tomou um gole rápido do copo. O álcool fez o que deveria, ardeu por um instante, depois o acalmou, mas não ajudou sua barriga. Ele pegou duas cápsulas marrons grandes que o charlatão lhe entregara — amostras, dissera ele, tome uma antes das refeições — e as tomou com um gole da bebida.

Então, fechou os olhos.

Quando os abriu novamente, havia sombras na sala, o sol da tarde morrendo rapidamente atrás da janela salpicada com excremento de moscas acima da pia. A luz da televisão silenciosa piscava e dançava nas paredes.

Uma repórter da TV apresentava a imagem de uma locação. O fundo parecia familiar. Skig franziu a testa quando os dois Ds gigantes apareceram na tela — o centro de roubos de Dan Duchek. Era uma gravação feita mais cedo, o sol brilhando ao fundo, onde um cadáver em um saco estava sendo transportado em uma maca. Ele apertou o botão do som. A moça da TV, afastando uma mecha de cabelo lustroso da frente dos olhos, disse:

— ...tudo que a polícia revelou foi que o proprietário desta concessionária no centro da cidade foi morto a tiros em seu escritório por um agressor não identificado. — Skig perguntou-se se Dan ainda estaria sorrindo. — A CTV descobriu que pelo menos uma pessoa foi colocada sob custódia...

A imagem mudou. E, para Skig, o monólogo foi diminuindo conforme uma câmera trêmula dava zoom em uma mulher de cabelo grisalho sendo conduzida para uma viatura. Ela parecia atordoada. Era Eva Kohl.

— Ai, meu Deus — disse Skig.

Ele ligou para o seu advogado, Saul Getz, depois pegou o Vic e foi para a delegacia. Saul estava lá esperando por ele. Um homem magro com olhos pacientes, pensativo, alisando seu cavanhaque branco aparado.

— Conversou com ela? — perguntou Skig.

— Sim, falei com ela. Não a prenderam. Aquela mulher não atiraria nem em um macaco de plástico para ganhar um coco.

— Tem razão. Você a soltou?

— Ah, claro. Mas ela está infeliz. O departamento forense confiscou o carro dela. Parece que Happy Dan estava prestes a entrar com ele na loja quando o atirador apareceu e o matou. Acertou dois tiros e errou um. Uma tremenda sujeira. — Ele sorriu. — Ela está irritada. Diz que se a polícia leva os carros das pessoas, deveria emprestar outros carros. Mandei-a para casa em um táxi.

— Recuperaram a arma? — perguntou Skig.

— Não. Mas acham que pertencia à vítima. Ele guardava uma Smith na mesa, segundo uma funcionária, e os policiais não conseguem encontrá-la em lugar nenhum.

Aquela funcionária prestativa outra vez.

— Mais alguma coisa?

— Um projétil foi recuperado em bom estado. Penetrou no encosto da cabeça. Quando encontrarem a arma, vão fazer os exames balísticos, e vai ser o fim da história.

— É o que acham.

— Eles têm certeza absoluta. Um dos técnicos deu uma olhada rápida. Ele disse que seria causa ganha, no que diz respeito à arma.

— Enquanto isso, Eva não recebe o carro de volta.

— Ah, ainda piora. Quando apareci e comecei a falar em defesa dela, os detetives sacaram muito rapidamente a ligação. Quero dizer, entre mim e você, e depois com Eva. Eles se animaram um pouco. O mais novo sorriu e disse que talvez a trouxessem de volta para mais perguntas.

— Eles estão loucos.

— Parecem um pouco irritados com você, Leo. Você pegou no pé deles ou algo parecido?

Ele contou como passara alguns minutos na concessionária e como o policial gordo e o policial magro o visitaram e o interrogaram depois.

— Comprando um carro novo, Skig? Ei, é uma boa ideia.

— Não comece. Estive na concessionária logo antes do cara ser morto, e, como eu sou eu, eles deram importância demais para isso. — Skig olhou para um policial que passava por eles no corredor — Coloquei os dois para correr.

Saul acariciou o cavanhaque, reflexivo.

— Não, tem mais coisa envolvida. Eles têm aquela testemunha. A funcionária. Não sabemos o que ela viu, ou o que diz que viu. Ela poderia estar acusando você e sua amiga. — Ele inflou as bochechas e balançou a cabeça. — Você também a tratou mal? — Skig não respondeu, então ele acrescentou: — Por que ela acusaria uma senhora agradável como aquela?

— Não sei — disse Leo. — Mas vou descobrir.

Ele acabara de ver a moça extremamente bonita sendo conduzida para fora de uma sala de interrogatório no fim do corredor.

O sol se fora rapidamente. Mechas de nuvens de barriga rosada pairavam baixas ao longe sobre a baía.

Skig estava sentado no Crown Vic com o ventilador ligado e as janelas escancaradas. O carro estava com um cheiro particularmente ruim naquele dia. O lodo no fundo do porto não eram violetas, isso era um fato. Mas, minutos depois, a brisa noturna estava soprando de novo através do carro, à medida que ele seguia os faróis da mulher bonita pela rua Gottingen. Ela dirigia rápido. Dirigia colada ao carro da frente. Tagarelava sem parar no celular.

Ela foi até Clayton Park, seguiu em alta velocidade para o norte pela Dunbrack, depois dobrou em um quarteirão residencial que se estendia do alto da encosta até a bacia. Ela desceu rapidamente a rampa para o estacionamento subterrâneo com o telefone ainda grudado na orelha. Skig encontrou uma vaga externa no estacionamento para visitantes, em um ângulo que permitiria que visse se a luz de algum apartamento acendesse. Ele sabia que tinha uma chance de cerca de 50%, e deu sorte. Décimo andar, quina noroeste.

— Bang — disse Skig.

Ele continuou esperando. Imaginou o celular queimando. Minutos mais tarde, faróis iluminaram o Vic por trás, um carro aproximando-se rapidamente, passando em disparada por ele no estacionamento para visitantes, o alto-falante bombando alguma porcaria irritante de hip-hop. Belo carro. Um Audi amarelo.

— Bum — disse Skig.

Skig conhecia o veículo. Já o vira por aí. Com um carro daquele, daria no mesmo ter um letreiro de neon acima da cabeça apontando setas brilhantes para você. E, ao vê-lo ali, Skig deu-se conta de repente de quem era o garoto na concessionária, aquele com os olhos.

O nome que ele usava era Caesar DeLuca. Era seu nome verdadeiro? Provavelmente, não. Era filipino. Esperto com as moças. O que as garotas viam em caras que pareciam figurantes de *A Noite dos Mortos-Vivos* era algo que Skig nunca descobriria. E DeLuca era mau. Gostava de machucar pessoas. Não era apenas uma parte inevitável de fazer negócios com ele, o cara gostava daquilo. Fora isso, Skig não sabia muito sobre o sujeito e nem queria. Não poderia se importar menos com o que excitava DeLuca, mas isso mudaria rapidamente se o sujeito enfiasse seu focinho de ratazana naquele assunto.

DeLuca andou todo emproado do seu carro até o prédio, correntes de ouro, tatuagens e atitude. Skig considerou armação por enquanto.

Um vendedor de carros morto a tiros. No seu entorno, quatro pessoas: uma senhora gentil e singela, a moça extremamente bonita e o garoto ratazana, Caesar DeLuca. E ele próprio. Qual delas seria mais provável de ter algo a ver com aquilo? Como pelo visto os policiais não sabiam sobre DeLuca, Skig era o número um da lista. Mas ele tinha um álibi com o charlatão. Os policiais já deviam ter descoberto isso. Só restava então a garota — e a senhora mais velha, é claro, segundo o Gordo e o Magro. Eles foram tão sagazes quanto Sherlock.

Obviamente não tinham visto DeLuca fuçando na concessionária mais cedo, mas, por outro lado, tampouco pareciam muito interessados em descobrir sobre ele. Tinham perguntado a Skig se ele vira mais alguém lá? Não. A garota dera a informação de forma voluntária? Skig achava que não.

No alto do prédio, a janela escureceu. Alguém fechara as cortinas. Depois de cerca de meia hora, DeLuca saiu tranquilamente do prédio e partiu cantando pneus em seu carro pulsante de cafetão. Skig saltou do velho Vic, trancou a porta e entrou pela portaria do prédio seguindo um morador e seu cachorro branco peludo.

A porta do apartamento no décimo andar tinha um molho de flores secas pregadas nela e uma placa de cerâmica que dizia RUSSEL. A garota abriu a porta e olhou para ele.

— Meu nome é Leo Skorzeny, srta. Russell — disse Skig. — Lembra-se de mim?

O rosto dela empalideceu de susto, ela começou a fechar a porta, mas ele a impediu com o pé.

— Cansada de falar sobre o que aconteceu hoje com seu chefe?

Aquilo a fez parar. Ela hesitou, encontrou aquele olhar petulante em algum lugar dentro de si, depois recuou e deixou-o entrar. Ela balançou os dedos na direção de uma cadeira e sentou-se de forma afetada no sofá, uma perna dobrada, lábios comprimidos. Skig não gostava da ideia do esforço de sair da poltrona exageradamente estofada na qual ela lhe mandara sentar, então pegou uma cadeira de cozinha e sentou-se com delicadeza. Caramba.

Ela disparou um olhar significativo para um relógio de mesa, bem moderno, de plástico e vidro.

— Você tem cinco minutos.

A voz dela era áspera. Ele não estava esperando por aquilo.

— Aceito. Posso aproveitar todo o tempo que tiver, segundo meu proctologista.

— Está tentando ser grosseiro?

— Estou tentando ser preciso. Você mesma foi bastante precisa quando fez aqueles buracos no seu chefe.

Ela bateu um pé com força no tapete, inclinando-se na direção dele.

— Não ouse insinuar que tive qualquer coisa a ver com isso!

— Não estou insinuando. Estou dizendo. Você atirou nele, com certeza, ou então foi seu namorado. E quando não conseguiu me incriminar, precisou se contentar com a velhinha.

Ela levantou bruscamente.

— Saia daqui!

— Eu poderia fazer isso. E poderia voltar para a rua Gottingen e explicar tudo aos policiais.

Ela ficou ali de pé, respirando fundo, as narinas delicadas fumegando, avaliando suas opções. Então, desabou de novo no sofá e mordeu o lábio. Foi quando ele soube que estava no caminho certo.

— Muito bem — disse ela. — Vamos ouvir sua ideia delirante.

— Tenho duas ou três — disse Skig, ignorando o drama. — Fiquei pensando lá embaixo, dentro do carro. A primeira é que você era íntima de Happy Dan, lustrando os carros dele, só que algo deu errado. Ele viajou para Aruba sem você, divertiu-se sob o sol e, quando voltou, você deu uma bela bronca nele.

— Isso é loucura. Você não sabe de nada. O que faz com que pense que eu não estava com ele?

— Onde está seu bronzeado?

Aquilo a fez parar. Mas só por um instante.

— Dwight era casado. Ele foi para lá com a esposa. Não poderia ter me levado mesmo que quisesse.

— Ah, há maneiras de fazer isso. Mas deixemos isso de lado por enquanto. Este é o delírio número dois: o cara estava dando em cima de você, até que você finalmente perdeu a cabeça e o matou.

— Ah, por favor! — Ela revirou os olhos. — Por que eu faria isso? Eu poderia ter ido embora, se o que você diz fosse verdade. Acha que estou louca?

Skig olhou para ela. Estava se esforçando. Um belo aglomerado de nervos à flor da pele enrolados ali no sofá.

— Não — disse ele. — Não acho isso. Acho que seu namorado tem uma vaga relação com isso de alguma forma. Qual é o papel dele? Ele veio resgatar você?

— Meu namorado? Do que está falando agora?

— O fuinha que acabei de ver saindo daqui.

Ela revirou os olhos outra vez.

— Eu nem tenho namorado. Ninguém saiu daqui.

— Ele esteve neste prédio.

— É um lugar grande.

— É — disse Skig. Ainda não estava pronto para mencionar que os vira discutindo mais cedo sob os dois grandes Ds na loja de Happy. — Onde posso encontrá-lo?

Ela observou Skig por um instante. Mordeu de novo o lábio. Ela realmente não queria falar sobre DeLuca, era óbvio, e, de repente, aconteceu um milagre. O rosto dela ficou doce e iluminado. Do nada.

— Olhe, podemos ser amigos, sabe?

— É claro.

— Não me acha bonitinha?

— Filhotes de cachorro são bonitinhos. Bonecas Kewpie também. Você está entre eles, imagino.

Ela jogou sua bebida em Skig, o copo girando ao lado do ouvido dele, chocando-se nas cortinas pesadas, depois caindo no tapete, milagrosamente intacto. As cortinas não se saíram tão bem, uma grande mancha escorreu por elas. Algumas gotas escureceram a manga de Leo.

Ele levantou-se dolorosamente.

— Foi um prazer conhecer você, srta. Russell.

Ele descobrira duas coisas com aquilo. Número um, ela estava com medo da polícia. Número dois, estava protegendo o garoto ratazana.

Skig abriu os olhos na manhã seguinte e perguntou-se onde é que estava. Descobriu que estava estirado em sua poltrona reclinável. Na noite anterior, depois de tomar três das grandes amostras grátis, caíra na Terra do Nunca como se alguém tivesse lhe golpeado com um macaco. Ele puxou a alavanca da poltrona e explorou as costelas com seus dedos grossos.

Não estava muito ruim naquela manhã. A dor continuava ali, mas estava ganhando tempo. Às vezes, fazia isso. Ia para um seminário sobre como realmente despedaçar as entranhas de um sujeito, depois voltava e praticava nele. A folga seria curta.

Ele tomou uma chuveirada, passou o barbeador no rosto e saiu pela porta sem se dar ao trabalho de comer alguma coisa. Parou em um drive-through para um café, dose dupla de leite, sem açúcar, o qual tomou no Vic na beira do estacionamento. Havia uma promoção. Ganhe uma TV.

Os copos de café tinham a boa notícia escondida no interior. Um garoto na torcida revirando o lixo ao lado da porta em busca de um copo premiado ergueu os olhos quando Skig ofereceu o seu pela janela. Ele aproximou-se desconfiado e pegou o copo.

— Nossa, moço. Você não quer ganhar uma TV de plasma?

Skig ligou o Vic.

— Já tenho uma TV. Mas provavelmente poderia usar o plasma.

Skig dirigiu até a estação de reciclagem depois de Lakeside. Um grande caminhão de lixo Loadmaster rugia em direção ao ponto de descarga, espalhando fumaça de diesel, e havia um monte de carros, motores em ponto morto enquanto pessoas carregavam sacos cheios de latas de cerveja e jornais — sacos cheios de sacos, pelo amor de Deus — para receberem suas quatro ou cinco pratas. Salvem a camada de ozônio. Ele encontrou Solly Sweetmore em seu escritório no segundo andar sob o telhado de lâminas de metal corrugado.

Skig estava acima do peso. Tinha que perder vinte quilos. Mas Solly tinha uma barriga tão colossal que precisava esticar os braços para alcançar a mesa. Seu rosto, marcado por veias estouradas, demonstrou preocupação quando viu quem era o visitante. Ele deixou na mesa a lata de Coca-Cola que estava ninando.

— Você deveria ter vindo ontem — disse Skig, fazendo uma careta. A dor tinha voltado. A escada íngreme o matara.

— Eu sei, Leo, eu sei. — O lixeiro recostou-se, afastando-se da mesa, movendo as mãos sobre ela. — Mas fiquei ocupado. Este lugar é um hospício. Você pode ver...

— Tudo bem por mim, Solly — disse Skig —, se você quiser pagar mais um dia de juros. Vá em frente. Mas me avise na próxima vez, certo? Telefone serve para isso.

— Sobre esse assunto, Skig, escute...

— Não, escute você. É assim que as coisas saem de controle. Você fica pedindo mais tempo, mais tempo, e acaba ficando sem tempo muito rápido. Então preciso pressionar você. Não gosto disso, Solly.

— Eu sei. Eu deveria ter ligado para você, Skig, mas escute...

Um homem magro com um gorro de tricô o interrompeu, enfiando a cabeça pequena e calva pela porta.

— O compactador deu defeito de novo, chefe, aquele verde antigo, então talvez...

Solly explodiu e gritou com ele:

— Pode sair da minha frente?

Ele jogou o refrigerante no homem, e a lata parcialmente cheia atingiu o batente da porta, a Coca-Cola espumando e respingando em um calendário e escorrendo em feixes pelo revestimento barato da parede. A cabeça se retirou.

— Muita gente joga bebidas hoje em dia — disse Skig, balançando a cabeça. — As pessoas precisam relaxar. — Ele deu um tapinha no caderno no bolso da camisa. — Seis e quinhentos, Solly, mais 0,5% por hoje. Pague agora, e vamos dar um fim nisso.

— Mas tenho outras contas.

— Não como a minha.

Solly jogou a cabeça para trás e deu um gemido angustiado. Depois abriu um cofre. Contou 6.500 bem ali, em cima da mesa.

— E o 0,5%, não esqueça — disse Skig. Depois ergueu a mão. — Ou talvez isso sirva. — Ele inclinou-se para a frente. — Conhece um cara chamado Caesar DeLuca? Dirige um carro parecido com um bolo de aniversário. — Cautelosamente, Solly assentiu. Skig disse: — Fale mais sobre ele.

Solly ficou ainda mais estressado, como se fosse possível.

— O que há para dizer? Vejo-o na Argyle, na rua Hollis, às vezes no cassino. Ele é encrenca.

— Que tipo de encrenca?

Quando Skig saiu com o carro 15 minutos depois, tinha seu dinheiro e mais informação sobre Caesar DeLuca do que precisava. O garoto também estava no ramo automotivo. Ele e Happy Dan tinham isso em comum. Ele fazia customizações, só trabalhava com produtos de primeira, um tipo específico de carro, um cliente especial. Ele recebia uma encomenda e não descansava até atendê-la. Depois — Solly foi incerto quanto a esta parte — entregava o carro em Sackville, para um sujeito com um negócio de mudanças de longa distância. O carro era colocado em um caminhão com outras coisas em torno dele, e um dia depois estava em Nova York ou Montreal, a caminho do cliente especial.

Skig perguntara a Solly:

— O garoto ratazana. Onde ele mora?

— Não sei. Ninguém sabe. Ele não fala para ninguém.

— E a tal mercadoria? É sempre uma encomenda especial?

— Provavelmente não. Ele não deixaria de aceitar algo.

Skig pensou por um minuto.

— Envie um recado para ele. Há um Vette antigo, um daqueles Sting Rays, estacionado a noite toda na rua atrás dos Armories. Você não sabe por quê. Mas viu o carro lá, e quer uma comissão por tê-lo encontrado.

Solly balançara o rosto rechonchudo.

— Caramba. Não sei, Leo.

— Faça isso. — Skig ajeitou-se na cadeira. — Faça isso, e estaremos quites quanto aos juros.

— Tudo bem. Mas não gosto disso — disse Solly. — Estou lhe dizendo que o sujeito é maluco.

De volta em casa, Skig ligou para Saul Getz.

— Prenderam ela? Eva Kohl?

— Não, claro que não. O que eles têm contra ela? Mas estão pensando nisso.

— Por quê?

— Algo sobre ela estar correndo risco de cometer suicídio.

— Eles são uns idiotas.

— Concordo. Ela não parece fazer o tipo. Um pouco transtornada, talvez, mas quem não estaria?

— O que aconteceu com o país livre?

— As coisas são relativas, Leo.

— As coisas são uma merda. Olhe, faça o que puder por ela. Se a prenderem, quero você lá com ela.

— Leo, isto está lhe custando dinheiro. E está ficando cada vez mais caro.

— Faça isso. E não mencione meu nome. Se ela pensar que me deve algo, vai ser ruim para a amizade. Isso muda as coisas.

— É, bem, ela está começando a desconfiar.

— Esteja lá para ela. Diga que foi indicado pelo tribunal ou algo do tipo. Invente alguma coisa, você é advogado, pelo amor de Deus.

— Tudo bem, mas vou ter que cobrar de você.

— Então se anime. — Skig fez uma careta. A dor tinha voltado. — Mais uma coisa. Preciso pegar seu Vette emprestado.

Houve um silêncio mortal. Então Saul soltou a respiração.

— Você o quê?

— Sei que é seu brinquedo, que você só o dirige para ir à igreja aos domingos, mas hoje à noite quero que o estacione atrás dos Armories, pegue um táxi para casa e esqueça tudo.

— Não está falando sério.

— Se qualquer coisa acontecer com ele, vou arcar com os custos. Você sabe que vou.

Houve uma breve pausa. Então Saul disse:

— Você está tramando algo.

— Vá ver a sra. Kohl.

Skig passou o resto do dia na clínica. Os malditos exames, tudo de novo. Quando chegou em casa naquela noite, sentia como se fosse uma amostra de algo. Comeu feijão frio direto da lata e engoliu com uísque, ambos itens alimentícios completamente proibidos para ele. Mas que se dane. Então ele programou o despertador — o liquidificador ligado na tomada temporizada do fogão — e se jogou na poltrona reclinável. Ele sonhou que o Gordo e o Magro, vestidos de cirurgiões, estavam debruçados sobre ele, fazendo uma grande incisão na sua barriga, com um sorriso no rosto.

O alarme soava na cozinha, o liquidificador vazio dançava sobre a tampa de metal do fogão como se fosse explodir. Meia-noite.

Skig saiu mancando pela porta.

Ele estacionou a uma rua dos Armories, onde, através da fresta de um terreno desocupado dava para ver o Vette dispendioso de Saul — um fastback 65, azul-nassau. Ele reclinou o banco do Vic até que apenas seus olhos aparecessem acima do painel.

Cochilou algumas vezes, até que algo o acordou. O relógio marcava uma e quinze. Um caminhão de reboque estava dando ré na direção do carro de Saul. Parou, e o garoto ratazana saltou, correntes de ouro brilhando sob a lâmpada de sódio da rua. Ele carregava algo com o braço esticado que, por um segundo, pareceu uma pistola de cano longo. Era uma furadeira sem fio com uma broca de trinta centímetros. O garoto ratazana encostou a broca no para-choque de fibra de vidro e fez um buraco no compartimento do motor do Vette. Um truque antigo. Esgotar a bateria. Desse modo, o alarme não dispararia a menos que houvesse uma bateria reserva.

Não havia. Algo a mencionar para Saul. O sujeito engatou o Vette e partiu, rebocando-o. Tempo decorrido: três minutos. Skig reajustou o banco e foi atrás dele.

O garoto ratazana devia ter lugares para armazenar seus carros, locais onde pudesse deixá-los escondidos por algum tempo. Garagens alugadas aqui e ali, provavelmente. Depois de uma viagem de dez minutos até Spryfield, o reboque parou diante de um velho galpão decrépito. O garoto era bom com o guindaste e com o guincho, e o Vette foi escondido depressa.

A ratazana largou o caminhão — em outra casa escura alguns quarteirões ao sul —, entrou no Audi e saiu da cidade pela estrada Purcell's Cove, o aparelho de som ribombando o tempo todo, após uma boa noite de trabalho concluída. Skig lhe deu espaço, sem querer assustá-lo. Talvez espaço demais. Ele chegou ao topo de uma colina perto de Herring Cove, passou do lugar, e precisou retornar. Por sorte estivera de olho nas pistas em ambos os lados e captou um vislumbre de faróis de freio e tinta amarela.

A ratazana parecia estar bem de vida. Era um chalé moderno de cedro branqueado, com vista para o mar. Precisava de um pouco de cuidado, amor e atenção, mas era bem bonito, de todo modo. Skig foi com o Vic para o alto de uma colina até a horta que vira antes, estacionou no terreno escuro ao lado da estufa, saltou do carro e retornou. Uma caminhada curta, não mais do que uns duzentos metros, mas era uma subida íngreme. A barriga dele não ficou feliz com aquilo.

Na metade do caminho que dava acesso à casa, Skig parou. Havia dois carros ali. O Audi e, na frente, o carro que ele seguira da delegacia na noite anterior. Grunhiu. Era o carro da moça extremamente bonita.

— Nenhum namorado, hein? — disse Skig.

Ele ouviu vozes.

A casa ficava em um pedregulho de granito nada hospitaleiro, engastada na encosta da colina para proporcionar uma vista cinematográfica do mar. Uma varanda larga a circundava. Nos intervalos silenciosos quando as ondas não estavam batendo, vozes vinham do lado voltado para o mar.

Skig subiu três degraus largos até a varanda. Encostadas na casa, havia algumas espreguiçadeiras de aparência resistente e uma caixa térmica de plástico cheia de gelo e cerveja. Skig pegou uma cerveja e sentou-se em um banco. Encostou a lata gelada na lateral do corpo. De onde estava, ouvia melhor as vozes.

— ... eu trouxe a cerveja como você mandou, mas achei que não chegaria aqui tão cedo — disse a voz da garota.

— Eu disse a você duas, duas e meia.

— Sim, mas você nunca chega cedo.

— Qual é a notícia urgente que não podia esperar até amanhã?

Uma onda estourou.

— Um homem veio me ver.

— Que homem?

— O homem que mencionei para os policiais... Você sabe de quem estou falando.

— O cara que ameaçou seu chefe?

— É.

— E o que ele queria?

— Ele me acusou de ter matado Dwight.

Outra pausa na conversa. O sujeito estava deliberando. Abaixo da casa, uma onda grande estourou ruidosamente. Skig sentia o cheiro do sal.

— Deixe-me adivinhar. Ele acha que pode chantagear você.

— Não. Isso é o mais curioso. Ele só fez essas acusações malucas, depois foi embora. Pensei sobre isso o dia inteiro e decidi que era melhor contar a você.

— Isso foi ontem?

— Foi. À noite. Logo depois que você foi embora. — Ela hesitou. — Eu acho... — Sua voz foi se perdendo.

— Você acha o quê?

— Acho que ele sabe alguma coisa sobre você. Quero dizer, ele me perguntou onde poderia encontrar você, e... Pare com isso! Está me machucando!

— Você esperou esse tempo todo para me contar?

— Me solte!

Houve um briga, um tapa abafado.

Skig virou a cerveja. Depois levantou-se. Foi até a frente da casa e o viu ali, o garoto ratazana, olhando de cima para a garota. Ela estava agachada na varanda, apoiada no parapeito, uma das mãos no rosto.

O sujeito deve ter visto os olhos dela se movendo. Então deu meia-volta, surpreso.

— Meu nome é Leo Skorzeny — disse Skig. — Já ouviu falar de mim?

— De onde você veio?

— Já ouviu falar de mim?

— Já, já ouvi sobre você. Uma espécie de agiota. Já ouviu falar de mim?

— Já. Uma espécie de ratazana. — Skig olhou para a garota. Um inchaço vermelho estava se formando em um lado do seu rosto. O nariz dela sangrava. Seus olhos se voltaram para a ratazana, e ele balançou a cabeça. — Qual é o seu problema?

Os olhos mortos se estreitaram, e Skig seguiu a rápida mudança de direção deles para uma pilha de madeira cortada perto da porta. Aquele sujeito estava pensando numa arma. Numa machadinha, talvez.

— Nem pense nisso — disse Skig. — A menos que queira ganhar um acessório novo. Caminhar por aí com ela despontando de você, feito um piercing novo.

— Que grosseria.

— É a quilometragem — disse Skig. — Quer ouvir o que sei? — Ele terminou a cerveja e colocou cuidadosamente a lata no parapeito. — Happy tinha aquela oficina de limpeza de carros nos fundos do estacionamento. Pelo que imagino, se alguém investigar os registros ali, vai descobrir quem é dono do quê na cidade. Todas as coisas boas. Os melhores carros. Carros que não se vê muito na rua. Praticamente um catálogo para alguém como você.

— E daí?

— Você procurou a srta. Russell aqui para poder meter o nariz nos registros. — A garota estava se levantando. A compreensão começou a aparecer em seu rosto, olhos saltando de Skig para o garoto ratazana. — Em pouco tempo, os clientes de Happy Dan perdem um ou dois carros. Talvez vários. Happy Dan está coçando a cabeça. Então, um dia, encontra você revirando os registros dele, seu focinho de rato se contorcendo, e acusa você. Ou não, o mais provável é que a garota tenha feito isso. Ele diz que vai chamar a polícia. Isso não é bom para os negócios.

Os olhos mortos não vacilaram.

— Há uma gritaria. Mais algumas ameaças. Ele precisa sair para começar a processar o negócio com a velhinha, e a garota liga para você, em pânico. Você também entra em pânico. Ela diz onde fica a arma, ou já lhe contou antes. Você volta em um minuto, e a usa para fazer uns buracos bem grandes no cara.

A ratazana aproximou-se da pilha de madeira. Um carro partiu atrás da casa. Skig procurou de novo pela garota, mas ela sumira. Ele deu de ombros.

— O que você vai fazer? Acho que a garota tem a solução. Ela lembra que dei uma dura no chefe dela, e está pensando... Alguma ideia maluca surge na cabeça dela... Que pode me incriminar. É arriscado, mas é tudo que vocês têm. Mas acontece que tenho um álibi. Além disso, há a arma. Você também pisou na bola com ela. Seria improvável que eu matasse alguém com a própria arma. Não é o meu estilo. E, sendo um ladrão, é realmente difícil abrir mão de uma Smith em perfeito estado. Aposto que ainda está com ela. A arma liga você ao crime.

Àquela altura, DeLuca percorrera metade da varanda e saltou na direção da porta aberta. Skig se apressou para bloqueá-lo. Ele viu o que DeLuca queria pegar — não na pilha de madeira, mas outra coisa, sua mão entrando rapidamente na sala e saindo com a pistola. Devia estar no balcão da cozinha.

Skig bateu a base do punho no braço da ratazana com tanta força que ouviu algo estalar, e o garoto ratazana gritou. A arma caiu ruidosamente nas tábuas de madeira. O joelho ossudo da ratazana se levantou, e uma dor enorme explodiu na barriga de Skig, que cambaleou para trás, a mão esquerda agarrando a camisa da ratazana, puxando-a com ele quando o joelho subiu de novo. Uma onda de náusea. Skig estava caindo. Ele agarrou parte da calça larga da ratazana com as mãos e empurrou, fazendo força com os ombros. O impacto subiu por toda a sua espinha quando seu traseiro bateu no chão da varanda, e ele ficou sentado ali por um instante, atordoado, as pernas gordas esticadas, uma mão pressionada na lateral do corpo. Mas havia algo de bom. O garoto ratazana se fora. Um mergulho de cabeça no parapeito, vinte metros de queda até as rochas e as ondas que quebravam.

Bum.

Depois de algum tempo, Skig levantou-se e colocou a arma de volta no balcão da cozinha, tomando cuidado ao tocá-la.

— Você vai ficar bem? — perguntou Skig à sra. Kohl.

— Vou ficar ótima, sr. Skorzeny. Pode ir para sua consulta com o médico.

— Ele pode esperar. Estou mais preocupado com você. Se algo acontecer, quem vai cortar meu cabelo?

Skig ajudou-a a se acomodar em uma cadeira de balanço. Ela ergueu os olhos e sorriu para ele.

— Aquele sr. Getz é um homem muito bom. Ele me ajudou bastante. Fiquei aliviada quando me contou que a polícia descobriu quem matou o sr. Duchek. Ele também era um homem bom. — Depois, ela franziu a testa. — Mas o sr. Getz não está muito feliz com você. Alguma coisa sobre um carro...

— Pode ser.

— Carros causam muitos problemas.

— Para algumas pessoas.

— Amanhã vou sair de novo para ver se consigo fazer um leasing.

Skig ficou em silêncio por um momento, depois disse:

— Quer companhia dessa vez?

Uma risada feliz.

— Você tem medo de que eu seja enganada. Homens se dão melhor em concessionárias do que mulheres, é isso?

— Deixe-me pensar sobre isso... — disse Skig.

BOUDIN NOIR

R.T. LAWTON

Depois de trabalhar como um agente infiltrado para a DEA durante 25 anos, Robert Thomas Lawton (1943-) dedicou-se a escrever contos de mistério em cinco séries diferentes, produzindo mais de cem histórias para a *Alfred Hitchcock's Mystery Magazine*, *Easyriders*, *Outlaw Biker* e outras revistas e antologias.

Uma série de mistérios históricos apresenta um comerciante armênio que soluciona crimes situados em uma região perigosa da Rússia tsarista, outra se passa na França de Luís XIV com o líder desprezível (autoproclamado "rei") do submundo criminoso de Paris, e outra sequência de histórias apresenta a Agência de Fianças Irmãos Gêmeos, que só aceita clientes especiais que devem fornecer garantias muito valiosas, apesar de talvez não serem legais. Por mais estranho que seja, seus clientes parecem incomumente propensos a sofrerem acidentes e é raro reclamarem seus bens.

Sobre seu uso de iniciais na autoria de suas obras, o autor conta a seguinte história: "Tendo sido batizado em homenagem aos meus dois avós, o R é de Robert e o T é de Thomas. Comecei a usar as iniciais décadas atrás, enquanto trabalhava com forças-tarefas antidrogas estatais e federais, e cada unidade tinha o próprio número para chamadas de rádio, o que era muito confuso, então usávamos nossos primeiros nomes para os sinais de chamadas de rádio. Mas havia muitos Roberts e Bobs. O agente encarregado do caso informava pelo rádio que o bandido estava saindo da casa e que Bob deveria segui-lo. Naquele instante, todos os carros de vigilância partiam. Portanto, tornei-me R. T."

"Boudin Noir" foi publicado pela primeira vez na edição de dezembro de 2009 da *Alfred Hitchcock's Mystery Magazine*.

BOUDIN NOIR

R.T. LAWTON

Eu amara Josette desde a primeira vez que ela me mostrara como roubar os bolsos de um mercador gordo nas ruas movimentadas de Paris. E, sem dúvida, ela teria me amado também, se não fosse por aquele maldito Chevalier, a quem chamávamos de Remy. Ele era um ladrão, um trapaceiro e um almofadinha bem-vestido, que não tinha nenhum direito de me privar do afeto dela. Não importava que ela tivesse 19 anos na época, e eu fosse alguns anos mais novo. Jurei que algum dia eu acabaria com Remy por ter roubado meus sonhos. Eu encontraria uma maneira de virar a mesa naquele filho decaído da nobreza e veria o que ele acharia daquilo. Então meu sono seria muito mais tranquilo. Ou, pelo menos, sem as interrupções constantes dele.

— Garoto, você está sendo procurado.

Ah, aquela voz outra vez. O próprio diabo me chama do meu sono. Sem dúvida, tem novos tormentos a infligir na minha jovem vida. Pensei em fingir dormir mais tempo, mas isso nunca parece funcionar. Melhor responder e acabar logo com aquilo.

— Deixe-me em paz. Ainda nem amanheceu direito.

— Amanheceu? O sol já passou do meio-dia. Levante-se.

Logo senti a ponta da bota de couro de Remy me cutucando através de um buraco na minha camisa, cutucando minhas costelas nuas enquanto continuava com sua tirada.

— O rei Jules exige sua presença.

Rei Jules, diz ele, como se este segundo diabo na minha vida fosse o governante ungido da França e seus territórios. Até o menos importante de nós sabia que aquele suposto rei não era nada além de um tirano nato que achara adequado coroar a si mesmo com um título pomposo. No máximo, ele governava nosso submundo variado de ladrões, mendigos, falsificadores e prostitutas, e o fazia através do medo da sua ira pessoal. Isso e sua guarda pessoal sombria de ladrões e assassinos de rostos escuros usada para impor suas ordens. Todas as almas ao alcance dele pagavam dízimos das moedas que cada um conseguia arduamente, de um jeito ou de outro, separar dos cidadãos incautos de Paris. Parecia que a bússola do feudo de Jules se estendia das antigas ruínas romanas no topo de Buttes Chaumont até o rio Sena, atravessando as pontes e penetrando nas profundezas dos becos sombrios de Paris. Ainda assim, Jules não era um rei de sangue real como nosso jovem Luís XIV, nosso Roi Soleil, nosso verdadeiro Rei Sol.

Para evitar outra cutucada nas costelas, abri um dos olhos e olhei para Remy, mas meu atormentador não desistia tão facilmente.

— O que, pergunto-me — refletiu ele em voz alta —, Jules poderia querer com um órfão batedor de carteiras? Especialmente um que é tão...

— Pago minha cota na hora do dízimo — interrompi-o depressa —, assim como todo mundo.

— ... tão incompetente — concluiu ele. — Um que mal se formou na Escola da Mamãe Margaux para Órfãos Batedores de Carteiras. Suspeito que mamãe tenha expulsado você para não ficar ainda mais constrangida com sua falta de talento.

— Posso roubar um bolso tão bem quanto qualquer outro.

O Chevalier coçou o queixo.

— O fato de você acreditar nisso me incomoda.

Ele balançou lentamente a cabeça, depois saiu pela porta aberta da nossa choupana, uma estrutura simples consistindo de nada mais do que três paredes remanescentes de um pequeno armazém em um dos anexos do casarão. Um pedaço de lona oleada estendida no alto servia para nos proteger da chuva e um pouco do vento. Assim que atravessou a porta de escombros, o Chevalier parou por tempo suficiente para proferir suas últimas palavras:

— Demore por sua conta e risco, garoto. Jules não tolera atrasos em seus planos grandiosos, e parece que você vai ter uma participação no mais recente.

Depois, deu meia-volta e se foi.

— Não tenho medo de Jules — retruquei enquanto jogava uma pedra nas costas do Chevalier, mas aquele almofadinha enxerido já estava fora de alcance. Não fazia ideia da sorte que tinha. Chega dele.

Agora que eu estava totalmente desperto, sem chance de voltar a dormir, a dor da fome começou a corroer minha barriga. Erguendo-me até ficar sentado, revirei um saco de couro que deixava amarrado na cintura. Escondido em algum lugar no saco, junto com todos os outros pequenos objetos valiosos para mim, havia um pedaço embrulhado de chouriço recém-libertado de um trabalhador comum que obviamente pretendera incluí-lo na refeição do meio-dia de ontem. Se o homem vigiasse melhor suas posses, sem dúvida ainda seria dele. Claro que, pensando em retrospecto sobre o incidente, o cheiro que emanava da lancheira do homem devia ter me avisado que a vítima passava os dias trabalhando nos esgotos intermináveis de Paris. Eu teria sido mais bem servido se encontrasse uma vítima com um trabalho menos cheiroso e um almoço mais decente.

Preparando-me para meu desjejum matinal, quase mordi com força aquela iguaria de carne quando seu aroma ligeiramente estranho fez cócegas nas minhas narinas. Segurei a salsicha mais perto do nariz e a cheirei. A cheirada rápida avisou que eu esperara tempo demais no calor outonal. A carne estava estragando aos poucos. Ainda assim, eu estava muito faminto, e minha próxima refeição poderia estar muito distante. Cheirei de novo. Não, não estava nada boa. Meu apetite acabou. Embrulhando o chouriço de novo no pedaço de pano, coloquei de volta no meu saco de couro. Na pior das hipóteses, eu descobriria um jeito de enfiar sorrateiramente a salsicha estragada na sopa noturna do Chevalier e o deixaria passar mal por uns dois dias. Seria bem-feito para ele por todo o incômodo que me causava.

Ainda planejando maneiras de ficar quites com Remy, saí para o jardim cercado onde Jules costumava reunir sua corte particular. E, ali, sua majestade matava tempo no trono, uma cadeira de madeira com encosto alto que já vira dias melhores. Seu assento acolchoado de tecido que um dia fora caro agora estava esfarrapado e desbotado. O estofamento saía desajeitadamente pelos buracos do tecido. Ainda assim, Jules estava sentado com a perna esquerda em cima de um braço da cadeira decrépita como se o mundo inteiro pertencesse a ele. Um cálice de vinho pendia dos dedos da sua mão direita.

— Estou aqui, como solicitado — falei com pouco esforço para conter meu sarcasmo. Minha mesura resultante foi muito exagerada.

Os olhos de Jules se estreitaram. Ele parecia me estudar com atenção. Tive medo de ter ido longe demais dessa vez, mas depois, gradualmente, seu rosto se enrugou em um sorriso, e presumi que estava seguro, no fim das contas. Sorri de volta.

— Foi bom ter vindo tão rápido — disse Jules. — Tenho um trabalho muito importante para você.

Um trabalho importante. Ah, sim, mais do que qualquer um, Jules tinha uma grande admiração pelo meu talento de mão leve.

— O que quer que eu faça?

Jules gesticulou para que eu me aproximasse e baixou a voz:

— Recebi uma informação confiável de que a abadessa do convento beneditino está em posse de uma bolsa de moedas de ouro.

— Entendo — respondi, mas na verdade não fazia a menor ideia do que ele tinha em mente, apenas que desejava separar de alguma forma a abadessa de seu ouro e que eu deveria desempenhar algum papel nisso.

— A abadessa — continuou ele — tem negócios a tratar na cidade. Por isso, ela vai caminhar por certa rua esta tarde. Quando faz isso, ela sempre toma cuidado de deixar que poucos homens, além do ostiário do monastério, se aproximem dela.

Jules fez uma pausa e pareceu estar tomando uma decisão importante.

— O que preciso é de um garoto novo, alguém de aparência inocente, mas que tenha as habilidades apropriadas para aliviá-la da bolsa. — Ele estendeu as mãos como se fosse me abraçar. — Sem o conhecimento dela, é claro.

Houve um longo momento de silêncio entre nós. Os olhos dele estavam fixos nos meus, com expectativa.

Ah.

De repente, dei-me conta de que aquela era a oportunidade de provar meu valor a todos da nossa pequena comunidade. Preenchi rapidamente o silêncio.

— Não vou decepcionar.

Jules sorriu outra vez, mas devo admitir que aquelas contorções dos seus músculos faciais sempre davam um aspecto cruel à sua expressão. Fiquei tentado a comentar esse aspecto da sua aparência, mas ele pode ficar muito sensível às vezes com o mais inocente comentário, e eu não queria perder a possibilidade de ganhar algumas moedas de ouro.

— Sei que não vai me decepcionar — respondeu ele. — E como pagamento pelo trabalho, poderá ficar com um quarto de tudo que conseguir da abadessa.

— Metade é uma quantia melhor — barganhei.

Jules ergueu a mão direita, com a palma voltada para a frente, e dobrou os dedos. Imediatamente, Sallambier, um homem gigantesco, surgiu de um canto próximo e se posicionou à direita do trono de Jules. O nariz amassado do sujeito parecia ter colidido com a ponta afiada de um paralelepípedo. Diziam que Sallambier perdera o olfato depois daquilo. Não me importava, ele era só mais um dos assassinos do Rei Jules. Eu não tinha nada a tratar com aquele homem.

— Um terço para você por seus serviços — concluiu Jules, enquanto observava minha reação — e nada mais.

De pé em silêncio ao lado de Jules, Sallambier retirou uma faca comprida do cinto de couro, usando a lâmina danificada para cortar pedaços da grande maçã vermelha que segurava com a outra mão, e depois enfiou os pedaços em sua boca. Nenhuma emoção transparecia em seu rosto cheio de cicatrizes, mas seus olhos pareciam pairar nos arredores do meu pescoço exposto.

Rá. O significado daquele olhar foi muito claro para mim. Até eu sabia que a minha parte da barganha chegara ao fim.

— Fechado — falei, deduzindo que já conseguira mais do que imaginava quando o dia começara.

— Então estamos de acordo. Sallambier vai levar você até um lugar propício na rota da abadessa. Tudo que você precisa fazer é pegar a bolsa dela e trazê-la para mim.

— E depois vamos dividir as moedas?

— É claro.

Aguardei para ver se havia mais alguma coisa, mas minha audiência com o Rei Jules evidentemente chegara ao fim. Se bem que reparei nele torcendo o nariz de vez em quando e olhando ao redor como se houvesse algum cheiro fraco no vento.

Sallambier agarrou meu cotovelo e conduziu-me para a trilha de terra que descia de Buttes Chamont, passando por pedreiras antigas até o terreno inferior. Aqueles poços abertos e túneis subterrâneos do período romano eram utilizados como poços de lixo pelos cidadãos de Paris. Um lugar para lixo e párias humanos. Um local de esconderijo para desertores do Exército. Soltei meu cotovelo da mão de Sallambier e passei a segui-lo. Ele olhou duas vezes para trás por cima do ombro para ter certeza de que eu continuava logo atrás.

Depois de uma longa caminhada, atravessamos uma ponte de pedra sobre o rio Sena e passamos pelas grandes correntes que seriam estendidas para fechar a rua pelos vigias noturnos quando desse a hora do toque de recolher. Penetrando mais profundamente na cidade, onde fomos essencialmente ignorados pelos grupos de fazendeiros, esposas e comerciantes cuidando dos seus afazeres diários, chegamos a uma casa próxima de um prédio onde a abadessa tinha negócios a tratar. Ali, aguardamos em uma porta protegida do sol pelo segundo andar do prédio, logo acima de nós. Cidadãos lotavam as ruas, abrindo caminho para um pastor que conduzia ovelhas para o mercado, e outra vez para uma fila de condenados acorrentados empurrados por guardas sérios. Desviamos nossos rostos dos condenados para evitar que algum deles gritasse por nós ao nos reconhecer e arruinasse o plano. A passagem deles revirou meu estômago.

As horas se arrastavam. Aos poucos fui ficando entediado e comecei a cochilar no calor outonal, quando Sallambier, de repente, esticou o braço e deu um peteleco na minha orelha com o indicador.

Comecei a gritar em protesto, mas entendi o aviso no rosto dele. Apontou para as portas do prédio no outro lado da rua. Meu olhar se voltou para a abadessa e o ostiário descendo para as pedras do pavimento e seguindo na nossa direção. Aguardamos até que tivessem passado. Depois, rapidamente, saímos da porta e assumimos nossas posições, eu atrás da abadessa gorducha, enquanto meu guardião recém-indicado, o grandão com nariz amassado, aproximava-se do ostiário idoso.

— Agora — sussurrou Sallambier com sua voz rouca que parecia ser usada raramente.

— Em um minuto — murmurei de volta.

Respirei fundo e preparei-me para encarar o desafio.

— Agora — sussurrou ele outra vez.

— Ainda não — respondi.

Tudo teria corrido bem nos dois minutos seguintes, mas Sallambier me empurrou para a frente antes que eu estivesse pronto. Minha mão direita mal começara a tentar alcançar a bolsa na cintura dela quando o empurrão abrupto por trás fez meu antebraço esquerdo se chocar com a sua coxa direita gorda.

Ela guinchou de nojo e se virou na minha direção.

Minha mão direita já estava em volta da bolsa, mas o giro repentino da mulher na minha direção esticou os cordões da bolsa em seu cinto, e ela sentiu o puxão na cintura. Agarrou rapidamente minha mão direita com ambas as mãos, segurando com todo o fervor de uma mulher se afogando. Depois encheu os pulmões e gritou.

O som agudo estourou meus tímpanos.

Fazendeiros e donas de casa, todos os transeuntes de Paris, interromperam suas atividades para ver o que causava tamanha comoção.

Eu me esforcei para me libertar.

O ostiário apressou-se a ajudar a patroa, mas alguém na multidão empurrou o velho, derrubando-o na rua. Foi quando vi Sallambier se aproximando para ajudar educadamente o ostiário a se levantar das pedras do pavimento, limpando-o e pedindo desculpas por qualquer infortúnio. O velho tentou várias vezes se soltar das mãos solícitas de Sallambier, mas só conseguiu esbarrar de leve com as pontas dos dedos no ombro esquerdo da abadessa.

Com esse novo toque em seu corpo, a abadessa parou, surpresa, virou a cabeça na direção oposta a mim e respirou fundo outra vez.

Não esperei pelo segundo grito. Aproveitando a distração, torci o braço e soltei a mão das garras da abadessa. De alguma maneira, em meio a toda a confusão, ela continuou segurando sua preciosa bolsa, ainda amarrada ao cinto. Sem me importar com nada, corri desesperado até Buttes Chamont.

Finalmente, de volta em segurança ao casarão em ruínas, agachei-me na nossa choupana e desabei na cama, ofegante. O suor escorria pelo meu rosto quente.

O que fazer agora? Eu escapara de um problema e agora enfrentava outro. O que poderia dizer ao Rei Jules? Eu obviamente o decepcionara. Nada de bolsa para ser dividida em duas partes, ainda que minha cota fosse de apenas um terço. Claro que se eu tivesse pegado a bolsa como planejado, poderia ter reduzido um pouco o conteúdo antes de entregá-la a Jules para a divisão combinada. Mas agora não havia nenhuma chance de fazer aquilo.

Era óbvio que toda aquela confusão que me fez ser pego no ato foi culpa de Sallambier, mas como a intervenção dele com o ostiário me permitira escapar da abadessa, eu precisava ser cauteloso ao culpá-lo. Ele poderia interpretar mal, além de saber que Jules ficaria do lado dele. Não, não, eu precisaria inventar uma história muito boa para Jules, verossímil.

Duas horas depois, eu ainda estava polindo os detalhes da minha desculpa e me perguntando se talvez simplesmente seria melhor me esconder nas pedreiras por vários dias, quando alguém entrou em silêncio na choupana.

— Você teve sorte de escapar.

Reconheci logo a voz de Chevalier atrás de mim e tentei não me retrair.

— Foi porque Sallambier impediu o ostiário de me alcançar — murmurei. — Do contrário, eu estaria na prisão, com certeza.

— Quer dizer que aquele assassino com cara de gárgula agora é seu herói? — perguntou Remy com seu jeito de sabe-tudo.

— Não falei que gostava dele, só que me ajudou a escapar de uma situação desagradável. Diferentemente de outros que fingem ser meus amigos e depois agem de outra maneira quando surge algum problema.

— Ah, ele ajudou você, com certeza.

Percebi um leve sarcasmo.

— Como você poderia saber?

Remy se sentou na outra ponta da cama e se virou para mim.

— Fiquei curioso quanto ao interesse repentino de Jules nas suas habilidades de batedor de carteiras, então segui você e o assassino de Jules até a cidade.

— Não vi você lá.

— Então pode dizer que fiz bem meu trabalho. De todo modo, vi Sallambier empurrar você de propósito em cima da abadessa.

— Ele calculou mal o tempo certo — admiti abertamente, mas depois fiz uma pausa para considerar a declaração de Remy. Aquela era uma reviravolta boa, porque agora eu tinha o Chevalier como testemunha para confirmar minha desculpa para Jules. Continuei minha narrativa: — Mas depois você também viu Sallambier me ajudar, detendo o ostiário.

— Não, garoto, o assassino fez exatamente o que Jules sem dúvida o instruiu a fazer.

— Como assim? Jules não deu nenhuma instrução desse tipo para o homem na minha presença.

— Tenho certeza de que não, mas quando Sallambier ajudou o ostiário a se levantar na rua e tirou a poeira da roupa dele, estava na verdade ocupado tirando moldes de cera das chaves penduradas na cintura do homem. Você, meu amigo, deveria ter sido pego, uma distração para permitir que Sallambier fizesse exatamente o que Jules pretendia. Caso fosse necessário, você era dispensável.

— O quê?

— Isso mesmo, portanto contemplei qual propósito Jules teria para as chaves do monastério beneditino.

Meus sentimentos ainda estavam envolvidos na traição de ter sido feito de bobo. No entanto, as palavras de Chevalier explicavam por que a bolsa da abadessa parecera mais leve do que Jules me fizera acreditar. Isso significava que Jules tinha mentido. Ele não acreditava realmente nos meus talentos de batedor de carteiras. Ah, ele e aquela monstruosidade de nariz amassado pagariam por sua trapaça assim que eu encontrasse um jeito de me vingar. Mas, nesse meio-tempo, não consegui evitar a curiosidade quanto às chaves.

— E o que você decidiu em relação a esse propósito? — indaguei.

Remy abriu seu sorriso arrogante. Se ao menos ele soubesse o quanto eu odiava aquela sua postura de quem tem um conhecimento superior.

— O ostiário sempre carrega consigo pelo menos duas chaves principais, uma do próprio monastério, enquanto dizem que a segunda chave abre a porta da escada que desce do interior da igreja Val-de-Grâce.

— Uma escada que desce sob a igreja? — Aquilo era novidade. Fiz o sinal da cruz. — Quer dizer que desce para as chamas eternas que aguardam os hereges e pecadores?

Por garantia, repeti o gesto.

Remy riu.

— Algumas pessoas diriam que é uma escada que leva ao pecado, mas a maioria, como eu, acha que é apenas uma fonte de prazeres muito mundanos.

Fiquei confuso.

— O que tem no final da escada?

— Nunca ouviu os boatos no mercado, garoto? Talvez seja novo demais, e agora esse é um assunto do passado.

O Chevalier podia ser exasperante em momentos como aquele.

— Me conte logo.

— Muito bem. Depois que nosso Rei Sol nasceu, sua mãe, anteriormente estéril, prometeu às freiras beneditinas que construiria uma igreja para elas como agradecimento. Mas havia um problema.

— Que tipo de problema?

— Quando o arquiteto original, François Mansart, iniciou a fundação de Val-de-Grâce, ele descobriu um grande vazio sob o solo.

— Um vazio como os abismos do inferno? — tentei outra vez.

— Não, esse vazio era parte da rede de túneis das antigas pedreiras romanas. Que lugar seria melhor para os monges beneditinos esconderem suas bebidas alcoólicas com conhaque, açúcar e ervas aromáticas? Portanto, os monges construíram uma escadaria que levava da igreja para o túnel. A segunda chave, supostamente, abre a porta da escada. Meu palpite é que Jules planeja roubar a bebida beneditina depois que Sallambier descobrir onde está escondida.

Assenti, compreendendo, mas não tinha ideia de como tirar vantagem daquela informação.

Remy se levantou para partir. Tive a impressão de que estava com pressa.

— Aonde você vai?

— Ficar de olho em Sallambier enquanto ele faz as chaves falsas a partir dos moldes de cera. Quando ele tiver quase terminado, partirei antes dele e me esconderei na igreja para ver se minhas suposições estão corretas.

Levantei-me da cama e fui até a porta.

— Também vou.

Remy bloqueou meu caminho e balançou severamente a cabeça.

— Não, garoto, você já se meteu em confusão suficiente por hoje. Fique aqui e mantenha distância de Jules.

Sentei-me de novo e fiz o papel de relutante, mas obediente. Deixe Remy pensar o que quiser. Da minha parte, a relutância era real.

Com mais um aviso para ficar longe dele, o Chevalier me deixou.

Obviamente esperei até ele sumir de vista. Se ele ao menos soubesse que eu jamais me obrigaria a obedecer às suas exigências. Ele não tinha nenhum direito sobre mim.

Meus pés logo encontraram o caminho de terra para o Vale da Graça. Raciocinei que, se fosse agora para a igreja Val-de-Grâce, estaria bem escondido antes que Sallambier ou Remy chegassem. E, como é preciso alimentar tanto o estômago quanto a alma, no caminho arranjei uma casca de pão desguardada, duas cenouras mirradas e um pedaço de queijo muito cheiroso para o jantar. Quando a dona de voz aguda deles acabou de discutir com o marido, duvidei se ele teria apetite para comê-los.

Na igreja, a porta estava entreaberta sem ninguém em vista, tanto dentro quanto fora. Agora o problema era encontrar um esconderijo, um que Remy provavelmente não usasse. Quanto a Sallambier, era possível que estivesse ocupado fazendo uma chave para a porta da escadaria. Ele viria quando a igreja estivesse trancada e vazia, presumindo que trancavam as gigantescas portas da frente à noite. Meus conhecimentos deste e de outros fatos sobre o real funcionamento da igreja eram, infelizmente, escassos. Senti uma pontada de remorso por não ter vindo aqui mais vezes pelo bem da minha alma, da minha salvação. Mas, depois de devorar o pão e o queijo, a sensação logo me deixou em paz.

Ao ouvir o som de couro arrastando na pedra, olhei depressa ao redor. Alguém estava chegando, e eu ainda não encontrara um bom esconderijo. Joguei-me no chão e me arrastei para a frente sob um dos bancos de madeira usados pelos ricos. Os passos continuaram se aproximando pela coxia. Houve uma pausa, depois ouvi a madeira ranger em algum banco à frente do meu esconderijo. Um pecador, sem dúvida, estalando seu rosário em busca de redenção. Contudo, pelo jeito que ele fungava alto, presumi que também estava resfriado e rezava por uma saúde melhor. Pelo tempo que passou ajoelhado, devia ter muitos pecados. Antes que sua lista de preocupações com o Todo-Poderoso fosse concluída, dormi no chão de pedra.

Eu poderia ter dormido até a missa matinal, mas um vento frio nas minhas costas e o rangido rouco das dobradiças da porta se abrindo e depois se fechando me acordaram. Com exceção do tremular das velas enfileiradas ao longo das paredes, a luz no interior tinha um fraco tom acinzentado. Ainda assim, era boa o suficiente para que eu visse as botas surradas de um homem enquanto ele avançava pela coxia e cruzava a parte da frente do altar sem se ajoelhar uma única vez, como alguém me disse certa vez que você deve fazer em um lugar como esse. Depois ele se dirigiu até uma porta no vestíbulo atrás do altar.

Só podia ser Sallambier. Levantei a cabeça acima do banco de madeira e espiei, mas o homem já destrancara a porta e descera. Por precaução, aguardei para ver se alguém o seguia. Não houve nenhum outro movimento na igreja. Os planos de Remy deviam ter dado errado, a menos que já estivesse adiantado em relação a mim e houvesse descido a escadaria.

A porta entreaberta me chamava.

Muito sorrateiramente, saí do esconderijo e rastejei até o topo da escadaria. Lá de baixo, no túnel, subiam sons baixos e o brilho amarelado de uma tocha desaparecendo em um corredor de pedra. Eu deveria me apressar, ou seria deixado para trás na escuridão eterna. Meus pés desceram correndo a escada.

Chegando ao chão do porão, segui depressa até a primeira bifurcação do túnel. Estava escuro à minha frente e escuro à direita. Encostei o corpo na parede esquerda e espiei em torno daquele canto. O homem com a tocha parara em outra interseção e estava usando um pedaço de giz para marcar uma das paredes. Depois que terminou, esperei enquanto o observava caminhar em frente. Antes que eu o pudesse seguir, ele voltou para a interseção e apagou a marca de giz que fizera. Em seguida, se virou e desenhou uma seta branca em outra parede.

"Ah", falei para mim mesmo, "ele deve ter chegado a um beco sem saída no túnel". Dessa vez, quando o homem partiu em outra direção, deixei-o sumir ainda mais de vista antes de começar a segui-lo.

Só dei três passos.

Uma mão grande cobriu minha boca, sufocando qualquer tentativa minha de gritar. Tentei morder os dedos da mão, mas outra mão forte agarrou-me pela nuca e me levantou do chão. No meu ouvido, ouvi um sussurro:

— Fique quieto, e aí coloco você no chão.

Tentei assentir em concordância, mas meu corpo inteiro estava suspenso pelo pescoço, e não tenho certeza de que nada acima daquele ponto conseguiria se mover.

— Mandei você ficar em casa — continuou a voz.

A sensação do chão novamente sob meus pés era boa. Girei o pescoço para aliviar o torcicolo.

— Jules me deve pelo roubo da bolsa hoje à tarde — retruquei. — E esta pode ser minha única chance de obter minhas moedas, de um jeito ou de outro.

— Você não pegou a bolsa, na verdade — rebateu Remy num sussurro.

— Foi culpa de Sallambier. Você mesmo o viu me empurrando, e como um acordo é um acordo, Jules está me devendo. Não vou deixar que me sabote.

Remy grunhiu em exasperação, depois ficamos ali parados em silêncio.

— Sallambier está nos deixando para trás — falei, por fim.

O Chevalier girou a armação da lamparina bullseye* aos seus pés, e um único raio branco e estreito perfurou a escuridão do túnel.

* Tipo de lamparina a óleo com uma parte móvel que permite direcionar o feixe de luz ou bloqueá-lo, utilizada a partir do século XIII. (N. do T.)

— Não se preocupe, garoto. Sallambier provavelmente vai deparar com vários túneis soterrados e outros becos sem saída antes de achar o esconderijo de bebida beneditina dos monges. Não queremos estar próximos demais caso ele dê meia-volta e encontre a gente em vez da bebida.

— Ele está marcando as paredes com giz para saber em quais corredores já passou — informei.

— É bom se lembrar disso — responder Remy. — Agora, fique atrás de mim.

Ele pegou a lamparina e seguiu pelo túnel.

À minha direita, ouvi distintamente o deslizar de pequenas garras de ratazanas pelo chão de pedra, portanto me assegurei de não ficar muito atrás do Chevalier.

— Fique mais para trás — murmurou Remy. — Está pisando nos meus calcanhares.

De vez em quando, passávamos por suportes de ferro para tochas instalados nas paredes. Todos os suportes estavam vazios, mas no teto havia marcas de fuligem e chamuscaduras pretas deixadas pelas tochas ao longo dos anos. Em outras curvas e interseções, passávamos por inscrições entalhadas em língua estrangeira.

— São escritas romanas — observou o Chevalier.

Duas vezes nos deparamos com gravações em pedras, o que despertou mais o interesse de Chevalier. Diante delas, ele sussurrou para mim contos de deuses antigos, imperadores, a história de uma civilização muito antiga.

De que me importava? Eu estava ali para tomar o que me era devido. Na vez seguinte que Remy começou uma de suas palestras sobre história e literatura antiga, fui embora sozinho. Afinal, eu via o brilho da tocha de Sallambier refletido a distância no corredor e ele parecia não se mover há algum tempo. Talvez tivesse encontrado a adega beneditina. Eu ia lá ver.

Avançando sem fazer barulho pelo túnel, finalmente cheguei à entrada na qual a tocha de Sallambier, agora colocada em um suporte de ferro, iluminava o cômodo grosseiramente cinzelado do outro lado. Espiei com cuidado em torno da beirada da entrada de pedra. Só dava para ver uma parede lateral vazia. Eu precisaria avançar mais para ver o que havia naquele cômodo.

Dois passos para o lado, e minha visão captou o topo arredondado de um tonel de madeira. Mais um passo, e vi vários barris e tonéis empilhados na parede dos fundos. Tínhamos encontrado a adega. Até que minha visão foi obstruída de repente.

Sallambier.

Mesmo surpreso ao me ver, as reações dele foram mais rápidas do que as minhas. Pela segunda vez naquela noite, fui agarrado e tirado do chão, só que dessa vez pelo pescoço em vez de pela nuca.

— Eu queria saber onde você se escondera depois de escapar da abadessa — rosnou Sallambier com sua voz rouca.

Ele me carregou mais para o interior da adega beneditina. Então seus olhos repararam no pequeno saco de couro balançando no meu cinto, um lugar onde a maioria dos cidadãos carregava dinheiro ou outros itens de valor. Ele virou-se para que a luz da tocha me iluminasse melhor.

— O que trouxe para mim?

Quando ele sacou a faca, achei que eu estivesse morto, mas ele apenas cortou as tiras de couro do meu saco, que caiu no chão. Os dedos dele apertaram meu pescoço com mais força enquanto se curvava para pegar o saco. Comecei a perder a consciência, mas antes me lembrei de ter visto Sallambier guardar meu saco de couro no bolso do seu justilho. Só depois o choque repentino do meu traseiro atingindo o chão de pedra me despertou parcialmente.

— Eu disse para ficar atrás de mim — rosnou Remy. A voz dele chegava a mim através de uma névoa.

No momento, meu cérebro estava enevoado e minha garganta doía demais para que eu conseguisse falar. Tudo o que consegui fazer foi olhar para o corpo de Sallambier estirado aos meus pés, como se estivesse dormindo. No entanto, ao ver o calombo que crescia na lateral da cabeça de Sallambier, tive bastante certeza de que, se o gárgula estivesse dormindo, ele tivera algum auxílio de Remy para isso.

Uma mão forte agarrou meu ombro.

— Vamos ter que levá-lo para outra parte dos túneis. Pegue os pés dele.

Eu quis protestar por causa do meu estado, mas logo me vi carregando com esforço um par de botas surradas de aparência familiar. Pelo tanto que minha extremidade do monstro pesava, Sallambier devia passar o tempo todo desperto se empanturrando de comida. No fim, não tenho a menor ideia de em qual parte do labirinto escondemos seu corpo adormecido, tampouco onde Remy me deixou enquanto eliminava qualquer indício da nossa passagem por ali. Mas lembro-me de Remy voltando com um saco de lona no ombro. Seu caminho era iluminado pela lamparina, e a tocha apagada estava sob seu braço. Ele também parou em cada interseção dos túneis para apagar qualquer marca de giz branco.

No topo dos degraus, o Chevalier trancou a porta da escadaria. Esgueiramos pela igreja feito ladrões à noite e fomos para casa.

Remy acordou rapidamente Josette. Para uma celebração, foi o que disse. De minha parte, eu não sabia o que tínhamos para celebrar. Eu não conseguira nenhuma moeda por meus esforços, e me lembrava vagamente de Remy jogando a chave de Sallambier da porta da escadaria nos poços de lixo enquanto voltávamos para o casarão. Nenhum esconderijo de bebida sagrada para vendermos aos taberneiros nos becos. Quando perguntei sobre a chave, Remy respondeu:

— Nenhum cavalheiro rouba a igreja.

Eu poderia ter acreditado mais nele, se não fosse pelo tilintar das garrafas de vidro no saco de lona que ele carregava no ombro. Com certeza, para nos ajudar a celebrar, Remy tirou duas garrafas de bebida beneditina do saco e as abriu. Lembrei-lhe da sua declaração sobre não roubar da igreja.

— Roubar, meu garoto? — Ele riu. — Não, não, estas poucas garrafas são somente o pagamento que tenho certeza que os monges, se soubessem, teriam me dado de bom grado por salvar a adega beneditina inteira da ganância do Rei Jules.

À medida que ficava mais velho, eu começava a perceber como pessoas adultas racionalizavam seu comportamento com base em seus desejos do momento. A única distinção entre eles era que pessoas diferentes usavam graus variados de ética em sua tomada de decisão, fossem elas o Rei Jules ou o rei da França. Ainda na minha juventude, eu não tinha este problema, mas aquilo significava que eu deveria prestar mais atenção no Chevalier em transações futuras. Quanto a Jules, eu deixara seu principal assassino perdido nos longos túneis tortuosos das pedreiras romanas. Isso serviria como pagamento parcial da dívida que Jules tinha comigo. Remy era outra questão.

Foi quando lembrei. Meu saco de couro. Desesperado, coloquei a mão no cinto.

— O que está fazendo de maneira tão frenética? — perguntou Remy. — Está agindo como se tivesse perdido algo.

— Meu saco! — exclamei. — Tinha todas as minhas coisas de valor.

— O que um batedor de carteiras pobre como você poderia ter de valor?

— Eu tinha um pedaço de chouriço — retruquei antes de lembrar para que o usaria.

Remy riu.

— Boudin noir? Nestes dias quentes de outono? Você tem sorte de não ter comido. Até os gregos antigos sabiam que essa morcela escura ficava venenosa quando deixada tempo demais no calor. É sangue de porco, cereal e temperos enfiados no intestino de um animal. É melhor deixar essa iguaria para depois, até que o clima esteja mais fresco.

Bem, aquilo explicava o cheiro forte da salsicha. Mas como Sallambier estava com ela, isso significava que eu não poderia colocá-la sorrateiramente na sopa noturna de Remy e conseguir alguma vingança.

Depois imaginei Sallambier e seu apetite constante. Quando ele acordasse no escuro e passasse horas tentando encontrar a saída do labirinto de pedra ao tatear as paredes, sem dúvida ficaria com fome. E quando revirasse meu saco de couro enfiado em seu justilho, reconheceria o formato de uma salsicha.

Pelo menos eu não precisaria me preocupar em me redimir em uma noite escura com Sallambier e sua lâmina desgastada. Não, daqui a muitos anos, algum monge beneditino perdido nos túneis sob a igreja de Val-de--Grâce provavelmente encontraria nada além de ossos roídos por ratazanas, uma faca enferrujada e roupas esfarrapadas.

Tive certeza de que o Chevalier se perguntou qual seria o motivo do meu sorriso repentino, mas da maneira que eu via as coisas, um diabo estava morto e ainda faltavam dois. Eu tinha todo o tempo do mundo para dar o troco.

Muitos escritores de mistério foram descritos como prolíficos, mas poucos têm sido tão versáteis e obtiveram tanto sucesso quanto Lawrence Block (1938-), que produziu mais de cem romances e inúmeros contos e artigos, vários sobre a arte de escrever. Enquanto a maioria dos escritores fica feliz em criar um personagem de uma série que seja popular o bastante para conquistar uma vasta gama de leitores, Block, de alguma maneira, conseguiu trazer à vida literária meia dúzia, sendo Bernie Rhodenbarr o segundo de maior sucesso (depois do seu detetive icônico Matthew Scudder), um ladrão razoavelmente bem-sucedido e um vendedor de livros um pouco menos bem-sucedido.

Bernie é dono da agradável e pequena livraria Barnegat Book, nos limites do Greenwich Village de Nova York, a leste da Eleventh Street, entre a Broadway e a University Place, não muito distante da Universidade de Nova York. Ele é um sujeito gentil e educado, dado a gracejos e observações bem-humoradas sobre as idiossincrasias da vida. Gosta da sua livraria, mas também gosta de invadir as casas das pessoas e roubar. Ele admite que foi pressionado a fazer isso por motivos altruístas em mais de uma ocasião, mas é inegável que sinta orgulho de suas habilidades. Seu azar é que várias vezes se depara com assassinatos com a mesma frequência que com tesouros.

Sua melhor amiga é uma tosadora de cachorros lésbica, Carolyn Kaiser, com quem costuma compartilhar um bom jantar e uma garrafa de vinho. O primeiro livro da série, *Burglars Can't Be Choosers* (1977), serviu como base para um filme terrível chamado *Burglar* (1987), estrelando Whoopi Goldberg como Bernie (eu não poderia inventar isso) e Bobcat Goldthwait como Carl Hefler, seu melhor amigo esquisito que era tosador de cachorros.

"Como um ladrão na noite" foi publicado originalmente na edição de maio de 1983 da *Cosmopolitan*, e foi incluído pela primeira vez em uma antologia em *Sometimes They Bite*, de Block (Nova York: Arbor House, 1983).

COMO UM LADRÃO NA NOITE

LAWRENCE BLOCK

Às 23h30, o âncora da televisão aconselhou-a a permanecer sintonizada para o último programa da noite, um filme antigo de Hitchcock estrelado por Cary Grant. Por um momento, ela ficou tentada. Depois atravessou a sala e desligou o aparelho.

Havia uma última xícara de café no bule. Ela se serviu e parou na janela com a xícara na mão, uma mulher alta, magra, atraente, vestindo o blazer e a saia de seda que usara naquele dia no escritório. Uma mulher capaz de parecer ao mesmo tempo eficiente e elegante, e que agora estava de pé bebericando café de uma xícara de porcelana branca e olhando para o sul e o oeste.

O apartamento dela ficava no 22º andar de um prédio localizado na esquina da Lexington Avenue com a 76th Street, e a vista era realmente espetacular. Um arranha-céu no meio da cidade bloqueava a visão do prédio onde a Tavistock Corp. operava, mas ela imaginava que conseguia ver através dele com visão de raio x.

Ela sabia que a equipe de limpeza estaria terminando naquele instante, guardando os esfregões e os baldes nos armários e trocando os uniformes por roupas normais, preparando-se para terminar o turno à meia-noite. Deixariam algumas luzes acesas no escritório da Tavistock no 17º andar e também em outros lugares do prédio. Assim os corredores permaneceriam iluminados, e lá dentro do prédio alguém trabalharia a noite toda, e...

Ela gostava dos filmes de Hitchcock, especialmente dos primeiros, e era apaixonada por Cary Grant. Mas também gostava de roupas boas e xícaras de porcelana branca e da vista que tinha do seu apartamento e do próprio apartamento, confortável e bem mobiliado. Portanto, ela enxaguou a xícara na pia, vestiu um casaco e desceu de elevador até a portaria, onde o porteiro de rosto corado fez muito alarde ao chamar um táxi para ela.

Haveria outras noites e outros filmes.

O táxi a deixou diante de um prédio comercial nas cercanias da West Thirties. Ela entrou pela porta giratória, e seus passos no chão de mármore lhe pareciam exageradamente ruidosos. O segurança, sentado em uma mesa pequena ao lado dos elevadores, ergueu os olhos de sua revista com a aproximação dela.

— Oi, Eddie — disse a mulher.

E deu um sorriso rápido para ele.

— Ei, como vai? — respondeu ele.

Ela curvou-se para se registrar enquanto a atenção dele retornava para a revista. Ela escreveu nos espaços apropriados: Elaine Halder, Tavistock, 1704, e depois de olhar para o relógio, 0h15.

Entrou em um elevador que a aguardava, e as portas fecharam sem fazer qualquer ruído. Ela estaria sozinha lá em cima, pensou. Olhara para a folha de registros enquanto a assinava, e ninguém se registrara para a Tavistock ou qualquer outro escritório no 17º andar.

Bem, ela não ia demorar.

Quando as portas do elevador se abriram, ela saiu e parou por um momento no corredor, orientando-se. Tirou uma chave da bolsa e olhou para ela por um instante, como se fosse um artefato de alguma civilização estranha. Depois se virou e começou a percorrer o corredor recém-esfregado, ouvindo somente o eco de seus passos ruidosos.

1704. Uma porta de carvalho, um quadrado de vidro fosco, sem nenhuma marca exceto o número do escritório e o nome da empresa. Ela deu outra olhada pensativa para a chave antes de enfiá-la cuidadosamente na fechadura.

A chave girou com facilidade. Ela empurrou a porta para dentro e entrou, deixando a porta fechar sozinha.

E arquejou.

Havia um homem a dez metros dela.

— Olá — disse ele.

Ele estava de pé ao lado de uma mesa com tampo de pau-rosa, cuja gaveta central estava aberta, e havia um brilho em seus olhos e um sorriso incerto em seus lábios. Usava um terno cinza xadrez com quadrados grandes. A gola da camisa dele estava abotoada, sua gravata estreita, com um nó bem-feito. Ele era dois ou três anos mais velho do que ela, supôs, e talvez muitos centímetros mais alto.

A mão dela estava pressionando o peito, como que para acalmar um coração disparado. Mas seu coração não estava realmente disparado. Ela conseguiu sorrir e dizer:

— Você me deu um susto. Eu não sabia que teria alguém aqui.

— Estamos quites.

— Como disse?

— Eu não esperava companhia.

Ele tinha dentes brancos bonitos e alinhados, reparou. Ela costumava reparar em dentes. E ele tinha um rosto sincero e amigável, o que era algo em que ela também costumava reparar, e por que de repente estava pensando em Cary Grant? O filme que não tinha visto, é claro, que somado àquela adorável abertura romântica hollywoodiana, com os dois se encontrando inesperadamente naquele escritório tão silencioso quanto uma tumba, e...

E ele estava usando luvas de borracha.

O rosto dela deve ter demonstrado algo, pois ele franziu a testa, intrigado. Depois ergueu as mãos e flexionou os dedos.

— Ah, isto — disse ele. — Ajudaria se eu falasse de um eczema provocado pela exposição ao ar noturno?

— Isso tem acontecido muito.

— Eu sabia que você entenderia.

— Você é um meliante.

— Esta palavra tem as conotações mais terríveis — discordou ele. — Faz com que imaginemos muito tempo espreitando em arbustos. Não há arbustos aqui além daquela velha planta de borracha, e eu não ficaria à espreita, caso houvesse.

— Um ladrão, então.

— Um ladrão, sim. Mais especificamente, um gatuno. Eu poderia ter tirado as luvas quando você enfiou a chave na fechadura, mas estava tão ocupado ouvindo seus passos e esperando que estivessem indo para outro escritório que esqueci completamente que as estava usando. Não que teria feito muita diferença. Mais um minuto, e você teria se dado conta de que nunca tinha me visto, e então teria se perguntado o que eu estaria fazendo aqui.

— O que você está fazendo aqui?

— Meu irmão mais novo vai ter que operar.

— Achei que poderia ser isso. Uma cirurgia para o eczema dele.

O homem assentiu.

— Sem ela, ele nunca vai voltar a tocar trompete. Permite-me fazer uma observação?

— Não vejo por que não.

— Percebo que está com medo de mim.

— E eu aqui pensando que estava fazendo um ótimo trabalho em disfarçar isso.

— Você estava, mas sou um ser humano muito perceptivo. Está com medo de que eu faça algo violento, que aquele capaz de roubar seja igualmente capaz de ser violento.

— Você é?

— Nem na imaginação. Sou um pacifista clássico. Quando era criança, meu livro favorito era *O touro Ferdinando*.

— Sei qual é. Ele não queria brigar. Só queria cheirar as flores.

— E dá para culpá-lo?

Ele sorriu outra vez, e o advérbio que ocorreu a ela foi desarmadoramente. Mais para Alan Alda do que para Cary Grant, concluiu. Bem, não havia problema. Não havia nada de errado com Alan Alda.

— Você está com medo de mim — disse ela de repente.

— Como descobriu isso? Um leve tremor no lábio superior?

— Não. Apenas me ocorreu. Mas por quê? O que eu poderia fazer com você?

— Poderia chamar a... hum... polícia.

— Eu não faria isso.

— E eu não machucaria você.

— Sei que não.

— Bem — disse ele, e suspirou de forma teatral. — Não está feliz por termos deixado isso claro?

Ela estava, relativamente. Era bom saber que nenhum dos dois tinha nada a temer quanto ao outro. Como que para reconhecer essa mudança no relacionamento deles, ela tirou o casaco e pendurou-o no cabideiro de cano, onde já havia um sobretudo xadrez. Dele, presumiu. Como ele ficara à vontade tão rápido!

Ela se virou e viu que ele estava ficando ainda mais à vontade, revirando deliberadamente as gavetas da mesa. "Que petulância", pensou ela, e sentiu que começava a sorrir.

Ela perguntou a ele o que estava fazendo.

— Saqueando — respondeu, depois se aprumou depressa. — Esta não é a sua mesa, é?

— Não.

— Graças a Deus.

— O que estava procurando, diga-se de passagem?

Ele pensou por um momento, depois balançou a cabeça.

— Não — disse ele. — Você estava esperando que eu fosse conseguir inventar uma história decente, mas não consigo. Estou procurando algo para roubar.

— Nada específico?

— Gosto de abrir a mente. Não vim aqui para carregar as IBM Selectrics. Mas você ficaria surpresa com quantas pessoas deixam dinheiro nas mesas.

— E você simplesmente pega o que encontra?

Ele abaixou a cabeça.

— Eu sei — disse ele. — É um defeito moral. Não precisa me dizer.

— As pessoas realmente deixam dinheiro em uma gaveta destrancada?

— Às vezes. E, outras vezes, trancam as gavetas, mas mesmo assim não é muito difícil abrir.

— Você sabe arrombar fechaduras?

— Um talento limitado e excêntrico — reconheceu ele —, mas é tudo que sei.

— Como entrou aqui? Suponho que tenha arrombado a fechadura do escritório.

— O que não foi um grande desafio.

— Mas como conseguiu passar por Eddie?

— Eddie? Ah, deve estar falando do cara na portaria. Ele não é tão formidável quanto o Muro de Berlim, sabe. Cheguei aqui em torno das oito. Eles costumam desconfiar menos quando é mais cedo. Rabisquei um nome na folha e passei direto. Depois encontrei um escritório vazio que já tinham acabado de limpar e me acomodei no sofá para uma soneca.

— Está brincando!

— Alguma vez já menti para você? A equipe de limpeza vai embora à meia-noite. Mais ou menos a essa hora, saí do escritório do sr. Higginbotham... É onde me acostumei a cochilar, ele é um advogado de patentes com um sofá de couro muito confortável. Depois faço minha ronda.

Ela olhou para ele.

— Você já veio a este prédio.

— Dou uma passada aqui de vez em quando.

— Você diz como se passasse diante de uma máquina de comida.

— Há semelhanças, não é? Nunca pensei dessa maneira.

— Então você faz sua ronda. Invade escritórios...

— Nunca invado nada. Digamos que eu consigo acesso aos escritórios.

— E rouba dinheiro das mesas...

— Joias também, quando as encontro. Qualquer coisa valiosa e portátil. Às vezes, há um cofre. Isso poupa muito tempo de procura. Você sabe na mesma hora onde eles guardam as coisas de valor.

— E você sabe abrir cofres?

— Não qualquer cofre — disse ele, com modéstia. — E não todas as vezes, mas — ele ganhou um sotaque Cockney — tenho o dom, madame.

— E então, o que faz? Espera até o amanhecer para ir embora?

— Para quê? Sou bem-vestido. Pareço respeitável. Além disso, os seguranças são contratados para impedir que pessoas não autorizadas entrem em um prédio, e não que saiam. Poderia ser diferente se eu tentasse empurrar uma máquina de xerox pela portaria, mas não roubo nada que não caiba nos meus bolsos ou na minha pasta. E não passo tranquilamente pelo guarda usando as luvas de borracha. Não daria certo.

— Suponho que não. Como devo chamar você?

— "Aquele maldito ladrão", imagino. É como todos me chamam. Mas você — ele apontou o indicador coberto de borracha —, você pode me chamar de Bernie.

— Bernie, o ladrão.

— E como devo chamá-la?

— Elaine está bom.

— Elaine — disse ele. — Elaine, Elaine. Não seria Elaine Halder, por acaso?

— Como você...?

— Elaine Halder — repetiu ele. — E isso explica o que traz você a este escritório no meio da noite. Você parece surpresa. Não imagino por quê. "Você conhece meus métodos, Watson." Qual é o problema?

— Nenhum.

— Não fique com medo, pelo amor de Deus. Saber seu nome não me concede poderes místicos sobre seu destino. Só tenho uma boa memória, e seu nome ficou na minha cabeça. — Ele flexionou um polegar na direção de uma porta fechada no lado oposto da sala. — Já estive no escritório do chefe. Vi seu bilhete na mesa dele. Sinto muito, mas preciso admitir que o li. Sou um bisbilhoteiro. É um defeito de caráter grave, eu sei.

— Como apropriação indébita.

— Algo do tipo. Vejamos agora. Elaine Halder sai do escritório depois de deixar uma carta de demissão na mesa do chefe. Elaine Halder volta de madrugada. Um padrão sutil começa a surgir, querida.

— Ah, é?

— É claro. Você pensou melhor e quer pegar a carta de volta antes que ele tenha a oportunidade de ler. Não é uma má ideia, considerando algumas das coisas grosseiras que tinha a dizer sobre ele. Tudo bem se eu me abrir para você? Sou do tipo organizado e tranquei a porta depois que terminei lá dentro.

— Encontrou algo para roubar?

— Oitenta e cinco pratas e um par de abotoaduras de ouro. — Ele se curvou sobre a fechadura, sondando o interior com uma lasca de aço para molas. — Nada muito interessante, mas cada pouquinho ajuda. Tenho certeza de que você tem a chave daquela porta... Precisava ter para deixar a carta de demissão, não é mesmo? Mas quantas oportunidades tenho para me exibir? Não que uma fechadura como essa represente um grande desafio, não para os dedos habilidosos de Bernie, o ladrão, e... Ah, pronto!

— Incrível.

— É muito raro ter público.

Ele se afastou para o lado e abriu a porta para ela. No umbral, ela foi acometida pela sensação de que teria um cadáver no escritório particular. O próprio George Tavistock, caído na mesa com o contorno de um punho de um abridor de cartas despontando das costas.

Mas, obviamente, não havia nada daquilo. Não havia nenhuma bagunça no escritório, muito menos cadáveres, tampouco havia qualquer indício de que tinha acabado de ser roubado.

Havia uma única folha de papel no mata-borrão da mesa. Ela se aproximou e a pegou. Seus olhos percorreram a meia dúzia de frases como se as estivesse lendo pela primeira vez, depois baixaram para a assinatura elaborada, muito diferente do rabisco tosco com o qual assinara a folha de registro na portaria.

Ela releu a carta mais uma vez, depois a colocou de volta onde estava.

— Não vai mudar de ideia de novo?

Ela balançou a cabeça.

— Nunca mudei, para início de conversa. Não foi por isso que voltei para cá hoje à noite.

— Você poderia ter vindo apenas pelo prazer da minha companhia.

— Poderia, se soubesse que você estaria aqui. Não, voltei porque... — Ela fez uma pausa e inspirou deliberadamente. — Eu poderia dizer que queria limpar a minha mesa.

— Mas já não fez isso? Sua mesa não é aquela ali? A com a placa com seu nome? Sei que foi atrevimento da minha parte, mas eu já tinha dado uma olhada, e as gavetas tinham uma semelhança espantosa com o armário de uma tal sra. Hubbard.

— Você revistou minha mesa.

Ele abriu as mãos demonstrando arrependimento.

— Não foi nada pessoal — disse ele. — Na época, eu nem conhecia você.

— Faz sentido.

— E revistar uma mesa vazia não é uma grande violação de privacidade, não é mesmo? Nada além de clipes de papel e elásticos e a ocasional caneta de feltro. Portanto, se você veio recolher essas coisas...

— Falei metaforicamente — explicou ela. — Há coisas nesse escritório que pertencem a mim. Projetos nos quais trabalhei, dos quais eu deveria ter cópias para entregar a potenciais empregadores.

— E o sr. Tavistock não vai tomar providências para que você obtenha as cópias?

Ela riu bruscamente.

— Você não conhece o cara — disse ela.

— E agradeço a Deus por isso. Eu não poderia roubar alguém que conheço.

— Ele ia achar que quero divulgar segredos corporativos para a concorrência. No instante em que ler minha carta de demissão, vou me tornar *persona non grata* neste escritório. Provavelmente, nem sequer vou poder entrar no prédio. Não me dei conta de nada disso até chegar em casa hoje à noite, e realmente não soube o que fazer, então...

— Então decidiu tentar um pequeno roubo.

— Nada disso.

— Ah, é?

— Tenho uma chave.

— E tenho um bom pedaço de aço para molas, e as duas coisas executam a função notável de nos conceder acesso a locais nos quais não temos o direito de estar.

— Mas eu trabalho aqui!

— Trabalhava.

— Minha demissão ainda não foi aceita. Ainda sou funcionária.

— Tecnicamente. Ainda assim, você veio como um ladrão na noite. Pode ter assinado o registro na portaria e entrado com uma chave, e não está usando luvas ou andando em silêncio por aí com sapatos com solas de borracha, mas não somos tão diferentes, você e eu, ou somos?

Ela cerrou a mandíbula.

— Tenho direito aos frutos do meu trabalho — disse ela.

— E eu também, e que os céus ajudem a pessoa cujos direito de propriedade nos atrapalhem.

Ela o contornou até o arquivo de três gavetas à direita da mesa de Tavistock. Estava trancado.

Virou-se, e Bernie já estava logo atrás dela.

— Permita-me — disse ele e, rapidamente, ativou o mecanismo da fechadura e começou a abrir a gaveta superior.

— Obrigada — disse ela.

— Ah, não me agradeça — respondeu ele. — Cortesia profissional. Não precisa agradecer.

Ela passou os trinta minutos seguintes ocupada, selecionando documentos do arquivo e da mesa de Tavistock, além de alguns itens dos arquivos destrancados no escritório externo. Tirou cópias de tudo na máquina de xerox e guardou os originais onde os encontrara. Enquanto fazia tudo isso, seu amigo ladrão revistava as mesas restantes do escritório. Ele não demonstrava nenhuma pressa, e ela percebeu que estava enrolando de propósito para não terminar antes dela.

De vez em quando, ela desviava os olhos do que estava fazendo para observá-lo trabalhando. Certa vez, o flagrou olhando para ela, e quando seus olhos se encontraram, ele deu uma piscadela e sorriu, e ela sentiu suas bochechas corarem.

Ele era atraente, sem dúvida. Inquestionavelmente agradável e nada intimidador. Tampouco parecia um criminoso. Seu jeito de falar era o de uma pessoa educada, tinha bom gosto com roupas, seus modos eram impecáveis...

Mas que diabo ela estava pensando?

Quando ela terminou, tinha uma resma de papel de mais de dois centímetros de espessura em uma pasta de papel manilha. Ela vestiu o casaco e enfiou a pasta debaixo do braço.

— Você é organizada, sem dúvida — disse ele. — Um lugar para cada coisa e cada coisa de volta no lugar. Gosto disso.

— Bem, você também é assim, não é? Até se dá ao trabalho de trancar a porta ao sair.

— Não é tanto trabalho assim. E tem um propósito para isso. Se você deixa tudo arrumado, às vezes as pessoas demoram semanas para perceber que foram roubadas. Quanto mais tempo levar, menor a chance de que alguém descubra quem cometeu o roubo.

— E eu aqui pensando que você era naturalmente organizado.

— Na verdade, sou, mas é uma vantagem profissional. Claro que sua organização tem basicamente o mesmo propósito, não é mesmo? Eles nunca vão saber que você esteve aqui hoje à noite, ainda mais porque você, na verdade, não levou nada. Só cópias.

— Isso mesmo.

— Falando nelas, gostaria de colocá-las na minha pasta? Para que não reparem em você saindo do prédio com elas na mão? Admito que o sujeito lá na portaria não perceberia um terremoto abaixo de 7,4 na escala Richter, mas é esta aparente atenção sem sentido a detalhes que me permite persistir na minha ocupação escolhida em vez de fazer placas de carros e costurar sacas de correio como hóspede do governo. Está pronta, Elaine? Ou gostaria de dar mais uma olhada em volta para se despedir?

— Já dei uma última olhada. E não sou muito de despedidas.

Ele segurou a porta para ela, apagou as luzes e fechou a porta. Enquanto ela a trancava com a chave, ele tirou as luvas de borracha e colocou-as na maleta onde também estavam os documentos dela. Depois, lado a lado, percorreram o corredor até o elevador. Os passos dela ecoavam. Os dele, amortecidos pelas solas de borracha, eram bem silenciosos.

Os passos dela também cessaram quando chegaram ao elevador, e aguardaram em silêncio. Eles tinham se conhecido, pensou ela, como ladrões na noite, e agora passariam como navios na noite.

O elevador chegou e desceu com eles até a portaria. Lá, o guarda ergueu os olhos para eles, sem qualquer reconhecimento ou interesse.

— Oi, Eddie. Tudo tranquilo? — disse ela.

— Ei, como você está? — perguntou ele.

Havia somente três entradas abaixo da dela na folha de registro, três pessoas que chegaram depois. Ela registrou sua saída, anotando o horário depois de olhar o relógio: 1h56. Ela passara mais de uma hora e meia lá em cima .

Lá fora, o vento estava cortante. Ela virou-se para ele, olhou para sua maleta e lembrou-se de repente do primeiro garoto na escola que carregara seus livros. Com certeza ela poderia ter carregado seus livros, assim como poderia ter passado sem problemas com a pasta de documentos diante de Eddie e seus olhos de águia.

Ainda assim, não era desagradável que carregassem seus livros.

— Bem — começou ela —, é melhor pegar meus documentos e...

— Para onde está indo?

— Para a 76.

— Leste ou oeste?

— Leste. Mas...

— Vamos dividir um táxi — disse ele. — Com os cumprimentos do fundo de caixa.

E ele estava no meio-fio, com uma das mãos levantada, e um táxi apareceu como que conjurado e, logo depois, ele segurava a porta para ela.

Ela entrou.

— Setenta e seis — disse ele ao motorista. — E o quê?

— Lexington — disse ela.

— Lexington — repetiu ele.

A mente dela estava em disparada durante a viagem de táxi. Era uma enxurrada de pensamentos, e ela não conseguia acompanhá-los. Alternadamente, sentia-se como uma colegial, como uma dama em perigo, como Grace Kelly em um filme de Hitchcock. Quando o táxi chegou à sua esquina, ela apontou seu prédio, e ele se inclinou para a frente a fim de transmitir a informação ao motorista.

— Gostaria de subir para tomar um café?

A frase ficara se repetindo na cabeça dela feito um mantra durante a viagem. No entanto, ela não conseguia acreditar que estava realmente dizendo aquelas palavras.

— Sim — disse ele. — Gostaria muito.

Ela se preparou para qualquer dificuldade enquanto se aproximavam do porteiro, mas o homem era a discrição em pessoa. Ele nem sequer a cumprimentou pelo nome, apenas segurou a porta para ela e seu acompanhante, desejando-lhes uma boa noite. Lá em cima, ela pensou em pedir que Bernie abrisse sua porta sem as chaves, mas decidiu que naquele exato momento não queria nenhuma demonstração da sua vulnerabilidade. Ela mesma destrancou várias fechaduras.

— Vou fazer o café — disse ela. — Ou prefere um drinque?

— Boa ideia.

— Uísque? Ou conhaque?

— Conhaque.

Enquanto ela servia as bebidas, ele caminhou pela sala, observando os quadros nas paredes e os livros nas prateleiras. Os convidados sempre faziam aquilo, mas, afinal, aquele convidado específico era um criminoso, portanto ela o imaginou fazendo um inventário de suas coisas. Naquela água-tinta de Chagall que ele estava examinando ela pagara quinhentos dólares em um leilão, e agora provavelmente valia quase três vezes mais.

Com certeza, ele teria mais sorte vasculhando seu apartamento do que escritórios desertos.

Com certeza, ele também se dera conta disso.

Ela entregou o conhaque dele.

— Aos empreendimentos criminosos — disse ele, e ela ergueu seu copo em resposta.

— Vou dar os documentos a você. Antes que me esqueça.

— Tudo bem.

Ele abriu a maleta e os entregou. Ela colocou a pasta em cima da mesa de centro LaVerne e levou seu conhaque até a janela. O carpete alto abafava seus passos tão bem quanto se estivesse usando sapatos com solas de borracha.

"Você não tem nada a temer", disse ela a si mesma. "Você não está com medo e..."

— Que vista impressionante — comentou ele, logo atrás dela.

— Sim.

— Você poderia ver seu escritório daqui. Se aquele prédio não atrapalhasse.

— Eu estava pensando nisso mais cedo.

— Lindo — sussurrou ele, seus braços a envolvendo por trás e seus lábios tocando a nuca dela.

— "Elaine, a bela. Elaine, a adorável" — citou ele. — "Elaine, a dama lírio de Astolat." — Os lábios dele se aconchegaram na orelha dela. — Mas você deve ouvir isso sempre.

Ela sorriu.

— Ah, não tanto assim — disse ela. — Com menos frequência do que você pensa.

O céu começava a clarear quando ele se foi. Ela ficou deitada sozinha por alguns minutos, depois se levantou para trancar a porta.

E gargalhou quando descobriu que ele próprio trancara a porta, sem uma chave.

Estava tarde, mas ela achava que nunca se sentira menos cansada. Ela serviu uma xícara de café fresco e se sentou na mesa da cozinha, lendo os documentos que pegara no escritório. Deu-se conta de que não teria metade deles sem a ajuda de Bernie. Nunca conseguiria ter aberto o arquivo do escritório de Tavistock.

"Elaine, a bela. Elaine, a adorável. Elaine, a dama lírio de Astolat."

Ela sorriu.

Pouco depois das nove, quando tinha certeza de que Jennings Colliard estaria em sua mesa, ela ligou para sua linha particular.

— É Andrea — disse ela. — Tive mais sucesso do que poderíamos imaginar. Consegui cópias do planejamento de marketing inteiro da Tavistock para o outono e o inverno, além de duas dúzias de relatórios de testes e pesquisas e vários outros documentos que você vai querer analisar. E coloquei todos os originais de volta no lugar, portanto ninguém na Tavistock nunca vai saber o que aconteceu.

— Impressionante.

— Achei que você fosse aprovar. Ter a chave do escritório ajudou, e saber o nome do porteiro também foi útil. Ah, e também tenho uma notícia que vale a pena saber. Não sei se George Tavistock já está no escritório, mas, caso esteja, vai estar lendo uma carta de demissão neste instante. A paciência da Dama Lírio de Astolat chegou ao fim.

— Do que está falando, Andrea?

— Elaine Halder. Ela limpou a mesa e deixou um bilhete de despedida para ele. Achei que gostaria de ser o primeiro a saber.

— E é claro que tem razão.

— Eu iria para aí agora, mas estou exausta. Quer mandar um portador até aqui?

— Imediatamente. E durma um pouco.

— É o que pretendo fazer.

— Você se saiu muito bem, Andrea. Vai ter um extra no seu pé-de-meia.

— Imaginei que isso pudesse acontecer — disse ela.

Ela desligou o telefone e parou outra vez diante da janela, olhando para a cidade, relembrando os acontecimentos da noite. Fora absolutamente perfeito, concluiu, e se houvera alguma falha, fora ter perdido o filme de Cary Grant.

Mas ele passaria de novo em breve. Era exibido com frequência. Era evidente que as pessoas gostavam daquele tipo de coisa.

VIGARISTA: DORTMUNDER

BANDIDOS DEMAIS

DONALD E. WESTLAKE

Quando escritores de ficção criminal humorística são julgados, é inevitável que sejam comparados a Donald Erwin Westlake (1933-2008), inquestionavelmente o produtor de risadas mais consistente da história da ficção de mistério.

Em *Dois é demais!* (1975), o protagonista finge ser irmão gêmeo para se casar com herdeiras gêmeas; *Deus salve o trouxa* (1967), vencedor do Edgar de melhor romance, fala das diversas pessoas que tentam enganar um homem que ganha uma fortuna; em *Jimmy the Kid* (1974), uma gangue tenta se livrar de uma criança incontrolável que raptou (muito similar a "The Ramson of Red Chief", de O. Henry); em *Dancing Aztecs* (1976), um grande elenco de criminosos compete entre si para descobrir qual estátua, de grupo de 16, é o verdadeiro tesouro. Mas foi com *The Hot Rock* (1970) que Westlake conquistou a imortalidade, produzindo o primeiro livro sobre John Dortmunder, um gênio dos roubos para quem tudo dá errado, se bem que não por sua própria culpa. No primeiro romance, ele e sua gangue são contratados para roubar uma joia de valor inestimável, e depois são obrigados a roubá-la de novo. E de novo. Eles até precisam invadir uma prisão. Uma adaptação cinematográfica memorável foi lançada em 1972, estrelada por Robert Redford e com roteiro de William Goldman.

Westlake escreveu cerca de cem livros, tanto sob o próprio nome quanto como Richard Stark (romances criminais muito pesados sobre Parker, um criminoso profissional sem remorso); Tucker Coe (romances muito sensíveis inspirados em Ross Macdonald sobre o ex-policial desgraçado Mitch Tobin); Curt Clark (ficção científica); Alan Marshall (nos primórdios das histórias eróticas leves); Samuel Holt (sobre um ex-ator chamado Samuel Holt, que foi tantas vezes contratado para fazer papéis similares que não consegue mais encontrar trabalho e passa a solucionar crimes); Timothy J.

Culver (thrillers políticos); Judson Jack Carmichael (histórias complexas sobre roubos); e muitos outros.

Westlake teve mais de vinte livros adaptados para o cinema e ganhou um Edgar pelo roteiro de *Os imorais* (1990), pelo qual também foi indicado a um Oscar. A *Mystery Writers of America* nomeou-o um Grande Mestre em 1993.

"Bandidos demais" foi publicado originalmente na edição de agosto de 1989 da *Playboy*; entrou pela primeira vez em uma antologia em *Horse Laugh and Other Stories* (Helsinki, Finlândia: Eurographica, 1990) e recebeu o Edgar de melhor conto em 1990.

BANDIDOS DEMAIS

DONALD E. WESTLAKE

— Ouviu alguma coisa? — sussurrou Dortmunder.

— O vento — respondeu Kelp.

Dortmunder se contorceu sentado e iluminou deliberadamente com a lanterna os olhos de Kelp, que estava ajoelhado.

— Que vento? Estamos em um túnel.

— Há rios subterrâneos — disse Kelp, estreitando os olhos —, portanto há ventos subterrâneos. Já conseguiu atravessar a parede?

— Mais duas pancadas — disse Dortmunder a ele.

Relaxando, mirou a lanterna para além de Kelp, para o túnel vazio, um canal sinuoso e sujo, boa parte com menos de um metro de diâmetro, serpenteando entre rochas, entulhos e sambaquis antigos, atravessando 13 metros difíceis a partir dos fundos do porão da loja de sapatos desativada até a parede do banco na esquina. De acordo com os mapas que Dortmunder conseguira com o departamento de água alegando ser do departamento de esgotos e com os mapas que conseguira com o departamento de esgotos alegando ser do departamento de água, exatamente do outro lado da parede ficava o cofre principal do banco. Mais duas pancadas, e aquele quadrado grande e irregular de concreto que Dortmunder e Kelp já vinham entalhando e raspando há algum tempo finalmente cairia no chão e lá estaria o cofre.

Dortmunder deu uma pancada.

Dortmunder deu outra pancada.

O bloco de concreto caiu no chão do cofre.

— Ah, graças a Deus — disse alguém.

O quê? Relutante, mas incapaz de se conter, Dortmunder largou a marreta e a lanterna, enfiou a cabeça pelo buraco na parede e olhou em volta.

Era o cofre, com certeza. E estava cheio de gente.

Um homem de terno estendeu a mão e apertou a de Dortmunder enquanto o puxava pelo buraco para dentro do cofre.

— Ótimo trabalho, policial — disse ele. — Os ladrões estão lá fora.

Dortmunder achara que ele e Kelp fossem os ladrões.

— Estão?

Uma mulher de rosto redondo vestindo calça e uma gola Peter Pan disse:

— São cinco. Com metralhadoras.

Um entregador de bigode e avental, carregando uma bandeja de papelão contendo quatro cafés, dois descafeinados e um chá, disse:

— Somos todos reféns, cara. Vou ser demitido.

— Quantos de vocês estão aí? — perguntou o homem de terno, olhando além de Dortmunder para o rosto de Kelp, que exibia um sorriso nervoso.

— Só nós dois — respondeu Dortmunder, e observou, impotente, enquanto mãos atenciosas puxavam Kelp pelo buraco e o colocavam de pé no cofre, que estava mesmo lotado de reféns.

— Sou Kearney — disse o homem de terno. — Sou o gerente do banco e nem sei dizer o quanto estou feliz por vê-los.

E era a primeira vez que qualquer gerente de banco dizia aquilo para Dortmunder, que respondeu, assentindo:

— Aham, aham. — Depois acrescentou: — Sou, hum, o agente Diddums, e este é o agente, hum, Kelly.

Kearney, o gerente do banco, franziu a testa.

— Diddums, você disse?

Dortmunder ficou furioso consigo mesmo. "Por que eu disse que me chamava Diddums? Bem, eu não sabia que ia precisar de um pseudônimo dentro de um cofre de banco..." Em voz alta, ele disse:

— Aham. Diddums. É galês.

— Ah — disse Kearney. Depois franziu a testa de novo e comentou: — Vocês nem estão armados.

— Bem, não — disse Dortmunder. — Somos a, hum, equipe de resgate de reféns e não queremos nenhum tiro disparado, pois isso aumentaria o risco para vocês, hum, civis.

— Muito esperto — concordou Kearney.

Kelp, com os olhos um pouco vidrados e um sorriso um pouco fixo demais, disse:

— Bem, pessoal, talvez a gente deva sair agora, em fila indiana, apenas sigam um atrás do outro através...

— Eles estão vindo! — sussurrou uma mulher estilosa próxima da porta do cofre.

Todos se mexeram. Foi impressionante; todos se moveram imediatamente. Algumas pessoas se posicionaram para esconder o novo buraco na parede, algumas se afastaram mais da porta do cofre e outras foram para trás de Dortmunder, que, de repente, se tornou a pessoa dentro do cofre mais próxima daquela porta de metal redonda grande e pesada que estava abrindo massiva e silenciosamente.

Ela parou na metade, e três homens entraram. Eles usavam máscaras de esqui pretas, jaquetas de couro pretas, calças de trabalho pretas e sapatos pretos. Carregavam submetralhadoras Uzi em riste. Seus olhos pareciam frios e sérios, suas mãos remexiam na parte de metal das armas, e seus pés dançavam nervosamente, mesmo quando estavam parados. Parecia que qualquer coisa podia provocar neles uma reação exagerada.

— Calem-se! — gritou um deles, embora ninguém estivesse falando. De cara feia, observou seus hóspedes e disse: — Preciso de alguém de pé lá na frente, para ver se podemos confiar nos policiais. — Seu olho, como Dortmunder sabia que faria, fixou-se em Dortmunder. — Você.

— Sim? — respondeu Dortmunder.

— Qual é o seu nome?

Todo mundo no cofre já tinha ouvido, então que escolha ele tinha?

— Diddums — disse Dortmunder.

O ladrão encarou Dortmunder de cara feia através da máscara de esqui.

— Diddums?

— É galês — explicou Dortmunder.

— Ah — disse o ladrão, e assentiu. Ele gesticulou com a Uzi. — Para fora, Diddums.

Dortmunder avançou, olhando para trás, para todas as pessoas que o observavam, sabendo que cada um daqueles malditos estava feliz por não ter sido escolhido — até Kelp, lá no fundo, fingindo ter um metro e trinta de altura —, depois atravessou a porta do cofre, cercado por todos aqueles maníacos nervosos com metralhadoras, e percorreu um corredor junto com eles até passar por uma porta que levava à parte principal do banco, que estava uma bagunça.

Naquele momento, como o relógio na parede larga confirmou, era 17h15. Todos que trabalhavam no banco já deveriam ter ido para casa; Dortmunder agira em função dessa teoria. O que deveria ter acontecido fora que, logo antes do horário de fechamento, às três (quando Dortmunder e Kemper já estavam no túnel, trabalhando duro, totalmente alheios aos acontecimentos na superfície do planeta), aqueles exibicionistas espalhafatosos entraram no banco brandindo metralhadoras.

E não apenas as brandindo. Linhas de perfurações irregulares tinham sido desenhadas nas paredes e no painel superior de acrílico do balcão dos caixas, feito jogos de ligar os pontos. Latas de lixo e um fícus em um vaso tinham sido derrubados, mas, felizmente, não havia nenhum corpo no chão; nenhum que Dortmunder conseguisse ver, pelo menos. As grandes janelas de placas de vidro da frente tinham sido metralhadas, e mais dois ladrões de preto estavam agachados, um atrás do pôster NOSSAS TAXAS BAIXAS DE EMPRÉSTIMOS e outro atrás do pôster NOSSAS TAXAS ALTAS DE APOSENTADORIA INDIVIDUAL, olhando para a rua, de onde vinha o som de alguém falando alto, mas indistintamente, em um megafone.

O que deveria ter acontecido fora que eles entraram logo antes das três horas, brandindo armas, imaginando que entrariam e sairiam rapidamente, e algum funcionário bajulador em busca de uma promoção disparara o alarme, de forma que agora estavam em um impasse, lidando com uma situação envolvendo reféns. E é claro que todas as pessoas no mundo já assistiram a *Um Dia de Cão*, portanto sabem que, se a polícia capturar um ladrão em circunstâncias como aquela, vai matá-lo imediatamente, por isso agora as negociações com reféns são mais arriscadas do que nunca. "Não era o que eu tinha em mente quando vim ao banco", pensou Dortmunder.

O chefe dos ladrões o cutucou com o cano da Uzi, perguntando:

— Qual é o seu primeiro nome, Diddums?

"Por favor, não diga Dan", Dortmunder implorou a si mesmo. "Por favor, por favor, de alguma maneira, de qualquer jeito, não diga Dan." A boca dele se abriu:

— John. — Ouviu-se dizendo, enquanto seu cérebro recorria desesperadamente àquele último recurso, a verdade, e sentiu os joelhos fraquejarem de alívio.

— Certo, John, não desmaie na minha frente — disse o ladrão. — O que você precisa fazer aqui é muito simples. Os policiais estão dizendo que querem conversar, apenas conversar, e ninguém vai se machucar. Ótimo. Portanto, você vai sair pela frente do banco para ver se eles atiram em você.

— Ah — disse Dortmunder.

— Não há tempo melhor do que o presente, hein, John? — disse o ladrão, e depois o cutucou outra vez com a Uzi.

— Isso dói um pouco — comentou Dortmunder.

— Peço desculpas — disse o ladrão, com um olhar sério. — Saia.

Um dos outros ladrões, com os olhos vermelhos de nervosismo dentro da máscara preta de esqui, inclinou-se na direção de Dortmunder e gritou:

— Quer um tiro no pé antes? Quer sair se arrastando?

— Estou indo — disse Dortmunder. — Está vendo? Lá vou eu.

O primeiro ladrão, o relativamente calmo, disse:

— Vá até a calçada e só. Se der um passo além do meio-fio, vamos explodir sua cabeça.

— Entendi — assegurou Dortmunder, e esmagou o vidro quebrado ao ir até a porta aberta caída e olhar para fora. Do outro lado da rua, havia uma fileira de ônibus, viaturas de polícia e camburões estacionados, todos azuis e brancos com jujubas vermelhas no teto, e atrás deles se movia uma massa furiosa de policiais armados. — Uh — disse Dortmunder. Voltando-se para o ladrão relativamente calmo, perguntou: — Por acaso você não teria uma bandeira branca ou algo parecido?

O ladrão pressionou a ponta da Uzi na lateral do corpo de Dortmunder.

— Saia — disse ele.

— Certo — concordou Dortmunder. Ele se virou para a frente, ergueu as mãos bem alto e saiu.

Ele recebeu muita atenção. Atrás de todos aqueles veículos azuis e brancos do outro lado da rua, rostos tensos o encaravam. Nos telhados dos prédios residenciais de tijolos vermelhos, naquela vizinhança no coração residencial do Queens, atiradores de elite começaram a se familiarizar com os contornos da testa enrugada de Dortmunder. À esquerda e à direita, os limites do quarteirão estavam isolados com ônibus estacionados muito próximos uns dos outros, atrás dos quais dava para ver ambulâncias e paramédicos nervosos de jalecos brancos. Em todos os lugares, rifles e pistolas tremiam em dedos nervosos. Adrenalina escorria nos bueiros.

— Não estou com eles! — gritou Dortmunder, esgueirando-se pela calçada, os braços erguidos, esperando que seu anúncio não irritasse o outro bando de histéricos armados atrás dele. Até onde sabia, eles poderiam ter problemas com rejeição.

No entanto, nada aconteceu atrás dele, e à sua frente o que ocorreu foi que um megafone apareceu, apoiado no teto de uma viatura, e rugiu para ele:

— Você é um refém?

— Com certeza! — gritou Dortmunder.

— Qual é o seu nome?

Ah, não, de novo não, pensou Dortmunder, mas não havia nada a fazer.

— Diddums — disse ele.

— O quê?

— Diddums!

Uma breve pausa.

— Diddums?

— É galês!

— Ah.

Houve uma pausa curta enquanto quem quer que estivesse falando no megafone debatia com seus compatriotas, depois indagou no megafone:

— Qual é a situação lá dentro?

Que tipo de pergunta era aquela?

— Bem, hum — respondeu Dortmunder, e se lembrou de falar mais alto, então gritou: — Meio tensa, na verdade.

— Algum refém foi ferido?

— Hã-hã. Não. Com certeza não. Este é um... Este é um... confronto não violento.

Dortmunder queria fortemente gravar essa ideia na cabeça de todos, ainda mais se fosse ficar muito mais tempo ali fora.

— Alguma mudança na situação?

Mudança?

— Bem — respondeu Dortmunder —, não estou lá dentro há muito tempo, mas parece que...

— Não está lá dentro há muito tempo? Qual é o seu problema, Diddums? Você já está há mais de duas horas no banco!

— Ah, sim! — Sem se dar conta, Dortmunder abaixou os braços e seguiu em direção ao meio-fio. — Isso mesmo! — gritou. — Duas horas! Mais de duas horas! Estou lá dentro há muito tempo!

— Venha para cá e afaste-se do banco!

Dortmunder olhou para baixo e notou que seus dedos dos pés estavam além da beira do meio-fio. Recuando rapidamente, gritou:

— Não posso fazer isso!

— Escute, Diddums, tenho muitos homens e mulheres tensos aqui. Estou lhe dizendo, afaste-se do banco!

— Os caras lá dentro — explicou Dortmunder — não querem que eu passe do meio-fio. Disseram que iriam, hum, que não querem que eu faça isso.

— Psiu! Ei, Diddums!

Dortmunder não prestou atenção na voz lhe chamando logo atrás. Ele estava se concentrando com muito esforço no que acontecia naquele instante ali fora. Além disso, ainda não estava acostumado com o nome novo.

— Diddums!

— Talvez seja melhor levantar os braços de novo!

— Ah, sim. — Os braços de Dortmunder se ergueram feito pistões explodindo em um motor. — Pronto!

— Diddums, caramba, preciso atirar em você para que preste atenção?

Baixando os braços, Dortmunder se virou.

— Desculpe! Eu não estava... Não estou... Estou aqui!

— Levante os malditos braços!

Dortmunder se virou de lado, os braços tão para cima que as laterais do seu corpo doeram. Espiando de soslaio para a direita, ele gritou para a multidão no outro lado da rua:

— Senhores, estão falando comigo lá de dentro. — Depois, espiou de soslaio para a esquerda, viu o ladrão relativamente calmo agachado ao lado do batente quebrado da porta parecendo menos calmo do que antes, e disse: — Estou aqui.

— Vamos informar nossas exigências a eles agora — avisou o ladrão. — Através de você.

— Tudo bem — disse Dortmunder. — Ótimo. Só que, você sabe, por que não fazem isso pelo telefone? Quero dizer, normalmente...

O ladrão de olhos vermelhos, alheio à exposição aos atiradores de elite do outro lado da rua, tomou a frente do ladrão relativamente calmo dando-lhe uma ombrada e gritando enquanto o outro tentava lhe conter:

— Você está me provocando, não está? Tudo bem, cometi um erro. Fiquei agitado e atirei na central telefônica! Quer me deixar agitado de novo?

— Não, não! — gritou Dortmunder, tentando manter as mãos erguidas ao mesmo tempo que adotava uma posição defensiva com elas diante do corpo — Eu esqueci! Esqueci!

Todos os outros ladrões se aglomeraram para agarrar o ladrão de olhos vermelhos, que parecia estar tentando apontar sua Uzi na direção de Dortmunder enquanto berrava:

— Fiz isso na frente de todo mundo! Eu me humilhei na frente de todos! E agora você está me sacaneando!

— Eu esqueci! Desculpe!

— Você não pode esquecer isso! Ninguém nunca vai esquecer isso!

Os três ladrões restantes arrastaram o de olhos vermelhos para longe da porta, falando com ele, tentando acalmá-lo, deixando que Dortmunder e o ladrão relativamente calmo continuassem conversando.

— Sinto muito — disse Dortmunder — Esqueci. Ando meio distraído ultimamente. Recentemente.

— Você está brincando com fogo aqui, Diddums — disse o ladrão. — Agora diga a eles que vão ouvir nossas exigências.

Dortmunder assentiu, virou a cabeça para o outro lado e gritou:

— Eles vão dizer agora quais são as exigências que têm a fazer. Quer dizer, eu vou dizer quais são as exigências. As exigências deles. Não as minhas. As exigências de...

— Estamos dispostos a ouvir, Diddums, desde que nenhum refém seja ferido.

— Isso é bom — concordou Dortmunder, e virou a cabeça para contar ao ladrão. — Isso é razoável, você sabe, é sensato, estão dizendo uma coisa muito boa.

— Cale a boca — ordenou o ladrão.

— Certo — disse Dortmunder.

— Primeiro — começou o ladrão —, queremos que os atiradores saiam dos telhados!

— Ah, eu também — concordou Dortmunder, e se virou para gritar: — Eles querem que os atiradores saiam dos telhados!

— O que mais?

— O que mais?

— E queremos que liberem aquele lado da rua, o... Qual é mesmo?... O lado norte.

Dortmunder franziu a testa, olhando para os ônibus bloqueando o cruzamento.

— Não é o lado leste? — perguntou.

— Não importa — disse o ladrão, ficando impaciente. — Aquele lado, à esquerda.

— Certo. — Dortmunder virou a cabeça e gritou. — Eles querem que vocês liberem o lado leste da rua!

Como as mãos dele estavam erguidas em direção a algum lugar no céu, ele apontou com o queixo.

— Não é o lado norte?

— Eu sabia que era — disse o ladrão.

— É, acho que sim — gritou Dortmunder. — Aquele lado, à esquerda.

— Você quer dizer à direita.

— É, isso mesmo. Sua direita, minha esquerda. À esquerda deles.

— O que mais?

Dortmunder suspirou e virou a cabeça.

— O que mais?

O ladrão olhou para ele, furioso.

— Consigo ouvir o megafone, Diddums. Posso ouvi-lo perguntando "O que mais?" Não precisa repetir tudo que ele diz. Chega de traduções.

— Está bem — disse Dortmunder. — Entendido. Chega de traduções.

— Queremos um carro — exigiu o ladrão. — Uma van. Vamos levar três reféns conosco, então queremos uma van grande. E ninguém deve nos seguir.

— Nossa — disse Dortmunder em dúvida. — Tem certeza?

O ladrão o encarou.

— Se tenho certeza?

— Bem, você sabe o que eles vão fazer — disse Dortmunder, baixando a voz para que a outra equipe do outro lado da rua não ouvisse. — Nessas situações eles colocam um pequeno transmissor de rádio debaixo do carro, para que saibam onde estão e não precisem exatamente seguir vocês.

Impaciente de novo, o ladrão acrescentou:

— Então você vai dizer que não façam isso. Nada de transmissores de rádio, ou vamos matar os reféns.

— É... não sei se é uma boa ideia — respondeu Dortmunder, em dúvida.

— O que tem de errado agora? — perguntou o ladrão. — Você é tão exigente, Diddums, e é só o mensageiro aqui. Acha que conhece meu trabalho melhor do que eu?

"Sei que conheço", pensou Dortmunder, mas não parecia sensato dizer aquilo em voz alta, portanto, ele apenas explicou:

— Só quero que as coisas corram bem, só isso. Não quero derramamento de sangue. E estava pensando, sabe, a polícia de Nova York, bem, eles têm helicópteros.

— Merda — disse o ladrão. Agachou-se no chão coberto de entulho, atrás do batente quebrado da porta, e refletiu sobre a situação. Depois olhou para Dortmunder e disse: — Certo, Diddums, você é tão inteligente. O que deveríamos fazer?

Dortmunder piscou.

— Você quer que eu resolva sua fuga?

— Coloque-se no nosso lugar — sugeriu o ladrão. — Pense nisso.

Dortmunder assentiu. Com as mãos erguidas, ele olhou para o cruzamento bloqueado e se colocou no lugar dos ladrões.

— Uau, cara — disse ele. — Vocês estão com um problemão.

— Sabemos disso, Diddums.

— Bem — disse Dortmunder. — Vou dizer o que vocês talvez possam fazer. Vai exigir que deem a vocês um daqueles ônibus que estão bloqueando a rua. Eles vão entregar um dos ônibus agora mesmo, então vocês vão saber que não tiveram tempo de colocar nada de engraçadinho nele, como granadas de gás lacrimogêneo temporizadas ou qualquer...

— Ai, meu Deus — disse o ladrão. Sua máscara de esqui preta parecia levemente empalidecida.

— Então vocês levam todos os reféns — continuou Dortmunder. — Todos entram no ônibus, e um de vocês dirige, levando-os para algum lugar muito movimentado, como a Times Square, por exemplo, depois vocês param e fazem todos os reféns saltarem e saírem correndo.

— É? — questionou o ladrão. — E que bem isso vai nos fazer?

— Bem — disse Dortmunder. — Vocês deixam para trás as máscaras de esqui, as jaquetas de couro e as armas, e também saem correndo. Vinte, trinta pessoas saindo correndo do ônibus em todas as direções, no meio da Times Square, na hora do rush, todos desaparecem na multidão. Pode funcionar.

— Nossa, pode mesmo — disse o ladrão. — Certo, vá em frente e... O quê?

— O quê? — ecoou Dortmunder.

Ele se esforçou para olhar para a esquerda, além da coluna vertical do seu braço esquerdo. O líder dos ladrões estava em uma conversa agitada com um parceiro; não com o maníaco de olhos vermelhos, com outro. O líder dos ladrões balançou a cabeça e exclamou:

— Merda! — Depois olhou para Dortmunder. — Volte para dentro, Diddums — disse ele.

— Mas você não quer que eu...

— Volte para dentro!

— Ah — disse Dortmunder. — Hum, é melhor eu dizer a eles que vou me mexer.

— Ande logo — disse o ladrão a ele. — Não brinque comigo, Diddums. Estou de mau humor agora.

— Está bem. — Virando a cabeça para o outro lado, odiando o fato de suas costas ficarem voltadas para o ladrão mal-humorado ainda que apenas por um segundo, Dortmunder gritou: — Eles querem que eu entre de volta no banco agora. Só por um minuto.

Com as mãos ainda erguidas, esgueirou-se lentamente de lado pela calçada e passou pela porta aberta, onde os ladrões o agarraram e o arrastaram para o interior do banco.

Ele quase perdeu o equilíbrio, mas se salvou ao se apoiar no vaso caído de lado do ficus. Quando se virou, todos os cinco ladrões estavam enfileirados, olhando para ele com expressões intensas, concentradas, quase famintas, feito uma fila de gatos encarando a vitrine de uma peixaria.

— Hum — disse Dortmunder.

— Ele é o único agora — disse um dos ladrões.

Outro ladrão disse:

— Mas eles não sabem disso.

Um terceiro ladrão disse:

— Vão saber muito em breve.

— Eles vão saber quando ninguém entrar no ônibus — opinou o líder dos ladrões, e balançou a cabeça para Dortmunder. — Sinto muito, Diddums. Sua ideia não adianta mais.

Dortmunder precisava ficar lembrando a si mesmo que não era realmente um participante daquele roubo.

— Por que não? — perguntou ele.

Enojado, um dos outros ladrões respondeu:

— O resto dos reféns escapou, é isso.

Com os olhos arregalados, Dortmunder falou, sem pensar:

— O túnel!

De repente, o banco ficou muito silencioso. Os ladrões olhavam para ele agora como se fossem gatos olhando para um peixe sem uma vitrine no meio do caminho.

— O túnel? — repetiu lentamente o líder dos ladrões. — Você sabe sobre o túnel?

— Bem, mais ou menos — admitiu Dortmunder. — Quer dizer, os caras que o escavaram chegaram antes de vocês entrarem e me tirarem de lá.

— E você nunca o mencionou.

— Bem — disse Dortmunder, muito desconfortável —, achei que não deveria.

O maníaco de olhos vermelhos avançou rapidamente, brandindo de novo a metralhadora, gritando:

— Você é o cara do túnel! O túnel é seu!

E apontou o cano trêmulo da Uzi para o nariz de Dortmunder.

— Calma, calma — gritou o líder dos ladrões. — Este é nosso único refém, não o desperdice.

O maníaco de olhos vermelhos baixou a Uzi com relutância, mas se virou para os outros e disse:

— Ninguém vai se esquecer de quando atirei na central telefônica. Ninguém nunca vai se esquecer disso. Ele não estava aqui!

Todos os ladrões pensaram sobre aquilo. Enquanto isso, Dortmunder refletia sobre a própria posição. Ele poderia ser um refém, mas não era um refém comum, pois também era o cara que acabara de escavar um túnel até o cofre de um banco, e havia talvez trinta testemunhas oculares que poderiam identificá-lo. Portanto, não bastava se livrar daqueles ladrões de banco; ele também precisaria escapar dos policiais. Dos milhares de policiais.

Então isso significava que ele estava preso àqueles ladrõezinhos de segunda? Seu futuro realmente dependia de que eles escapassem daquele buraco? Má notícia, se fosse verdade. Por conta própria, aqueles caras não conseguiriam escapar nem de um carrossel.

Dortmunder suspirou.

— Certo — disse ele. — A primeira coisa que nós precisamos fazer é...

— Nós? — perguntou o líder dos ladrões. — Desde quando você está inserido nisso?

— Desde quando vocês decidiram me arrastar para cá — retrucou Dortmunder. — E a primeira coisa que nós precisamos fazer é...

O maníaco de olhos vermelhos saltou de novo na direção dele com a Uzi, gritando:

— Não nos diga o que fazer! Sabemos o que devemos fazer!

— Sou seu único refém — lembrou Dortmunder. — Não me desperdice. Além disso, agora que vi vocês em ação, sou sua única esperança de escapar daqui. Portanto, desta vez, me escutem. A primeira coisa que precisamos fazer é fechar e trancar a porta do cofre.

Um dos ladrões deu uma gargalhada de desdém.

— Os reféns fugiram — disse ele. — Não ouviu essa parte? Trancar a porta do cofre depois de os reféns terem fugido. Isso não é um ditado antigo?

E morreu de rir.

Dortmunder olhou para ele.

— É um túnel de mão dupla — avisou em voz baixa.

Os ladrões olharam para ele. Então todos deram meia-volta e correram para os fundos do banco. Todos correram.

"Eles ficam nervosos demais para este tipo de trabalho", pensou Dortmunder enquanto se apressava para a frente do banco. A porta do cofre fez *clang* muito atrás dele, e Dortmunder saiu pela porta quebrada e voltou para a calçada, lembrando-se de erguer os braços no alto ao sair.

— Oi! — gritou ele, enfiando a cabeça para fora, exibindo-a para que todos os atiradores dessem uma boa olhada. — Oi, sou eu de novo! Diddums! Galês!

— Diddums! — gritou uma voz furiosa das profundezas do banco. — Volte aqui!

Ah, não. Ignorando a voz, avançando constantemente, mas sem pânico, braços erguidos, rosto para a frente, olhos arregalados, Dortmunder atravessou a calçada seguindo para a esquerda, gritando:

— Estou saindo de novo! E estou fugindo!

Então baixou os braços, dobrou os cotovelos e correu desesperadamente na direção dos ônibus que bloqueavam o cruzamento.

Os disparos o estimularam. Uma rajada repentina atrás dele: *drrrrit, drrrit*, depois *cop-cop*, seguida por uma sinfonia de *fums* e *tug-tugs* e *pada-*

pous. Os dedos de Dortmunder, transformados em molas de aço de alta tensão, mantiveram-no pulando pelo ar feito o primeiro avião dos irmãos Wright, arremetendo e mergulhando para baixo pelo meio da rua, o paredão de ônibus aproximando-se cada vez mais.

— Aqui! Aqui dentro!

Policiais uniformizados apareceram nas duas calçadas, acenando para ele, oferecendo proteção na forma de portas abertas e viaturas de polícia atrás das quais ele poderia se agachar, mas Dortmunder estava fugindo. De tudo.

Os ônibus. Ele pulou, chocou-se com força contra o asfalto e rolou para baixo do ônibus mais próximo. Rolando, rolando, rolando, batendo a cabeça, os cotovelos, os joelhos, as orelhas, o nariz e muitas outras partes do corpo em vários objetos duros e sujos, depois já tinha passado pelo ônibus e estava de pé, cambaleando, encarando vários paramédicos de olhos arregalados esperando ao lado das ambulâncias, que apenas ficaram ali parados retribuindo seu olhar com um ar de espanto.

Dortmunder virou à esquerda. Paramédicos não o perseguiriam, afinal a franquia deles não incluía corpos saudáveis correndo pela rua. Os policiais não o perseguiriam até que tivessem tirado os ônibus do caminho. Dortmunder decolou como o último dodô, batendo os braços, desejando saber voar.

A sapataria desativada, a outra extremidade do túnel, passou à esquerda. O carro de fuga que tinham estacionado diante dela sumira há muito tempo, é claro. Dortmunder continuou correndo sem parar.

Três quarteirões depois, um táxi cigano* cometeu um crime ao pegá-lo, apesar de não ter avisado primeiro à central; na cidade de Nova York, somente táxis licenciados com medalhão têm permissão para aceitar os clientes que os chamam na rua. Dortmunder, arfando como um são-bernardo no banco de trás encaroçado, resolveu não denunciar o sujeito.

May, sua fiel companheira, veio da sala de estar quando Dortmunder abriu a porta do apartamento e entrou no saguão.

— Aí está você! — disse ela. — Graças a Deus. Está em todas as estações de rádio e na televisão.

---

* Táxis que só têm licença para pegar passageiros que solicitem a viagem por telefone; não têm permissão para pegar passageiros nas ruas. (N. do T.)

— Pode ser que eu nunca mais saia de casa — disse Dortmunder a ela. — E se Andy Kelp ligar algum dia dizendo que tem um trabalho incrível, fácil, moleza, vou dizer a ele que me aposentei.

— Andy está aqui — avisou May. — Na sala de estar. Quer uma cerveja?

— Quero — respondeu Dortmunder.

May foi para a cozinha e Dortmunder mancou até a sala de estar, onde Kelp estava sentado no sofá, parecendo feliz. Na mesa de centro diante dele havia uma montanha de dinheiro.

Dortmunder olhou para o dinheiro.

— O que é isso?

Kelp sorriu e balançou a cabeça.

— Faz muito tempo desde a última vez em que nos demos bem, John — disse ele. — Você nem reconhece mais isso. É dinheiro.

— Mas... Do cofre? Como?

— Depois que você foi levado por aqueles outros caras... Eles foram capturados, aliás. — Kelp parou de falar. — E isso aconteceu sem nenhuma baixa... De todo modo, eu disse a todos que estavam no cofre que a melhor maneira de manter o dinheiro protegido dos ladrões era levá-lo conosco. E foi o que fizemos. Então decidi que deveríamos guardar tudo no porta-malas da minha viatura sem identificação diante da sapataria para que eu pudesse levá-lo até a delegacia e mantê-lo em segurança enquanto todos poderiam ir para casa descansar depois daquele suplício.

Dortmunder olhou para o amigo.

— Você fez os reféns levarem o dinheiro do cofre.

— E colocá-lo no nosso carro — completou Kelp. — Sim, foi o que eu fiz.

May entrou na sala e entregou uma cerveja a Dortmunder. Ele tomou vários goles. Em seguida, Kelp disse:

— Estão procurando você, é claro. Mas com aquele outro nome.

— Esta é a única coisa que não entendo. Diddums? — questionou May.

— É galês — disse Dortmunder a ela. Depois sorriu para a montanha de dinheiro na mesa de centro. — Não é um nome ruim — decidiu. — Talvez eu fique com ele.

AGRADECIMENTOS DE PERMISSÕES

Lawrence Block. "The Ehrengraf Experience" de Lawrence Block, copyright © 1978 by Lawrence Block. Publicado originalmente na *Ellery Queen's Mystery Magazine* (Agosto de 1978). Reimpresso sob permissão do autor.

Lawrence Block. "Like a Thief in the Night" de Lawrence Block, copyright © 1983 by Lawrence Block. Publicado originalmente na *Cosmopolitan* (Maio de 1983). Reimpresso sob permissão do autor.

Everett Rhodes Castle.."The Colonel Gives a Party" de Everett Rhodes Castle, copyright © 1943 by Everett Rhodes Castle. Renovado. Publicado originalmente no *The Saturday Evening Post* (8 de maio de 1943). Reimpresso sob permissão de Christopher G. Castle em nome do espólio de Everett Rhodes Castle.

Leslie Charteris. "The Damsel in Distress" de Leslie Charteris, copyright © 2014 Interfund (Londres). Trecho de *The Saint Intervenes* (também conhecido como *Boodle*), de Leslie Charteris, reimpresso sob um acordo de licenciamento originado pela Amazon Publishing, www.apub.com.

Max Allan Collins. "Quarry's Luck" de Max Allan Collins, copyright © 1994 by Max Allan Collins. Publicado oriinalmente em *Blue Motel* (White Wolf, 1994). Reimpresso sob permissão do autor.

Richard Connell. "The Most Dangerous Game" de Richard Connell, copyright © 1924 by Richard Connell; copyright renovado © 1952 by Louise Fox Connell. Utilizado sob permissão da Brandt & Hochman Literary Agents, Inc. Todos os direitos reservados.

Bradley Denton. "Blackburn Sins" de Bradley Denton, copyright © 1993 by Bradley Denton. Publicado originalmente em *Blackburn* (St. Martin's, 1993). Reimpresso sob permissão do autor.

George Fielding Eliot. "The Copper Bowl" de George Fielding Eliot, copyright © 1928 by *Weird Tales*. Renovado. Publicado originalmente na *Weird Tales* (Dezembro de 1928). Reimpresso sob permissão da Weird Tales, Ltd.

Paul Ernst. "Horror Insured" de Paul Ernst, copyright © 1936 by *Weird Tales*. Renovado. Publicado originalmente na *Weird Tales* (Janeiro de 1936). Reimpresso sob permissão da Weird Tales, Ltd.

Loren D. Estleman. "The Black Spot" de Loren D. Estleman, copyright © 2015 by Loren D. Estleman. Publicado originalmente na *Ellery Queen's Mystery Magazine* (Março/Abril de 2015). Reimpresso sob permissão do autor.

Robert L. Fish. "Sweet Music" de Robert L. Fish, copyright © 1967 by Robert L. Fish. Publicado originalmente em *The Hochmann Miniatures* (New American Library, 1967). Reimpresso sob permissão da MysteriousPress.com.

Erle Stanley Gardner. "The Kid Stacks a Deck" de Erle Stanley Gardner, copyright © 1932 by Erle Stanley Gardner; copyright renovado © 1959 por Erle Stanley Gardner. Publicado originalmente na *Detective Fiction Weekly* (28 de março de 1932). Reimpresso sob permissão da Queen Literary Agency, Inc., em nome de Erle Stanley Gardner Trust.

Erle Stanley Gardner. "The Racket Buster" de Erle Stanley Gardner, copyright © 1930 by Erle Stanley Gardner; copyright renovado © 1957 by Erle Stanley Gardner. Publicado originalmente na *Gang World* (Novembro de 1930). Reimpresso sob permissão da Queen Literary Agency, Inc., em nome do Erle Stanley Gardner Trust.

Edward D. Hoch. "The Theft from the Empty Room" de Edward D. Hoch, copyright © 1972 by Edward D. Hoch. Publicado originalmente na *Ellery Queen's Mystery Magazine* (Setembro de 1972). Reimpresso sob permissão de Patricia M. Hoch.

William Irish. "After-Dinner Story" de Cornell Woolrich escrevendo como William Irish, copyright © 1938 by Cornell Woolrich; © 1966 by Claire Woolrich Memorial Scholarship Fund. Reimpresso sob permissão do JP Morgan Chase Bank como consignatário do Claire Woolrich Memorial Scholarship Fund.

Gerald Kersh. "Karmesin and the Big Flea" de Gerald Kersh, copyright © 1938 by Gerald Kersh. Publicado originalmente em *Courier* (Inverno 1938/1939). Reimpresso sob permissão da New World Publishing.

R. T. Lawton. "Boudin Noir" de R. T. Lawton, copyright © 2009 by R.T. Lawton. Publicado originalmente na *Alfred Hitchcock's Mystery Magazine* (Dezembro de 2009). Reimpresso sob permissão do autor.

Stephen Marlowe. "The Shill" de Stephen Marlowe, copyright © 1958 by Stephen Marlowe. Publicado originalmente em *A Choice of Murders*, editado por Dorothy Salisbury Davis (Scribner, 1958). Reimpresso sob permissão de Ann Marlowe.

Frank McAuliffe. "The Dr. Sherrock Commission" de Frank McAuliffe, copyright © 1965 by Frank McAuliffe. Publicado originalmente em *Of All the Bloody Cheek* (Ballantine, 1965). Reimpresso sob permissão de Liz Gollen em nome do espólio de Frank McAuliffe.

C.S. Montanye. "A Shock for the Countess" de C.S. Montanye, copyright © 2016 by Steeger Properties, LLC. Publicado originalmente na *Black Mask* (15 de março de 1923). Reimpresso sob permissão da Steeger Properties, LLC. Todos os direitos reservados.

David Morrell. "The Partnership" de David Morrell, copyright © 1981 by David Morrell. Publicado originalmente na *Alfred Hitchcock's Mystery Magazine* (27 de maio de 1981). Reimpresso sob permissão do autor.

Q. Patrick. "Portrait of a Murderer" de Q. Patrick, copyright © 1942 by Q. Patrick; copyright renovado © 1961. Publicado originalmente na *Harper's Magazine* (Abril de 1942). Reimpresso sob permissão da Curtis Brown, Ltd.

Jas. R. Petrin. "Car Trouble" de Jas. R. Petrin, copyright © 2007 by James Robert Petrin. Publicado originalmente na *Alfred Hitchcock's Mystery Magazine* (Dezembro de 2007). Reimpresso sob permissão do autor.

Eugene Thomas. "The Adventure of the Voodoo Moon" de Eugene Thomas, copyright © 2016 by Steeger Properties, LLC. Publicado originalmente na *Detective Fiction Weekly* (1º de fevereiro de 1936). Reimpresso sob permissão da Steeger Properties, LLC. Todos os direitos reservados.

Donald E. Westlake. "Too Many Crooks" de Donald E. Westlake, copyright © 1989 by Donald E. Westlake. Publicado originalmente na *Playboy* (Agosto de 1989). Reimpresso sob permissão da Einstein Literary Management em nome do espólio de Donald E. Westlake.

Direção editorial
Daniele Cajueiro

Editor responsável
Hugo Langone

Produção editorial
Adriana Torres
Pedro Staite

Revisão
André Marinho
Carolina Rodrigues
Carolina Vaz
Rachel Rimas

Revisão de tradução
Eduardo Rosal
Guilherme Bernardo
Nina Lopes
Thais Entriel

Capa
Rafael Nobre

Diagramação
Futura

Este livro foi impresso em 2018
para a Nova Fronteira.

BOURBON
ALC. 47°